永遠の都

6

炎都

加賀乙彦

新潮社

永遠の都　6　炎都　目次

第三部　炎都

装画　司　修
装幀　新潮社装幀室

永遠の都　6　炎都

『永遠の都6』主要登場人物（時代は昭和20年、年齢は数え年）

小暮悠次…生命保険会社員
初江…悠次の妻、時田利平の長女、37歳
悠太…小暮家の長男、17歳
駿次…次男、15歳
研三…三男、13歳
央子…長女、10歳
時田利平…元海軍軍医、時田病院院長、70歳
菊江…利平の先妻、昭和11年死去
いと…利平の後妻、元看護婦
史郎…時田家の長男、会社員、妻薫
間島キヨ…利平の昔の愛人、元看護婦
五郎…キヨの息子、大工、29歳
上野平吉…利平の先々妻との子、時田病院事務員

菊池 透…八丈島の漁師勇の次男、クリスチャン、34歳
夏江…透の妻、利平の次女、時田病院事務長、30歳
脇 礼助…政治家、昭和7年死去
美津…礼助の妻、小暮悠次の異母姉
敬助…脇家の長男、陸軍参謀、妻百合子、長女美枝
晋助…次男、28歳
風間振一郎…政治家、石炭統制会理事
藤江…振一郎の妻、時田菊江の妹
大河内松子…振一郎の双子の次女、夫の秀雄は父の秘書
速水梅子…振一郎の双子の三女、夫の正蔵は建築家
野本桜子…振一郎の四女、夫の武太郎は造船会社社長
富士千束…ピアニスト、悠太の幼なじみ

他に、外科医の唐山竜斎、西山副院長、菊池勇一家、ジョー・ウィリアムズ神父

第三部　炎都

第六章　炎都

1

三月初めの土曜日であった。きのうはすっかり春めいて温かく、二月下旬に降った雪もあらかた融《と》けたと喜んでいたら、今朝はまた冷え込んで、意地の悪い冬がせせら笑っているようだ。庭一面に霜柱《しもばしら》が立ち、防火用水池に氷が張っている。門前の防火用水槽《すいそう》が気になって出て見ると、果して分厚く凍り付いている。初江《はつえ》は枯れ枝で叩《たた》いてみたが、びくともしない。何か得物はないかと捜すと、八つ手の根元に大きな石があった。直径五寸、あれを投げ込んでやろうと思った所に、声を掛けられた。隣家の落語家であった。つるりとした禿《は》げ頭を撫《な》でながら、「よろしかったら」と、金槌《かなづち》を差し出した。「ありがとうございます」と受け取って、氷を割ってみると具合がよろしい。落語家は氷の破片を歩道に投げ落してくれた。

「あっしもね、防火用水が凍ってるんじゃねえかと、出てきたところでさあ。桃の節句てえのに、さぶいねえ」

「本当に……」今日が桃の節句であることなど全く忘れていた。

「そもそも、防火用水を門の前に置くてえのは意味ねえですな。警察が見回るには調法でしょうが、いざってえ時には、ここまで飛び出さにゃならねえ。遠くて間に合いませんや。うちは本当の防火用水はちゃんと庭に作ってんでさあ」

「あら、うちもでございますわよ」

「知らぬは警察ばかりなり」

初江は微笑した。この落語家は、隣組の常会でも平気で警察や憲兵の悪口を言う。もっとも、悪口なのか駄洒落《だじゃれ》なのか、有名な師匠の言葉なので、どこかおかしく、みんな笑ってすんでしまう。以前は内弟子を大勢抱えていて、賑《にぎ》やかだったが、この頃《ごろ》は、細君と二人暮らしで、薪割《まきわ》り、掃除、氷割りと、師匠が自分でやっている。

「今日は、敵さん来ねえでほしいですな。こうさぶくちゃ、防空壕《ぼうくうごう》に入りたくねえ」

「この数日、不思議に来ませんね」

「だからあぶねえ。ああ桑原桑原」師匠は綿入れの肩をすぼめて、去った。

家の中は冷えきっている。大急ぎで茶の間の炬燵《こたつ》に火を入れ、朝飯の用意をした。芋粥《いもがゆ》に納豆の粗末なものだ。悠次《ゆうじ》と駿次《しゅんじ》を呼んで侘《わび》しい食卓を囲む。新聞を置いて悠次が溜息《ためいき》をついた。

「やれやれ、硫黄島もいよいよ玉砕になる戦況だな。サイパンが占領されただけで、この有様だ。もしも硫黄島に飛行場ができたら大変だ」

「この辺りはいつでしょうかね」

「それがわかれば苦労しねえ」悠次は苦笑すると、ふと思い出したかのように言った。「ねえさんたちが来るのは今日だったたな」

「はい……」初江は思わず渋い顔をしてしまった。そう、夕方、脇《わき》の一家、美津《みつ》と敬助《けいすけ》夫妻と美枝《みえ》が訪ねて来る。逗子《ずし》を引き払って金沢に疎開《そかい》する途中、一泊させてほしいと美津が悠次に葉書を寄越《よこ》したのだ。「この際だ。泊めてやろう」と、夫はいとも簡単に言い、初江の脹《ふく》れ面《つら》を無視して、承諾の返事を出してしまった。

美津は、小姑《こじゅうと》として何かと初江のやり方に干渉してきた。悠太《ゆうた》に陸軍幼年学校を受験させたのも美津の差し金であった。祖父利平《りへい》の影響で海軍軍人になりたいと言っていた悠太を、敬助を使者として差し向け、陸軍幼年学校出身者が今の日本を動かしているようなことを吹き込み、とうとう受験を決心させた。が、どこか受験の動機に無理が掛かっていたのであろう、中学一年生の時は落ちてしまった。すると美津は、小田急沿線の幼年学校専門の進学塾を強力に推薦し、その甲斐《かい》あってか、中学二年生で合格すると、まるですべて塾のお蔭《かげ》で事が成就《じょうじゅ》したように言い触らし、悠太自身の能力や二年間にわたる母親の辛労など、全く無視した態度であった。逗子に疎開する際、別れを告げに来て、仕事上東京に残留せざるをえない悠次に向い、「隣の家だけは、何としても焼けないように護《まも》ってよ。あそこにはわたしの幼年時代の思い出が詰まっているんだからね」と言ったのも、随分自分勝手な言いようであった。どうしようもない。初江は美津を思うと、そういう不愉快な言動ばかりが念頭に浮かぶのだった。

去年の五月に脇一家が逗子に疎開してから、美津に対する拘《こだわ》りをしばしの間忘れていた。ところが、悠次との会話に、美津が登場しだしたのは最近で、米軍が東京攻略の際の上陸地点として、横須賀または鎌倉、逗子が想定されていると聞いた美津があわて始め、どこか〝奥地〟へ、出来れば裏日本へ、とすれば、親戚《しんせき》の多い金沢への疎開を考えているというのだった。

今も悠次は、「どうだろう、お前も子供たちを連れて金沢に疎開したら」となにげないように言った。しかしなにげないようでそのじつ、熟考した内容の話だった。

今般金沢に疎開する美津に頼んで、向うに家を探してもらい、初江と子供たち四人が一緒に疎開したらどうか。この四月、駿次は都立第六中学校の二年生になるから、報国隊に編成されて工場通いをせねばならず、研三《けんぞう》を東京に連れ戻して六中を受験させて合格したところで、東京は空襲の激化で勉学などできる環境にはないだろう。央子《おうこ》のような幼い子をいつまでも他人に預けておくのも可哀相《かわいそう》だ。聞き終って初江は眉《まゆ》を顰《ひそ》めた。ともかく美津のそばに行くのは気が進まない。

「金沢も安全とは言えませんでしょう。この頃地方の都市にも空襲が開始されていますし」

「この前、敬助参謀が会社に来て言ってたんだが、敵は、京都、奈良、金沢、倉敷の四つには爆撃を加えん方針らしい。歴史建造物が多いという理由によるらしい」

「らしい……推測でしょう」

「いや、かなり確かな情報だ」

「子供たちの意志も聞いて見る必要がありますわ。金沢の中学だって勤労動員されるのは同じですし、央子のヴァイオリンだって軽井沢のほうが有利ですし、研三だって金沢の学校より東京の、兄さんたちと同じ学校へ行きたがるでしょうし……」

「しかし、お前と子供たちは、東京を離れたほうが安全だ。硫黄島の皇軍はいずれは玉砕だろう。あそこに敵が飛行場を作ったら、東京まで千キロ、B29ならひとっ飛びだ」

「駿次はどう思うの」と初江は息子の意見を徴した。

「東京は危険だよ。金沢のほうが、東京よりは危険が少ないんじゃない」

「あなたが金沢支店に転勤になれば、わたしも心丈夫なんですけど」

「そうもいかん。本店は極度の人手不足で、空襲による保険金の支払いでてんてこ舞いだ」

「どうしたらいいんですかねえ」初江が煮え切らぬ返事をしている間に悠次は玄関に行った。国民服に戦闘帽、編上靴《あみあげぐつ》にゲートルを巻いて、将校用の革鞄《かわかばん》を肩からさげ、鉄兜《てつかぶと》を背負う。急ぎ足に外へ出て、振り返った。

「まあ、よく考えておけよ」

「はい」格子戸《こうしど》が閉ったあとも、初江は頭を下げたまま、何となく体の力が抜けたようになり、冷えた床に俯《うつぶ》していた。

昨年十一月二十四日に始まった空襲は、十二月になって頻繁《ひんぱん》となり、昼夜を分たず飛来しては、各所に爆弾や焼夷弾《しょういだん》を投下して行った。幸いまだこの西大久保界隈《かいわい》には被害は出ていないが、周囲に真っ黒な焼け跡が拡《ひろ》がっていき、被災者が哀れな恰好《かっこう》で群れている光景は気持のいいものではない。空の底を引っ搔《か》くようなB29の爆音、やけっぱちな高射砲の音、至近弾の腹に響く不気味な音、警報のたびに、湿って冷たい防空壕に待避(退避という言葉は退却を連想するからと嫌《きら》われた）する面倒、夜間の来襲に備えて昼の服装のままの就寝にも馴《な》れた。次第に図太くなり、一機二機の空襲では待避せず、小型機の銃撃の場合は自分たちが目標でないと知ると平気で見物するようになったけれども。

一月の初めには何もなく、敵も正月休みかと思ううち、九日から再開され、二十七日は都心部が被爆して、東京駅も有楽町駅も炎上し、銀座四丁目から丸の内にかけて瓦礫《がれき》の山となった。二月になると六十年来と言われる厳寒となり、雪が多く、敵機の来襲はますます頻繁になり、十六日には、延べ千機以上という艦載機の大群が、悠次の言種《いいぐさ》では「あきれるくらいの大袈裟《おおげさ》な攻撃」を繰り返した。まさにその日、敵は硫黄島に三十隻《せき》の機動部隊で艦砲射撃を仕掛けてきた。神風特攻隊が悲壮な攻撃で敵の数隻を撃沈したが、味方はじりじりと侵食されている模様だった。二十五日は吹雪の中の大空襲で、神田、両国、上野、浅草、亀戸《かめいど》の広い範囲に火災が起った。厚い雲の上からの盲爆で、豊富な物量を誇るかのように、爆弾焼夷弾をふんだんにばら撒《ま》いた。まだまだ先は長く、敵が帝都全体の壊滅を目論《もくろ》んでいるのは明らか、やがては西大久保も三田《みた》もB29の餌食《えじき》になるのは目に見えている。

こんな帝都にいるより疎開したほうが安全だとは思うし、荷物を少しずつ、金沢の親戚と今市《いまいち》のときやの家に送ってはいるのだが、肝心の疎開地をどこにするか、まだ決心が着かないのだった。

寒さに押し退《の》けられた感じで、初江はふらふらと起き上がったが、掃除洗濯《せんたく》の家事に手を出す気がせず、茶の間へ行き、子供たちから来た手紙の束を炬燵の上に持ち出した。

まずは、名古屋陸軍幼年学校にいる悠太のだ。生徒監山岡少佐の検閲済の判子が押してある。

「幼年学校生徒もいよいよ兵籍に入ることになりました。兵長つまり伍長《ごちやう》の下の位であります。つきましては兵籍の名簿編纂《へんさん》のため戸籍謄本《とうほん》が必要でありますから、山岡生徒監殿宛《あて》に御送り下さい」「早朝四時起きて寒稽古《かんげいこ》に励み醜敵撃滅精神を涵養《かんやう》してをります」「伊吹颪《いぶきおろし》凜《りん》冽《れつ》にて凍傷になり剣術の籠手《こて》が嵌《は》められず寒稽古を休む羽目となり残念であります」

十二月十日

毎日伊吹颪の洗礼にてよき鍛練であります。冬中上衣《うはぎ》一枚襦袢《じゆばん》一枚で過すのは激寒の地に聖戦完遂の皇軍将士を思へば何ともありません。

本年は冬期休暇は廃され家には帰らぬことになりました。兵籍にあるものが総力戦に邁進《まいしん》せる輸送関係を乱すは申訳無しと言ふ趣旨であります。

校内自活訓練にて作りし野菜も概《おほむ》ね収穫を終へました。まだ大根が長い首を土の上に出してはをりますが。

一月二日

元旦《ぐわんたん》早朝非常呼集、野外に出て野試合を行ひ、汗だくであばれ、駆け足で帰舎、完全武装にて観武台（幼年学校にある丘の名）上に整列して宮城遥拝《えうはい》。折りから降りしきる初雪に全員純白に変身し、荘厳の気に一同打たれました。

一月五日

三日には名古屋に空襲があり名古屋駅の周辺に若干の被害があつた模様であります。空襲のため外出区域外外出、臨時外出、上官殿の私宅訪問、飯盒炊事《はんがふ》が禁止されました。日曜日は空襲あつても徒歩で帰校できる近距離のみの外出が許可されるといふ意味であります。

一月十九日

起床と同時に素裸になり約五分間冷水摩擦をやります。その後運動場にて点呼を取ります。点呼後上半身裸体にて運動場一周、風の強い日は相当寒気を覚えます。朝自習室を水雑巾《みづざふきん》で拭《ふ》くと朝食後は凍つてツルツルになります。足と手の凍傷が鱈子《たらこ》のやうでありますが、将校生徒の意気に燃え士気極めて旺盛《わうせい》であります。

敵機は五日おきにやつて来ます。午前中来襲名古屋上空に高射砲の弾幕を見ました。昨日鳥居松の陸軍工廠《こうしやう》を見学しました。増産に励むのは、己《おのれ》と同年の中学生女学生にて皆学業を去り油塗《あぶらまみ》れで働く様に感動し省みて己の将校生徒としての恵まれた環境と責務とを覚えました。

その通りだと初江は思う。今の中学生は勤労動員で大変だ。六中でも二三四年生は報国隊として勤労動員され、悠太のかつての同級生は明電舎《めいでんしや》の工場で毎日働かされている。幼年学校は特権階級なのだ。どこの親も男の子を争って軍の学校（陸軍幼年学校、陸軍士官学校、海軍兵学校の三つが有名校だ）に入れたがるのは宜《むべ》なるかな。

しかし、悠太の勇ましい文面の裏に、初江は、生徒監の検閲を意識した、背伸びした姿勢を透かし見てしまう。あの子の日記をこっそり読んで、その嘘《うそ》を発見した時の驚きと憐《あわ》れみを痛いように思い出す。

中学一年生の駿次は一応学校に残って、授業も受けている。兄を見習い幼年学校への進学を勧めた。しかし、悠太と違って、生来のんびり屋で、勉強よりも運動が好きな子で、悠太が中学二年終了で合格したのだから自分もそうしたいと言う逃げ口上、そのうち海兵《かいへい》（海軍兵学校）を受けたいと言い出し、空襲が始まってからは、授業は中断されるし、家が学校に近いため、防空員にされて放課後は警報が鳴るたびに学校に駆け付けねばならなかった。そうこうしているうち、この四月からは、いよいよ勤労動員に出なくてはならない。

ところで、悠太は軍人の学校にいるのだから、喰《く》いっぱぐれはない。央子は野本《のもと》の別荘にいて食べ物の心配はない。草津の研三が、どうも飢えているようだ。そう告白はしていないが、日記替わりに書いてくる葉書に、空腹の記述が多いのだ。

十二月十五日金曜日

今朝おきてみたら雪が十一、二糎《センチ》積つてゐた。午前中先生にご用があつて自習した。午後は神風特別攻撃隊精神高揚疎開学童激励大会が草津劇場で行はれた。お国のために死んで行つた兵隊さんはえらい。僕達もお腹《なか》がすくぐらゐはがまんしなくてはと思つた。

十二月十六日土曜日

午前中まきはこびをした。山の中からみんな一本づつ持つてきた。しもやけがくづれて痛かつた。夕食は草津へ来てはじめてのてんぷらでとてもおいしかつた。

十二月十九日火曜日

寒くなつた。部屋の温度が零下四度乃至《ないし》六度で授業中手がかじかんでノートがよく書けない。外は零下十二、三度だらうと先生がおつしやつた。土地の子供達はスキー場で盛んにそり遊びをしてゐるけど、僕達はそりがないので見てゐるだけだつた。父兄が五人いらつしやつて、僕に飴《あめ》を一粒くださつた。甘くつておいしかつた。

十二月三十一日日曜日

午後は五六年男女が勤労奉仕で、湯畑《ゆばたけ》前に整列、雪の中を山に入り往復二里歩いて炭を運んだ。帰つて来たら、玄関前で餅《もち》つきをしてゐて、つきたての餅を少しづついただいた。とてもおいしかつた。

元旦

朝食はおざふにで小さいけれどお餅が三つ入つてゐて嬉《うれ》しかつた。午後白根神社に初詣《はつまう》でした。

一月七日日曜日

書き初め。僕は級長なので、S君と文房具屋に半紙を買ひに行つたが無いのでわら半紙を買つてきた。墨をすらうとしたら、すずりの水が凍つてゐた。三年「勝つまで疎開《そかい》だ」四年「草津に決戦の新春を迎ふ」五年「怒れ浅間錬《ね》れ闘魂」六年「疎開の宿舎に士魂を錬る」

一月十一日木曜日

朝から吹雪で寒い。授業をやめて朝風呂《あさぶろ》だと先生がおつしやつたのでみんな大喜びで入つたが、僕は体中に吹き出物が出来てゐて、寒い時の温泉はとてもしみるので閉口した。

一月十四日日曜日

学校でスキーを借りたので、みんなでスキーを習つた。草津は有名なスキー場ださうだが、決戦なので滑つてゐるのは土地の子と疎開児童だけだ。スキーは面白いけれどお腹がへつてすぐへばる。土地の子は栄養がいいので何回も登つては滑つてゐたが僕たちは二回でやめた。

一月二十一日日曜日

午前十時兵隊送りに行つた。兵隊さんは二人で、一人に白髪があつたので、B君がなんだ年寄りだと言つたら先生にひどくたたかれた。電車がおくれたので雪の駅に一時間ゐて寒かつた。万歳をあまりやりすぎたので、みんな声が出なくなつた。

一月二十五日木曜日

大雪で玄関の戸があかないので五六年男子が雪掻きをした。二時間ほどはたらいて、しばらくしたら、又あかない。二階の窓から出入りすることに決まつた。はたらいたためお腹が空《す》いたので、みんなお湯を沢山飲んだ。

二月二十五日日曜日

吹雪で寒い。みかんも赤チンもこほつてゐる。六畳二間に十四人がねてゐるのでねてゐるあひだは温かいけど、おきると寒い。何もすることがないので、みんなは「動物合せ」や「乗物合せ」をしてゐる。僕は六中受験の勉強をしたが、まはりがうるさいのであまり進まなかつた。

研三の〝葉書日記〟を読むと胸が痛む。吹き出物について先生に問い合わせたところ、虱《しらみ》で痒《かゆ》い皮膚を、潔癖な研三が徹底的に物差しで掻いたため、背中と腹に沢山の出来物が生じたという。利平の留守を預かっていた西山副院長に聞くと、栄養が悪いためと草津の硫黄泉の刺戟《しげき》とが重なったせいで、〝完皮膏《かんぷこう》〟の塗布以外の方法はないという。大急ぎで膏薬を送ったけれども、どうやら効果はなかったらしい。問題の根は、虱が発生するような衛生状態と不足がちの栄養にあると見当は付いたが、集団生活の中で研三一人だけを特別扱いしてもらう訳にはいかなかった。

ところが、去年の暮に解決の糸口は与えられたのだ。大久保国民学校の児童が宿泊している草津町N旅館の主人Nが突然訪ねて来て、悠次の前で畳に額を擦《す》りつけ、後生でございますから金を貸してくださいませと言ったのである。聞けば、N旅館は草津有数の温泉宿であったのが、昭和十六年に火事で全焼し、一応小旅館として復興はしたものの、Nは経営に嫌《いや》気《き》が差し、賭博《とばく》狂いと芸者通いでなおも家産を傾け、とうとう一万坪の土地も手放し、温泉権まで抵当に入って、一時は宿に温泉が来ない騒ぎにまでなった。その窮地を救ったのが学童集団疎開で、国の補助金で定収入は確保できたし、配給も潤沢《じゅんたく》に来るようになって息をつけた。ところがそれを見た債権者たちが、ますます急に借金の返済を迫り、今回は思い余って、申し訳ないとは思いながら、大久保国民学校の児童の父兄のうち、裕福と見られる小暮様におすがりに来た、もし金を貸していただけるならば、お預かりしている研三君の身辺の面倒はとことん見させていただきますという。

話を聞き終って、悠次と初江は顔を見合せ、別室で協議した。ともかく随分虫のいい話で、しかもこちらの弱みに付け込むようなところは嫌みである。悠次は断然断ると言ったが、初江は、研三が皮膚病に悩み、栄養不良で弱っている現状を改善するためには、宿の主人の力を借りねばならず、少しでもいいから金を貸してやり、時々こっそりと研三に栄養をつけてやるのが上分別と、説いた。結局、先方の申し出た金額の二割を貸してやり、さらに研三の食費として月五十円を別送するからご配慮を請《こ》うと、こちらが頭をさげた。ところが二週間ほどして、Nから封書が来た。

謹啓前略御免下さい先日は突然参上致しまして種々御多忙中御配慮に預り誠に申訳之《これな》無く厚く御礼申上升《ます》さて御送金の分にて牛肉購買し一夜密《ひそ》かに研三君に焼肉を饗応《きやうおう》致しました所かかる依怙《えこ》贔屓《ひいき》は絶対に受けぬと御立腹遂《つひ》に御食べに成ませぬ御父上より特別の送金ありと御説明るる致しましたが御聞入無く別夜我家の夜食の体にて豚汁を饗応致しました所今回も全くの御拒否にて若《も》し豚汁を全校生徒に出すならば食べるとの仰せで有升《あります》猶《なほ》三度我

家の夕食に御招待しても御受になりませずほとほと困惑致居り候《さうらふ》が本音ですかかる上は御送金無駄《むだ》に相成升から近日中御返送申上る覚悟ですさもなくば私研三君の分として御預致して金庫に仕舞つて置き升私としては絶対に御受取り致しませんから今後御送金に成ましても全《すべ》て研三君の分として金庫に保管致し升ので御安心下さい右取敢《とりあへ》ず御礼旁々《かたがた》御一報申上升御家内様に宜《よろ》しく申上升匆々《そうそう》

この封書を読んで、悠次と初江は、旅館主は厚かましい遊び人ではあるが悪人ではないと笑ってしまい、研三の剛直の前で恥じもしたのである。この三月末で国民学校を卒業する研三がもし、都立第六中学校を受験するならば、そろそろ東京に連れ戻さねばならないが、本人の意志も確かめねばならず、一度草津を訪れたいと初江は思っている。
男の子がそれぞれに困難や悩みを抱えているのに、軽井沢の野本家にいる央子だけは、すこぶる伸び伸びとした毎日を送っているらしい。

おかあさん元気ですか。オツコはとつてもとつても元気よ。ヘラとすつかりなかよし。ヘラとはフランスごではなすの。ヘラとママはフランスごではなしてヘラとパパはドイツごではなすんですつて。をかしなうちでせう。ヘラのママにフランスごとピアノをならつてる。フランスごはヘラにかなはないけどピアノはもうすぐおひつきさうよ。でもビオロンのほうがすき。ピアノはさうぢやないけどもねビオロンてさおこつたりわらつたりするのがかはいいの。

ゆきがつもつてほんとのクリスマスツリーがたくさんあつてかぜがソプラノでうたふのよ。タイナーせんせいんちでクリスマスしたの。ブツシユケーキをたべて、オツコとヘラのママがモツアルトをがつそうして、さくらばんちやんとタイナーせんせいがシユベルトをがつそうして、おきやくがいつぱいゐてドイツもニホンもまけるつてフランスごでいつてたよ。

おかあさんいちどかるゐざはにいらつしやい。さくらばんちやんとこにチヨコレートがあるのよ。


〝ドイツも日本も負ける〟で、初江はどきんとした。どんな人々がそんな会話をしていたのか。警察と特高と憲兵と隣組とで、いつも聞耳《ききみみ》を立てられ、節穴《ふしあな》から覗《のぞ》かれているような明け暮れを送っている東京の庶民には考えられない別世界に央子はいるらしい。央子の実の父親である脇晋助《しんすけ》も、やはりこれに類した、どきんとするような言葉を漏らす人であった。そうして、どきんとした先には、抗《あらが》いようのない真実が姿を見せている。ヨーロッパの全戦線でナチスは敗北を重ね、ミイトキーナ、サイパン、レイテで皇軍は玉砕し、今や大空襲によって帝都は灰燼《かいじん》に帰しつつある。もっともこれは、最近の悠次の意見でもある。彼は日本が負けるとは言わない。東京に米軍が上陸し、関東地方はレイテなみの激戦地になると言うのだ。

ところで今日は桃の節句。去年は雛《ひな》人形を飾って祝ってやったのに、今年はそれもできない。何と淋《さび》しいこと……。

子供たちの手紙など読んでいないで何かしなくてはならぬ。その何かは嫌なことなので、なかなか腰があがらない。初江は咽《のど》が痛くなるほど何度も溜息《ためいき》をつくと、悠太、研三、央子の順に手紙を紐《ひも》で括《くく》り、長火鉢《ながひばち》の引出しに宝物として仕舞った。脇一家は二階に泊めるつもりだ。初江はまず、二階から掃除を始めた。近頃《ちかごろ》来客など無いので、応接間は埃《ほこり》に塗《まみ》れている。窓を開いて寒風の中に椅子《いす》の埃を叩《たた》き出し、凍るような水で床に雑巾を掛ける。物置替わりになっている八畳間のガラクタを階段を何度も登り降りして片付ける。栄養が不足気味の体には大変な重労働である。こんなことを強《し》いられるのも、美津のせいだと、恨みをバネに働いた。しかし、全部をきれいにしてみると、客が来て賑《にぎ》やかに談笑し、徹夜の麻雀《マージャン》が行われた昔が甦《よみがえ》り、懐《なつ》かしさに浸った。

午後になると、何だか、浮き浮きした気分で料理に掛かった。心の中では散々美津に毒突《どくづ》いてみたものの、久々の接客が楽しくもあり、体を動かしたため頭の血が洗われて爽快《そうかい》にもなった。取って置きの白米を炊《た》く。竹輪《ちくわ》、薩摩揚《さつまあげ》、里芋、大根、卵、こんにゃく粉、配給の鶏のがらなど材料をならべているうち、これで煮込みおでんを作ろうと決心した。水団《すいとん》、おじや、芋粥《いもがゆ》などが常食で、それに塩鮭《しおざけ》、塩鱈《しおだら》、目刺しが加われば中の部、闇《やみ》で購入した豚肉や卵や鶏肉があれば上の部のこの頃、おでんとは破天荒な御馳走《ちそう》だが、そのために明日からの食卓はより貧しくなってしまうけれども、えい、かまうものか。

駿次が帰って来、顔を出した。ぬうっと大きい。最近ぐんぐん背丈が伸びて母親を追い抜いた。それだけに食欲も旺盛だ。「お、すごい御馳走だ」と、竹輪に手を出し、一本食べてしまった。

「手も洗わずに何です」と叱《しか》り、「お八つにお芋蒸《ふ》かしてあるわよ」と言ってやる。

「ほらノート買ってきた」と大学ノートを見せる。戦前の良質の紙のだ。

「また見つけたのかい。どこで……」

「秘密。それから、これ」と、風呂敷を拡《ひろ》げる。野菜の山だ。

「葱《ねぎ》二貫目二円、蕪《かぶ》一貫五百匁《もんめ》九十銭、大根二本五十銭、人参《にんじん》十本二円」

「こんなにどこで買ってきたの」

「八幡山《はちまんやま》。空襲がないから放課後、ちょいと買出ししてきた。美津伯母さんたちが来るんでしょう」

「気がきくねえ。ありがとう」

八幡山に六中の農場があり、週一日は〝園芸〟の日で、農場付近の農家で野菜を買ってきてくれる。

「まだあるんだ」とリユックサックを運び込む。「薩摩芋七貫目十円」

「これは助かるねえ」初江は派手に歓声をあげてみせ、すぐ怪訝顔《けげんがお》になった。この節、芋は入手が難しい。着物や帯と物々交換でも出し渋るのが農家の常であった。

「お百姓の息子が今度六中を受けるんで、ちょっと要領を教えてやったんだ。芋なら幾らでも売ってくれるってさ。合格発表は三月二十二日だろう。それまで、じゃんじゃん芋買ってきてやらあ」

駿次のがっしりした後姿を見送りつつ、初江はにこりとした。読書も勉強も得手でなく、さっぱり机に向わないが、方々にちょこまか出向いて、現今入手困難な物資を要領よく集めてくる。十貫目を平気で運ぶだけの体力があり、柔道はもう初段で黒帯を締めている。万事に要領が悪くて運動神経の鈍い悠太よりも、駿次のほうが軍人に向いている。

悠次の声がした。初江はあわてて玄関に出て、「お帰りなさいませ」と両手の指を床につけた。夫の取ったゲートルをくるくる巻いていく。

「ねえさんたちはまだか」

「まだです。夕方という御予定でしょう。わたしね、軽井沢と草津に行って様子を見てこようと思いますの。金沢疎開の件はその後で決めたいんです」

「それはいいが、一般人は旅行制限で、切符が買えんぞ」

「敬助さんに頼みますわ」

悠次は賛否を明らかにせず、別なことを話し出した。

「珍しく空襲がねえんで、かえって不気味だな。あっちこっちで焼け跡の整理をしている。防空壕《ぼうくうごう》に住み着いてる人が増えて、洗濯物《せんたくもの》が満艦飾だ。こっちも壕の掩蓋《えんがい》を補強するか。直撃弾を受けた時、土盛《ども》りの厚さが一メートルはねえと駄目《だめ》だそうだから……」

悠次は駿次に手伝わせて、庭で土を掘り始めた。

薄暗くなった頃、玄関で元気一杯の大音声《だいおんじょう》が響いた。手を拭《ふ》き拭き出てみると、軍服の敬助を中心に、美津、百合子《ゆりこ》、美枝が並んでいた。三人とも、モンペに防空頭巾《ずきん》でリュックサックを背負っている。「まあ、よくいらっしゃいました」と朗らかに言いながら、初江は四人を茶の間の炬燵《こたつ》に招じ入れた。

悠次と駿次も顔を出し、双方型通りの挨拶《あいさつ》が終ると、美津が「はい、お米」と木綿袋を押して寄越《よこ》した。「とんでもない」と初江は辞退した。一升の余はある米は欲しい。しかし、わざと頑《かたくな》に初江は受け取らなかった。

「あらそう」と美津は米袋を引っ込め、悠次に向って顔をしかめた。「久し振りの東京だが、ひどい様変りだね。こんなんで、あんたんとこ、疎開はしないの」

「まだ腹を固めてねえ。子供たちの都合が色々あるんでねえ」と悠次は初江を見る。

「暢気《のんき》だね。金沢は、疎開者で溢《あふ》れていて、早く手を打たなきゃ、家も部屋も見付かりゃしないよ」と美津も初江を見た。初江は聞こえぬ振りをして、番茶を配った。

「敬ちゃん、すっかり日焼けしたね」と悠次があきれ顔になった。「防衛総司令部にいると外回りの勤務が多いのかな」

「つい最近、大本営陸軍部に転勤になったんです。で、南方の第一線を視察して来たところです。あ、叔母さん、これ砂糖です」敬助は紙包みを鞄《かばん》から取り出して初江に手渡した。初江は今度は素直に受け取った。

「そいつは、すげえ出世じゃねえか。嬉《うれ》しいね」と悠次が笑《え》壺《つぼ》に入《はい》った。「大日本帝国の帰《き》趨《すう》について大本営参謀の御卓見をぜひ拝聴したいね」

「二階の八畳間をお使い下さいませ」と初江は水を差し、「お風呂も立ててございますから、どうぞ」とにこやかに勧めた。

みんなが入浴をすませ、寛《くつろ》いだ姿で、しかし空襲となれば、いつでも身支度できるよう非常袋や防空頭巾を手元に置いて、中央にガス焜炉《こんろ》を置いた食卓を囲んだ。土鍋《どなべ》はぐらぐら煮立っている。おでんの具を皿に並べると、美枝が真っ正直に歓声をあげた。子供の一声で座の緊張がほぐされ、急に話が弾んだ。今度の再疎開は、就学年齢に達した美枝を、一年生から金沢の国民学校に通わせるためである。そして、敵の上陸が相模《さがみ》湾に想定されるためでもあるが。

「硫黄島は駄目だろうな」と敬助に徳利《とつくり》を向けながら悠次が言った。

「駄目と言うより、捨て石になると言うことです」と敬助は、上司に咎《とが》め立てされた男のように、むっと口を結んだ。黒く焦《こ》げた顔に酔いが染《し》みて、気の立った鬼に見える。

「捨て石、つまり駄目と言うことか。次はどこへ来るか。本土上陸か」

「硫黄島は時間を稼《かせ》いでくれている。本命は本土決戦です」

「そうだろうな」悠次は肩を落した。

「だから本土の裏側に疎開する必要があるのよ」と美津が言った。

「本土決戦なら」と敬助がいらいらした口調になった。「敵の補給路は伸び切って我に有利となる。我は内地にあって、給養のよい温存部隊と豊富な武器弾薬も使用できる。それに地方民の協力もえられる。サイパンやレイテの具合には事が進まない」

「我に勝算あり」

「もちろん。だから敵はすぐには本土を狙《ねら》わんでしょう。飛び石伝いに来る。沖縄、九州の線、硫黄島、八丈島の線」

「どちらかな」

「それは敵に聞いてほしい」

「でも大本営じゃ予想はしてるんだろう。そうか」と悠次は膝《ひざ》を打った。「後者の線だな。それでねえさんは裏日本へ脱出する」

そこで不意に話が跡切《とぎ》れた。敬助は黙々と杯を重ね、悠次は考え込んでいる。すると美津が悠次に話し掛けた。

「気になってるんだけどね、隣の蔵の物は疎開したの?」

「古文書と書画骨董《こっとう》と、おれが貴重だと判定した物は金沢の中村に送った」

「具足櫃《ぐそくびつ》は?」

「あれは重くて送りにくいんだ」

「あれが一番由緒《ゆいしょ》ある品なんだよ。初代の小暮善慶《ぜんけい》という方は、播州赤穂《ばんしゅうあこう》の武士だったのが、浅野家お取り潰《つぶ》しのあと江戸に出て、お茶の師匠をしていたところを、前田の殿様に見出《みいだ》されて加賀入りしたので、その時殿様から拝領したのが、あの具足なんだよ。それにしても、どうして中村なんかに送ったんだい。岡田に送ればよかったのに。岡田なら立派な蔵があって安全なのに」

　中村は悠次の母の里で、岡田は美津の母の里である。岡田家が金沢藩の二千石の家老の家《いえ》柄《がら》で、中村家が百五十石の小身で、美津は何かにつけてその差をひけらかす。初江はもしも自分たちが金沢に行ったなら、この家柄の差を常に見せつけられると思った。そして、その予感が金沢疎開《そかい》を躊躇《ちゅうちょ》させる原因だとも気付いた。

「隣には今誰も住んでいないいんだろう」

「空き家だ」

「人が住まないと家が傷《いた》むよ。掃除ぐらいしてるんだろうね」

　悠次に目くばせされて初江はあわてて答えた。

「時々はしています。雨戸を開けて風を入れたり……」

「それは初江さん、ありがと。何しろあの家には、わたしの幼年時代の思い出が一杯詰まっていますのでね。そうそう、あしたの朝、蔵を見せてほしいんだけどね」

「それはかまわねえけど、何を探すんだ」

「わたしの物が大分あるんだよ。この際少しは持っていきたいのさ」

　面倒臭いことになったと初江は思った。昨年九月、お茶の師匠一家が京都へ疎開して行ったあと、放《ほう》りっぱなしで、むろん雨戸など開けたこともない。蔵は家の奥にあるから、荒れ放題の座敷や廊下を美津に見られてしまう。やれやれ、明朝夜明けに起きて、大急ぎでこっそりと掃除しなくてはならない。

突如、胸を騒がせる名前を、悠次が口にした。

「晋ちゃんはどうしているかな。敬ちゃん、南方で何か消息を摑《つか》めなかった」

「視察した方面が違うのでね。仏印《ふついん》やビルマには寄らなかったんです」

「やっぱり、仏印あたりにいるのかな」

「最近手紙が来たんだよ」と美津が言ったので、初江はそれとなく全身を強張《こわば》らせ、耳に神経を集中した。「サイゴンの陸軍病院にいるらしい」

「負傷なさったんですか」と初江は尋ねた。悠次の手前困ったと思いながら幾分震え声になっていた。

「それがね、よくわからないの」と、美津が答えた。「葉書にね、小生病気静養中にて入院加療を受けております、だんだん回復しつつありますから御放念下さいだなんて、ほんの三行、簡単に他人行儀に書いてあるだけなの。字もあの子らしくなく、誰かに口述筆記させたみたいだし……誰かのいたずらかも知れない。軍事郵便で検閲済と差出許可の印があるし、部隊番号を敬助に調べさせたところ、サイゴンの病院から発信したのは確かなの」

「なら、まちげえねえやな」と、悠次が言った。「わざわざ他人の家に検閲厳しい軍事郵便を出す莫迦《ばか》もいねえやな。本人だよ、ただし、字が書けねえような病気なんだ。重病か、それとも右腕がねえか」

「おやめ、縁起でもない」と、美津が叱ったとき、初江の胸に熱い喜びが満ちて来た。晋助は生きていたのだ。生きてさえいれば、病気だろうが、腕が無かろうが、構いはしない。

「お手紙、いつ来たんですか」と初江。

「東京の住所に届いていたのを、上京した桜子《さくらこ》さんが偶然見つけて、逗子に転送してくれたの。もしかしたら、去年の秋ぐらいに届いていたのかも知れない」

初江の心に翳《かげ》りが差した。正月に桜子が訪ねて来たとき、晋助の話など何もしてくれなかった。去年の夏の軽井沢で、桜子は「晋助さんを、女学校時代から、ずっとずっと、好きだったの」と告白し、そう告白した理由は、「あなたも、晋助さんが、好きだから」と言ってのけた。彼女はわざと晋助の入院を教えなかったのだ。何と妬《ねた》ましい。

「すぐ手紙を出したんだけどもね。まだ、何も言って来ない。あんなに文章を書くのが好きだった子が、とんだ筆不精だよ」と、美津が母親の恨みを込めて言った。五十半ばを過ぎている義姉は、斑《まだら》な白髪と頬《ほお》のこけた顔かたちが、能面の〝瘦女《やせおんな》〟にそっくりである。「あの子は要領が悪いから、悠ちゃんが言うように腕を使えない重傷かも知れないよ」

「そんなことはねえさ」と、今度は悠次が慰めた。「回復しつつあるってえんだから、マラリヤかなんかの熱病だろうさ。それにさ、病院にいる限り、第一線に送られねえから安全だ」

「その通り、晋助のほうが安全だ」と、敬助が甲走《かんばし》った演説調になった。「今や本土が第一線の決戦場だ。仏印には米軍は来ない。アングロサクソンてのは、自分たちの領地を奪回しようと攻めて来る。ニューギニヤ、フィリピンと北上して来た。仏印、蘭印《らんいん》は置き去りにするに決まっている。飛び石作戦だ。皇軍の占領している島は二十五、六だが、米軍の上陸したのは、今のところ、六つぐらいに過ぎん。あとは置き去りで相手にもせん」

「うまいねえ」と、悠次が拍手した。「さすがは大本営参謀、米軍の癖を見抜いている。飛び石作戦、なるほどそれだ」

「嫌《いや》だねえ。本土決戦、玉砕」と、美津。

「玉砕しても何でも、勝たなきゃならねえ」と、悠次。

「たとえ国民の半分が玉砕しても」と敬助は背筋を伸ばした。「天皇陛下が御安泰にわたらせられ、国体が護持されるならば神州は不滅です。上御一人《かみごいちにん》の御為《おんため》に特攻隊は喜んで死んでいる。われらも玉砕の覚悟で戦う。さすれば最後の勝利は我にあり」と、敬助はどんと卓袱台《ちゃぶだい》を拳《こぶし》で叩いた。何だか座がしらけ、長い沈黙が来た。


翌朝暗いうちに起きて、飯炊きと味噌汁《みそしる》の仕込みをしてから、隣家の掃除を始めた。案の定、埃と塵《ちり》と黴《かび》で見るも無惨《むざん》な有様である。建付けの悪い雨戸を、音を立てずに開けるのが一苦労であった。まだ廊下の半分も掃かないうち、警戒警報のサイレンが鳴った。飛んで帰ると、悠次がラジオを聞いていた。小型機の編隊が相模湾より、静岡、山梨、長野へ侵入している。駿次と脇一家も起きてきた。朝飯をそわそわ取っているうち、空襲警報のサイレンが鳴り響いた。防空員の駿次は中学校へ出掛けた。いつの間にか雪が降り出している。風に舞う落花さながらの、春先の湿った牡丹雪《ぼたんゆき》である。防空壕に待避した。三人用のベンチに六人では、ひどく窮屈で、お互いに身を重ね合う具合になった。

B29特有の、重い鋼鉄を擦《こす》り合せるような轟音《ごうおん》が厚い雪雲を透《とお》して、威圧してくる。大編隊である。遠くで爆発音がするのは、投下爆弾の破裂音なのか高射砲の発射音なのか。屋根《やね》瓦《がわら》を無数の槌《つち》が叩き割って行くような甲高《かんだか》い音がした。「近い」と敬助少佐が言った。「あれは焼夷弾《しょういだん》が弾《はじ》ける音だ」と、解説する。ラジオは、B29の二梯団《ていだん》が各々《おのおの》数編隊で来襲していると告げている。その時初江は隣家の雨戸と硝子戸《ガラスど》が開け放しのままなのに気付いた。開いた窓から飛び火して全焼した話はよく耳にする。「大変」と壕を飛び出し、「あぶない」という叫びを背に走った。た。玄関に駆け込んだ直後、「おれも手伝いますよ」という敬助の頼もしい声を聞いた。土足であがり、必死に雨戸を閉めた。閉めてから、こっそり掃除をしていい声を聞いのがばれたと、敬助の親切にお節介を感じた。玄関口を出た時、初江は敬助を振り向いた。

「晋助さんの病気が何か、本当は御存知なんでしょう」

「いや、おれも知らんですよ」

「大本営参謀なら、南方へいらした際、問い合わせがお出来になったんでしょう」

初江は敬助を真正面から睨《にら》み付けた。その刹那《せつな》、ずんと、腹に響く大音響がして、初江は防空演習で教わったとおり、両の耳と目を押さえて伏せた。敬助は屈《かが》み込んで前を見据《みす》えている。以前悠之進の厩《うまや》だった小屋の屋根が潰れて径三十センチほどの鉄の固まりが三個も床に転がっている。「高射砲の弾丸の破片だ」と敬助が言った。「また落ちてくるといかん。とにかく壕に入りましょう」二人は急いで壕に戻った。

強風が空気を掻《か》き回し、吹雪模様となった。寒さで美枝が震え出したので、押入れから乾いた掻巻《かいまき》を取って来た。十時頃《ごろ》、やっと空襲警報が解除になった。十時半東京発金沢への直行便には間に合わなくなり、ともかく、米原《まいばら》まで行って北陸線に乗り換えようと、美津は百合子や美枝を急《せ》き立てた。おかげで蔵を見る話は御破算になった。

2

昨年、急行が廃止されたので、上野から軽井沢までは鈍行で五時間かかる。しかも十二時に軽井沢に着く予定が、遅れて三時過ぎになった。途中、警報も出なかったのになぜ遅れたかの説明は無かった。ほぼ八時間も満員の車内に閉じ籠《こ》められていた初江は、プラットホームで深呼吸すると、清潔な白い息の尾が伸び、生き返る思いであった。大勢の客が降りた。縁故疎開らしい親子連れ、どこかの私立小学校らしい制服の一団、紳士、外国人、軍人、地元の人……。

改札口に憲兵が二人立って降車客に目を光らせている。出迎えを頼む電報を打っておいたのに、桜子の姿は無い。そのうち、人々は消え、客待ちの人力車も全部いなくなった。仕方なしに歩き始めたとたん、つるつるの氷に滑って鞄を放り出し、転んでしまった。幸い背負っていたリュックサックの上に仰向けに倒れたため怪我《けが》はなかった。積雪の表面が凍っている。今度は用心をしながら一歩一歩を踏み締めた。

駅前の油屋旅館が憲兵詰所になっていて、氷柱《つらら》の下がる玄関に、人を疑うのが職務の憲兵が、なるほど疑い深い目付きで見張っている。駅員に道を聞いておけばよかったと思う。と言って憲兵に尋ねる勇気はなく、うろ覚えの方角に足を向けた。

ここだと思う脇道《わきみち》に入った。雪に膝まで沈み歩き辛《づら》い。冬ざれの林も、点々とした山荘も、凍りつく静けさだ。時々煙突から煙が漏れていて、人が住む気配はするが、人影は見当たらぬ。立ち止まると、おのれの息遣《いきづか》いのみ異様に大きい。

相当奥まで来たのに、目印の小川は現れず、道を間違えたと気付いて引き返した。やたらに強引に歩くうち、脚は重く息は切れ、薄暗くなり、氷の寒気が肌《はだ》を刺す。赤く染まった雪の上に木々の影が鉄格子《てつごうし》のように伸びている。もうすぐ、真っ暗闇《くらやみ》の厳寒の虜《とりこ》になる、それに、不意に誰かに襲われるという恐怖に取り付かれ、闇雲に急ぐうち氷に足を取られて、何度も転んだ。と、ゴルフの練習でもしているような単調な繰り返しの音が聞こえてきた。その音を頼りに進んで行くと、見覚えのある浅間石の門柱に野本の表札が下がっていた。裸になった錦木《にしきぎ》の小道では、荒井の爺《じい》やが薪割《まきわ》りをしていた。

「小暮です。央子の母です」

「ああ、奥さま、どうしただね」

気が付いてみると、泥《どろ》だらけのびしょ濡《ぬ》れである。

桜子が初江を広間に招じ入れた。マントルピースで薪が燃え、温かい。床に西洋人形と藤娘《ふじむすめ》と縫いぐるみの熊《くま》の〝ピッちゃん〟を並べて、ままごと遊びをしていた央子と金髪の女の子が立ち上がった。

「まあ、どうしたの」と桜子も同じ質問を発した。

「道に迷ったの。滑って転んでね。暗くなって、あわてちゃった」

「汽車が遅れるって聞いたので、三時過ぎ、迎えに行ったのよ。あなたと行き違いになったみたい」

「なら、駅で待ってればよかったんだわ」

自分の汚れた身形《みなり》が恥ずかしいが、子供たちは気にしていないらしく、央子は「おかあさん」と駆け寄り胸に頬を寄せてきた。去年の夏よりあまり背は伸びていないけれども、マシュマロのようにふっくらとして、女の子らしくなった。金髪の女の子はにっと頬笑《ほほえ》み、「こんにちは」と日本風に頭を下げた。それから央子にフランス語で何か言った。そのまま二人は話し込んでいる。初江はわが子に備わった新しい能力に感心した。

「ヘラがね、オッコのママはとっても綺麗《きれい》だって。お家に遊びにいらっしゃいって。タイナー先生がそう言えって言ったんだって」

「メルシー・ボークー」と初江は言った。聖心にフランス人のマザーがいたので簡単な挨拶《あいさつ》ぐらいは出来る。

「ジュブーザンプリー」とヘラが言った。

二人の子はままごと遊びを続ける。グランド・ピアノの隣に雛《ひな》人形が飾ってある。七段に緋毛氈《ひもうせん》を敷いた立派なものだ。

「本当はね、片付けないといけないの。でも初っちゃんに見せたくて、残しておいた」

「立派なものね」

「風間《かざま》の父が零落《おちぶ》れ士族から買った江戸時代の物よ。ねえさんたちから、わたしまでお下がりなの。美枝ちゃんが生まれた時、百合子ねえさんが返してと言ったんだけど、わたし、けちして渡さなかった。だってオッコちゃんにあげたいと思ったんだもの」

「どうして？」

「わからない。ただそう思っただけ。こうやって一緒に暮らすようになるのを、無意識に予感したんじゃないかしら」

二階の央子の部屋に案内された。下の煖気《だんき》はここまで登って来ており、温かい。女の子の部屋である。ピンクのカーテンに花柄の壁紙。洋服簞笥《だんす》を開くと、自分の知らない、沢山の服が懸けてあり、初江は驚いた。

「みんな、わたしのお古よ」と桜子が弁解した。「つまり姉たちのお下がり。でもまだまだ着られるわ」

「そうね、新品同様ね」初江は絹やベルベットの風合を確かめた。戦争が始まって以来、ほとんど新しい洋服を作ってやれなかった。上が男の子ばかりのため、お古を仕立て直することもできなかった。

窓から覗《のぞ》くと雪を頂いた小山を連想させる大屋根が美しい。風間邸だ。煙突から煙が昇っている。百姓家風の大河内《おおこうち》邸の窓にも人影が動いた。

「叔父さま、見えているの？」

「この頃、あそこに定住して、大河内秘書とともに仕事をしてる。落合《おちあい》の家は速水《はやみず》夫妻に留守をさせてね」

梅子《うめこ》の夫、建築家の速水正蔵《しょうぞう》のひょろりとした長身が思い浮かべられた。

「速水さんはね、去年の暮、除隊になったの。危いところだったわ。だって、硫黄島にいたんですもん。敵の上陸直前の生還」

「運がいい方ねえ」

「父が兵務局に圧力を懸けて、呼び戻したのよ。落合の家の地下壕《ちかごう》を作ったの、速水さんでしょう。いざ空襲の場合、あそこを防衛させる最適任者と言うわけ」

「……」

「この節、軽井沢は、元政府の高官、華族、外交官、財界や実業界のお歴々がみんな疎開してきて、ちょっとした日本の中枢《ちゅうすう》になってるのよ。外国人も増えた。同盟国と中立国の大使館や公使館は、雪崩《なだれ》を打って移住してきた。万平ホテルなんて、ソ聯《れん》やらトルコやら、いくつもの大使館がお店開き。だから父も、石炭統制会とか翼賛政治会とかの、大事な仕事のほとんどをここで出来るわけ。うちの主人もそう。会社の幹部をここに呼びつけて、経営事務をこなしてるわ」

「御主人来てらっしゃる?」

「いま、風間代議士と密談中。さてと、初っちゃん、お風呂《ふろ》に入って、濡れた物、お脱ぎなさい。そのままじゃ風邪引くわよ。今晩はね、夕食にシュタイナー先生の御一家を御招待してあるの。主人は風間で食事して来るから、こっちは水入らずよ。食後、コンサート、オッコちゃんも出演するのよ。コンサートには御近所の方々も呼んである。これね、オッコのおかあさまのために企画したのよ」

「それは光栄だけど、何だかご大層過ぎるわ。困ったわ、何を着たらいいかしら」

「不断着で結構。先生の御一家も質素な服装でいらっしゃるわ」

「桜子ちゃん」と、唐突に、誰かに突き飛ばされたように、初江は一歩前に出た。「晋助さんのこと知ってたんでしょう」

「知ってたわ」と桜子は恬《てん》としている。

「お正月に会った時……」

「なぜその時に言わなかったか聞きたいんでしょう。わざと言わなかったの」

「なぜ」

「答える前にこっちも一つ質問がある。あなた、それで怒っているの」

「……怒ってはいない……でも水くさいとは思う。おととい、初めて美津おねえさまから、晋助さんがサイゴンで入院した話を聞いた。そんなニュースを二箇月も知らせてくれなかったなんて……」

「あなた泣いてるのね。そう、やっぱり初っちゃん、晋助さんを好きなんだ。あやまるわ。あの時、わざと黙ってたのは、あなたに焼餅《やきもち》を焼いたからなの。あなたが知らない間だけでも、自分の胸に一人占めして置きたかった。でも脇美津宛《あて》の葉書を、まさか猫《ねこ》ばばはできないから逗子に転送はしました。でもそのあと風間の父を通じて調べたのよ。石炭統制会は一昨年、日満支石炭連盟を吸収して、支部を東亜各地に持っている。サイゴンにも支部がある。でね、支部長に陸軍病院を訪ねさせた」

「えっ、それで？　それでどうだったのよ」

「聞きたい？」

「いじわる。わたしが男だったら、あなた、殴り倒されてるわよ」

「面会謝絶だった。脇上等兵は確かに入院しているが面会謝絶ですって」

「でも……なぜ、面会謝絶なんでしょう。どんな具合なの」涙はとめどもなく溢《あふ》れ出た。

「軍機だから教えられぬの一点張り。支部長に命じて手を回したんだけど駄目《だめ》。何でもビルマ戦線に行ってたらしいから、おそらく伝染病にでも罹《かか》ったんじゃないかしら。黴菌《ばいきん》がつかないように葉書は他人に口述した」

「ビルマ……インパール……あそこは、悪戦苦闘だったんでしょう。どんなにか大変だったことか。伝染病って何かしら」

「よく知らないけど、マラリヤとかコレラとかチフスとか赤痢とか、あの辺には多いんじゃない」

「ああ、どうしよう」

「伝染病なら、栄養をつけて、しっかり治療すれば、治ると、わたし信じてるの。でね、支部長に栄養のある物を届けさせてるの」

「わたしも信じるわ。わたしも何か送りたい。その支部長さん宛に送れば届けて頂けるかしら」

「もちろん」

「あとで住所教えてね」

心配よりも安心のほうが強い。すると、段々に生き返った気分になった。体の芯《しん》に力強い泉があって、渾々《こんこん》と湧《わ》き出てくる感じだ。風呂場で汗を流し、乾いた長襦袢《ながじゅばん》を着た。しかし鏡に向うと、額には深い溝《みぞ》、目尻《めじり》には小皺《こじわ》が刻まれ、どう見ても実年以下には見えぬ年増顔《としまがお》に、嫌気《いやき》が差した。桜子は十《とお》下だから二十七歳、それに豊富な食事に安逸な暮しをしていて、二十代前半とも見える若さを保っているのに、こちとらは碌《ろく》な物も食べられず、心労が重なり、すっかり老い込んでしまった。晋助が帰還したら、こんな婆《ばあ》さんよりも、桜子に魅力を覚えるに決まっている。しばらく鏡を睨んでいたが、先程の力強い泉がまた湧き出したようで、白粉《おしろい》をはたくと、少しは見られた容貌《ようぼう》となり、気を取り直し、後はいつになく入念に化粧した。荷物を物色して、何かの場合に役立つかも知れぬと入れてきた大島紬《おおしまつむぎ》を選んで着、名古屋帯をきりりと結ぶと我ながら見映えのする風姿となった。歩き方までしゃなりしゃなりと広間に出ていくと桜子が「まあ」と驚き、央子が「わあ」と目を丸くした。

ヘラは一旦《いったん》帰宅したという。初江は央子と暖炉の前に坐《すわ》った。炎が、おのれの心に燃え付いた情熱のように、揺らめいている。桜子が着替えをさせたのだろう、央子はレース飾りの付いた赤朽葉色《あかくちばいろ》のドレスに着替えていた。それが色白の彫りの深い顔と炎によく映える。

「いつも手紙ありがとう。とってもとっても元気なようね」

「おかあさん、ベッピンね」

「別嬪《べっぴん》？　まあ、そんな言葉いつ覚えたの。今夜はビオロンの演奏してくれるんだって？」

「モーツァルトのクワルテット。ペーターとワルターとヘラとするの」

「大分練習したのかい」

「ちょっとね……おかあさん、何しに来たの」央子は不審げな目付きをした。

「何しにって、オッコに会いに来たんじゃないかえ」

「どうして」

「会いたかったからよ」

「そっか。それならいいけど」央子の目はまだ疑うように角張っていた。

「変ね、何かほかにあるというの？」

「桜ばんちゃんがね、オッコを連れに来るなんて、言うんだもん」

央子を引き取り、子供たち四人と金沢か今市に疎開する計画は、まだ桜子にも話していない。

「オッコはどこにも行かないよ。ここでビオロンの練習をするんだもん。タイナー先生と別れるの、ぜえったいにいや。いや、いや、いやあ」最後の〝いやあ〟は絶叫みたいになって初江の鼓膜を引っ掻《か》いた。

「どうしたのよ、オッコを連れてくなんて、おかあさん言ってないでしょう」

「連れてかないのね」

「しっこいわね、連れてかない」と初江は叱《しか》り付けるように言い、まだ結論の出ていないことを、つい決まったように言ってしまい、しまったと後悔したが、央子はスイッチを入れたように、ぱっと明るい笑顔になり、燻《くすぶ》っている粗朶《そだ》を鉄鉤《てつかぎ》で巧みに引っ繰り返し、俄然《がぜん》浮き浮きと話し出した。

「軽井沢の学校ってね、冬休みが長いの。そのかわりさ、夏休みが短いの。土地の子はお百姓や氷屋さんが多いから、冬のあいだ、お家《うち》のお手伝いだのうんとするのね。そして、みんな近くに住んでいるからお家に行って遊べるけどさ、オッコみたいな疎開の子はつまんない。ここから離山《はなれやま》の第一国民学校までが遠いのに、友達の家はもっと遠いでしょう。だから、うんと歩いて遊びに行くの。氷屋の子んちへ行って、ヒムロ——氷の蔵よ——で遊んだらシモヤケになっちゃった。そしたらさ、桜ばんちゃんに、音楽家は手を荒らしちゃいけないって止められちゃった。それに、土地の子にはいじわるがいて、オッコはアイノコだって言うの。日本人だって、いくら言っても、ヘラと遊んでるとこを見られてるから、アメ公と仲良くしてる非国民て言われる。あんまり言われるから、ヘラとは外で遊ばないようにしてるの。でもさ、夏なんか、秋なんかも、一緒に外へいきたいじゃない。だからね、ヘランちの裏の山に登って、峠なんかまで行ったら、憲兵に捕まって、外国人は町を出ちゃいかんって、タイナー先生んとこに憲兵が来て注意され、それが学校中に知られて、みんなにスパイだって言われて、押さえつけてね、口ん中に砂を入れて、殴るの」

「まあ、ひどい。オッコ、それ先生に言った？」

「言わないよ。言ったら、今度は二重スパイだって言われるもん」

「二重スパイ……子供がそんなこと言うの。いやねえ」

「いやでも仕方ない。火事よりいい」

「火事……空襲のことかい」

「東京の学校、みんな敵に火事にされるんだってね。こないだも、火事で学校が無くなった東京の子が転入してきたけど、その子、顔の半分がすごいヤケドよ」

「女の子かい」

「そう、ヤケド無ければベッピンなのに」

外は暗くなってきた。濃度を増した青空に黒い木立が念入りに影を刻んでいる。炎に赤らかな、少女の顔が雪の上に浮んでいる。小鳥が鳴いている。央子を連れてどこかへ疎開する計画は、無理なようだとも思うが、子供が桜子に取られてしまい、だんだん自分から離れて行くようで淋《さび》しい。

西大久保で顔見知りだった女中と荒井の婆やが食卓を整えた。桜子は、初江と競《きそ》うつもりか、赤と黄の弁慶縞《べんけいじま》に紺色の帯を締めて現れた。紬《つむぎ》でも初江のは灰汁色《あくいろ》の筒袖《つつそで》だが、長袖の派手な着物など、東京だったら〝贅沢《ぜいたく》は敵だ〟と、摘発の対象にされてしまうだろう。

シュタイナー先生の一家が到着した。コートを脱ぐと、先生と息子たちは背広にネクタイ、夫人と末娘は裾長《すそなが》のドレスだ。桜子の言を信用して不断着にしなくてよかったと胸を撫《な》で下ろした。

先生夫妻が向き合い、先生を挟《はさ》んで右に初江と桜子、左にワルター、向いの夫人の右にヘラと央子、左にペーターが坐った。

桜子が、央子の母親のために宴を張ったと述べると、次に何か挨拶をしなくてはと初江は緊張した。すると先生が、すかさず立ち上がり、初江のグラスに白葡萄酒《ぶどうしゅ》を注ぎ、あとは順次に注いで、みずからのグラスを捧《ささ》げると、「では、われらがオッコのママの健康を祝して、カンパーイ」と音楽家にあるまじき調子はずれの大声で言った。初江は赤くなって頭を下げた。

「オッコは、見込みある」と先生は続けた。「才能ある。なによりの才能は、音楽が好きなこと、これプリマ、さいこ。戦争中、音楽をする。これ、非常に大切なことです。音楽は人間がいるかぎり、無くならない。戦争でも無くならない。ね」

「はい」初江は、こんがらかった毛糸のような先生の金髪に頷《うなず》いた。

「人間のすること、すべて始まりと終りがある。戦争も終る。そしたら、音楽、ますます大切になります」

「戦争は終るでしょうか」

「終る終る」と先生は大口を開けて笑った。「もうすぐ終ります。ナチスはもう駄目。アメリカ、イギリス、ソ聯に攻められて、参っている。日本も、もうすぐ……」

「先生」と桜子が割って入った。「オッコのママがびっくりしますよ。東京でそんな話したら、特高か憲兵に捕まります」

「ここは軽井沢、桜子の家では大丈夫」

「東京の空襲、どうですか」と夫人が初江に尋ねた。

「ひどい有様です。つぎつぎに街が焼かれて、焼野原が広がりました。どんどん広がって行き、いまに東京はあらかた無くなるでしょう」

「東京は木の家、原っぱになります。ベルリンは石の家、石の山になります」と夫人は詩でも朗読するように言った。

「わたしどもの家は、新宿の近くですが、やがては焼けてしまうでしょう。疎開を真剣に考えています。どこにするか、まだ迷っているんですが」

「軽井沢にいらっしゃいよ」と桜子。

「でもねえ、駿次と研三の学校の問題があるの。軽井沢には中学校が無いでしょう」

「そう、岩村田か野沢まで行かないと無いわね」桜子はしきりと合点した。

「戦争が終ったら、われわれは」と先生が言った。「ベルリンには帰りません。石の山で帰れない。帰るのはウィーンかパリ。多分パリね。マイネ・フラウ、リリーの故郷。その時オッコを連れて、向うで勉強する。これ、ぼくの理想。日本のヴァイオリニスト、育てる。オッコのママさん、どうです」

「パリ……」初江は、先生の口から無造作に飛び出した異国の都市の名に、頭を打たれたかのように、くらくらとした。

「パリにいらっしゃいよ」とヘラが桜子の口真似《くちまね》をした。

「初っちゃん」と桜子が取り成した。「シュタイナー先生はね、ドイツも日本も負けるって、見通していらっしゃるの。ドイツの戦況は新聞を読めば、よくわかるように、もう絶望的よ。日本は米軍が上陸すれば玉砕の連続で、本土決戦にでもなれば日本人全員が死んじゃう。国だけじゃなく民族も滅んじゃう。そんな悲惨なことは出来ないから、どこかで降伏する以外に生き残る道はない。そうしたら、戦争は終る。その後、どうするかを、シュタイナー先生は考えていらっしゃるの」

「ちょっと待って。そんなに先のこと、考えたこともないの。それに……」と初江は央子をちらと見た。

「大丈夫よ。オッコちゃんは、〝タイナー〟先生の御意見を余所《よそ》に漏らすようなことしないわ。ドイツも日本も負けるなんて、ここだけの話」

女中が大皿を台車で運んできて、料理（何と近頃《ちかごろ》ついぞお目にかかれないコンビーフを用いてある。懐《なつ》かしいわ）を各自の皿に盛り付けた。その間に初江は考えた。日本が負けるなど、東京では誰も口にせず、考えもしない。最近は本土決戦という威勢のよい掛け声がもっぱらで、つい一昨日も敬助が本土決戦の戦略的優位性とやらを自信たっぷりに説いていたではないか。しかし、ほとんど連日の空襲に曝《さら》されている都に住んでいる者には、お世辞にも日本が勝っているとは思えない。そう思うことを厳禁されて、口からも胸からも、思いを無理矢理に追い出しているだけなのだ。先生の言うとおり日本の敗戦は確実だ。とすれば、敗戦後の日本をはなれて央子がパリに行くなんて素晴らしいことだ。パリ、あんなに晋助が行きたがっていた、何度も写真を見せられ、地図を拡《ひろ》げて説明された、歴史の文学の芸術の大都。ましてシュタイナー先生が身元を引き受けてくだされば安心だし、ヴァイオリンの勉強だって、存分にできる。父親の晋助が知れば大喜びだろう。戦争が始まってから、暗く悲しい毎日が続いた末に、輝かしい喜びの未来が、暗鬱《あんうつ》な雲の果てに照り映えた遠くの丘のように見える。けれども、うつつに戻ると、初江は、たちまちそれが叶《かな》わぬ夢に思えてきた。最近株の値下がりで萎《しお》れ返っている悠次は財産も、やがては空襲で家も失うだろう。そんな哀れな勤め人の子が、パリまでの旅費や向うでの生活費をどうして工面できるだろう。

先生は桜子と、全然別な話題に移っていた。軽井沢に強制居住させられている外国人たちの生活、とくに食料事情が窮迫している事情、枢軸国《すうじくこく》であるドイツ人はまだ増しだが、その他の国々の人々は配給が品薄のうえ、いくら要求しても町役場が受け付けぬという。とくに、今までは中立国であって、つい最近対日宣戦布告をしたルーマニア人が敵国人として強制隔離地区へ追い出されて行った件が取り沙汰《ざた》されていた。話が込み入って来ると、先生はドイツ語になり、初江は、興奮してフォークを皿にカチカチさせる先生のふっくらした手の甲を見ているだけだった。

桜子が今日の新聞を持ってきて、日米開戦の前夜、ルーズヴェルト大統領と外交交渉をした来栖《くるす》三郎大使の混血の息子、来栖大尉《たいい》が、この二月十六日に壮烈な戦死をした記事が載っていると言った。来栖大使、夫人のアリス、二人の令嬢は、軽井沢の、このすぐ近くに住んでいるのだそうだ。

初江は、見出しの〝血で描く技術操縦、壮烈、空に散つた来栖大尉〟を見たが、詳しい内容は何となく恐《こわ》くて、記事を読む気になれなかった。ただいかにも混血児らしい美青年の写真には引き付けられた。

「ともかく一機で敵艦載機八機と渡り合うなんてすごい」と桜子が言った。「しかもそのうちの一機を撃ち落とし、自分は被弾して、重い傷を負って帰り、隊長さんに戦況報告しているうち、出血多量でなくなったんですから英雄です」

「アリスさん、悲しんでるでしょう」と夫人が言った。「たった一人の男の子です。しかも、自分の祖国、アメリカの飛行機に殺された」

「おお、悲劇」と先生がグラスの葡萄酒をくるくる回した。「わが祖国、オーストリアはナチス・ドイツとなり、マイネ・フラウ、リリーの祖国フランスは、ナチス・ドイツと戦った。つまり、つまり、ぼくは敵の国の女をフラウにしている。来栖大使と同じ。彼の苦しみ、わかります。ぼくの子供がもし、フランス人に殺されたら、苦しみます」

大人の話に子供たちは飽きて、ペーターとワルターはドイツ語で、央子とヘラはフランス語で何か話している。気が置けない者同士の活潑《かっぱつ》で無邪気な、子供らしい会話である。取り残された初江は、央子のパリ留学を考えていた。どうやら、シュタイナー先生は今初江にした自分の提案を、すっかり忘れている素振りだ。が、一度鮮やかに見えた明るい未来像は初江の心から消えない。(いつだったか、どこかで、ヨーロッパ留学の話が出たことがあったっけ。)もしも戦争が終ったら、シュタイナー先生に強引に頼み込んでも、何とか実現したい希望、八方塞《ふさ》がりの大戦争のただなかにあって未来の彼方《かなた》を示す唯一《ゆいいつ》の希望に思えてきた。

食後にコーヒーが出た。例によって角砂糖が配られた。国民のほとんどが粗末な食事しか取っていないのに、という後ろめたさを、なぜか桜子に御馳走《ちそう》になると覚えない。自分は選ばれた人間で、このような贅沢は当然だという自信、自負、落ち着き、おおらかさが、自然に彼女から発散してきて、それに馴《な》らされてしまうのだった。

桜子の指図で、テーブルを片寄せ、組み立て椅子《いす》を並べて、みんなして会場作りをしているうち、招待客が来始めた。風間振一郎《しんいちろう》、大河内秀雄《ひでお》、野本武太郎《たけたろう》の三人は寸前まで会議でもしていたらしく、お互いに顔を寄せ合うと小声で談話の続きをしていた。藤江《ふじえ》と松子《まつこ》が初江の近くに腰掛けた。藤江は、年を取るに従って、姉の菊江《きくえ》に似てきた。餅《もち》のように柔らかそうな頰《ほお》に見え隠れする片靨《かたえくぼ》、厚い胸。そう言えば藤江の肥満体質を受け継いでいるのが松子と梅子の双子姉妹だ。

「いつまでいるの」と松子が尋ねた。

「あした一日」

「たったそれだけ。もっといなさいよ。退屈しきってるの。軽井沢って、お芝居も映画もないでしょう。と言って、わたしったらテニスもスケートも出来ないし、桜子はピアノに御熱中で、ポーカーひとつしようとしないし」

桜子は入口で人々を出迎えている。初江には面識の無い人ばかりである。振一郎に挨拶《あいさつ》に来る中年の紳士が多い。華族か政治家か実業家か、ともかく人の上に立つ地位を持つらしい恰幅《かっぷく》のいい男たちが、振一郎に腰をかがめている。親子連れの外国人も十数人来ている。あとで知ったのだが、ドイツ大使館員の家族たちであった。葉巻、香水、ポマード……何か、そう言った豪華な暮しの匂《にお》いがした。

松子がウインクをして、鼻先で入口を指した。憲兵が二人、後ろ手を組みロボットのように、首を回転させている。

「何か集会があると、ああやって反戦思想の宣伝をしないかどうか、監視に来るのよ」

「たとえば、もうすぐドイツがどうなるとか……」

「しっ」松子は唇《くちびる》を押えた。

最初の曲は、子供たちだけの合奏で、モーツァルトの『弦楽四重奏曲』であった。第一ヴァイオリンが央子、第二ヴァイオリンがワルター、ヴィオラがヘラ、セロがペーターだ。

おや、央子がトップだと知った初江は、心配で胸をきゅっと抓《つま》まれた気がした。出演者が隣室から出てきた。三人の西洋人の子供、なかでも大柄《おおがら》なペーターにくらべると、まるで幼く見える央子の、つかつかとした足付きに、軽い失笑が起った。そのざわめきは演奏が始まる瞬間まで消えなかった。

しかし、央子の目顔の合図で、四人の整然とした合奏が始まるや、失笑を恥じるような緊張が広間を制した。ついさっきまで人形遊びをしていた少女は、にわかに威厳のある演奏家に変身をやってのけた。この前聴いた、わが子の公開演奏は富士《ふじ》彰子《あきこ》教室の演奏会でのバッハの『協奏曲イ短調』であった。あの時も、大したものだと感心したが、所詮内々《しょせんうちうち》の温習会に過ぎなかった。ところが今は、シュタイナーという世界一流の先生の教えを受け、先生のお子さんたちと合奏している。その事実だけで初江は満ち足りた気分になっていた。曲は何だかするすると、終わってしまった。拍手に答礼する四人の子供たちの、何と可愛《かわい》らしいこと。

アンコールを央子とヘラがすることになった。やはりモーツァルトの『ヴァイオリン・ソナタ』で、ヴァイオリンが央子、ピアノがヘラである。

演奏が始まった時、央子がオーディションで弾いた曲だと気付いた。しかし、あそこで聴いたのとは、まるっきり別な曲に思えた。この半年余りの間に央子が格段の進歩を遂げていることが初江にも実感できた。どう言うべきか表現の術《すべ》を知らないけれども、たとえば央子の艶《つや》やかな音は冴《さ》えて、央子でないと出せない独特の音色を帯びているとは言える。それは桜子が買ってくれたイタリア製のヴァイオリンのせいだけではなかった。初江は知っているが、央子はどのヴァイオリンでも、この音色を響かせるのだ。

演奏している央子をじっと見詰めていた晋助の眼差《まなざし》が思い出され、その眼差が自分に乗り移った気持で、初江は央子を見た。ヴァイオリンを一所懸命に弾いている央子は、はっとするほど晋助に似ている。真っ直《す》ぐな鼻筋や少し出張った広い額には前から気付いていたが、弦を押える指の形が、そして前腕を動かしている肩の優美な線がそっくりなのだ。晋助に抱かれた時の体の火照《ほて》りが、体の奥、子宮のあたりから、まるで魔法に掛けられたように、ぱあっと全身の皮膚に燃え移り、男に撫《な》ぜられて一瞬に心がとろけてしまう感覚が再現した。

悠次ではこういう感覚は生じない。突然、まったく予期していなかった記憶が心の奥から飛び出してきた。央子を生んだのは、悠次が世界一周旅行から帰った日の翌日、昭和十一年十一月十二日の明け方であった。悠次が東京駅を出発したのは、その年の七月十五日である。つまり、身籠《みごも》っていた期間の半ば近く、夫は不在で、その間、妊婦に特有の不安に加えて、悠次への罪と後悔で、わたしは苦しんだ。（いったい、こんなことを、何で思い出したものかしら。）ああ、央子は罪の子だと、初江がひしひしと考えた刹那《せつな》、天罰がくだった。

突如、真っ暗になったのだ。停電だった。おお、と失望の声が座を走る。が、人々の嘆きの底から音楽が、モーツァルトが朗らかに浮び上がった。すこしの動揺もなく、淀《よど》みもなく、演奏が続いている。しばらくして、蠟燭《ろうそく》の光のなかに二人の少女が現れた時、曲は立派に終っていた。拍手だ。央子とヘラが優雅にお辞儀をしている。熱っぽい、本気で叩《たた》いている拍手が長く、長く続いている。シュタイナー夫人が振り向いて何か言った。興奮しているのか、早口のフランス語で意味が不明だ。桜子が通訳してくれた。「オッコの演奏は素晴らしい。ヴァイオリンの上達振りは驚くべきものがある。わたしの子供たちもせめて彼女ぐらいの努力と才能があればと、願っている」初江は夫人に笑顔で「メルシー」と言った。それから桜子に、「ヘラちゃんも素晴らしいと言って」と頼み、すぐ「央子の上達は、シュタイナー先生と奥様の御蔭《おかげ》です、って言って」と、付け加えた。夫人は、「パドコワ」とにっこりした。

次は先生と夫人の番である。先生のヴァイオリン、夫人のピアノ伴奏で、シューベルトの『二重奏曲』の演奏が行われた。

これは、央子の演奏とは、まるで別次元の世界だと、たちまち初江は感じ取った。ヴァイオリンの玄人《くろうと》の道の奥深さ、険しさ、そして美しさを、自分のようにそれと無縁な者にも、はっきり示されたと思った。音色などという単純な言葉では表せない、明快で複雑で、楽しく悲しい音楽の世界の、ほんのとば口を垣間見《かいまみ》て、初江はうっとりとした。央子がシュタイナー先生の域に到達するまでは目もくらむ長い道のりがある。並大抵の努力、苦労、辛抱では、どうにもならぬ。初江は、最前まで心に温めてきた夢が薄れて行く心残りをおぼえながらも、夫妻の至芸に聞き惚《ほ》れていた。拍手しながらも、壁や天井にまだ快く音楽が鳴り響いているような気がした。

人々が去り、後片付けが終り、央子が寝て、武太郎が寝室に入ったあと、初江は桜子と向き合って暖炉の前に坐《すわ》った。

「オッコちゃん、上手になったでしょう」と桜子が紅茶を勧めながら言った。

「わたしには、本当の所はよくわからないけど、夫人があんな風におっしゃるんだから、上手になったんでしょうね」

「夫人はお世辞の無い方よ。あの言葉は百パーセントあの通りに取ったほうがいいわ」

「なら嬉《うれ》しいけど」

「あなたって、わりと冷静なのね。あまり嬉しそうな顔してないわ」

「嬉しいわよ。ただし心配なの」

「何が。あ、読めた。フランス留学の件でしょう。あれ気にしないほうがいいわよ。シュタイナー先生って、天才的な方で、溢《あふ》れるように思いつきだの計画だのって、おありになる。わたしにもフランスへ一緒に行こうなんて、一度、おっしゃった」

「あなたにも?」初江はあっけに取られた。

「そもそもフランス行きが怪しいの。先生はベルリンを本拠にして、ウィーン音楽院で教えていらしたでしょう。ドイツ、オーストリアなら人脈も舞台もつかんでらっしゃるけど、パリでは自由がきかない。それに戦後となると、多分、フランス人はドイツ人を排斥するでしょうしね。それより、あなた、今度は何しに来たの」

「御挨拶ね。わが子に会いに来たんじゃない。……さっきオッコも同じ質問したわ」

「いきなり電報で、5ヒイク、レイジムカヘタノム、では目的不明よ。でも不思議。三月五日は今夜のコンサートの日取りと偶然一致してた。まるで、それを聴きに来たみたい」

「わたしのために開いたんじゃないの?」

「あれは嘘《うそ》。去年のクリスマスに先生が言い出されたの。あなたも単純ね。軽井沢では二十人以上の集会は憲兵隊の許可が要るのよ。許可がおりるまでひと月以上は掛かる。それに、わずか二日で子供たちがあれほどのアンサンブルを作り出せるもんですか。でも、晩餐会《ばんさんかい》はあなたのためよ。急遽《きゅうきょ》先生御一家に都合を付けていただいた。あなたったら苦い顔してるわね。怒ってるの?」

「がっかりしてる。もちろん感謝もしてる。そして考えてる」

「あなたって複雑な向きもあるのね」

「うちの亭主は、母親は子供たちと一緒に住むべきだ、つまり一緒に疎開しろと言うの。それで様子を偵察《ていさつ》に来たわけ。このあと、草津に学童疎開している研三を訪ねる」

「やっぱりね。断言しますけど、オッコちゃんを今シュタイナー先生から離したら、あなた、後々《あとあと》まで後悔するわよ。小暮央子とは、ただものではない。ひょっとすると天才よ。天才を育てられるのは、シュタイナー先生みたいな天才だけよ。つまり、最高の出会いなんです。わたし、自分勝手で贅沢で非国民で、そこらにいる憲兵や特高にとっ捕まれば、拷問《ごうもん》で殺されちゃうような女だけど、一生に一度だけ、本気で本当を言うわ」

「大丈夫よ。オッコはシュタイナー先生にずっとお願いするわ。わたしこそ、本気で本当よ」きっぱりとそう言いながら、口が自然に動いてしまった。自分はとうに、そう決心していたのだと、初江は悟った。桜子の、珍しく本腰を入れた語り口や真摯《しんし》な態度が、彼女への嫉妬《しっと》(晋助と央子と、両方とも取られてしまう、二重の嫉妬なんだわ)、将来への不安(果たして央子は演奏家として大成できるか、ヨーロッパに勉強に行くとなったら費用をどうしよう)などを剝《は》ぎ取り、おのれの本音を見せてくれた。

「よかった」桜子は目の高さで拍手すると、膝《ひざ》を繰り出し、初江の両手を握った。目が潤《うる》んでいた。

「ね、桜子ちゃん、オッコをよろしく。わたしも、あの子のヴァイオリンだけは物にしてやりたくて、四年間も一所懸命、富士彰子先生、太田騏一《おおたきいち》先生のレッスンに連れて行った。亭主からは教授料の無駄遣《むだづか》いだと言われたし、美津さんからは、どうせ女が結婚すればやめるお遊びなんだから――つまりわたしの長唄と三味線への当てつけ――そう夢中になることないと嫌みを聞かされたけど、わたしやめなかった。なんだかあの子の備えている、強い力に引き摺《ず》られたみたい」初江も目頭を熱くしていた。

3

躊躇《ためら》うように、電車はゆっくりと動き始め、央子と桜子が手を振った。窓から身を乗り出した初江は、ハンカチで応《こた》える。央子の顔が小さくなって行く。こんな戦争では自分もいつ死ぬか知れない。ひょっとすると、これがこの世での見納めかと思うと、わが子の姿はうろうろと涙にかすむ。今朝、いや昨日の朝も、薄明に目覚め、わが子の寝顔をしげしげと見詰めた。薄く開いた唇を何かを吸い込むように動かすのは寝入った央子の癖で、それを久々に見た。それは、生まれた直後のわが子に、最初に添い寝した時の唇の動きにそっくりなのだと思うと、乳房に吸い付いた、熱い感触――体温の高い新生児の感触――も甦《よみがえ》った。今朝はわが子の乱れた髪を撫で付け、それから前腕をさすってやった。柔らかく温かい肌《はだ》に触れていると、愛《いと》しさに涙が溢れ出てきた。あれと同質の涙が、今、流れている。あの子のために今してやれる、最上の行為が別れなのだと思うと悲しみは募り、涙はとめどもなくなった。

「早く閉めろや。さぶいでよう」と怒声がした。目尻に手風琴《てふうきん》の蛇腹《じゃばら》のような皺《しわ》が刻まれた、熊《くま》みたいな体格の男である。兎毛《うさぎげ》の襟《えり》の外套《がいとう》を着て、革手袋の拳《こぶし》を振り上げている。

「済みません」と初江はあわてて窓を閉めた。乗客は八分の入りであろう。この地方の住人らしい、鄙《ひな》びた男女が坐っている。初江の黒っぽいモンペも肩掛けも、ここでは都会風に派手に見える。

軽井沢から草津へ向う草軽《くさかる》電気鉄道である。小型の電気機関車は、地元の人が〝かぶと虫〟と呼ぶのもうべなるかな、這《は》った虫が角を突き出す具合に、長いポールを立て、一輛《りよう》の客車を曳《ひ》いている。玩具《おもちゃ》のような軽便鉄道で、速度も遅く、人間が走るのと同じくらいだ。もっとも、さすがは登山電車で急坂にかかってもへこたれず、むしろぐいぐい頼もしい力で登っては行く。

せせらぎの反射と見紛《みまが》う、まばらな雪が降っている。いや、降っていると言うより、浮遊していると言うべきであろう。氷で包まれ、水晶細工となって輝く森を、雪は風に乗って通過し、時には上方へと舞いたわむれている。登り坂がぐうっと曲がったところで雪は姿を隠し、白い空間のさなかになお白く浅間山が浮き出した。不意に、白いキャンバスに青い絵の具をぐいぐい塗って行くようにして、青空が出現し、山の輪郭が明らかになった。頂上から、この山に付き物の噴煙が、珍しくも下へ向って、つまりこちら側へ吹き出している。と、晴れてよかったと喜ぶ心を逆撫でするように、周囲は濃霧に閉ざされ、何も見えなくなった。そうして最前とはまるで違う、本降《ほんぶ》りの雪になった。

荒井のお内儀《かみ》さんが言ったことを思い出した。軽井沢の春先の雪には二種類がある。一つは冷たい北風の運んで来る粉雪《こゆき》で、浅間山に遮《さえぎ》られて、あまり積もらない。もう一つは温かい南風に乗って来る牡丹雪《ぼたんゆき》で、どか雪となるが、すぐ融《と》けてしまう。さしずめ今日のは前者で、浅間の向う側では、北風が盛んに雪を降らしているのだろう。

予想した通りであった。坂を登りきって、浅間山の北側に広がる高原に出た所から、横なぐりの、緻密《ちみつ》な雪となった。風圧で窓が軋《きし》み、隙間《すきま》から寒風が吹き込む。人々は、両腕を組み、外套の襟をつまみ、予備の毛布や綿入れを纏《まと》う。初江も羽織を着て、その上に肩掛けを巻きつけた。

駅に着くたび、女車掌は外に出て、客の世話をする。乗って来る人は少なく、降りて行く人は三々五々、吹雪の中に消えて行った。一体こんな所にどんな村があるのだろうかと、白一色の彼方《かなた》に目を凝らすが、見えるのは、沸き立つような雪の渦《うず》と筋であった。

〝つまごひ〟という駅で貨車が連結された。黄色い円筒形の物質をびっしりと積んでいる。吾妻《あがつま》鉱山の硫黄《いおう》である。乗り込んできた男たちも、鉱夫らしい風体であらくれており、酒瓶《さかびん》の回し飲みをしたり、花札に興じたりして騒いでいる。初江に向かって、「さぶいでよう」と怒声を浴びせた男は、鉱夫たちと旧知の間柄らしく、彼らの隣に席を移すや、打って変った高調子で喋《しゃべ》り、酒を酌《く》み交わしている。「硫黄は戦力じゃもんな」とか、「硫黄を使った新火薬が発明された」とかの片言（イオウをエオウと発音してる。この地方の方言なのかしら）から、彼らが時流に乗った人たちで、景気のいい自分たちを得意がっているのが聞き取れた。

硫黄の御威光のせいでもなかろうが、下り坂でスピードが上がった。正面から攻めて来る降雪軍団を、〝かぶと虫〟が、兜《かぶと》の鍬形《くわがた》を振り振り、蹴散《けち》らす勢いである。線路端に積み上げた雪の壁が高くなって行く。林の底にも雪は深い。と、おおっと男たちが叫ぶのと、不安定に車体が揺れるのと、同時であった。がたがたした震動とともに、機関車が傾き、やがて雪の山にでも突っ込んだような衝撃があって、停《と》まった。女車掌が、脱線です、お客さんは全員外に出てほしい、男の方は手伝ってほしいと言った。やれやれ、畜生めと、がなりながらも、男たちはこのような事態に慣れているらしく、日常の仕事にでも出掛ける冷静さを示しながら、外に出た。

〝かぶと虫〟の前輪が脱線していた。雪壁を数メートル削り取って、見ろ、立派に停まったろうと、胸を張っている様子で傾いていた。降りしきる雪の中、男たちは、運転手の指図に従い機関車の下に枕木《まくらぎ》をあてがい、梃《てこ》の原理で起こしに掛かった。凍《い》て付いた枕木は男たちの手を滑り、機関車を外れてしまい、難作業である。何度も失敗しながらも、機関車はじりじりと線路に近付き、ある瞬間、「ほらさ」の掛け声とともに、すとんと本来の位置に収まった。男たちは枕木を線路脇《わき》に捨てた。気が付くと、脱線時の作業に用うるための枕木が点々と線路端に用意されてあった。

動き始めた。男たちは、脱線時に停止した動作を、何事もなかったように継続し、労働で体を温めただけ陽気に騒いでいる。しかし、風雪に曝《さら》されて立っていただけの初江は、骨の髄まで冷えきって、震えていた。股《もも》をさすり、上半身を揺すってみるが、及ばない。

「ねえちゃん、いっぺえ、いかず」と話し掛けられた。手風琴皺の男が、茶碗酒《ちゃわんざけ》を差し出している。

「いいえ」と初江はかぶりを振った。

「さぶがってるだに。遠慮せんでええ」

「本当に結構です。飲めないのです」

「ほう、おれの盃《さかずき》を受けねえだか」男は、酔いの染《し》みた眼《め》で、初江を頭から足先まで見下ろした。視線は、首、乳房、太股で止まり、撫で回すように左右に動いた。そのたんびに、羞恥《しゅうち》を覚え、初江は息が詰まった。「ねえちゃん、どこまで、えくかね」

「草津です。子供に会いに行くんです。学童疎開で……」

「なら東京の人ずら。へえ、子供ねえ。あんたに子供があるとは、見えねえ。若くてよう、色気があってよう、ええ女だわな」男は卑猥《ひわい》な目付きで顔を寄せてきた。のけぞりたくとも硬い座席に阻《はば》まれ、熟柿《じゅくし》臭い息をもろに浴びた。

　隣の老人も向いの中年女も、総じて人々は、見て見ぬ振りをしている。離れた所から、酔った鉱夫たちが男を応援するように囃《はや》し立てた。初江の頬《ほお》は火照《ほて》り、汗ばんで来た。反吐《へど》がでそうな程、男への嫌悪《けんお》が強い。何よりも、この無礼な言動に我慢がならない。しかし、相手は屈強な男の集団を笠《かさ》に着て、図々《ずうずう》しくもこちらの手を握ろうとした。初江の中で張り詰めた弦がピンと鳴り響いた。

「酔ってるわね、あんた。あっちへお行き」

「ほう、生きのええ、ねえちゃんだわ。ますます気に入ったでえ」男は、口説き言葉を並べ立てていたが、こちらはもう聞いておらず、そっぽを向いていた。再び登り坂に掛かっていた。風は余程おさまって、雪は垂直に降り、木々の枝は積もった雪に重く垂れ下がっていた。と、男は老人を追い立て、初江の右隣に坐った。しばらくして男の腕が下りて来て、初江を抱こうとした。彼女は相手の腕を振りほどくと、さっと立ち、思い切り、相手の頬を引っぱたいた。小気味のいい音がして、人々が、鉱夫たちも、振り向いた。

「いてえ」男が突っ立った。憤怒《ふんぬ》の形相である。しまったと彼女は後悔した。この種の酔っぱらいは何をするかわからない。が、精一杯の背伸びで相手に目を据《す》えた。鉱夫たちがまた囃し立てると予想した。ところが、火の消えたような沈黙だ。男はにやりと笑うと、ぷいっと向うへ歩み去った。恐《こわ》くて、そちらを窺《うかが》えない。相変らず静まり返っていて気味が悪い。しばらくして、男たちがざわめき出したので、初江は全身を硬直させた。

停まった。大勢が降りる。発車すると、にわかに静かになった。男たちは、猥褻《わいせつ》男も一緒に、降りてしまっていた。

草津に着いたのは午後四時過ぎであった。普通ならば三時間余りの行程に六時間も費やしている。吹雪と脱線のせいである。それに白根山《しらねさん》への登りになって、雪が繁《しげ》く、停車しては除雪を繰り返さねばならなかったからである。

この温泉町は豪雪地としても知られ、以前悠次は時々スキーに来ていた。初江には初めての町である。

駅で降りたのは、湯治《とうじ》客でもスキー客でもなく、地元の人々がほとんどで、初江のように疎開《そかい》児童に会いに来た人も数人見かけた。試しに、それらしい人に尋ねたが、大久保国民学校関係の人ではなかった。

桜子が紹介状を書いてくれた、野本家の常宿Dホテルも研三のいるN旅館も、旅館街の中心にある湯畑《ゆばたけ》の近くだと聞いてきた。駅員に尋ねると、湯畑とは、草津温泉の源泉で、坂を下った先の広場にあると教えられた。路面は凍結していて、初江は二度も滑って転んだ。転ぶのに馴《な》れて、尻《しり》でたくみに氷面を滑り背中のリュックサックをクッション替わりにするので、中の乾パンや餅《もち》が粉になってしまうのが心配になってきた。道端には積み上げられた雪の堤防が視野を限り、しかも道はくねくねと曲がって、一向に要領を得ない。

カンジキを履いた老人が橇《そり》を曳いている。道を尋ねると、旅館街の上に湯気が立ち込めているあたりを指差してくれた。湯畑に辿《たど》り着いた。黄緑色の湯垢《ゆあか》のこびりついた樋《とい》を幾条もの湯が硫黄の臭《にお》いのする湯気をもうもうと吹き上げながら流れている。湯が流れ着いた所から、木製の管が四方八方に伸びて、旅館への給湯を行っている。雪と氷の極寒の世界の中に、地底の熱気が大量の湯となって吹き出している。

Dホテルの看板が目に入った。この付近では一番に豪華な構えで、初江は気後れしたが、研三の〝葉書日記〟から推すとN旅館には父兄を泊める余裕などなさそうなので、ともかく宿を確保しておこうと思った。帳場には五十がらみの図体の大きい男がいて、初江を無遠慮に睨《にら》んだ。

「泊めて頂きたいのですが」

「駄目だ。うちは軍人さん以外は泊めねえ決りだ」

「紹介状を持ってきましたが」

「おめえさんは軍人さんでねえわ」

「これを一応見て下さい」初江は桜子の手紙を懐《ふところ》から引き抜いた。封筒は汗と雪で濡《ぬ》れて、お絞りのようになっていた。男はぶつぶつ言いながら、封筒を引きちぎり、インクの滲《にじ》んだ便箋《びんせん》を、面倒くさげに読み、ちょっと待てと言うと奥に消えた。冷えた体を温かい空気がくるんでくれ、快適である。軍人らしい浴衣《ゆかた》の男たちが石炭ストーブを囲み、ぬくぬくと談笑している。昼間から宴会でもしているのか、芸者が三人、勝手知った様子で廊下を横切った。

男と一緒に、女将《おかみ》らしい女が出てき、「おやまあ、立て込んでるもんで失礼しました」と切り口上で挨拶《あいさつ》し、「野本さまの御紹介でしたら、お断りできません。どうぞ」と、先に立って二階の部屋に通してくれた。十二畳に化粧の間の付いた立派な部屋で、炬燵《こたつ》が備えてある。この節、宿泊の決りになっている米に添えて、桜子から預かってきたコンビーフや干物(鰊《にしん》と鰺《あじ》の開き)を夕食の菜用に差し出し、さらに鼻薬の砂糖をそっと手渡してやると、女将は、現金にうやうやしい態度に変わった。N旅館の場所を尋ねると、わかりにくい所だからと、女中を一人道案内に付けてくれた。

なるほどわかりにくい所で、N旅館は、坂の途中にあり、一階部分が雪に埋もれていた。雪のトンネルを潜《くぐ》り抜けた先が玄関だ。総体に貧弱な造作で、引き戸を開くと、安普請《やすぶしん》の天井や壁が目に入り、脂身《あぶらみ》の腐ったような臭い、よく乞食《こじき》などが発する物の饐《す》えた臭いが漂ってきた。廊下には雑品が積み上げられ、足の踏み場もない。何度も呼ぶと、綿入れの背を寒そうに丸めた主人のNが、両手を擦《こす》り合わせながらでてきた。なかなかの男前で、遊び人の過去を連想させたが、東京で見た背広の紳士が、草津ではすっかり田舎親爺《おやじ》になり変っている。

初江を見ると、主人はたちまち愛想笑いを浮かべ、「へいへい、その節はどうも」と莫迦《ばか》丁寧に最敬礼をした。すぐにも研三に会いたいと言うと、今児童たちはスキーに出掛けているという。

「こんな雪の日に?」

「ははあ」と主人は、尖《とが》った顎《あご》の先を右の親指と人差し指で挟《はさ》み、苦笑した。「スキーは雪の上を滑るんですがな」

「そんなこと知ってますけど、今日は吹雪《ふぶ》いて寒いでしょう」

「ちっとべえ風がありますけどな。寒いと言ったたって、せいぜい零下十二、三度でえ、まあ、草津では並の温度です。それに生徒さんは元気がええから」

「研三はどうしていますか」

「申し訳ねえこった。あれから、すなわち、わたしめが書簡をお届けしてから、そう(と指を折る)四度、いやこれで五度、夕食に御招待しただのに、決然立って、へえ拒絶なさる。級長だし、第二班、すなわち、このN旅館に宿泊せる全員の長として、自分だけの抜け駆けの功名はならぬと、おおせです」

「功名……夕食が功名ですか」

「いや、ま、どうも」また顎を挟む。「何しろ、すなわち……大勢の生徒の中で、衆人環視の中で、こっそりと食事を取るのに大変な勇気が要るわけです。その……」

「生徒とお宅さまとで、そんなに食事の内容が違うんですの？」

「それは、もう、もちろん。いやいや、お互いに同じ配給品ですから、断固として違うはずはないですが」

「どっちですの。例えば、生徒の今日の夕食は何ですか」

「じゃが芋の煮付け……」

「それだけですか」

「いやいや、栃《とち》の実入りの粥《かゆ》……」

「お宅の夕食は？」

「……豚肉と野菜の炒《いた》めに豆腐の味噌汁《みそしる》。御飯」

「ずいぶんの御馳走《ちそう》ですわね」

「それは、もう、女房が腕を振いまして。あ、いや、これが現実でして」主人は、正直そうなそれでいて狡猾《こうかつ》さを含む目付きで頷《うなず》いた。「だあから、栄養失調を撃滅するには、わが家の食事に御招待が、最上の道です。それをお断りになる以上、万策尽き、刀折れ矢尽きたわけでして。あの五十円、いや、一月二月分、百円は、きっぱりとお返しするが人の道、理の当然と思い、大切に、厳重に金庫に保管してありますがな」

「それだけ御造作掛けて恐縮ですわ。お送りした分は、どうぞお収め下さいませ」

「それはいけねえです」と、主人は真面目《まじめ》くさった顔付きで手を振り、「まあそうおっしゃらずに」と初江がもう一押しすると、「そんなら、まあ、折角のお志を無にするも、かえって失礼なれば、ありがたく頂戴《ちょうだい》つかまつる」と、相好を崩しながら深々と頭を下げた。

湯浅教頭と担任の麦島訓導を先頭に、子供たちが姿を見せた。てんでんにスキーとストックの雪を払う。研三がいる。駿次に較《くら》べると随分の小柄《こがら》で、痩《や》せて頰骨が出て、変に子供子供している。央子のふっくらとした頰を見たばかりなので、こけた頰が痛ましい。それに、セーターは綻《ほころ》び、ズボンは汚れ切って雑巾《ぞうきん》なみだ。手袋を取ると、グローブのように霜焼けが脹《ふく》れ上がっている。

「おかあさん、遅かったね。ぼく、駅まで迎えに行ったんだ」

「御免ね。電車が脱線してね、それにこの雪でしょう。お前の〝葉書日記〟いつも読んでるよ。元気なようだね。手紙に書いたように、いろいろ相談ごとがあるんだよ」

顔見知りの同級生が集まってきた。人なつっこく、しかし気恥ずかしげに、研三の背後からこちらを見上げている。「小暮君のおかあさんだ」「こんにちは」「まあ、みなさん、お久し振り」霜焼けの手の甲を叩《たた》いている子、鼻水の棒を垂らしている子、シラクモで頰に粉を吹き出してる子、瞼《まぶた》の赤く腫《は》れ上がった子。みんな傷《いた》んだ衣服を着て、痩せて顔色が優れない。初江は胸を突かれ、彼らの顔を正視できない。

女の子の一団が来た。男の子よりは、身綺麗《みぎれい》にしているが、都会風の派手な洋服が古びた分だけ貧相に見え、やっぱり栄養不良の顔色だ。そして、異様に静かだ。女の子特有のお喋りやはしゃぎが無い。研三は男のクラスなので、女の子には縁遠い。しかし、悠太の同級生だった香取栄太郎の妹とか、名前はわすれたが駿次の同級生の妹とかは、初江も知っていて、会釈《えしやく》すると、向うもにっこりした。彼女たちに付いて来た女の先生も顔馴染《かおなじ》みだ。なにしろ、子供四人を同じ学校に入れたのだから、この学校では顔なのである。

子供たちが部屋に入ると、麦島先生が近寄ってきた。

「どこかで、お話しましょう」

「応接間にどうぞ」とNが帳場裏の洋間に案内した。

「六中受験の件ですが、先生のお見立てはいかがでしょう」

「小暮君は六年生で一番の成績だし、ここでも、受験勉強はみっちりしていたようですから心配ないでしょう。六年生は、どうせ数日中に帰京させますから、この際、お母上と御一緒に帰宅なさったらいい」

相談事はそれで簡単に終ってしまった。今夜から集団を離れてDホテルに泊まる許可もえた。麦島は自分で研三を呼びに行き、連れて来た。

「先生の御許可を頂いたわ。研三、あした東京に帰ろう」と初江が言うと、息子は頑固《がんこ》にかぶりを振った。

「そんなこと急に言われても困るよ。あしたじゃ準備ができないよ」

「準備も何もないでしょ。荷物を纏《まと》めるだけよ。来た時と同じように手荷物とチッキとに区分けすればいいのよ」

「採集した昆虫《こんちゅう》標本が三箱あるんだ。あんなのチッキにしたら壊れちゃうから、持って行くよりしょうがない」

「壊れやすい物なの？」

「うん、ピンで留めたトンボや蝶《ちょう》なんかだもん」

「大きな物なの？」

研三は両腕で抱える仕種《しぐさ》をした。

「そんな大きな物、持って行けやしない。汽車は満員だし、空襲や機銃掃射があったらどうするの」

「それからさ、あと鉱物標本が沢山ある。これ、石ばかりだから重いんだ。全部はチッキでも無理だから、大事な物、選びださなくっちゃ」

「鉱物も集めたのかい」血筋かも知れないと初江は思った。母方の祖父、永山光蔵《ながやまみつぞう》は著名な鉱物学者で鉱物博物館まで作った人だ。

「植物採集もしたんだ。でもこの標本は軽い。それから天体観測の記録がある」

「まだあるのかい」

「それで終りだけどさ。みんな持って行くのは大変だから、整理したいの。あさって帰ろうよ」

「お前も知ってるとおり、六中の考査が迫ってるんだよ。三月十四日が口頭試問、十六日が筆記試験。今日は七日じゃないか」

「考査のほうは自信がある。大丈夫」

「急いで帰りたいの。本当はきのう草津に来る予定が、軽井沢で桜子さんとシュタイナー先生が引き止めるので、それにオッコが離さないので一日遅れ、あさってなんて二日遅れになって、おとうさん心配なさるし、西大久保の空襲も心配だし……」

「小暮」と麦島が言った。「昆虫、鉱物、植物……標本は全部、旅館の倉庫に預かってもらえ。東京は戦場だ。せっかくの標本の安全はたとえ御両親でも保証はお出来にならんぞ。日本はいまに勝つ。勝った時、草津に標本を取りに来い」それから初江に向かって言った。

「小暮君の蒐集《しゆうしゆう》は大変なもんでしてね、鉱物なんて、大きな石が縁の下にごろごろしてるし、昆虫標本も置場が無いんで、わたしが教員室にあずかってるんです」

「まあ、御迷惑をお掛けして……」

とにかく大急ぎで研三に荷造りをさせることにした。待っている間、麦島の案内で、旅館内を見て回った。

〝教員室〟は八畳間で、数人の先生が同居している。荷物の山の上に男物のパンツが懸けてあるので、初江は目をそらした。

児童は六畳二間に十四人が寝起きしている。子供の、拙劣な手仕事で、まだ汚れの目立つ洗濯物《せんたくもの》が満艦飾である。暖房が無いため、室内でも寒い。

「寒うございますわね」

「はい。燃料不足もありますが、狭いところに大勢ですから、一酸化炭素中毒を恐れて、火鉢《ひばち》を入れてません。室内でも零下で、洗濯物も手拭《てぬぐい》も、蜜柑《みかん》も赤チンも凍ってしまうんです」

「授業はどこでなさるんですか」

「大部屋がありませんので、各自の部屋でやります。教師があちこちの部屋を渡り歩くんです」

「では、こんな狭い所に一日中閉じ込められてるんですの」

「いや、外へ行く日もあります。薪《まき》、炭、野菜、硫黄などの運搬にみんなで協力しています」

「それは勤労奉仕ですの？」

「というより、体練の時間と考えています。この土地の特色を生かし、今年になってから体練の時間にスキーを行い、これは児童の好評をえております」

初江と麦島は応接間に戻ってきた。麦島は金鵄《きんし》に火を点《つ》けて吸った。

「ここは温泉がありますから、よろしいですわね」

「はい。その点は恵まれています。温泉には毎日入れて体の清潔は保てるんですが、衣服のほうは、連日の降雪で乾かず、汚れ物を着る羽目になって、とうとう虱《しらみ》が発生して、みんな痒《かゆ》い痒いと大騒ぎなんです」

「虱……」初江は急に背筋がむず痒くなってきた。

「最初はわたしも驚きましたが、今は馴れました。なあに、虱ごとき匪賊《ひぞく》は退治すればよろしい。朝は点呼と宮城遥拝《ようはい》で日課を始めますが、その直後、全員に虱取りをさせるんです。女の子なんか、白胡麻《しろごま》のような卵がこびりついている髪を、一本一本爪《つめ》でしごいて取る。髪に潜む、頭垢《ふけ》に見まがうような虫は梳《す》き毛《げ》ですいて見付けるんです。続いて下着を脱いで、廊下で虫どもをはたき落とし、衣服を徹底捜査して、縫い目に隠れている虫をほじくり出す。それから、素裸になって乾布摩擦《かんぷまさつ》をし、体中の虫を払い落とす。捕った虫は佃煮《つくだに》の瓶《びん》に集めさせますが毎朝、瓶二つ分は溜《た》まります」麦島は得意げであるが、初江は背中が痒くなって、思わず身悶《みもだ》えした。

「うちの子の吹き出物も、虱の痒い所を、掻《か》き過ぎたためとか、先生の御返事にありましたですね」

「はい。小暮君だけじゃなく掻き毟《むし》ったために吹き出物を生じた子も多くて、せっかくの硫黄泉が皮膚に滲《し》みて、温泉を嫌《いや》がるんですな。で、ますます不潔になって、虱を湧《わ》かすんです。また、そういう子に限って、流行性結膜炎に罹《かか》ります」

「と、おっしゃると」

「目を赤く腫らしている子に気がつかれたでしょう。あれです。ハヤリメですな。一人が罹ると隣の子に移るんです」

「そして、ここでも食糧難でしょうねえ」

「はい。食事の質と量が問題です。育ち盛りの子供らにとっては、どうしても物足りない。

秋の終り頃《ごろ》までは、六割の麦飯や粥を与えられたし、肝油やヴィタミン剤も支給できたんですが、冬になってから運輸の杜絶《とぜつ》と戦況の逼迫《ひっぱく》もあって食糧事情が極端に悪化しました」

「どんな献立でございますか」

「芋粥が常食で、それに田螺《たにし》、鮒《ふな》、グミの実、アケビの実、芋蔓《いもづる》などの味噌汁や煮付けがお数《かず》です」

「それじゃ、お腹《なか》が空《す》きますわね」

「はい。残念ながらいつも腹ぺこです。戦地の兵隊さんを思えと、激励はしてるんですが……」麦島は煙の溜息《ためいき》をついた。「子供らの話題も食べ物の空想が多いんです。白米飯、赤飯、餅、パン、餡《あん》こ入りの菓子、ホットケーキなど、昔食べた味や満足感を話し合って、懐かしがるんです。彼らの声は、わたしら教師に筒抜けで、可哀相《かわいそう》に思いますが、どうしようもありません」

「研三は理屈っぽい子でして……ひねこびた質問をして先生をお困らせしてるんでしょう」

「そんなことは、全然ありません。好奇心が旺盛《おうせい》なんです。観察だの蒐集だのが好きで、昆虫やら鉱物やらを集めたり、月と惑星の位置を星座表に書き入れたり、聖戦完遂に役立つ〝科学する心〟を持っているので、将来が楽しみです」

　研三が来て、荷物の整理には、まだ時間がかかる、明日の午前中一杯はかかりそうだと告げた。

「いいわ。お昼に出れば、何とかその日のうちに東京に着けるでしょう」と初江は言った。

ランドセルを背負った研三と外へ出ると、とっぷりと日は暮れていた。Nが懐中電灯を持って先導してくれる。初江が滑って転びそうになるたび、主人が腕をつかんで支えてくれた。が、暗闇《くらやみ》で遊び人だという男に体を触られるのが妙になまめかしく、闇の中で初江は顔を赤くした。

Dホテルの玄関で一悶着《ひともんちゃく》が起きた。例の帳場の男が研三を中に入れないのだ。

「子供は駄目《だめ》だ」

「親を泊めるのに、なぜ子供が駄目なんです。二人分のお米は、ちゃんと女将《おかみ》さんに渡してありますよ」

「子供は泊めない決り」

「また決りですか。子供と言っても国民学校の六年生ですよ。それにうちの子は級長です。女将さんを呼んで下さい」

Nが男にひそひそと交渉した。Nは初江に言った。

「虱です。研三君の着ている物を全部脱いで、もちろんパンツも脱いで、体を温泉で綺麗にして、宿の浴衣《ゆかた》を着てくれるならば、泊めてやるというだが」

「つまり、裸になれと……」

「脱いだ物は、こちらで煮沸消毒して、洗濯して、すぐ乾かして、アイロンを掛けて、お返しすると、こういう訳です」

「ぼく、そうするよ」と研三が言った。「煮沸消毒する必要を認めるよ。そうしないと、虱の卵は死なないんだ。N旅館じゃ、燃料が足りなくて煮沸消毒できないんだ」
「いや、まったく、どうも」と、Nは長い顎《あご》を振り、その動きを止めるように指で挟《はさ》んだ。
「燃料不足で……」
「多分そうなるだろうと思って、ぼく、パンツとシャツを全部ランドセルに詰めて来たんだ。いい機会だから煮沸消毒してもらおうよ」
「まあ、ちゃっかりしてるね、お前……そうね、そのほうがいい」初江は同意した。虱の卵など、思っただけで鳥肌《とりはだ》が立つ。（この際、煮沸消毒をやってもらおう。東京まで卵を持ってこられちゃ、大変。）

部屋の火鉢の炭はかんかんに熾《おこ》されていて、N旅館とは別世界だ。

温泉に入った。滝の湯がある。雪の庭が眺《なが》められる。温泉などに入ったのは何年ぶりかと思う。温まって、体を洗おうとして、異常な寒さに震え上がった。頭も痛く咳《せき》も出た。風邪を引いたらしい。草津に来てから緊張していて気付かなかった。浴場から帰る途中、軍人らしい男客にじろじろと見られた。女客は余程珍しいらしい。

衣服をすっかり着替えて、〃清潔になった〃研三が、「へえ、すごいねえ」と、部屋の作りや調度に目を見張りながら、入ってきた。

息子の、背中や腹の出来物に完皮膏《かんぷこう》を塗り、手と足の霜焼けに繃帯《ほうたい》を巻いてやると、初江は、わが子と向き合って炬燵《こたつ》に入った。

夕食が運び込まれた。桜子が持たせてくれたコンビーフや干物を用いた料理に研三は嘆声をあげ、東京から運んできた切り餅《もち》を火鉢で付け焼きにし、海苔を巻いてやると、大喜びである。夢中でがつがつ食べている。

ところが、初江にはさっぱり食欲が無く、息子に自分の料理を回してやった。

「おいしいかい」と笑顔を向けながら、飢えきっていた息子の様子が胸に迫った。

「おいしいよ。N旅館のお餅なんて、元旦《がんたん》に四ミリの薄さのちっちゃいのが三つだけだもん。二日には、もう芋粥《いもがゆ》だもん」

「お前、Nさんに時々御飯を御馳走《ちそう》になればよかったのに、おとうさんからNさんに頼んでおいたのだよ」

「そんなこと不可能だよ」

「不可能?」

「そう。Nさんちじゃ、疎開《そかい》児童が自分の家、つまり旅館の別館に入るのを、絶対に禁止してるんだ。虱や結膜炎が自分の子に移ったら大変だというんだね。だから夕食に呼ばれたって、さっきみたいに素っぱだかになって、全部向こうの子の物を着る、パンツまではき替えなきゃならない。そんなこと不可能だろう」

「夕食に呼ばれたことあるのかい」

「ある。でも素っぱだかになるのが嫌だから断った」

「何度も呼ばれたのかい」

「ああ、でも、こっちが断るのを知っていて、からかうみたいに言うから、こっちもにやりと笑ってさ、首を振るんだ」

「そうだったの……」

「でもNさんが悪いんじゃないんだ。疎開児童ってのを嫌《きら》う土地の人が多いんだ。ここには海軍病院の分院もあるし、陸軍御用の旅館もあって、兵隊さんが一杯いる。このホテルもそうだけど、軍関係の旅館は疎開児童を嫌がるんだ。まるで不潔な伝染病の巣みたいに思っている。去年の秋だけど、かくれんぼしていて、軍の旅館の物置に隠れた子が捕まって、湯浅先生が旅館の親爺《おやじ》に叱《しか》られた事件があったよ」研三は久々の御馳走に興奮したのか、日頃口の重いこの子にしては珍しく、饒舌《じょうぜつ》になった。温まって痒くなった繃帯の手を叩《たた》きながら、〝葉書日記〟に書けなかった事柄《ことがら》を大急ぎで母に伝えようとしているかのようだ。

「本当はね、父兄の面会って、あんまり喜ばれないんだ。だって面会に来てもらえる子とそうでない子とのあいだに、差ができちゃうからさ。面会に来てもらった子は、親から食べ物やらお小遣いやらもらうから、ほかの子にやっかまれるんだ。だから、先生も困って〝面会規則〟を作った。おかあさんとこにも通知が行ったでしょう。面会時間は、昼は三十分、夕方一時間半。児童に飲食物、金品を給与しないこと。滞在期間は一泊か二泊。だけど、どの父兄も守らない。三泊も四泊もしてさ、こっそり自分の子にお八つやら何やらやるんだ。で、先生も困って、面会から帰った子の昼飯を取っておいて、みんなの前で食べろという。お腹が一杯だから食べられない。すると、〝規則〟を破ったって、殴られる」

「まあ……じゃ、この面会も、規則違反だねえ」

「いいんだよ。六年生は特別なんだ。もう卒業で、五、六人が家に帰ったし、それに、ぼくが余所《よそ》で食事すれば、その分、ほかの子が食べられるわけだし」

「食べ物が不足してるんだねえ。東京もひどくて駿次が可哀相だけど、ここも……」

「N旅館の食事がひどいんだ。御飯は半分芋だし、最近は大豆や麦や豆粕《まめかす》入りの芋粥でさ、米粒なんて探さないと見つからないの。粥でない時は麩粉《ふすま》入りの黒パンだもの。お数はね、田螺《たにし》、イナゴ、鮒《ふな》、芋の蔓《つる》、大根の葉なんかが出る。肉なんて、草津に来てから、三度くらいかな。お腹が空くから、みんないろんな物を食べた。道端の草で食べられるのを探すんだ。稲穂をちぎって、両手で脱穀して、玄米を昔あったチューインガムみたいに嚙むんだよ。米の配給取りの時、精米所でさ、精米機の下の糠《ぬか》を盗んで食べた。そうそう、コオロギも食べた」

「コオロギ？　そんなもの……」

「イナゴが食べられるならば、コオロギだって食べられるって言い出したのはぼく。でね、みんなでコオロギを十匹くらい獲《と》って、煮て食べたけど、青臭くってまずかった。あ、足が痒い」研三が炬燵から足を引き抜いた。繃帯を叩いている。

「その足で、よくスキーができるね」

「大人用の靴《くつ》を履くんだ。ここは昔、有名なスキー場だからね、旅館には貸し靴が沢山ある。でもね、スキーは面白いけど、お腹が空くのが困る。それに上手な土地の子が、わざとこっちの前を滑って、いじわるする」

「土地の子がいじわるするのかい」

「そりゃするさ。疎開児童なんて、栄養失調でひょろひょろで、山歩きも相撲もスキーもできない弱虫だもん。土地の学校では、疎開児童を歓迎するって、ぼくたちが着いた時、歓迎の集会をしてくれたけどさ、先生の見てないとこじゃ、疎開っ子にいじわるするのが、土地っ子の遊びなんだ」

「困ったことだねえ。大人の世界と同じだねえ」

「親切な子もいるよ。土地の子の一人なんか、山から木炭を運ぶ勤労奉仕で知り合ったんだけど、ぼくが重い炭俵が背中の出来物に当たって、ひいひいしながら歩いてると、俵の下を持ち上げて助けてくれた。その子の家に遊びにいったら、平気であげてくれたし、お芋をお八つにくれた。そうそう、この町の床屋の小父さんも親切だよ。疎開児童の旅館を回るんだけど、決して嫌な顔なんかしないし、女の子の髪の毛の虱の卵を丁寧に取ってくれる。そう言えば、Nさんだって親切なとこもあるんだ」

「Nさんが?」

「うん、ひとり、おねしょをする子がいるんだよ。すると毎朝、Nさんがその子の様子を見にきて、おねしょをしてると、そっとシーツを持っていき、かみさんに洗わせて、裏で、こっそり乾かしてくれるんだ。それ見て、みんなその子をいじめなくなった」

「あのNさんがねえ」

「Nさんが虱の件でうるさいのは、自分の子供に移るのを予防するため、つまりさ、衛生のためなんだ。あの小父さん、昔、衛生兵だったんだって。だから衛生にうるさいの。でもさ、だからさ、ぼくたちの霜焼けの治療なんか、いっしょけんめー、やってくれる。糠と薬草を混ぜた薬を塗ったり、古シーツで繃帯つくったりさ。下痢止めなんか、自分で薬草を調合してつくっちゃう。えらいんだよ、あの小父さん……」

心の蔵に仕舞っておいた宝物を一つ一つ自慢げに見せるように話しながら、研三は料理を平らげ、初江の分も喜んで食べ、餅をいくつも食べ、ついに満腹になったのか、餅を勧めても、受け付けなくなり、なおも話し続けた。

咳が続けざまに出、鋭い痛みが咽喉《のど》に走った。と、頭痛と悪寒《おかん》が耐えられぬほどひどくなり、歯の根が合わない。さすがに研三は母の異変に気付き、額に触り、「熱がある」と叫んだ。夢を見ているようにして、女中が来、女将が来、蒲団《ふとん》に寝かされていた。体温計は三十九度を示し、女将は医者を呼ぼうと言ってくれたが、初江は一晩寝れば治ると断り、いつも持ち歩いているアスピリンの原末を目分量で量り、水も用いず呑《の》み込んだ。暫時《ざんじ》うとうとしているうちに、どっと汗が出て、幾分気持がよくなり、そのまま暗い穴に落ちて行く感じで眠ってしまった。

翌朝、また三十九度近くの熱がぶり返して起きられず、出発を延ばす決心をした。Nが訪ねて来て、風邪《かぜ》の特効薬だという薬草を煎《せん》じて飲ませてくれた。ひどく苦い液体を初江は我慢して飲み干した。が、それが効いたらしく、午後には八度台に熱が下がって気分がよくなり、食欲も少し出て、お粥をすることができた。Nは自宅から煉炭焜炉《れんたんこんろ》を運んで来て、鍋《なべ》に湯を煮立てた。「これで部屋に湿気を与えます。はあ、北風でうんと空気が乾いてるから、喉《のど》をやられるで、ねえ」

午後、湯浅教頭と麦島先生が見舞いに来てくれた。しかし、先生たちと連れ立って来た研三の同級生たちは門前払いをくわされたそうだ。「ここんとこ、空襲が無いですな。三月四日の東京空襲以来、敵さん、音無しの構えですな。西大久保も無事なようです」と麦島が言った。

つぎの日の朝には、まだ七度二分の熱があったけれども、床を畳み、どうしても今日中に帰ると決め、足馴《あしな》らしに外へ出た。最初、足腰が鈍っていてよろけたが、やがて、しっかりと歩けるようになった。雪が降っている。N旅館の裏手に登ってみると、授業中の光景がよく見えた。木のベンチを机にし、窮屈な空間の中で身をくっつけ合い、ノートを取っている。先生は黒板を向き文字を書いている。一見乱雑な室内から、教室の威厳が立ち昇っていて、初江は素直に感動した。「欠乏の中でみんな一所懸命なんだねえ。でも寒そうだねえ」

町内を歩いてみた。方々の旅館に疎開児童が宿泊していた。広間一杯に並んで授業を受けている。正座して先生の称《とな》える言葉（少国民の誓いとかいうのかしら）を鸚鵡《おうむ》返《がえ》しに称えている。先生の号令で道に整列している。陸海軍は、疎開児童とは違って高級旅館街を押さえているように見える。白衣の傷病兵に出会い、初江は晋助を連想した。（サイゴンの陸軍病院に何か送りたい。何を送ったらいいかしら。）ふと赤い連子窓《れんじまど》の色街に足を踏み入れているのに気付き、初江は研三を促し、あたふたと引き返した。

十時発の電車が運転休止になったので、正午発のに乗ることにした。草津駅には研三の同級生が十人ほど、見送りに来てくれた。研三のように六年生で帰京する児童が大勢乗っていて、満席で坐《すわ》れなかった。北軽井沢の高原に差し掛った頃から、来た時と同じような吹雪となった。但《ただ》し今度は後ろから風に押される具合で脱線もせずに進み、約一時間半の遅れで、四時半には草軽電鉄の新軽井沢駅に着いた。五時十二分の汽車に乗ろうとして、みんなは省線の軽井沢駅まで一散に駆けた。初江はすぐ息が切れてしまい、とぼとぼ歩きになったが、汽車のほうも遅れたため、間に合った。

列車は、デッキまで溢《あふ》れる超満員で、最後に乗った初江と研三は、どうにかデッキの手摺《てすり》に摑《つか》まった。トンネルの多い勾配《こうばい》を、手が凍えて振り落されそうになるのを必死で堪《こら》え、煙にむせながら下った。ところが駅に着くたびに、乗り込んで来る乗客に押されて、何とか客室の中へと入りこむことに成功した。しかし、破れた窓硝子《まどガラス》や開きっぱなしの戸口から、外気は遠慮なく流入し、初江はまた風邪を引き直すと案じながら、寒さに震え続けた。

4

強風がごおっと躍りかかり、列車が揺さぶられる。そのせいか汽車は遅れがちで、上野に到着予定の十時をとっくに過ぎたと思われるのに、まだ、闇中《あんちゅう》の手探り歩きで、のろのろと動いている。一体どの辺りに来ているのか、さっぱり見当がつかない。灯火管制で電灯を消した車内も窓も黒一色である。初江はやっとのこと床に坐りこんだが、研三は立ちづめだ。「研三、大丈夫かい」「うん」「おかあさんのほうこそ、大丈夫?」「大丈夫よ」と答えたものの、悪寒が執拗《しつよう》に襲ってくるうえ、破《わ》れ鐘を打つような頭痛で、生きた心地もない。アスピリンを何度も飲んだため、胃の腑《ふ》に不快が溜《た》まり、吐き気が突き上げてくる。それに苦しいのは頻繁《ひんぱん》に尿意をもよおすことだ。便所の前にはぎっしりと人が立ち、通るのが容易ではない。(男の人のように窓から出来れば世話はないのに。)もっとも窓からの排尿も風に散らされて、車内に飛び散って来るので困りものだ。飛沫《ひまつ》を浴びた人々は初めは何かと文句を言っていたが、次第に諦《あきら》め、防空頭巾《ずきん》や手拭で顔を覆《おお》うだけで我慢している。

草軽電鉄の車内でお結《むす》びを食べた。夕食替わりに乾燥芋を齧《かじ》った。初江にはそれで充分であったが研三には物足りないだろうと思う。尻《しり》の下のリュックサックの中をさぐれば、乾パンや干飯《ほしい》やチョコレート(桜子がくれたもの)があるのだ。「研三、お腹《なか》すいたろう」「すこし」「何か出そうか」「いいよ。もうすぐだから」「今どこかねえ」「赤羽《あかばね》は過ぎたよ。さっき乗換えの人が大分降りたじゃない」「そうだったかねえ」列車はついに停《と》まってしまった。「ちぇ、歩いたほうが早いや」と数人が窓から飛び下りた。「おかあさん」と研三が手をぐっと引いた。座席に坐れた。研三も隣の席を占めた。初江は立て続けに咳《せき》をして、痛みに呻《うめ》きながら咽喉の痰《たん》を吐き出すと、椅子《いす》の背に体を預けた。今朝から初めてちゃんとした椅子に坐るのである。草津を出てから何時間経《た》ったことだろう。が、考えるのが億劫《おっくう》だ。とにかく長時間の旅で、意識は朦朧《もうろう》とし、全身が疲労でずたずただった。「おかあさん、熱があるよ」

「アスピリンを飲んでるんだけどね」「おとといとおんなじだ。三十九度はあるよ」「大袈裟《おおげさ》だねえ」「ぼく、体をずらすから、横になってもいいよ」上半身横になれたので大分楽である。ただし、近くの窓硝子が破れていて、北風がもろに吹き込んでくる。ありったけのセーター、肩掛け、羽織を出して掛け、防空頭巾で頭と肩を覆い、朦朧とした霧のような意識で眠ろうと努めてみたが、今にも漏らしそうな、腹一杯の尿意で眠れない。いっそ、停車中を利用して窓からやってしまえと、窓をあけ、研三に支えてもらい、下半身裸でじゃあじゃあとやった。モンペを大分濡《ぬ》らしてしまったが、これで苦痛が去り、横に倒れて眠ってしまった。

研三に起された。車掌が来て警戒警報発令のうえ、先行の列車が溜《た》まっているため、この列車の上野到着は相当遅れると触れ回った、乗客は大勢降りてしまい、車内はかなり空《す》いてきたという。「あれから動いてないのかい」「もうすぐ田端《たばた》だよ。田端まで歩いて、山手線に乗り換えたらいい」「歩くって、暗くて道もわからないし、無理よ。遅れても、とにかく上野に着けばいい。それまで、ここにいよう」

つぎに研三に起されたのは上野に着いた時だった。プラットホームに降り立つと、力尽くで押し倒すような強風に初江は危うく転倒するところであった。研三は両足を開いてふん張っている。「ほうらね終点に着いた。乗っててよかったろう」と初江は言った。「でも、もう省線は動いてないよ。さっき車掌が言っていた。警戒警報のためだってさあ」「何時だい」「十二時過ぎてるよ」「深夜だねえ。困ったねえ」駅の構内にはまるで奴隷《どれい》の収容所のように群衆が犇《ひし》めいていた。電車が動かないものだから、溜まった人々である。待避のために駆け込んだ人々もいるようだ。

　二人は押し出された具合で駅の正面に出た。都電も動いていない。「やっぱり、駅で一晩明かすしかないかねえ」その時、研三が叫んだ。「おかあさん、空襲だ」「空襲警報出たの」「知らないよ。でもあれ飛行機の音でしょう」聴き慣れたB29の轟音《ごうおん》だ。大編隊であろうか、いつもの籠《こ》もった音ではなく、金属の弾《はじ》ける晴朗な音だ。翼の擦過音であろうか。風を切る夥《おびただ》しい矢音に似た音が混じっている。「あそこ。敵機だよ」研三が指差す先、巨大な黒い円筒が、駅舎の屋上を削り取るような近くを通り過ぎて行く。「あれがB29なの？」「だと思うけど、あんなに大きかったかねえ」円筒の腹から赤い光の網が、まるで投網《とあみ》でも投げたように円錐形《えんすいけい》を作る。その下の闇《やみ》が閃光《せんこう》で一時に明るい。そして閃光は赤い炎に変った。（あれは血だわ。東京が、わたしの古里が、血飛沫《ちしぶき》をあげているんだわ。）津波が襲いかかる時のようなまがまがしい響き（震災の時葉山で聞いたのにそっくりだわ）が聞こえた。「約九秒、距離三千メートル」「どうしてわかるの」「音速は三百三十メートルだから、九かける三百三十。ここから三千メートルの所に敵は爆弾を落としたんだ」「さあ、どの辺だろう。本《ほん》所《じょ》、両国、きっとあの辺よ」「また来た」別な一機が、同じく街衢《がいく》を這《は》うようにして襲って来た。今度は横の角度で先端部分の操縦席が見分けられるし、地上の光で星のマークも確認できる。照空灯の光が交錯し高射砲が撃ち始めた。炎は左右に延び、炎と炎とが手を結び、大きな炎は天に立ち上がり、血まみれの大怪獣の形相で街を人をかき混ぜ、破壊と殺戮《さつりく》をしている。（こんなに近くで、こんなに血なまぐさい空襲は初めて。今までとは全然違う。）それはまぎれもないB29だ。銀色の悪魔が、心地よげに腕をいっぱいに拡《ひろ》げて、照空灯の光芒《こうぼう》に翼を撫《な》ぜさせながら、腹には地上の災厄《さいやく》を赤々と映して、高笑いしながら飛び交っている。（いつだっけ、夏っちゃんと悪魔の存否について議論したっけ。悪魔って本当にいるんだわ。あれが悪魔よ。）「おい、なぜ待避せん。空襲警報だぞ」と怒鳴ったのは鉄兜《てつかぶと》の駅員である。本当だった。けたたましいサイレンの断続音が響き渡っている。防空壕《ぼうくうごう》はどこだろう。初江と研三は、駅の中に入ろうとして、人波の圧力に弾きだされた。建物に沿って人々が走っている。研三が地下鉄の入口を発見した。「おかあさん、地下だよ。あそこの階段だ」

階段は、降り口から下までびっしり、人で埋まっている。あきらめてつぎへ走った。背後から照らすほむら明りで道路脇《わき》に幾つかの防空壕が見えた。最初のも二番目のも、扉《とびら》を叩いても、満員で開けてくれない。「研三、いっそのこと公園に逃げよう」初江は息を切らしながら言った。土手下を回り、西郷さんの銅像へ行く階段をへたへたと登る。同じ目的の大勢の人々が二人を流れに浮かぶ木片のように押し上げてくれる。土手の端に来た時、目の前に広大な光の饗宴《きょうえん》が待っていた。

四方八方から飛来しては去って行く、銀の怪鳥がいまわしい毒虫のような赤い細卵を撒《ま》き散らすと、その下では活気が沸きおこった。さっき左右に延びていた炎は今や上下にも延び、怪獣の大集団となって踊り狂っていた。炎にこれほどの種類があるとは驚くべし、大きさも形も動きも千差万別で、地に這い、渦巻《うずま》き、突っ立っている。無数の炎の色のみが、真紅《しんく》から桃色へ、桃色から黄金色《こがねいろ》へと、ある種の統一を保っている。炎は昇って行き、上方で融合して、巨大な明かりとなり、暗黒の天に対してきっかりとした、おのれの独自性を主張している。「おかあさん、星が見えるよ」神は星の目をしばたたきつつ、炎の底に崩れ行く街を、逃げ惑う人々を、人間の作りだした地獄を、見通し憐《あわ》れんでいる。

風向きが変り、熱風が吹き付けてきた。群衆がどよめき悲鳴があがる。人々は森の奥のほうへと移動しだした。「行こう。おかあさん、頑張《がんば》って」「もう駄目《だめ》、歩けないよ」初江は胸を押さえて地面にへたり込んだ。いくら気張っても足が動かないのだ。「ここは危いよ」「でもね、動けないんだよ」「じゃ、あそこの木の蔭《かげ》に行こう」研三にぐいぐいと手を引かれて、大樹の下に来た。幹に倚《よ》り懸り、せわしく息をついた。しばらくそうしているうち、吹き抜ける北風を避けて幹の向こう側、つまり空襲の火の手を真っ正面に眺《なが》める場所に回って来た。さっき吹き付けた熱風は今は火事場の方向に吹いている。「仕方がない。ここで夜明けを待とう」初江はリュックサックからセーターを取り出し、「はい」と、研三に差し出した。「ぼく自分の持ってるよ」「温かくおし。風邪を引くよ」「風邪を引いてるのは、おかあさんじゃないか」そうだった。驚愕《きょうがく》と運動で、熱も咳《せき》も頭痛もどこかへ行ってしまったようだ。木の根を枕《まくら》に仰向けに寝る。夕焼けの時よりも、もっと明るくなった赤い空からは、星が消えてしまった。敵機はますます数を増し、炎はますます広く高く拡大して行く。高射砲の発射音、爆弾の炸裂《さくれつ》、焼夷弾《しょういだん》の落下音、地響き、大火災、倒壊、阿鼻叫喚《あびきょうかん》、ともかくすさまじい形容不能の雑多な噪音《そうおん》のただなかにあって、初江は不思議に静謐《せいひつ》で平安に充《み》ちたものにくるまれて、大都の炎上を眺めていた。心は困憊《こんぱい》し、感情は死んで働かず、異国の戦争画でも見ているように、無感動になっている。いつ砲弾の破片や爆弾が頭上から落ちて来るかも知れぬと考えながら、恐怖を覚えない。西大久保のわが家は、三田の里はどうなったろうと考える。今、あのようにして燃えているかも知れない。駿次、悠次、利平、夏江……心配である。しかし、心配しながら、もしものことがあったら、見たくない、知りたくないと思う。（東京は亡《ほろ》ぶ。東京とともに、わたしも亡ぶんだわ。ああ、このまま何もかも亡んでしまったら、もう空襲なんて見ないですむ。）「研三、寒くないかい」と尋ねたところ返事が無い。わが子は寝入っていた。セーターを掛けてやる。異常に重い睡気《ねむけ》が、瞼《まぶた》を押し下げ、意識を黒く塗り潰《つぶ》してきた。

　金槌《かなづち》で足先を叩《たた》き潰され、血管が破れて血の噴水となって、体中の血液が漏れていく。穴のあいた氷枕さながら、体が無残にもしぼんでいく。そこへまた膝《ひざ》を金槌で強打され、膝が砕けてしまった。もういけない、死んでしまう、と悲鳴をあげたところで目が覚めた。自分を踏んづけた影が逃げていく。あたりをたくさんの影が通り過ぎていく。またひとつの影がこちらに近づき、腹を無遠慮にも踏もうとしたので、初江は飛び起きた。しかし持ち上げた体は鉛の重さで、ぐったりと木の幹に倚り懸かっていた。木の幹は太く、目通り三尺はあろうか。この幹のおかげで昨夜は熱風を避けることができた。（何の木かしら。銀杏《いちょう》だわ、きっと。）煤《すす》で黒くなった研三も隣に立っている。「おかあさん、それ盗《と》られちゃうよ」と初江のリュックサックを拾い上げた。影となって通り過ぎていくのは家を焼け出された人々であった。力なく、よろよろと、地面に石に人に蹴《け》つまずきながら、ほうけた表情、煤けた顔、腫《は》れた瞼、火脹《ひぶく》れの頬《ほお》や腕、ぼろ布、裸、大人、子供、手を引き合い、はぐれた家族の名を呼び、ぐったりとした赤ん坊を背負い、歩いて行く。肉の焼けた臭《にお》い、木の焦《こ》げた臭い、汗や涙や脂《あぶら》の臭い、吐き気をもよおす異臭があたりに立ちこめている。

夜はすっかり明けていた。目の前の駅の、黒いペンキで迷彩をほどこしたコンクリートのむこうに、そしてその左右に、巨大な槌でめったやたらに叩き潰したかのように、真っ平らな焼け跡が広がっていた。まだあちらこちらで煙を吹いている。今燃え出したらしく新鮮な炎に彩《いろど》られている建物もある。ビルの残骸《ざんがい》、石柱、鉄塔が、均一な平野のなかの異物であることを示して朝日に映えている。そのむこうに川が、ここからは見えないはずの隅田川が赤く光っている。数日前、この駅を出発したときには確かに存在していた街の完全な消滅である。地平から顔を出した血のしたたる太陽が、地上の荒廃にあきれ果て、哄笑《こうしょう》を放っている。薄気味の悪い、血膿《ちうみ》のようにべたべたした悪魔の哄笑。

「おかあさん、ここはだめだよ。あっちへいこうよ」「そうだねえ」研三が手を引いてくれる。「気分はどう」「頭が痛いよ。割れるようだよ」「熱があるね」群衆にもまれて坂をくだると池之端《いけのはた》に出た。枯れ蓮《はす》が常にも増してしおれた姿で一斉《いっせい》に頭《こうべ》を垂れている。不忍池《しのばずのいけ》、弁天堂、本郷の丘、昔のままの結構が残っているのがむしろ異様に見える。ただし池の岸も弁天島も、好物に群がる蟻《あり》さながら、人、人、人だ。押し合い圧《へ》し合いしていて座る場所もない。「ここも、だめだねえ」「水が飲みたいね」「池の水をみんな飲んでるよ」「病気になっちゃうよ」初江はひとしきり咳き上げた。焼火箸《やけひばし》でえぐられる感じの痛みが胸を焼き、卵の黄身そっくりの痰が飛び出た。が、吐き出す所もなくまた飲み込んだ。人々を掻《か》き分けて進む。人を踏んだ。謝ろうとすると血みどろの屍体《したい》でぞっとした。気がつくと、そこは屍体置場だった。男たちが、トタンに載せて運んできた焼死体を、放《ほう》り捨てていく。炭化して性別も定かでないもの、焼け爛《ただ》れた裸の肉塊、と思うと髪も着物も焼けてキューピーのような少女。「どけどけ」と男たちは殺気立っている。働いているのは消防署員や警防団員で焼け出された人々と違い、制服に身を固めて、屍体の整理こそ最重要な仕事であり、勇ましく戦う姿だぞと誇示しながら、威張って罹災者《りさいしゃ》の群を追い散らしていた。「おかあさん、歩ける?」「なんとかねえ」「どこへ行こう」「家へ帰ろう」「家は無事なのかねえ。それに電車は動いてないよ」研三は高架鉄道を指差した。家々が消えて剝《む》き出しになった高架鉄道を道路代わりにして人波が流れている。「ともかく駅へ行ってみよう」二人は上野駅の前に来た。駅は焼けていなかった。しかし中は黒山の人で到底入れはしない。「やっぱり電車は動いてないようだねえ。歩くより、しょうがないかねえ。でも道を知らないし……」「省線の線路にそって歩いたらどうだろう。神田まで行ってさ、中央線にそって歩けば新宿へ行くよ」「そうしよう……それしかしょうがないねえ」高架線の下を神田に向かって歩き始めた。研三は山手線と中央線の駅名全部を記憶しており、こういう場合には助けになる。

古い焼け跡が広がる。それが古いと判じられるのは、屍体が転がっていず、防空壕に人が住み、新しい罹災者が入りこみ、うろついたり休んだりしているからだ。水道の栓《せん》があった。

が、一滴も出ない。初江はまた咳き込んだ。頭は痛み、頭蓋骨《ずがいこつ》が破裂せんばかり、全身の悪寒《おかん》がとまらない。アスピリンの瓶《びん》はとっくに空になっていた。二人は坐り、乾パンをかじった。喉《のど》がからからで呑《の》みこめない。チョコレートを食べた。これは成功だった。甘さと栄養が胃の腑に吸収されていく感じがこころよく、二人はすこし元気づいた。日は高く暖かくなってきた。「新宿は遠すぎるねえ。おとうさんの会社なら、ここから近いと思うよ」「おかあさん、頭がいいね」「日本橋区小網町《こあみちょう》二丁目だよ。耐火性の建物だとおとうさんが自慢しておられたから、焼け残ってるんじゃないだろうか」「おかあさん、行ったことあるの?」「一度ね。たしか四階建ての大きな、東京駅に似た赤煉瓦《あかれんが》のビルだったよ」「日本橋ってさ、東京駅のそばで、山手線の外側でしょう」「そうだと思うよ。地図があればねえ」「東京駅へ行って聞けば、いいんじゃない。ええと」と研三は指折り数えた。「上野から東京は四つめだ。新宿は中央線まわりで十二め、山手線まわりで十一めだから、東京のほうが断然ちかいよ」

二人は立ち上った。初江の足元はさっきよりは確かになっている。目標が近いというのも勇気付けられた原因だ。高架鉄道沿いの道を行くうち、水が顔に降ってきた。小便だった。あわててガードをくぐって、高架から遠ざかった。と、新しい焼け跡に入った。何よりも臭いが違う。物の焦げた臭い、木の、油の、金属の、動物の、人間の焼けた臭いが強烈である。まだくすぶっている焼けぼっくいの下に黒焦げの屍体が、虚空《こくう》を摑んで倒れている。子供だ。母親らしいのがそばに這い寄って死んでいる。そういう光景に何の感情も覚えぬ自分がそら恐ろしい。さっきから数限りない屍体を見慣れてしまい、屍体への同情も気味悪さも無くなってしまっている。もっとも、こんな思いをくつがえす、物凄《ものすご》い光景をつぎに見ることになるのだが。

高架鉄道を左手に見ながら進む。依然として同じような焼け跡が続いている。土蔵、ビル、トタン、瓦《かわら》のほかは何もない。門柱や電信柱が路上に倒れ、電線が垂れ下がっていて歩きにくい。狭い道に大勢が重なって死んでいた。熱風に一時に焼き尽くされたものらしい。ついに路上を屍体が埋め尽くしている場所に来た。死人を踏んで行くよりほか進む方法がない。莫迦《ばか》に柔らかいと思ったらはみだした内臓であった。まだ炎を吹き出している家がある。二階が崩れて火の粉を散らした。一階の茶の間が燃えている。火鉢《ひばち》、炬燵《こたつ》、蒲団《ふとん》がそこに住んでいた人の記憶と夢とを煙に変えていた。庭に六角の鉄棒がいくつも突き刺さっている。焼夷弾である。「こんなものが空からじゃかすか降ってくるんだね」と研三が鉄棒をなぜながらしきりと感心していた。鉄棒の一つが防空壕を貫いていた。中に避難していた人は一瞬に燃え尽きたであろう。

半分焼けた橋があった。そこへ来て、初江はあっと息をのんだ。川の中が屍体で埋まっていたのだ。父、利平がよく使う死屍累々《ししるいるい》という言葉が嘘《うそ》ではない。風に吹き寄せられたのか、橋から人々がつぎつぎに飛び込んだためなのか、狭い川には浮いた屍体に別な屍体が重なり、下の人は溺《おぼ》れ上の人は焼かれ、二重三重になって、全体がゆっくりと揺らいでいた。ここには死者のあらゆる様相が集められてあった。水の中の人はふやけて青く、中ほどの人は窒息死らしく妙に赤い皮膚と完全な衣服をまとい、上の人は炎に焼かれて、トマトを剝いた具合に爛れ、さらに上の人は真っ黒に炭化していた。ついきのうまで生きて食べ話し笑っていた人々が一夜にして異形の死人に変化《へんげ》させられた。老若男女さまざまである。とくに子供と女が多いのは、子連れの母親が逃げ遅れたためと見える。幼い女の子の兵児帯《へこおび》が水中に鮮やかな彩りをそえている。赤ん坊をおぶったまま若い母親が浮いている。この世に生まれたばかりの赤ん坊が何ひとつ幸福を知らぬまま目を閉じている。ランドセルを背負った男の子が両の拳《こぶし》を握りしめた形で炭になっている。そうして、濃密な腐臭は、川風に洗われても、その場にこびり付いて去ろうとしない。せめてもの慰めは、人々の苦痛がすでに消えていることである。焦熱地獄の責め苦が過ぎ去って人々がとわの眠りについていることである。焦熱地獄——それを初江は心に描いてみようとして、おのれの想像力の虚《むな》しさを思い知らされた。想像を絶する惨苦が人々を襲ったのだ。研三は黙って見ている。こんな陰惨な情景を見て子供が何を思っているか、初江はわが子の心がどうにも察しられなかった。

「もう行きましょう」とわが子をうながした。出来るのはそこから立ち去ることだけだった。

街から抜け出るようにして眼前に広い川が見えた。神田川？　いやこれは大川だ。だとすると大分見当違いの方向に来てしまった。「道を間違えたようだねえ」と言ったとたん初江はよろめいた。足の力が急に萎《な》えて体を支えられない。「あの線路、東京へ行くんじゃなくて千葉へ向かってたんだ」と研三が言った。「おかあさん、あれ国技館だよ」まるい鉄傘《てっさん》の建物が対岸に見えた。するると、あの線路は橋を渡って両国に行くのだ。

隅田川にも無数の屍体が浮いていた。ゆっくりと移動している。むしろ左へ、上流の方角へと移動しているのは、満潮で川が逆流しているためであろうか。数艘《そう》の船が出て屍体を集めている。さっきのように重なり合わず散乱しているが、数はむしろこちらが多いだろう。全体が風にせわしく動揺していて、生きて泳いでいるような感じがかえって傷《いた》ましい。都鳥《みやこどり》の群が舞っているのは、屍体を狙《ねら》っているのだろうか、およそ風流とは縁遠い野生の鳥たちだ。満々として膨れあがる川の向うには街がない。薄っぺらな岸のみが、水の上にわずかに陸地の存在を示すのみだ。

川岸に公園らしい茂みがある。まだ冬ざれの森だが芝生の植わった丘もある。あそこで休もうとよろよろと歩いた。が入口で警備の兵隊に阻止された。着剣し銃を構えた兵隊が数人入口をふさいでいる。兵隊たちの前の道路は屍体の山で、まるでここまで逃げて来て兵隊どもに追い返されて焼け死んだかのようだ。仕方なくあとじさりし、屍体の山からなるべく遠ざかって、土手の斜面に力尽きて倒れ込んだ。頭がふつふつと煮えたぎるようで、息が詰まり、苦しい咳が立て続けに出た。頭痛がにわかに激しく、咳をするたびに胸に耐えられぬ痛みを覚える。「おかあさん」と研三が呼んだ。「ああ、わたし、もう駄目だよ。動けないよ」「すごい熱だよ。医者に来てもらわないといけないよ」「こんな焼野原に医者なんかいやしないよ。大丈夫、こうやって休んでいれば、元気になるよ」息苦しい。いくら息を吸っても酸素が足りない感じだ。自分の脈を調べると、狂った急調子で、今にも心臓が止まってしまいそうだ。体の生気が脱《ぬ》けてこのまま死んでしまう気がする……研三が何か言ってるが、耳の神経がどうかしたのか、よく聞こえない。

新緑の光る庭にいる。そよ風に濃淡さまざまな緑が混ぜ合わさり、泡立《あわだ》っている。鯉幟《こいのぼり》の矢車が金色のきらめきを添える。子供たちはみんな幼い。央子も研三も駿次も悠太も、みんな三歳ぐらいだ。走る。笑う。叫ぶ。唐楓《とうかえで》の幹のまわりを、風に飛ぶ花びらとなってまわっている。母親の幸福で胸を一杯にして、乳房が満ち足りて張って、わたしはふわふわと浮いて、透明になって、風に溶けてしまった。悠次がどこかにいるのだが、彼にはわたしが見えない。わたしは晋助の前に立つ。白線帽にマントを着て朴歯《ほおば》を履いた一高生の晋助は若くて美しく、彼の胸に飛び込むとそっと唇《くちびる》を吸う。甘い蜜《みつ》に充たされたわたしは赤くなって透明度を失い、彼に見られてしまう。男に見られている羞恥《しゅうち》。そう、わたしは素裸でいるのだもの。悠次が血相変えて走り寄ってきた。嫉妬《しっと》している。そう、あなたは嫉妬して当然なの。わたしは性悪な女です。利平といとがどこかにいる。利平の怒りが爆発する恐怖……いろいろなことがありました。そうしてわたしは死にました。そうして長い長い年月が経《た》ちました。むかし、むかし、わたしは新緑の光る庭にいました……。

「おかあさん」と何度も呼んでいるうち、やっと母は薄目を開き、「なによ」と面倒くさげに言った。「しっかりしてよ」「気持がふわふわして変なのよ」「ふわふわって?」母は答えず、とろんと溶けてしまったみたいな目付きになった。呼んでも何も反応がない。眠っているのではない、どうもおかしい、と研三は考えた。灰色に濁ってしまった白目、かさかさに皮のむけた唇、はあはあと薄い空気を吸い寄せるような呼吸、腐った林檎《りんご》にそっくりの頬《ほお》、母は死にかけているのでは……。やがては、そこらにごろごろころがっている死人のようになってしまうのでは……。(死人ばかり、けさからいやになるくらい見てきた。空襲でこんなに沢山の人間が殺されるとは思わなかった。そしてびっくりしたのは人間が簡単に殺されてしまうことだ。ぼくだっていつこうなるか知れない。そうして死人って、どうしてこんなに醜く汚く臭いんだろう。日本人を醜く汚く臭くしてアメリカ軍は大喜びなんだ。女や子供を殺して大喜びなんだ。)

水をおかあさんに飲ませたい。せめて唇だけでも湿してやりたい。でも川には死人がぷかぷか浮いて気味が悪い。土手で大勢の大人たちが立ち働いている。川からあげた死人をずらりと、まるで獲《と》ってきた魚を得意になって並べるみたいに、並べている。そばでは、べつな大人たちが穴を掘っている。掘った穴に死人をつぎつぎに投げ込んでいる。大分片づくと新しい死人があげられて、また穴を掘らねばならない。大人たちは面倒くさげで、乱暴で、ほんとうに死人かどうか確かめもせず、投げ込んでいるみたい。おかあさんが死人と間違えられて、投げ込まれたら大変だ。付近の土手には大勢の人たちが横になっている。生きているのに、亀《かめ》みたいに動かないで黙っている。岸辺まで行って、研三は手を水にひたしてみた。思い切って掬《すく》い水を飲んでみた。塩辛い。海水だった。これではとても飲めやしない。

腹がへっている。リュックサックから乾燥芋を出してかじっていると、「坊や、食べ物をくれ」と手首をつかまれた。瞼が焼け焦げた赤い目のお爺《じい》さんだった。「いやだよ。これぼくのだもん」とあらがったが、大人の力で乾燥芋はもぎり取られてしまった。研三は走って母の所にもどった。相変らずとろんとした目付きで、こちらが何を言っても応答がない。おや、リュックがない。誰かに盗まれたらしい。研三は周囲を見た。みんな知らん顔をしている。彼はいそがしく考えた。（リュックを盗まれた。おかあさんは病気なんだ。熱が高くて、気を失っている。はやくお医者さんを呼ばないと、死んでしまう。でもこんな焼け跡にお医者さんがいるとは考えられない。それよりも、おとうさんの会社を訪ねよう。おとうさんに来てもらおう。）研三は決心した。ノートをやぶって走り書きした。「おとうさんをよんできます。ここから動かないで。研」それを母の襟元《えりもと》に差し込んだ。

公園の入口を探し当て、立て札の名前を読んだ。浜町公園。父の会社のある日本橋小網町とはどこにあるか知らない。ただ、隅田川と反対方向とだけは見当がついた。公園からしばらく行くと、ちかくの橋から伸びてくる都電の線路を発見した。ともかくこの線路を辿《たど》って行けば、日本橋、つまり東京の中心へ行くはずと考えた。その考えを証明する事実として、焼け跡の果てにビルが城壁を作っていた。そこはどうやら焼けていないらしい。とぼとぼと歩き始めた。まだ燃えたばかりの街、ほやほやの焼野原、きのうまで人が住んで食べたり寝たりしていた家々が焼かれた。防火用水槽《すいそう》、石塀《いしべい》、門柱、流しのトタン、鍋《なべ》、薬缶《やかん》、飯炊《めした》き釜《がま》、皿、火鉢、風呂釜《ふろがま》、便器、窓《まど》ガラスの融《と》けて固まったの、金庫、五徳、鈴、蠟燭《ろうそく》立て、飛び石。何か役に立ちそうなものをさがすけれども、みんな焼け焦げた半端物《はんぱもの》ばかりだ。はじめて目にした空襲だった。ものすごい火事だった。線路の上に電線が垂れ下がっている。転轍機《てんてつき》の塔が焼けている。電車が焼けている。店屋の幌《ほろ》用の金具。アメリカ軍は遠慮なく何もかも焼いてしまう。つぎの停留所に来た。標識の地名を読む。浜町二丁目。停留所を目当てに、歩く、歩く。水天宮から先は焼けていない。しゃんとした街並みが、何だか外国の街みたいに建っていた。会社、銀行、問屋には職員がいつものように出勤してきて働いていて、空襲なんか知らないみたいな様子だ。彼らは路上の焼け出された人々とまるで違う外国人だ。とある会社の守衛にたずねると安田生命の社屋を親切に教えてくれた。蠣殻町《かきがらちょう》の先の橋のたもとにあるという。赤い煉瓦の東京駅に似たビルはすぐ見分けられた。窓ガラスがちゃんとはまっている。焼けずに残っていたのだ。

その朝、都電も省線も動かないので、悠次は西大久保から小網町まで自転車で出勤した。昨夜の空襲はすさまじかった。空襲警報の発令とともに東の空が赤くなった。二階に駿次と上がってみると、下町とおぼしき遠くの空に盛んに炎が立っていた。不意に思い出したのは震災の経験である。あの日、日本橋の三越を出て呉服橋の手前まで来たときに地震が来た。立っていられぬほどではなかったが、大地が傾いたようで、これは大地震だと思った。川端に建っている土蔵造りの家々の瓦が水に落ち飛沫《ひまつ》があがるのを、目覚ましい出来事と見た。付近の商店の瓦が急流のように流れて土煙があがるのを、茫然《ぼうぜん》として見ていた。電車が不通なので、歩いて西大久保まで帰った。家には被害が少なく、垣根《かきね》が傾いた程度であった。夕方になって東の空が赤く、大火事が起こっているのを知った。号外で災害が大きいことを読み、二階に登って、父の悠之進とともに火事を眺《なが》めた。下町の震火災の跡を実見したのは翌日であったが、ともかくその時とそっくりの方角と範囲に、今、炎があがっていたのだ。双眼鏡で眺めると、烈風の中に敵機が超低空で突っ込んで来、焼夷弾《しょういだん》をばらまいて行き、大火災はますます拡大し、午前二時半空襲警報解除となったあと、午前三時にはピークに達して、ほむら明りで新聞が読めるほどになった。今までの空襲との明瞭《めいりょう》な差異は、一定の範囲に限定して超低空から精密に濃密に爆撃したことである。炎の上がる部分が浅草、向島《むこうじま》あたりから本所《ほんじょ》、深川の下町一帯、さらに日本橋、京橋、本郷、神田のあたりと、ほかの暗い部分ときっかり区別されて推測された。これだけ、敵の戦術がはっきりしていると、今夜は淀橋《よどばし》方面には敵機は来襲せず、西大久保のわが家は安泰だと思い、防空壕《ぼうくうごう》にも入らずに、観察を続けた。夜が明けても火災は終焉《しゅうえん》せず、午前八時ごろようやくおさまった。時間切れでひげも剃《そ》らず、食事もとらずに自転車で家を飛び出した。

会社には遅刻して九時過ぎに着いた。保険業務の遂行上、空襲の被害の的確な把握《はあく》は最重要課題である。昨夜、ほとんど一睡もせずに西大久保から観察した被害の予想を社長に報告したところ、参考になるとほめられた。社員十数人がおのおの一区を担当して実地調査をおこなうことになった。悠次の受持ちは浅草区であった。上野駅のあたりから焼け跡に分け入ったとたん、震災の記憶がまざまざとよみがえった。焼け跡の様相がそっくりであった。木造家屋の密集した地区は一面の瓦礫《がれき》の原と化し、路上には家具の残骸《ざんがい》や硝子の破片や焼死体が、まるで川岸の大小の石ころのように転がっていた。木と肉の焼けた臭《にお》いが鼻を突く。震災のときは観音堂の境内は、十二階の凌雲閣《りょううんかく》の倒壊があったほかは火がまわらなかったのだが、今回は雷門《かみなりもん》、仲見世、伝法院、花屋敷などすべてがぺろっと焼けていた。隅田川岸に出て、震災とまったく同じ光景を見た。吾妻橋《あずまばし》と言問橋《ことといばし》のあいだの両岸にある隅田公園に夥《おびただ》しい死者が横たわっていたのだ。震災のときは、言問橋も駒形橋《こまがたばし》もまだ建設されておらず、吾妻橋は一部木造で、多くの焼死者を出したが、今回はコンクリートの橋の上で多数の焼死者を出している。川の両岸が火災に見舞われている場合、橋の上は焦熱地獄になるという震災の経験がまったく生かされていず、厖大《ぼうだい》な犠牲者を出している。浅草区の死者約一万人、焼失家屋三万、罹災者《りさいしゃ》十五万と踏んで会社に帰ってきた。この調査の最中、十時半に警戒警報発令、またかと緊張したが、十一時には解除になった。社員たちが全員帰社するのを待って、遅い昼飯をとりながら被害状況の緊急集計会を開いた。つぎつぎに報告される被害の実態は社長に報告した予想とほぼ一致したので、悠次は面目をほどこした。が、得意な気持は壊滅的被害の甚大《じんだい》さによって暗く彩《いろど》られた。下谷《したや》区、浅草区、向島区、本所区、深川区、城東区のほぼすべてが焼失した。これは関東大震災よりは城東区を加えただけ規模の大きい災害である。震災は南風、今回は北風、ともかく強風下の木造家屋街に同時多発の火元が生じれば大火災となるのを避けられないのだ。これに加えて、神田区、日本橋区、京橋区、江戸川区の半分が焼かれ、麴町《こうじまち》区、牛込《うしごめ》区、荒川区、麻布区、芝区にも飛び火のような被害がある。地図の上に被害地区を赤く塗りつぶしていくと、一夜の空襲の規模の甚大なのに、ただただ仰天するばかりであった。焼失戸数二十九万戸、罹災者百万、死者八万から十二万余という集計結果が出た。

死者十二万余とすれば、日露戦争と同数の死者がたった一夜で出たことになる。しかも、その大半が女、子供、老人の非戦闘員であった。無差別爆撃によるアメリカ軍の残虐《ざんぎゃく》行為は長く歴史に刻んで、忘れてはならない。

緊急集計会を終えて自室にもどったところへ守衛の老人が来て、坊っちゃんが見えてると告げた。駿次が何か急用で来たかと思って玄関に出てみると研三だった。古ぼけた外套《がいとう》を着て、リュックサックを背負っていて、いかにも急いで来たらしく汗みずくである。

「水をちょうだい」と言いコップの水をがぶ飲みしてから、「おかあさんが病気で死にそうなの。そしてね、おかあさんのリュック盗《と》られちゃった」と急《せ》き込んで言った。

「今どこにいるんだ」

「浜町公園の近く。公園には兵隊さんがいて入れないんだ」

「あそこは高射砲の陣地になってるから、立入り禁止だ。ここから、そう遠くないな」

「汽車が遅れてね。上野に着いたら空襲が始まった。防空壕が一杯でね、きのうは西郷さんの銅像のそばで寝たの」

「上野公園で野宿したのか。寒かったろう。それに浅草が火の海で、危ねえとこだったな。電報じゃきのうの夕方着くとあったのに、帰ってこねえから、てっきり草津でもう一泊してんのかと思っていた。おかあさん、カゼデハツネツとあったが……」

「草津で四十度あって寝ていたの。それがね、帰りの汽車のガラスが破れていてね、寒くって、そして野宿したんでまた寒くって、風邪がひどくなって、熱がすごくって、動けないの」

「動けない……そりゃいけねえ。医者に診せねえと……」

この日本橋小網町はビジネス街で医師がいない。浜町には内科医院があったはずだが多分焼けてしまったろう。芝区の調査に行った社員に聞くと三田綱町《みたつなまち》の一帯は無事であったという。よし、自分で初江を時田《ときた》病院まで運ぼうと計画を立てた。会社のリヤカーを借りて自転車につなぎ、初江を乗せる用意を整えた。研三に昼飯を食べさせた。麦飯に生卵だが、飢えていたのか猛烈な食欲で三杯もお代わりした。手に汚れた繃帯《ほうたい》をしているので不審に思ったらひどい霜焼けにかかっていた。救急箱の繃帯で巻きなおしてやった。研三と連れ立って会社を出たのが午後二時過ぎであった。

水天宮から先に、一面の焼け跡が広がっている。ずっと遠くに丘と森が見え、そこが浜町公園と見当がついた。そのあいだには何もなく、おそろしく見通しがいい。新しい焼け跡は未整理で路上まで雑物が散って、えらく進みにくい。しかし焼死体だけは片づけられて見えなかった。隅田川岸の箱崎町まで出て、川沿いに公園先の土手まで行き着いた。

ぎょっとするほど屍体《したい》そっくりの姿で初江は横たわっていた。乱れ髪は顔に貼《は》り付き、土気色の肌《はだ》には生気がない。せわしげな息は弱くて今にも跡絶《とだ》えてしまいそうである。大声で呼ぶと、ようやく悠次に気が付いた。

「ああ、あなた……」「しっかりしろ。今、三田まで運んでやる」「すみません。すっかり寝坊して……今、御飯にしますから」「妙なことを言う。熱で頭がすこしおかしいぞ」「すっかり寝坊して……今、起きます」と言うと激しく咳《せ》き込んだ。起きあがろうとする初江を制して、体温計を脇《わき》に差した。水筒の水で顔を拭《ぬぐ》い、濡《ぬ》れ手拭を額に巻いてやる。体温は四〇・二度。脈拍一三〇微弱。「こいつはいけねえ」と悠次はつぶやき、ふらふらと起き上がった妻を、えいやっと抱き上げるとリヤカーに寝かせた。悠次が自転車を引っ張り、研三がリヤカーを押し、土手の斜面を行くと、うしろから呼び止められた。

「おい止まれ。そのリヤカーを徴発する」

「これはわたしのですが」悠次はびっくりして振り向いた。鉄兜《てつかぶと》をかぶりマスクをかけた消防署員である。

「見ろ、この屍体を」と土手にずらりと四重五重に並べてある屍体を指さし、「こいつを運搬するのに必要なんだ」

「わたしにも必要なんです」

「なあんだ屍体はひとつではないか」

「生きてるんです。わたしの妻です」

「ひとりならおぶっていけ。こっちは大勢なんだ」

「病人なんです。医者に連れていかなくちゃならない」

「きさま、抗弁するか」消防署員はいきりたった。「こっちはな朝から、お国のためにこの悪臭とたたかい必死で働いとるんだ。協力せい」

彼は強引にリヤカーに手をかけて傾け、初江を振り落とそうとした。

「何をする」悠次はその腕を押さえた。はずみで消防署員は足を滑らせた。悠次が突き飛ばした形になった。

「この非国民」と消防署員は摑《つか》みかかってきた。土手に穴を掘っている大勢の人々は知らん顔だ。悠次は顎《あご》を拳固《げんこ》で一発なぐられてよろめいた。仕方がないリヤカーを渡そうと思ったとき、子供の絹を裂くような声がひびいた。

「おかあさんが死んじゃうじゃないか。はやく運ばないと死んじゃうじゃないか」研三は顔を真っ赤にして叫び、母にすがって泣きだした。わんわんと泣いている。消防署員はひるんだ。そのすきに悠次は渾身《こんしん》の力をだして自転車を発進させた。研三も必死でリヤカーを押す。振り向くと何か言われそうで、ただもう遮二無二《しゃにむに》逃げた。斜面を転げ落ち、ともかくも路上まで出た。

この付近に土地勘のある悠次は、焼け跡を避けるように街を縫ってみるのだが、いたるところの道路が瓦礫でふさがれて、無理して越えて行かねばならぬ。研三は黙々と後押しをしてくれ、何とか進めた。最近運動不足の悠次はたちまち息切れして汗だくになった。「研三、大丈夫か」「うん」「おかあさんはどうしてる」「ねむってる」病人の容体がただならぬので、早く運ばないと死んでしまうと焦《あせ》る。ガードをくぐり、大手門の前から宮城前の路《みち》に出たところで、やっと自転車に乗れ、研三もリヤカーに乗せて走った。ひたすらに走った。日比谷公園、芝公園。芝公園の先からは、古くからの街がそっくり、不思議の国のように残っていて、道路もよくて快調に進んだ。慶応義塾の角を曲がり、ちょっと坂を登った先は下り坂で、一気に飛ばし時田病院に着いた。思わず腕時計を見る。午後四時十三分。

病院前にテントが張られ、臨時の救護所になっていて、人々が長い列を作っていた。白衣の利平が医師や看護婦を指揮して立ち働いている。利平はすっかり白髪になったが、別人のように肥《ふと》って血色がよく若返っている。去年松沢に入院する前の、老いさらばえた麻薬中毒者のかけらも見られない変りようだ。初江の脈を取ると、しかめっ面《つら》となったが、すぐ頼もしげな心得顔で、看護婦に命じて担架で診察室に運ばせた。中までついて行こうとした悠次は、急に全身の力が抜けて、待合室のベンチにどさっと倒れ伏した。夢中でここまで来たが、とうに自分の体力の限界を通りこしていた重労働であった。今にも爆発しそうに高鳴っている心臓を押さえて、はあはあと息づく。急激な運動は眼底出血を誘発するからと厳禁されていたのに、無理に無理を重ねてしまった。癖になっている自己診断法として、白壁を凝視して出血の有無を調べた。どうやら無事であった。深呼吸を繰り返すうち、落ち着きを取戻し、やっと研三を思い出した。「研三、大丈夫か」「うん」と息子も疲れてぐったりしている。息子の手の繃帯がほどけて、膨れあがった霜焼けが見えた。リヤカーで擦《す》れたためだろう、甲の一部が崩れて血を流している。「痛いだろう。あとで治療を頼もうな」と、ふと息子の足元を見ると、霜焼けは足にもあって、このほうが重症である。「こんな足でよく歩けたな」と驚くよりもあきれてしまった。歩きにくい残骸《ざんがい》を越えているあいだも、この子は一度も痛いとか苦しいとか弱音をはかなかった。

　便所に入り、鏡で自分の顔を見て悠次は苦笑した。無精ひげに加えて、煤《すす》と埃《ほこり》と汗が混ぜ合わされ、消防署員に殴られた顎が青痣《あおあざ》で脹《ふく》れ、落魄《らくはく》したピエロよろしくである。顔を洗い、汗を拭い、最近めっきり薄くなった髪を櫛《くし》でなでつける。しかし汚れた国民服はボロ布のようで恰好《かっこう》がつかない。外へ出ると初江がレントゲン室から病室へと運ばれるところであった。体中の筋肉が痛い。悠次はまたベンチに横になった。意識が薄れ、眠り込んだ。どだい昨夜は徹夜で空襲の観察をしていたのだ。

「研ちゃん、久し振りね」とやわらかな声がした。白いほっそりとした夏江《なつえ》が頬笑《ほほえ》んでいる。「おにいさん、あんまりぐっすり寝込んでらっしゃるので、お起こししませんでした。今日は大働きなさって……姉に代わってお礼申しあげます」

「初江はどうしています」

「今、一通りの診察が終ったところですわ。結果を父にお聞きになったら?」

夏江のあとについて病室に入った。利平と西山副院長が小声で話している。黒線入りのキャップをかぶった婦長が酸素吸入の管の位置をなおしている。初江は目を閉じて眠っているようだ。振り返った婦長は意外にもいとだった。

「どんな具合でしょうか」と悠次は利平に尋ねた。

「肺炎じゃ。去年の悠太と同じじゃ。子と親と、遺伝質が似てるのう」利平の目くばせで悠次が廊下に出ようとした所を初江の声が追ってきた。

「目が覚めたのか」

「頭がおかしいんです。変な夢を見てました。わたくし今度は駄目《だめ》みたい。死ぬような気がします」

「何をいう。たかが肺炎じゃねえか。悠太と同じですぐ治る」

「悠太は無事帰ってきましたか」

「おいおい、今名古屋にいるじゃねえか」

「いいえ、今さっき外へ遊びに行きましたわ」

「……」

「晋助さん、まだいてもいいんでしょう」

「……おい、しっかりしろ」

初江は目の前に晋助がいるかのようににっこりしている。（縁起でもねえ。晋助が死んで、死霊《しりょう》が誘いに現れたみたいだ。話の辻褄《つじつま》がまるで合わない。こんな奇妙な妻は初めて見たな。それにしても、なぜ晋助なんだ。ひょっとすると……。）以前、発見した恋文の一件が突然意識の片隅《かたすみ》に浮びあがった。疑惑が古い血痕《けっこん》でも見付けたように心に影を落す。しかし、それを考えるのが、今は辛気くさい。自分はあまりにも疲れ、妻はあまりにも弱っている。悠次が廊下へ出ると利平がささやいた。

「衰弱がひどい。X線で両肺の全面に影がある。五分五分というところか」

「では、助からぬ場合も……」

「ありうるということじゃ」

「何とか助けてやって下さい。今初江に逝《ゆ》かれたら子供たちが……」

「わかっちょる」利平は婿《むこ》にまばたきをしてみせ、それから改まった口調で言った。「きょうは御苦労じゃった。ようここまで連れて来てくれた。もう少し放置しといたら、七分三分で死んでおった。五分五分になったのは、あんたの手柄《てがら》じゃ。一両日が天王山じゃ。意識が混濁しちょってのう、脳症を示しちょる」

「話が現実離れして変ですね」

「それが脳症じゃ。重篤《じゅうとく》な肺炎に生じる意識障碍《しょうがい》じゃ」

夏江が悠次に言った。

「人手不足でね、おいとさんに婦長になってもらったんです。末広婦長が心臓が悪くてやめた後任の婦長です」

「昔操《と》った杵柄《きねづか》」

「そうなんです。御本人は看護学などすっかり忘れたなんて言ってたけれど、勉強家だし統率力はあるし、どうしてなかなかの名婦長ですわ。それにしても不断丈夫なおねえさんが、今度はどうしたのかしら。よっぽど疲れてたらしいですね」

「ここ数日子供たちの疎開《そかい》先を訪ねていたんです」と悠次は夏江と利平をこもごも見て言った。「軽井沢と草津という寒い所で風邪をひいたらしい。きのうは、空襲で家に帰れず、上野の山で野宿したんです」

「きのうは北風で寒かったから……」と夏江が頷《うなず》いた。

「野宿なんかせんで」と利平が言った。「駅の中におればよかったんじゃ」

「中に入れなかったの」と、いつのまにか来ていた研三が言った。「駅にはみんなが逃げ込んでいて満員だったんだもん」

「上野の山から大空襲の様子よく見えたでしょう」と夏江が言った。

「見えたよ」

「すごかったでしょう」

「うん」

夏江も利平も詳しい話を期待して研三を見守ったが、子供はむっと口を結んだままだった。

「まあええ」と利平が言った。「初江の運搬で二人とも疲れたじゃろう。今晩泊まっていけ」

きょうは土曜日、月曜の朝まで時田病院に滞在して妻の看病をしてやろう、月曜日にはここから出社すればいい、と悠次は思った。あす研三を西大久保に帰し、駿次と二人で家を守らせる……。

「今、お風呂《ふろ》を沸かさせていますから、汗を流して下さい」と夏江が言った。「それまで、ちょっと院内をお見せしましょうか。父が退院してから大分様変りしましたのよ」

悠次と研三は夏江のうしろについて、まず病棟の中を回った。入院患者を半減させたので三階は全部空き部屋、二階は半分が空き部屋となった。二階には軽症患者を入れ、緊急時に自力で脱出できるよう配慮してある。

「まず結核患者を清瀬の療養所に転院させ、担架で移動するような重症者を減らしていくことから始めました。そうするよう、父を説得したのは、西山副院長とわたしですの。おいとさん婦長と上野次長は病院を閉鎖して、どこか安全な所にたとえば須佐にでも疎開すべきだという意見です。でも父はどうしても病院を捨てる気になれないんです。空襲は人災だ、人災は人間の力で守れると頑固《がんこ》に主張してるんです」

「守りきれるかなあ。昨夜から今朝にかけてのような照準の正確な濃密爆撃だと、木造建築ではお手あげだと思うけど。敵の物量はものすごいもんだ。今度の空襲で関東大震災、つまり天災と同程度の被害がおきている。人災だなんて甘く見ないほうがいい」

「わたしもそんな気がしますわ。でも父の気持もわかるんです。ちっぽけな医院から始めて三十余年営々と働いてこんにちの大病院に育てあげたんです。それを守る努力を何もせずに、むざむざと捨てる気になれないんですわ。敵《かな》わぬまでも、せめて一矢《いっし》報いたいという思いは、やはり大切な気がします」

「住居に住んで防空活動をするってえのは、国策にはそう行為ですけどね。防空法では住居に止《とど》まり防火活動をすべしとなっている。しかし、今度の空襲では住居に止まった人が焼け死んでいる」

「そうなんでしょうね……でも父もいろいろ対策は考えているようですわ」

夏江は病棟の裏手に二人を案内した。隔離病棟があった場所が空き地になっている。看護婦寮も消えている。以前百人いた看護婦も現在四十人ほどで、寮にいた者は病棟の二階に引っ越したという。壊された建物の材木が畑にうずたかい。

「建物疎開ですの」

畑のむこうの工場は取り壊しの最中だった。トタンを除去した屋根の骨組みの上に間島五《まじまご》郎《ろう》が男たちと攀《よ》じ登っていて、盛んに解体工事をしている。地上でも男たちが散った建材を運んでいる。菊池勇《きくちいさむ》や薬剤師の伊田角次郎の姿も見える。

「男手が足りないので朝鮮人を十人ほどやとい、男は職種に関係なく協力しています。父も手伝うんです」

「おお先生みずから？」

「危いからって止めるんですけど聞かないんです。ともかく病院の中枢部《ちゅうすう》と病棟を守りたい。そのために周囲からの延焼を防ぐ空き地を作りたいと躍起なんです。焼夷弾の貫通を防ぐために屋根の上に砂囊《さのう》を積み上げたのも父の発明です。本当は旅順《りょじゅん》の要塞《ようさい》にならって、分厚いコンクリートの壁にしたいんだそうですけど。わたしは、モルヒネ中毒で廃人同様だった父が、未来に希望を持って、張り切ってる姿を見ると、無下に反対もできないんです」

なるほど屋根瓦《やねがわら》の上に隙間《すきま》なく砂囊が積み上げられてある。何やら滑稽《こっけい》な外観だが、防空への執念はまざまざと見せつけている。

つぎに夏江は防空壕《ぼうくうごう》に案内してくれた。百人以上、詰めれば百数十人は収容しうる大きな地下室である。それでも以前は入院患者と職員の半数が利用できただけだったが、今なら入院患者と職員の全員が待避できる勘定だ。いざ病院が焼けた場合、ここで診療を続行できるように、手術台や治療設備のある脇部屋も付属していた。三人の職員が自転車のペダルを踏んで発電機を回す自家発電装置もあった。流しや竈《かまど》のある台所もある。十日ほどの食糧を備蓄した倉庫もあった。

「何でも、旅順のロシア軍の要塞を参考にしたんですって」と夏江は言った。

「ジークフリート線みたいなもんだね」と研三はすっかり感心して、父の真似《まね》をして後ろ手を組みながら言った。

階段をあがると炊事場に出た。女中が風呂が沸いたと告げた。研三を誘ったが、父と一緒では恥ずかしいのか、あとでいいと言い張るので独りで入った。この五右衛門《ごえもん》風呂を使うのは初めてである。そもそも妻の里に泊まるのが初めてである。そして妻の看病のために病院に泊まるのも初めてであった。お産のとき妻が里に滞在しても悠次だけは自宅に戻るのを常にしていた。激動の疲れを湯に溶かしながら、なぜだろうかと悠次は考えた。岳父が煙たいからであり、時田家の人の出入りが多い雑然とした環境に馴染《なじ》めないせいであり、何よりも初江が丈夫で重病に罹《かか》ったことがないためであり……。

風呂からあがると、新品の下着とこれも新品の上着やズボンが用意されていた。夏江が待っていて、不時の客のための備えだから遠慮なくお使いくださいと言った。汚れた国民服は洗濯《せんたく》してアイロンをかけておきますとも言った。

「女房の様子がどうも普通じゃないので、今夜と明日はここに泊めてください」

「そうしてくださると心強いですわ。このせつ看護婦不足で看護の手がとどきませんの。とくに夜が不安心なんです。おねえさんの部屋に補助ベッドを用意します」

研三が風呂を使っているあいだ、悠次は食堂に坐《すわ》って〝金鵄《きんし》〟を吸った。看護婦たちが食事をとっている。腰の曲がった人や白髪の人、要するに婆《ばあ》さんばかりがたるんだ肉体を白衣で包んでいる。古い人は見当たらず、知らない顔ばかりだ。と、痩《や》せた猫背《ねこぜ》の老婆《ろうば》が挨拶《あいさつ》した。鶴丸《つるまる》だった。隠退していたのが看護婦に復帰したらしい。いとが婦長をしているくらいだから人手不足が深刻なのだ。そう気がついて注意してみると賄方《まかないかた》も年配者ばかりであった。

スリッパをペタペタさせて上野平吉《へいきち》が来た。悠次に会釈《えしゃく》すると汁桶《しるおけ》の蓋《ふた》を開け、「汁の具がないよ」と大声で言った。「底をよくさらってみな。豆腐があるはずよ」と賄方が言った。「すこししかないよ」「すこししか入れてないんだよ」「ちぇ」平吉はひしゃくを器用に使って豆腐を掬《すく》い出し、椀《わん》を豆腐だけで満たすと、テーブルの穴にはめ込まれたお櫃《ひつ》から麦飯を茶碗《ちゃわん》に山盛りにして、クチャクチャ音をたてて食べ始めた。あっというまに一杯を食べおえ、二杯目をよそう。四杯目を食べ終えて、やっと満足したらしく、お茶をすすりながら悠次に話しかけた。

「初江さん……奥さん、心配ですな」

「ええ、肺炎だそうで……」

「このごろ肺炎が多いですわ。世の中の衛生事情が最悪。空襲で主な病院は疎開か焼失、薬品も払底《ふってい》、燃料不足で風呂に入れず不潔、栄養失調で体力低下。当病院でも今年になって肺炎でばたばた死にました。いやいや、初江さんの場合は大丈夫です。きのうの空襲すごかったですな。早く疎開せんと危険だと言ってるんですが、おお先生は頑固でね、城主は城を枕《まくら》に討ち死にし、艦長は沈没艦と運命を共にする、なんて言ってる。おやまあ、今日は空襲がない。さすがの物量国もきのうで焼夷弾を使い切ったのですかな。失礼」

平吉は悠次のシガレット・ケースから勝手に一本つまみ出し火をつけて、スパスパ吸った。急に黙って、悠次を無視して、天窓へと昇っていく煙を見上げている。

風呂から研三が出てくるのを待っていたように、いとが出現した。

「研ちゃん。おばあちゃまがね、いいものあげるから二階にいらっしゃい」

研三は二階へ連れていかれた。

「おいとさんの看護婦姿を久し振りに見たな。昔と違ってさすが貫禄《かんろく》がある」

「ばばあになったんですよ。もう四十だもの」

「上野さんはいくつ」

「四十四です」

「ぼくと同い年か。おたがい年を取りましたな」

「おかげで兵隊に取られない。若いもんはどしどし殺されていくのに、年寄りは安全です。大体戦争なんてのも、てめえが安全な年寄りのおこすものですな。失礼、もう一本」平吉はまた勝手に一本を取ると耳にはさみ、スリッパをペタペタさせて立ち去った。

その夜、悠次は初江の病室に寝た。夜明け前に警戒警報で起こされた。停電でラジオが聞けず、様子がわからない。まもなく解除となった。蠟燭《ろうそく》を点《とも》して病人の様子を見ると、まだ熱が高く、しきりに咳《せ》き込んでいる。この咳では休まれなかったと思う。汗ばんだ背中をさすってやる。

「晋助さんありがとう」と不意に初江が言った。

「……」

「晋助さん、わたしは今度は助からない。死ぬわ。死ぬ前に言っときたい。オッコはね、立派な音楽家になるわ。大丈夫よ。シュタイナー先生がそうおっしゃった……」

「おい」

初江は答えない。目をつぶり苦しげに息をしている。つぎの瞬間激しい咳が続き、「痛い痛い」と胸を押さえているうちにヒクッと喉《のど》の奥で奇妙な音がして静かになった。呼吸が止まった感じである。「おい」と背中をどやすが反応がない。悠次は看護婦溜《だま》りに走った。当直は顔見知りの菊池勝子《かつこ》であった。酸素吸入器を運び、カテーテルを鼻に挿入《そうにゅう》し、胸を押して人工呼吸をする。しばらくしてポコンと栓《せん》がとれたように息をしだした。利平が来た。いとが来た。管で喉の痰《たん》を吸い出す。長い針の注射器で胸に注射を打つ。せわしげに看護婦が出入りする。しかし利平が何度呼んでも患者の意識はもどらない。

「コラップスじゃ」と利平がしかめ面《つら》で言った。

「重体ですか」

「うむ。虚脱発作をおこしよった。危いとこじゃったが酸素吸入をはようしたんで、何とか危機を脱した」

「勝子さんのお蔭《かげ》です」と言うと、勝子は手を振って否定した。

「いや、あんたが付き添ってくれたから発見が早かったんじゃ」と利平は悠次に頭をさげた。

それから三日間危険な状態が続き、何度も呼吸が止まりそうになったり、夢のように奇妙な意識（これを譫妄《せんもう》というと利平が教えてくれた）が出没したが、四日目の朝になってようやく熱がややさがり、意識もしっかりしてきた。電話が不通なので会社には使いを出して届け、その朝まで悠次は妻に付き添っていた。

「あなた」と初江は悠次を呼んだ。「わたし、どうかしてましたわ。何だか長い長い夢をみていたようです。きょうは何日ですか」

「三月十四日だ」

「まあ大変、六中の口頭試問の日ですわ。研三はどうしています」

「家に帰っている」

「六中に行ったでしょうか」

「さあ……研三のことだ、ちゃんと行ったと思うが」

「服装をきちんとしたでしょうかね。洗濯してアイロンをかけて……何か言ってませんでしたか」

「研三にはずっと会っていない」

「ここは三田でしょう。わたしどうしてここにいるんでしょう」

「気がついたわね」と、いとが入って来た。「あなた、大変だったのよ」と入院の経緯を説明した。一時は敗血症を起こしかけ、危篤状態だった、悠次さんがずっと付き添って下さったとも言った。

初江は悠次を見た。最近の食料事情では、肥満気味だった夫もさすがに痩せてきた。白髪も目立ち、禿《は》げあがった額に皺《しわ》が増えた。でも痩せただけ体調はよく、持病の眼底出血もずっと——昭和十五年の暮からだから、かれこれ四年余も——おこっていない。（リヤカーに乗せてわたしをここまで運んでくれたのですって。あなたありがとう。）

「あなた、御迷惑をおかけしてすみません」

「いや、おとうさんやおいとさんを始め、病院のみなさんの献身的な働きのお蔭だ。危かったぜ、何度も呼吸が止まってな。譫妄というんだそうだが、訳のわからねえことを喋《しゃべ》りまくるし」

「何を喋ってました？」

「晋助のことが多かったな。気味が悪かったぜ。晋助が死んで霊が呼びに来たのかと思ったよ」「ほんとうに……」と初江は不安になった。「気味が悪いですわね」（晋助について何を喋ったのかしら。晋助に抱かれている夢を何度も見たようだ。いろいろな話をしたようだ。でも、よく覚えていない。）胸の底から痛みが湧《わ》きあがり、俄然《がぜん》咳き返してきた。ぎりぎりと短刀で突き刺されるようだ。

「まだ熱が高いし、あまり喋らないで」といとが注意した。

利平が来て診察が始まった。いとが介添えをする。聴診器をポケットに突っ込みながら利平が誇らしげな笑顔を悠次に向けた。

「大丈夫じゃ。峠は越えた。あと栄養をつけて体力の回復を図れば、数日中にブンリが来るじゃろう」

「ブンリ……」

「そうじゃ。分配の分に利益の利と書く。肺炎の特徴でな。体に取りついた細菌の力を体の力が凌駕《りょうが》したときに発生する急激な体温下降じゃ。これがおこれば一気に回復にむかう」

「九分九厘になりましたか」

「なった。どうじゃ、初江、すこし食欲が出たろう。葛湯《くずゆ》でも飲め」

「はい。おとうさま、いろいろと……」初江が感謝の言葉を口に出そうとすると、利平は、

「よしよし」とうるさそうに顔をそむけて出て行った。いとも去った。

「よかったな」と悠次が妻の手を握った。初江はそれを強く握り返した。夫に頼もしい男を感じ、ずっと忘れていた悩ましい感覚が手から蜜《みつ》のように胸から腹へと流れてきた。

「さあ、会社に行くか」と悠次は立ち上がった。

「あなた、何日も会社を休んで付き添ってくだすったのね」

「まあなあ、会社も暇だし、この病院は人手不足だしな」

悠次はリヤカーを曳《ひ》いた自転車に乗って時田病院を出た。曇り空のもと、甍《いらか》を連ねる街並みは黒々として時間の重みに沈むようだ。が、その光景も束《つか》の間《ま》で、やがては何もかも燃え尽きてしまう予感に充《み》ちている。時間の重みや歴史の刻印など、火と破壊によってあっけなく消えてしまう。関東大震災でも今度の空襲でも、大都会の無常をつぶさに目撃してきた。

ああ、ああと、ひとこぎ、ひとこぎ、溜息《ためいき》をつきながら、悠次は坂道を登って行った。

5

三月二十二日に研三の都立第六中学校合格の発表があった。それで喜んだのも束の間、初江は駿次と研三を連れて、金沢に疎開《そかい》する決心をした。三月十日の大空襲の惨状を見たため、東京の怖さが骨身に沁《し》みたのだ。ところが、肺炎の分利後の体力の回復がはかばかしくなく、やっと退院の許しを利平からもらったのが四月初めであった。

金沢に先住している脇美津に連絡を取り、ある家の一部屋を借りる交渉をしてくれたのは悠次である。小暮家の本籍は〝金沢市旭町ぬノ六十四〟で、部屋を借りた家もその旭町にあり、浅野川とかいう川のほとりだそうだが、東京以外の町についてとんと不案内の初江には、それがどんな所か見当もつかなかった。もっとも金沢には、結婚直後一度だけ悠次に連れて行ってもらったことがある。兼六園を始め主な名所旧跡をめぐり、小暮家先祖代々の墓参りをしたが、十数年前のこととて記憶が薄れてしまい、城下町のくねくねした道の印象だけが残っていた。

以前から悠次の母の里、中村家宛《あて》に、書画骨董《こっとう》や茶道具などは送ってあったが、いざそこで生活するとなると寝具、食器、家具などを送らねばならず、初江は病み上がりの身を鞭打《むちう》って、梱包《こんぽう》発送に精を出した。運送屋が来て何もかも受け持ってくれた昔と違い、当節は、夫や子供たちと一緒に荷造りして、それを大八車に載せ、みんなで新宿の貨物駅まで運んで行かねばならなかった。途中で空襲警報に出会ったり、防空演習で道止めになったり、闇屋《やみや》と間違われて巡査に調べられたり、わざと意地悪をするかのように支障が現れた。現に今日も、桐簞笥《きりだんす》と具足櫃《ぐそくびつ》を、駿次と研三に手伝わせて、貨物駅まで持って行こうとしたところ、たちまち手に肉刺《まめ》ができ、汗は吹き出し息は切れ、こんな具足櫃など役立たずの代物《しろもの》を苦心して移動させるのも、美津の差し出口のせいだと恨みながら、その恨みをバネにうんうんと車を曳いて、やっと貨物駅に行き着いたが、中身を尋ねられ、桐簞笥も具足櫃も不急不要の贅沢品《ぜいたくひん》だと突っ返され、また、美津を呪《のろ》いながら家まで運び戻った始末だった。この三日間一所懸命に働いた結果が無駄《むだ》になり、疲れ果てて腹立たしく、初江は、会社から帰った悠次にも、むっとした顔を向け、受付を拒否された顚末《てんまつ》を言葉少なに報告した。

「やっぱり、こんなもんは蔵にぶっこんどくより、しゃあねえか。あの蔵だって、一応の耐火建築だからな」

〝始めからそうすれば、よかったんです〟という言葉を初江は呑《の》み込み、口だけ尖《とが》らせた。入院以来、悠次に対して、遠慮深い態度を示すようになった。感謝と罪悪感とが、彼女の意識を水と油のように二分して、そのどちらもが、彼女をへりくだった気持へと追い込むのだった。

つい昨日、桐簞笥の中身を整理していたら、この引出しの底に隠した晋助の草稿やノートや手紙が悠次に発見された日のことを鮮やかに思いだした。悠次との約束には反したが、晋助の形身である文学的草稿やノートを焼くに忍びず、手紙のみ焼いて、夏江に預けたのだっという。夏江は八丈島に持って行き、東京に疎開してきてからは武蔵新田《むさしにった》のどこかに隠してあるという。

夕食のとき、悠次が、アメリカのルーズヴェルト大統領の急死をラジオが報じたと、ぽつりと言った。

「すると戦争はどうなるんでしょう」

「さあ、何も変らねえだろう。敵の戦意は旺盛《おうせい》だ。大親分の弔《とむら》い合戦だってえんでかえって興奮しやがって、またこの前みてえな大袈裟《おおげさ》な空襲をやらかすだろうぜ」

「疎開を急いだほうがいいという事ですわね」

「敵はとうとう沖縄に上陸しやがった。だんだん足元に火がついて来た」

「もう必要な荷物はみんな送りましたし、汽車の切符を入手次第、すぐにも金沢に立ちます」

「あしたでも、疎開証明書を持って、切符を買ってこいよ。東京の家はおれが守る」

「この猛烈な空襲では家はもう駄目と諦《あきら》めました。それよりも、危険だったらすぐ逃げて下さいまし」

「死にはしない。死んだら、何もかも終りだからな」

「本当に気をつけて下さいましな」初江は涙声で念を押した。金沢など馴染《なじ》みのない遠方の町に行くのが心細いうえに、今夫に死なれたらお先真っ暗である。

夕食後、黒幕で覆《おお》った電灯の暗い光のもとで、初江は掃除を始めた。庭に面した八畳間には、桐箪笥と具足櫃が、不快な記憶をいびつな梱包に示して、放《ほう》り出されてある。客間、応接間、子供部屋、どの部屋も書架や飾り棚《だな》や床の間や押入れがからっぽで、まるで廃屋の様相である。悠次が居間に使う茶の間だけが、ごちゃごちゃで、〝生きて〟いた。突如、サイレンが長い尾を引く。警戒警報発令だ。あわてて非常用品を詰めたリュックサックを持ち、窓の鍵《かぎ》を締めてまわっているうち、停電になった。「畜生、ラジオが聞けねえんじゃ、様子がさっぱりわかりゃしねえ」と悠次がぼやいた。と、サイレンは断続音を刻み、空襲警報となった。悠次が防空壕《ぼうくうごう》の前で早くしろと怒鳴っている。初江は駿次と研三をせかして外に走り出た。

壕内の闇に悠次の声が浮いた。「おかしい。どうも近いぞ」B29の爆音が真上から地面を叩《たた》き、地鳴りを起こしている。今までの空襲で経験した通過音とは違って、いつまでも鬱陶《うっとう》しく頭上にまつわりつき、高射砲の発射音も爆弾の轟《とどろ》きも、いつもよりも近くて激しく、地震を思わせる。と、昼間と見紛《みまご》うばかりに扉の隙間《すきま》が明るくなった。付近で火災が発生したらしい。「ちょっくら様子を見てくらあ」と悠次は外へ飛び出した。「あなた、気をつけて」と大声で励ましたつもりが、か細い震え声になった。

悠次は物干台に駆け上がった。とたんに恐怖が胸を万力のように締めつけた。四方八方が火炎に囲まれていたのだ。南西の新宿駅の方角に遠火が見える。双眼鏡で観察すると、新宿駅前の二幸ビルの辺りが最も炎の背が高い。そこから都立第五高等女学校の森に移り、住宅街を赤い怪獣のようにこちらに向かって這《は》って来る。西から北にかけては、祭の仕掛花火さながら、つぎつぎに火柱があがり、百貨店の別館、大久保国民学校、陸軍戸山学校、元東京陸軍幼年学校（いつのまにか疎開した）と所々の火柱が融合して次第に連続した大火になりつつある。そうして、東は抜弁天《ぬけべんてん》、東大久保の高台が盆の油に点火した感じで燃えている。Ｂ29は七千メートルぐらいの高度を梯団《ていだん》を作って悠々《ゆうゆう》と飛んでいる。焼夷弾の集合弾を誰が言いだしたか、〝モロトフのパン籠《かご》〟といい、そいつが高度五千メートルぐらいの上空で炸《さく》裂《れつ》し、二百個の棒爆弾となって散り、赤い巨大な籠の形で落ちてくる。一つの籠が地上に炎の円を描くと、つぎはその隣に炎の円が描かれる。正確で濃密で非情な絨毯《じゅうたん》爆撃である。今のところ安泰なのは、わが家のある西大久保一丁目の一部で、ここを敵が狙《ねら》ってくるのは、火を見るより（ああ何という虚《むな》しい形容だろう）明らかである。悠次は双眼鏡で三百六十度を見回しながら、どの方向に逃げたらいいかを探し求めた。どの方向も火で塞《ふさ》がっている。三月十日の教訓で、早めに逃げださないと命がない。「小暮さん」と呼ばれた。落語の師匠が向かいの物干台に上がっていて、禿げ頭をほむらにてらてら光らせていた。彼は隣組の組長兼防空群長で、消火作業や待避行動の指令を出す立場にある。「こりゃ、消火は無理ですな。待避しましょう。非国民になって逃げたほうが得ですわ。なら、南でしょうかな」「そうですな……」「南。風上ですけどな」「そりゃ風上がいい」「あっしも、そう思いますよ」防空群長はメガホンで叫び始めた。「待避、待避、みなさん待避してください。ぐずぐずしてると逃げ遅れるよ」

壕の入口で悠次は叫んだ。「急げ。待避だ。南だ。風上だ」悠次は初江と、駿次は研三と一緒に逃げるようにし、はぐれた場合に落ち合う場所を明治神宮外苑《がいえん》の絵画館前と取り決めた。各自防火用水の水を浴び、防空頭巾《ずきん》を水に浸した。大通りは避難民でごったがえしていた。人波に子供たちはすぐ呑まれてしまった。悠次は初江の手を強く握って、力の限り進んだ。花園神社から伊勢丹の付近にはまだ火が回っていない。「駿次と研三は？」と気づかう初江に、「駿次に任せておけば、大丈夫だ」と慰めた。代々木から千駄ヶ谷一帯は、炎上の真っ最中で、左右両側から火の粉や熱風が大通りのなかほどを進む悠次たちの上にまで襲いかかった。畳ほどの大きさの火の玉が、いくつも頭上を飛んで行く。その一つでも落ちてくれば、たちまちお陀仏《だぶつ》だ。そうして、焼夷弾《しょういだん》や砲弾の破片が、いつ空から降ってくるかも知れぬ。恐怖のなかを二人は無我夢中で走った。

絵画館前の広場は避難した群衆の溜り場となっていた。初江は、今度は悠次を引っ張って、駿次と研三の姿を求めて歩いた。小半時もして、絵画館を数回巡《まわ》ったとき、駿次に声を掛けられ、研三もそばにいるのを見た。初江はわっと泣きながら子供たちに抱きついた。「家は焼けちまったろうな」と悠次が言った。一同は家の方角を顧みた。その方角は天まで赤く染まり、乱舞する無数の業火《ごうか》で掻《か》き回されており、この物凄《ものすご》さでは何もかも焼き尽くされたと思われた。「命だけは助かった。まあそれだけでも感謝しよう」と悠次が力なくつぶやいた。

子供たちが幼かった頃《ころ》、よく連れてきてやった遊園地に、初江はみんなを誘った。絵画館から離れたこの辺りには人も少なく、便所で用をすませ、水道の水で顔や手を洗うことができた。築山《つきやま》に登ってみると頂上には誰もいない。ここで空襲警報の解除を待つことにして、新聞紙を敷き、一同は横になった。空一杯に満開の桜があった。炎に照らされて、美しい自分を羞《は》じらうように身震いしつつ、打ちひしがれた一家を憐《あわ》れんでいた。「ああ、とんだ夜桜見物だ」と悠次は言い、煙草《たばこ》を吸おうとしたが、どれも濡《ぬ》れていて火がつかなかった。

強風をはらんで花全体が激しく揺れ動き、落花は驟雨《しゅうう》のように顔に降りかかった。心が花に洗われたようにして古い記憶が甦《よみがえ》った。この遊園地で子供たちを遊ばせてから、お昼にしようと絵画館のほうへ行き、相撲場や競技場が視野を限る芝生で弁当をひろげた時、晋助と桜子とが並んで歩くのを遠目に見て、びっくりし、ほんの小娘の桜子に対して強い嫉妬《しっと》を覚えたのだ。もしあの頃から桜子が晋助を好いていたとしたら……初江は、それがいつであったかを特定しようと記憶の底を浚《さら》った。はっきりは覚えていないが、研三が三つか四つだったから、昭和十一年頃だ。桜子がそんなに前から……初江は、桜の揺れに酔ったように目眩《めまい》を覚えた。

空襲警報が解除となったのは午前二時過ぎだった。わが家の方面の火勢が幾分弱まったかに見えるまで待ち、「ひとまず帰るか」と悠次が言った。「はい」と初江はすぐ従った。寝ていた子供たちを起こし、とぼとぼと道を行く。逃げて来たときとはまるで正反対に気力がなくて、足が重い。千駄ヶ谷駅から先は、黒々とした焼け跡に変わっていた。焦《こ》げたものの異臭と煙にむせながら進む。所々にちろちろと動く残り火が足元を照らしてくれた。三月十日と決定的な差は屍体《したい》がほとんど見当たらなかったことだ。住民が大通りを通って、いち早く明治神宮や外苑に逃げたせいであろう。

新宿に近付くにしたがい、西大久保や東大久保の火災はまだまだ盛んで近寄りがたく見えた。「あれじゃ危くて、とても帰れませんね」「いや、ここまで来たんだ。家の炎上した姿だけでも見守ってやろうや」

伊勢丹から花園神社にかけての街は手つかずで、昔からの街並みが残っているのが、意表外で、むしろ気味悪くさえ思える。「おや」と悠次が弾んだ叫びをあげた。「家が残っているぞ」「ほんとだ」と駿次が躍り上がって駆けだした。悠次と研三が続く。初江は、すぐさま息を切らし、それでも急ぎ足に進んだ。わが家の近所は大通りの左側だけがかなり遠方まで、そっくり焼け残っていた。石段を駆け上がる。玄関から中に入る。何だか本当のわが家とは思えず、初江は柱を撫《な》でて、その感触でやっと事実を納得した。

悠次は近所の被害状況を調べに出掛けた。西のほうへ行ってみると、平沼騏一郎《ひらぬまきいちろう》邸より東側が焼けないでいる。北のほうへ歩いて行くと、元幼年学校の手前まで焼け残っている。周辺が焼野原と化したなかに東西に細く南北に長い、約三百軒ほどが、島のようにそっくり残っていた。家に帰ると、妻子は縁側に腰を下ろしてぼんやりしていた。垣根《かきね》越しに物音がして、第一高等学校の教授一家も今避難先から戻った様子だ。落語の師匠の内儀《かみ》さんが二階の窓を開いて、悠次に「無事でよかったですね」と笑顔を向けた。悠次は廊下に仰向けに倒れ、大きく伸びをした。青空を縫う唐楓《とうかえで》の枝々に新芽が光っている。朝日が朗らかに照っている。悠次の顔に笑いが染《し》みだした。家が残ったのが嬉《うれ》しくてならない。笑いが込み上げてきた。そこへ落語の師匠が、血相を変えて駆け込んで来た。「大変だ。お宅の裏の家が燃えていますよ」

悠次は裏へ走った。初江も子供たちも走った。本当だった。茶の師匠に貸していた旧居の二階が火を吹いていた。火炎は二階全体を風呂敷《ふろしき》のようにすっぽりと包み、一階のあちこちからも白煙がもくもくと吹き出している。しまったと悠次は臍《ほぞ》を噬《か》んだ。空中を舞っている煤《すす》や火の粉に注意すべきだった。これは火の粉による飛び火に違いない。彼はゴムホースで水道の水を引いてきて、火に向かって掛けようとした。が、ホースの長さが足りず、届かない。消防署に電話をしようとしたところ回線が不通になっていた。落語の師匠が、防空群長として連絡を取ってくれたらしく、隣組の人々がバケツや火叩きを持って集まって来た。池の水をバケツリレーで運んでは掛けるのだが、一階の軒を濡らすのが精一杯であった。この家は無人で家具が無かったうえ、この所お天気続きで乾燥していたためであろう、薄紙そっくりにめらめら燃え、あっけなく二階が下に崩れ落ちると、一階も火炎に包まれて、もうどうしようもない有様だ。師匠が人々に言った。「この家はもう駄目だね。それよりみなさんの家に類焼せんようにしたがいい」

悠次はゴムホースで、自宅に水を掛け出した。まず瓦《かわら》を濡らし、軒に放水する。隣組の人々もバケツで雨戸や下見板《したみいた》に水掛けをしてくれる。一高の教授が厚司《あつし》の法被《はっぴ》と防空頭巾でまるで江戸時代の火消し人足の出《い》で立ちで働いていた。悠次が恐縮すると、「お宅が燃えたら、家《うち》もあぶない。まったく利己的な動機でやっとるんです」と微笑した。とうとう家はほぼ燃え尽きて、余炎と白煙が燻《くすぶ》るだけになった。やがて、蔵だけを残し、無残な焼け棒杭《ぼっくい》の集積と化した。わが家は、軒や屋根が一部焼けたり焦げたりしたものの、ほとんど無疵《むきず》に残った。

悠次は蔵の中を調べようとして、まだ鉄扉《てっぴ》も石壁も熱いので諦めた。下手に開扉すると中に充満する熱気で収蔵品が一挙に燃え上がると聞いていたからだ。

「どうもみなさん、大変御迷惑をおかけしました」「ありがとうございました」と悠次と初江は深々と頭を下げた。

「いやあ、この火事は飛び火で起きたんで、まったく不測の事態だ」と師匠が、湯気の立つ禿《は》げ頭を濡れ手拭《てぬぐい》で拭った。「気にせんでいいですよ。みんな自分のために働いたんだ。せっかく焼け残った家をやられちゃ、たまらねえからね」

人々が去ると、一家は縁側に腰をおろし、ぼんやりとしていた。悠次が「まあ、この家が焼けなかったので満足すべきだね」と、負け惜しみを言った。

一同が着替えをすまし、簡単な朝食を取りおえると悠次は鍵を手に小走りに隣へ行き、蔵を調べた。鉄扉も石壁も冷めている。鍵を回し、閂《かんぬき》をおそるおそる引いた。大丈夫であった。中は焼けていなかった。「あなた、不幸中の幸いでしたわね」と、付いてきた初江が言った。

「しかし皮肉なもんだな。書画骨董古文書などの貴重品はほとんど金沢に送ってしまい、助かったのは屑《くず》ばかりだ。こうなるとわかってりゃ、あんなに大騒ぎして梱包し発送しなくてもよかったんだ」

その時、焼け跡の向うに一人の軍人がぬっと立った。脇敬助だった。この三月初旬、母と妻子を金沢に疎開させた直後に中佐に進級して、金線二本星二つの襟章《えりしょう》が真新しく光っている。金の参謀飾緒《しょくしょ》がめざましい。やはり金色の軍刀も革の黒長靴《くろちょうか》もピカピカで、空襲も飢えも知らぬげのさっぱりとした身繕いである。悠次と初江に、さっと挙手の礼をしてから近付いて来た。

母と妻子が金沢に疎開してから、敬助は西大久保の旧居に一人暮らしをしていた。その前日、四月十三日金曜日、前日から徹夜で『対米英上陸防禦策《ぼうぎょさく》』の資料作りに追われていた敬助は、明け方に市ヶ谷の大本営陸軍部より西大久保の自宅に帰って、眠った。

目覚めたのは午後遅くで、耳障りな号令のせいであった。窓から見ると、野本邸の庭に二十人ほどの男たちが菜っ葉服に鉄兜《てつかぶと》をかぶり、各自竹槍《たけやり》を持って、整列している。指揮を取っているのは、工藤という、ずっと野本家の玄関番をしている男だ。木刀をかざし、将校みたいに威張っている。

そもそも工藤には得体の知れぬところがあり、ずっと野本邸の玄関脇《わき》の小部屋に寝起きして玄関番を勤めているが、野本造船株式会社の歴《れっき》とした社員であり、夏は小型船の船長として活躍し、野本一家が軽井沢に疎開したあとは留守宅の一切を取り仕切る家扶《かふ》となり、昨年の夏に野本邸が新入工員の伝習所になってからは伝習生の教官として采配《さいはい》を振るっていた。

野本邸の池泉や築山を配した日本庭園はすっかり様変りしていた。池は貯水池に拡張され、築山はなかをくりぬかれて防空壕に作り変えられ、樹木は全部引っこ抜かれて畑――そして今、伝習生にとっては、恰好《かっこう》の練兵場――になった。

工藤の号令で伝習生――よく見るとほとんどが十七、八の少年だった――は竹槍をかまえて突撃を始めた。藁人形《わらにんぎょう》を竹槍で突くのだ。

敬助は、古ぼけた背広を着て、野本邸の庭に入った。伝習生は今度は、ビール瓶《びん》を片手に持ち、匍匐《ほふく》前進の訓練を始めた。大きな木箱を戦車に見立て、その近くまで這って行って、火焔瓶《かえんびん》代わりのビール瓶を投げつけるのだ。投げ終えた者は泥《どろ》だらけで帰ってくる。工藤は敬助に気付くと走り寄ってきて、軍隊式の挙手の礼をした。汗まみれで、日焼けして、充血した赤い目が痩《や》せた顔に穴のように窪《くぼ》み、こっそりと外部を窺《うかが》っているようだ。

（こういう顔付きをこの頃よく見かける、大本営の若手参謀にも、電車の乗客にも、巡査にも。何かを必死で求めているが、手にはいらずに焦《あせ》っている。いらいらとして、ちょっとした刺戟《しげき》で爆発し、兵隊を子供を民衆を、つまり目下の人間に当たり散らす。それでいて、目上の人間には極端に卑屈な態度を取る。）

「脇中佐殿、今日はお早くありますな」

「なかなか、やっとるじゃないか」

「いつも、騒音を立てて申し訳ありません。こらあ」と工藤は少年たちをどやしつけた。

「戦車撃滅を終えた者は順次整列せい。ぼやっとたってる莫迦《ばか》があるか」

「みんな伝習生か」

「新入工員の一部と最近雇った防空隊員でありますが、学校の成績も悪い子が多く、質が落ちて困っとります。中佐殿、お願いがあります。われら一同に本土防衛についての覚悟を訓示していただけませんか」

「訓示……」

敬助の逡巡《しゅんじゅん》におかまいなく、工藤は少年たちを呼び集め、整列させた。

「ここにおられるのは大本営陸軍部参謀の脇中佐殿で、このお屋敷を建てた故脇礼助《れいすけ》先生の御子息である。皇土防衛の第一線に立っておられる方だ。中佐殿、何かひとこと」

「弱ったな……」敬助は少年たちを見回した。骨張って目付きが尖《とが》って、思い詰めた面構《つらがま》えで、冗談は通じない連中だ。そう見極めたとたん、刮眼《かつがん》となって背筋を伸ばし、兵に訓示をあたえる際の雄叫《おたけ》びになった。

「沖縄に敵軍上陸し、皇軍は熾烈《しれつ》果敢なる反撃を加えつつあるが、物量と残虐《ざんぎゃく》をこととする敵は不埒《ふらち》不敬にもわが皇土上陸を企図しつつある。しかし皇土には、陸軍三百万、海軍百五十万、航空機千機の精鋭が温存されてあり、度重なる上陸作戦に疲弊し、しかも兵站《へいたん》線の伸びきった敵を迎撃せんと待ち構えており、磐石《ばんじゃく》の備えをしておる。これに加えて在郷軍人による特設警備隊二十五万、さらに一般国民の国民義勇戦闘隊三千万が加われば、勝敗の帰趨《きすう》はおのずから明らかである。お前たちも国民義勇戦闘隊として、一人一殺で敵を殲滅《せんめつ》してほしい。武器は手元にある短刀、包丁、鳶口《とびぐち》、竹槍、なんでもよい。いいか、一人一殺ぞ。頑張《がんば》れ」

「質問があります」と少年の一人が手をあげた。

「よし、言ってみろ」

「敵は、どこに上陸するのでありますか」

「それは作戦上の極秘事項だ。むろん、皇軍は敵の意図を見破っておるが、今それを言えば、敵に裏をかかれる。お前たちは、この東京に敵が上陸すると想定して、日頃の訓練をせよ」

「はい」と少年の目は澄んでいる。

「質問があります」と別な少年が手をあげた。

「よし」

「敵戦車の攻撃のため、匍匐《ほふく》前進して火焔瓶を投げる訓練をしておりますが、火焔瓶に入れるガソリンはどこで手にいれるのでありますか」

「その時になれば、軍の補給がある」

「はい、わかりました」

「ほかに質問はないか」

「ありません」と工藤が言い、上体をきっと倒す軍隊式の敬礼をした。「ありがとうございます。みんなの励みになります」

「ところで、ちょっと土蔵を見たいのだが」と敬助は、ふと思いだしたように言った。

「どうぞ。御自由に御覧ください」

「うん」と頷《うなず》いた敬助は、実は最初から土蔵を開いて見るつもりで、ポケットに鍵《かぎ》を忍ばせていた。母美津の言い付けで、今までにも時々、土蔵の中に入って、重要な美術品や書類などを梱包《こんぽう》しては金沢に送っていたが、空襲が始まると、まだ疎開すべき物があるような気がして、一度調べたいと考えながら、軍務繁忙《はんぼう》でそれどころではなかったのだ。

敬助が庭先から広間に入った時、工藤の声が開け放たれた窓から飛び込んできた。少年たちは地べたに車座を作って坐《すわ》り、目をつぶっている。傾いた日の影が長い。少年たちが戦陣訓の斉唱《せいしょう》を始めた。

「特に戦陣は、服従の精神実践の極致を発揮すべき処《ところ》とす。死生困苦《しせいこんく》の間に処し、命令一下欣然《きんぜん》として死地に投じ、黙々として献身服行の実《じつ》を挙ぐるもの、実に我が軍人精神の精華なり」

「いいか」と工藤の鋭い声音が少年たちの鼓膜を突いた。「サイパン、硫黄島の皇軍に続き、われら玉砕を覚悟して敵と戦わん」

「はい」と少年たちは力一杯に叫んだ。

敬助は腕組みをして考え込んだ。そのまま腰を下ろす。前には五角形の大テーブルがあった。父が特別に作らせた、輪島の黒漆に花鳥風月が象眼《ぞうがん》されてある逸品だ。大き過ぎて、この邸《やしき》を他人に貸すに際しても、作り付けの家具のように置いたままだった。五というのは礼助が大切にした数で、会議の場合に二対二で同数の対立とならず、かならず多数決で結論が出るというのだ。礼助がこのテーブルに人を呼び、よく談合や会議をおこなっていた姿が突如思いだされた。

少年たちの斉唱が続く。

「生きて虜囚《りよしゆう》の辱《はずかしめ》を受けず、死して罪禍の汚名を残すこと勿《なか》れ」

本土決戦に意気込んでいる彼らを激励したさっきの演説と、おのれの本音とはあまりにも隔絶していたのだ。純真な少年たちのまっしぐらな態度を見るにつけ、彼らを憐れみおのれを後ろめたく思った。

本土決戦が今や目睫《もくしよう》の間《かん》に迫っている認識については、政府も統帥《とうすい》部も新聞も一致している。一般国民もそれをひしひしと予感しているだろう。問題はどのような作戦でそれを闘うか、どのようにして勝機を見いだすか、にある。大本営陸軍部では、今年の正月から、本土決戦を想定した作戦を練ることにし、部内に印刷配付する『対米英上陸防禦《バウギヨ》策ノ作戦ニ於《オ》ケル方面軍及ビ軍ノ統帥ニ関スル参考資料』の作成にかかったが、昨年十一月二十四日より始まった予想外に頻繁《ひんぱん》で徹底した米軍の本土空襲に続き、二月初旬のマニラの失陥、三月中旬の硫黄島の玉砕、四月一日の沖縄への米軍上陸、そしてこの四月五日のソ聯《れん》の「日ソ中立条約の不延長の通告」、盟邦ドイツの〝本土決戦〟での敗北などの悪材料が重なり、作戦を根本的に練り直さねばならなくなって、まだ文面の作成にもかかれずにいた。敬助の所属している大本営陸軍部第一部第二課は戦争指導、国土防衛、作戦を任務としており、課員のなかには陸大の恩賜《おんし》の軍刀組が集まっていて、平凡な成績で陸大を卒業した敬助は多少気がひけるのだが、有名な脇礼助の息子で、大日本政治会員（この三月三十日翼賛政治会は解散してこの新設の組織に吸収された）である風間振一郎の娘婿《むすめむこ》である彼には、みんなも一目置くふうがあって、居心地はよかった。最近敬助が命じられた任務は、〝新しい情勢下〟における本土決戦の資料蒐集《しゅうしゅう》で、ここのところ、彼は日本各地の防衛状況を視察して回っていた。

ところで、少年がいみじくも質問したように、最大の問題は敵がどこに上陸するかにあった。四囲を海に守られている本土は、逆に言えば敵はどこからでも上陸できるという弱点をかかえていることであった。しかも、海に守られているという安心感のため、海岸に要塞《ようさい》を作り敵の上陸に備える努力をしてこなかった。多少とも要塞化してあるのは、横須賀、佐世保、呉、舞鶴の四鎮守府だが、そんな所にわざわざ敵が上陸するはずもなく、本土の海岸はどこも無防備で、物量を頼む敵の機動部隊ならば、須臾《しゅゆ》の間《かん》に橋頭堡《きょうとうほ》を築きうるであろう。

そこで仕方なく、敵の上陸地点を想定して作戦を練らねばならないが、さてその想定地点が参謀本部内でも異見多出で収拾がつかなかった。各自が想定した地点は、九州は八代《やつしろ》、宮崎、博多、本州は豊橋、相模《さがみ》湾、東京湾、九十九里浜とさまざまであり、その地点ごとに動員、作戦、兵站の細目を定めねばならず、その煩雑《はんざつ》な推定計算を行ったあとで、まだ無限に想定地点があることに気が付き、うんざりするのだった。こんな作戦計画など何の意味もないと、敬助は絶望を覚えるのだが、それを色に出すのは参謀本部内では絶対の御法度《ごはっと》であった。上層部は、本土で最終勝利をおさめるために全力を尽くせと勇ましく叱咤《しった》激励するのみで、敬助などが苦心惨憺《さんたん》のすえ提出する具体案にはあまり関心を示さず、というより、そんな具体案は結局机上の空論だと見破っているので、敬助は余計やりきれぬ思いに追い込まれるのだった。そうして少年の質問へのわが答〝この東京に敵が上陸すると想定して、日頃《ひごろ》の訓練をせよ〟ほど空虚な言葉はなかった。

少年たちに演説した本土防衛軍の員数についても誇張があった。東海地方以北の第一総軍と西日本の第二総軍を合わせても、二百二十五万人にしかならず、しかも精鋭の大部分を海外に出したあとの留守部隊で、装備は貧弱、弾薬は僅少《きんしょう》で、とくに軍隊移動のための戦車やトラックの保有数が少なく、敵の空爆で鉄道が寸断された状況で、敵の上陸地点への敏活な移動など望むべくもなかった。

航空総軍の航空機千機は数だけは正確だが、練習機を改造した体当たり用の特攻機が多く、マリアナ、硫黄島、さらには沖縄（ああ、沖縄の失陥は時間の問題だ）から発進する優勢で優秀なＢ29やＰ51の前では手も足も出ないだろう。

はっきりと、敬助は本土決戦の悲惨な敗北を予測していた。最悪の場合、戦場外に疎開した国民を残して、陸軍、海軍、国民義勇戦闘隊の半数、すなわち千五百万もの戦死者がでるであろう。そのような破滅的な戦争はすべきでないと思う。が、それを参謀本部内で言えば、腰抜け、青二才、弱虫野郎として指弾され、参謀の地位を追われるのは目に見えている。まして一般国民の前で言えば、反軍、反戦、厭戦《えんせん》、敗北主義をあおる非国民乃至《ないし》スパイとして、ただちに逮捕されてしまうであろう。

今のところ敬助が本音を語れるのは風間振一郎だけだった。彼は、時たま軽井沢から上京して空襲の被害状況を視察し、そのたびに娘婿を、落合の邸宅の地下壕《ちかごう》に呼んで、戦局の推移について意見の交換をしていた。最近は振一郎も、国体さえ護持されるなら、本土決戦で国民に甚大《じんだい》な犠牲を出す前に和平をすべきかな、と洩《も》らす時もあった。

つい昨夜のことだった。落合の地下壕で敬助と懇談していた振一郎が、ぽつりと、話題となっていた空襲の被害状況や食糧の逼迫《ひっぱく》とは無関係な、述懐を始めたのだった。

「考えて見ると、すべては柳条溝《りゅうじょうこう》の一閃《いっせん》から始まった」

「満洲事変《まんしゅう》ですか」

「そう、あの事変の裏工作の主役は、当時関東軍の板垣参謀副長と石原参謀と脇礼助政友会総務の三人だ。この三人が軍を動かし、北大営の支那《シナ》軍を攻撃するようにお膳立《ぜんだ》てをした。ほかの軍人や政治家は、事柄《ことがら》の意味を解せず、ただただ事件不拡大を願って右往左往するだけだった」

「でも、父は本当に事変の勃発《ぼっぱつ》に関与してるんでしょうか。『脇礼助伝』には、そこまでは書いてありませんが」

「それは国家機密で書けなかったからで、実際は脇先生が、あらかじめ石原、板垣両参謀と綿密な打合せをなさってるんだ。これは敬助君だから話せるんだが、わたしは脇先生からじきじきに真相を聞いたんだよ。昭和六年七月の万宝山《まんぽうざん》事件というのを知ってるだろう」

「入植した朝鮮移民と支那農民とのあいだで流血の衝突が起きた事件ですね」

「そう、あの事件がおきた時、脇先生はただちに満洲に飛んで行かれた。それが満洲における排日運動の象徴になると、素早く判断したうえでの迅速行動だった。支那の各地では万宝山事件に見られるような排日抗日の運動が起こっている、ここで日本の権益を守るためには、軍事力による防衛しかない。さらには満洲を支那本国から切り離し、日本が保護するよりほかの道はないと、先生は考えられ、前から昵懇《じっこん》の仲であった板垣、石原両参謀と綿密な謀議を凝らしてから帰国された。その直後、九月十八日に柳条溝の一閃が起きた。そのあとは一直線だ。満洲事変、満洲独立、国際聯盟《れんめい》脱退、支那事変、大東亜戦争……こう見てくると日本は脇先生の敷いたレールの上を走ってきたようなもんだ。しかし、その路線も古くなって、がたが来た。どうしたらいいか。このまま突っ走って、一億玉砕では、元も子もない。一時停車して和平を模索するのも道の一つだろう」

「そんな話を大本営でしたら、ぶった切られます」

「軍人は停車の技術を持たないからな。そいつは政治家の役目だ」

「おとうさんがおやりになるのですか」

「そいつはわからん。とにかく、まだその機ではないとは言える。沖縄が落ちて、本土に敵が上陸した時点で動くかも知れんが……」

今日敬助が土蔵を開こうと思い立ったのは、脇礼助の遺品の中に柳条溝事件と父との関係を明かす文書があるはずだと、心積もりしたからである。

夕日が沈み、薄青い光が漂ってきた。日中吹いていた南風の勢いが急に募《つの》って、軒端《のきば》を擦《こす》る風音が高い。伝習生たちは身軽になって駆け足で庭を巡り、広間には土煙《つちけぶり》がもろに流れ込んでくる。敬助は窓を閉めた。

広間に隣接して応接間がある。以前はゴブラン織りの壁掛に囲まれた、ひっそりとした部屋で、礼助が政界の要人と密議を凝らすのに使っていたが、今は壁掛を取り払った殺風景な白壁に囲まれて、納戸《なんど》替わりに用いられているらしく、剣道具、柔道衣、蒲団《ふとん》、枕《まくら》等々が積み上げられてあった。

　廊下の突き当たりに土蔵の鉄扉《てつぴ》がある。鍵を解き、閂《かんぬき》を抜いて、扉《とびら》を開いた。ひんやりした空気が埃《ほこり》と黴《かび》の臭《にお》いを運んできた。左側を、書画の桐箱《きりばこ》、屛風《びょうぶ》、額縁入りの油絵、大小の仏像、彫像、支那やアメリカの民芸品などが占領している。そうして、敬助の目当ては右側の棚《たな》に木箱に入れて積まれてある、書簡、メモ、日記、名刺、演説草稿、関係文書綴《つづ》りなどである。

　彼はまず昭和五年と六年の木箱を小机に運んできて調べ始めた。こういう書類の探索は敬助の綿密で整理好きな性格に合っていて、たちまち彼は仕事に没頭した。

　探索の目的は明確であった。満洲事変勃発当時の関東軍司令官本庄《ほんじょう》繁《しげる》中将、参謀長三宅《みやけ》光治《みつはる》少将、参謀副長板垣征四郎《いたがきせいしろう》大佐、参謀石原莞爾《いしはらかんじ》中佐、元関東軍参謀で張作霖《ちょうさくりん》爆死事件の責任を問われて待命となった河本大作《こうもとだいさく》大佐、満鉄理事十河信二《そごうしんじ》など、関東軍と満鉄の中枢《ちゅうすう》にいて支那軍攻撃を推進した積極派の人々が、時の政友会幹事長ついで総務となった脇礼助とどのような関係を持っていたかを探るのだ。日記やメモに彼らの名前があると控え、彼らの書簡を年代順に並べ、事件覚書や関係文書と照合しながら読み進んだ。何か新しい事実が飛び出してくる期待感でわくわくしながら敬助は読み進んだ。

　まず判明した事実は、礼助が、単に関東軍当局だけでなく軍の中枢部、陸軍省、参謀本部の要人たちとも頻繁に会って、彼らの幾人かとは親密な間柄であったことである。しかし、どのような話を取り交わし、何を相談したかという具体的な内容になると、さっぱり摑《つか》み所がない。書簡などは、時候の挨拶《あいさつ》や宴席の礼程度の内容に過ぎなかった。

昭和六年七月の満洲視察の表向きの目的は万宝山事件の調査にあった。しかし、礼助は出掛ける前に、自分に随行する新聞記者のKに、「万宝山事件なんかは、現地に行かなくても、調査報告を見れば、充分わかる。おれには別な重大な考えがあるんだ」と語っていた。その事実はKが礼助の死後、編集した『脇礼助伝』にも書き留められてある。

資料を整理して、次第に明確になってきたのは、礼助が東京の軍の上層部の充分な諒承《りようしよう》を得たうえで満洲の視察旅行をしていることである。

昭和六年七月十六日満洲に向けて出発。随員として政友会のY、T、Uの三人と新聞記者のKを連れて行った。停車場には憲兵が迎えにきて案内役を務めてくれた。ところで、奉天《ほうてん》で関東軍の首脳陣と懇談する段になってからは、四人の随員をホテルに残して、礼助は単独で飛び回った。本庄軍司令官を始め、参謀たちとの懇談の内容は、どの資料にも見当たらない。しかし、板垣、石原の両参謀には何度も会い、長い時間を掛けて打合せをした事実は、メモや日記に頻繁に二人の名前が出てくる事実から、明らかに推測された。

万宝山は長春《ちようしゆん》から三十キロ西にある水田地帯で、朝鮮農民が耕作していた。支那の農民は、この水田の灌漑水《かんがいすい》の取り入れ口を破壊し、しかも支那警察は二百余名の朝鮮農民を逮捕した。これまでも、日本人の名で入植した朝鮮農民への迫害は、全満洲で行われ、とくに吉林《きつりん》省、間島《かんとう》省で目立っていた。万宝山事件は、朝鮮農民への迫害、すなわち排日行為の一例であるが、事がおおやけにされると、朝鮮各地で支那人への報復事件が続発した。支那人が襲撃され、撲殺され、時には銃殺された。これがいわゆる朝鮮事件として政治問題になった。

ところで、長春から万宝山へは馬で行くしか方法がなかった。礼助は三井物産の支那駐在員時代に乗馬を習っていたので、憲兵隊長、守備隊長、警官ら数人で騎馬で出掛けた。しかし一行を馬賊が追い、途中であやうく襲撃されるところであったのを、礼助の馬術が一流であったため、馬賊より先に目的地に着いて助かった。

当時、満洲で日本人が旅行するのは、しばしば危険と隣合わせであって、憲兵が襲われ、通学児童が殺されるなどの事件がよくおこっていたし、満鉄はともかく、支那人経営の鉄道に乗るのには決死の覚悟が要った。にもかかわらず、礼助はわざわざ、奉天から吉林まで支那側の瀋海《しんかい》鉄路に乗った。満鉄、関東軍、外務省の人間はこの鉄道を危険視して絶対に乗らなかったのに、礼助はあえてこれに乗り、満洲の実情を調べた。もっとも、こういう冒険をしながらも、礼助は用心深く、ピストルを腰にさげ、ゴルフのパターを常時握りしめていた。

ノックがあって、「恐れ入りますが」と、工藤が食事を盆に乗せて運び入れた。魚のフライに味噌汁《みそしる》、焼きおにぎりである。「御夕食を持ってまいりました。伝習生と同じで恐縮ですが」

「いやあ、これはありがとう」と敬助は言い、振り向くと工藤はもう扉の向うにいた。余計なことを一切言わないのが、この男の身上である。

敬助は、探索を中断して、食事を取った。父礼助の、縁無眼鏡を掛け細い口髭《くちひげ》をはやした角張った顔が思い出された。忙しい人で息子と話す機会もあまりなかったが、他人と話している時は立て板に水で、よく笑い、よく手を動かした。

（親父《おやじ》は、大の冒険好きだったな。逗子の海で泳ぐ時など、どんどん沖の荒海に出てしまう。沖の潮に流されて、行方不明になり、みんなが大騒ぎで和船を漕《こ》ぎだして捜すと、定置網のブイにつかまり、「ここだ、早く来い」と怒鳴っていた。冒険には違いないが、みんなが心配して探すのを計算に入れての行為であった。親父が、得意になってした自慢話に、三井物産上海《シャンハイ》支店社員だった時、バルチック艦隊の航路を発見したというのがあったな。明治三十八年五月十四日、バルチック艦隊は仏印《ふついん》を出発して以来消息を絶ち、東支那海に入ったのか、太平洋に出たのか、鎮海湾《ちんかいわん》に待機していた聯合艦隊の焦慮するところであった。当時二十三歳の若者だった親父は二、三の部下とヨットに乗って、荒海に乗り出し、五月十九日にバルチック艦隊をバシー海峡で発見し、その後東支那海から対馬《つしま》海峡に向かうことを突き止めて打電した。最終的に対馬海峡に向かうとみた理由は、敵が積載した石炭の量では、太平洋を通過してはウラジオストクに行き着けないと判断した結果であった。礼助の報告を受けて聯合艦隊は対馬海峡に敵を邀撃《ようげき》する態勢を整えたのだった。）

軍人の早飯《はやめし》であっというまに食べ終え、敬助は書類に向かった。

八月十五日に帰国した脇礼助は、政友会に報告して党の意見を積極派に向けるよう努力するとともに、満洲の排日運動が在満同胞の危険と日本権益の侵害をおこしている事実を、精力的に宣伝し輿論《よろん》の喚起をうながした。九月九日、名古屋市公会堂での演説は、八千人の聴衆を興奮の渦《うず》に巻き込んだ。満洲では支那当局の不当な排日方針のもとに、万宝山事件のような事態が続発している。日本は今こそ、「国力発動以外に途《みち》がないと断ぜざるを得ないのである」という発言は聴衆の万雷の拍手でしばし、演説が中断されたほどであった。

そして、九日後の九月十八日夜半、柳条溝事件が勃発した。十二月、政友会内閣が成立すると礼助は内閣書記官長となって活躍し、翌年の三月に満洲国は建国宣言をした。礼助の敷いたレールの上を日本は動き始めたのだ。しかし、当の礼助は、超人的な政治活動に体調を崩し、夏から微熱が去らず、八月の臨時議会でも顔色が冴《さ》えず、どこか生気を欠いた演説振りであった。九月には衰弱が進み、三十八度の熱で寝込んだ。しかし、九月十八日、すなわち満洲事変一周年記念日に日比谷公会堂で開かれた大演説会には、『アジアに還《かえ》れ』と題して、一時間四十分にわたり満洲事変と満洲建国の正当論を叫び、満座の聴衆の喝采《かっさい》を浴びた。しかし、これが礼助の最後の演説で、西大久保の自宅に戻ったあと、非常な苦しみようで、そのあと鎌倉の海浜ホテルに移り、さらに逗子《ずし》の別邸で十二月十一日に死ぬまで病床を離れられなかった。

敬助は『アジアに還れ』の草稿を探したが、即興の演説であったらしく見当たらなかった。その代わりに、晩年病床で書いたとみられる断片が二枚発見された。いずれも逗子の別邸で用いる便箋《びんせん》、その余りが今でも逗子の倉庫にある、波と鷗《かもめ》を薄い水色で枠外《わくがい》に印刷した紙に書かれてあった。

外交ハ国際戦争デアル。平和ナル戦争ガ外交デアリ、平和デナイ外交ガ戦争デアル。外交ノ正義人道ハ国力ニ於イテ勝ル方ニアル。

シタガッテ外交デ自国ノ正義ヲ貫ケヌ時ハ軍事力ヲ発動スベキデアル。英米仏露皆ソノ正義ニヨリ領土ヲ増ヤシ繁栄シテキタ。トコロガ日本ガ、同ジ論理デ満洲ニ出兵スルト侵略ダト言フ。日本ヲ盗賊呼バハリスル。何タル笑止ゾ。

柳条溝ハ余ガ関東軍ノＩＩト起セシ陰謀ナリ。戦争ヲ起スニハマッチ一本ノ火ガ必須《ヒッス》ナリ。ソノ火ヲツケシ国ガ不正義ニ決ス。サレバ支那側ガ満鉄ヲ爆破セシトノ事実ヲツクル陰謀ガ必要ナリ。一旦《イッタン》戦争ガ起レバ正義ハ国力ニ於イテ勝ル方ニアリ。

ＩＩとは、板垣征四郎と石原莞爾に違いない。ほかの関係者にＩのイニシアルで始まる人物はいないのだ。満洲事変と脇礼助との関係を告白する文書は今のところこの手書きの便箋だけだが、まだあるはずだ。敬助は父が自伝を書くために資料を蒐集したことを知っていた。満洲事変を勃発させた功労者の一人となると、それをかならずや自伝に書くため、関係者の資料を集めていただろう。ふと気付いたのは、軍の上層部や関東軍の参謀たちとの付合いは、昭和の初頭から始まり、とくに昭和五年は頻繁《ひんぱん》な会合や手紙のやり取りがあるのに、昭和六年、満洲事変の直前あたりから、資料が激減しているのだ。どこかに、一括して保存してあるに違いないと憶測して、積み上げた木箱を運び分けしつつ探した。と、突如停電になった。

漆黒の闇《やみ》である。煙草《たばこ》をのまぬ敬助にはマッチの持ち合わせもない。手探りで扉の方向にそろりそろりと歩むうち、ノックがあって工藤が入ってきた。懐中電灯を持っている。

「警戒警報が発令されました」

「ここにおると外部の物音がまるで聞こえん。今何時かな」

「十時半であります」

工藤について敬助は広間に行った。伝習生たちが集まっている。全員鉄兜《てつかぶと》をかぶり非常用の鞄《かばん》を手元に置いて待機している。

「おれも、空襲の準備に帰る」と敬助は言い、懐中電灯を借りて、わが家に急いで戻った。軍服、軍刀、将校鞄、拳銃《けんじゅう》などを防空壕に運び込み、鉄兜をかぶり、非常用袋を脇《わき》に置いて、万年床となっている蒲団に横になった時、空襲警報のサイレンが鳴り響いた。と同時にB29の爆音が空を充《み》たし、照空灯が夜空に交差した。小さな機影が見える。大変な数のB29だ。ざっと数えても二百機以上が編隊を組んでいる。高度およそ七千メートル。高射砲のとどく高度だ、晴天を利して、悠々《ゆうゆう》として正確な照準爆撃をするつもりだ。と、すぐそばの伊勢丹百貨店の別館ビルの周辺に、瓦《かわら》を貫く轟音《ごうおん》とともに、焼夷弾《しょういだん》の雨が降り、家々が燃えはじめた。強風に煽《あお》られ須臾《しゅゆ》にして三、四倍に延焼した。

今回は西大久保一帯が敵の目標だ、と敬助は悟った。爆弾の落下音がした。敬助は素早く防空壕に飛び込んで、目と耳を押さえた。地響きがした。およそ二、三十発が近辺に落下した模様だ。炎で外が明るくなった。

野本邸が燃えている。広間の窓硝子《まどガラス》が吹き飛び、炎が大きな舌のように動いて、上下を舐《な》めている。二階の窓が赤い目で屋敷が舌を出して笑っているように見える。子供の時から、父の家はどこか人の顔に似ているとおもっていたのが、今、どう見ても人の顔なのだ。伝習生がゴムホースやバケツで水を掛けているが、二十人ほどの人間には、脇礼助の造った家は大きすぎた。敬助も池からのバケツリレーに加わった。工藤が耳元で叫んだ。「七発落ちました。最初に応接間から出火して……」あとは聞き取れない。実際、爆音、風音、炎の音、人々の叫びで、ものすごい騒音のさなかにいたのだ。広間が下火になったかと見えたら二階と奥の日本間が燃え出した。それらから発生した熱風の援軍で広間の火が勢いを盛り返した。こんどは屋敷全体が、ぐんと突っ立った炎に包まれて、熱気で近寄ることも出来ない。燃える、燃える、脇礼助の生涯《しょうがい》が燃える。敬助ははっとした、土蔵の扉を閉めていなかったことを思い出したのだ。すぐ戻って閉めるつもりが、空襲警報発令であわててしまった。あの火勢では、間違いなく、土蔵の中身は燃え尽きる。脇礼助の貴重な書類の消滅、ああ取り返しの付かぬ失策であった。

「中佐殿、お宅が燃えております」と工藤が言った。わが家が、父の家の離れが燃えている、いや、すでに燃え尽きようとしていた。これでは成すすべがない。自宅がすぐそばで燃えているのに、まったく気付かなかった。いや、彼だけではない、この場の誰も、一瞬前まで工藤も気が付かなかったのだ。

「中佐殿、防空壕に待避なさってください」と工藤が言った。事実、周囲はすべて火の壁で退路を見いだすのがむつかしい。礼助邸と敬助宅はほぼ燃え切った様子で火勢が弱まり、庭の防空壕がもっとも安全な場所かも知れなかった。

壕内には伝習生たちが詰まっていた。ランプの光のもとで、怪我人《けがにん》が手当てを受けている。敬助が腰をおろすと、前に来た工藤がいきなり土下座をした。

「申し訳ありません。われらの力およばず、大切な邸宅もお宅も守れませんでした」

「みんな最高度によく闘ったよ」と敬助は工藤を引き起こして、隣に坐《すわ》らせた。「勇戦奮闘したのだ。みんなには心から礼を言う」

少年の一人が泣き始めた。すると伝習生全体が項垂《うなだ》れて泣き始めた。

工藤が、この男には珍しく、しみじみとした口調で言った。

「負けたときは思い切り泣け。しかし、つぎは本土決戦だ。その時まで、みんな体を大事にして訓練を積み、敵を迎え撃つのだ。いいか」

「はい」と一同が答えた。

「よし、それでは、静かに休め」

少年たちが寝息を立てているのに、敬助は眠れなかった。嵐《あらし》のあとの海のように、相互に無関係な想念が数多く浮遊していて、しかもその一つ一つが、大層大事なもののように思えた。本土決戦、柳条溝、和平、陰謀、礼助邸、空襲、植民地、満洲事変……ひょっと降伏という想念が浮かび上がり、そのまま頭の中心に居すわってしまった。振一郎の言う和平とはすなわち降伏ではないか。開戦以来陸軍部内では絶対の禁句であった降伏という概念が、突然膨れ上がり、現実味を帯びてきた。敬助は腕組みして、低く唸《うな》った。工藤が怪訝《けげん》な顔で振り返った。

空襲警報が解除になったので一同は外に出た。礼助邸は見る影もない廃墟《はいきょ》で、土蔵は中までまっ黒に焼けていた。周りはまったくの焼野原だが、平沼騏一郎邸から東が焼け残っている。

工藤が言い訳のように注釈した。

「元総理大臣の家だからと、消防署が大動員の大車輪で消火したからであります」

自宅に戻った。何も彼《か》も焼けてしまったが、防空壕の中は無事であった。壕内で急に眠くなって、そのまま寝込んだ。目を覚ますと青空に朝日が輝いていた。この美しい空の下、焼け跡はいかにも醜く見すぼらしかった。風呂場《ふろば》の跡へ行き、水道栓《すいどうせん》をひねってみたら水が出た。裸になって全身に水を浴びる。髭《ひげ》を剃《そ》る。わざと第一装のぱりっとした軍服に着替える。外見だけでも、凜々《りり》しく装って気持を引き締めたかった。

さて大本営陸軍部に登庁だ。敬助は胸を張って、軍刀の下げ緒を鳴らし、長靴《ちょうか》の踵《かかと》を響かせながら焼け爛《ただ》れた坂を下りて行った。大通りに出たとき、小暮宅が焼けてないのを認め、意外に思った。しかしつぎの瞬間、その隣の古い家、彼にとっては母が育った大切な家が消えているのに気付き、足早に近付いて行った。母の家は完全に焼失していた。残骸《ざんがい》の向うに悠次と初江の姿が認められた。

6

「火事だ」と叫んでいる。もくもくと白い煙を、本館の窓が吐いている。おれは走る。職員たちも走る。片足の朝鮮人、安西が先駆けの奮闘だ。火の中に敢然と飛び込み、挺身《ていしん》切り込み、獅子《しし》奮迅、神風特攻隊だ。おかげで火は消えた。ところが殊勲甲の安西を殺そうという陰謀が進行し、この恩知らずの陰謀の首謀者が岡田大工である。岡田は棍棒《こんぼう》で安西を殴り付ける。頭蓋骨《ずがいこつ》が割れ、血まみれの脳髄が散り、朝鮮人は死んだ。

「おい」と利平は隣に寝ている菊江に言った。「安在彦《アン・ジエオン》が死んだ。いや、彼を殺してしまった」死人の顔が月光を浴びて、蒼白《あおじろ》く怨念《おんねん》深く漂っている。とうとうたらりたらりら。「おい、目を覚ませ」と、もう一度呼んだとき、利平は本当に目を開いた。

目蓋《まぶた》が擦《す》り切れて薄くなったのか、光に敏感になったのか、夜明けのかすかな明るみに網膜が反応して、意識にぴんと神経が通ってしまう。空は、そう、確かに白んでいる。四時、きっかりであった。下の食堂の大時計が四つ鳴った。あちらこちらで時計が鳴っている。四時を鳴らす直前の、わずかな機械の軋《きし》みが刺戟となって鼓膜に反応し目を覚ますのかも知れない。時計がお勤めをすますと、しーんと痛いような静もりが襲ってきた。前の寺町の寺院群がこぞって撞《つ》いた鐘音は今は絶えて、雀《すずめ》一羽とて鳴かない。小鳥たちや鴉《からす》の合唱を聞かなくなって久しい。鳥たちときたら、早々と疎開してしまった。隣に寝ているのはいとだった。

空襲に備えてモンペ姿のままだ。四十歳になるがおれより三十も若い。ウマズメらしい形のよい乳房が呼吸で上下している。考えてみれば、九年前菊江が死んだときは五十二歳で、今のいとよりも年を取っていたのだ。その細い肩を、くびれた腰を、利平は着物のなかに透視して、以前に較《くら》べれば多少は厚みを帯び、しかしなお、たおやかな女体に対して、おのれの欲望を呼び起こそうとして力んでみたが、残念、今朝も及ばなかった。

いつもの癖で利平は日めくりに手を伸ばして一枚めくった。23、五月、水曜日。五月二十七日の海軍記念日まで、あと四日である。今年は日本海大海戦四十周年に当たるのだから、盛大な式典が挙行されるはずなのだが……。三十周年記念では九段の軍人会館で海軍従軍者大会が挙行され、大海戦の老兵として出席した。あれから十年経《た》ったのだ。が、今年は、あんな具合の華やいだ式典は到底望めまい。戦局は日に日に緊迫の度を加えている。というより、まったくの末期症状だ。ルーズヴェルトが死んだ。ムソリーニが逮捕され処刑された。ヒトラーが自決した。役者がつぎつぎに消えていった。そうしているうち、最大の立役者ドイツが、電撃作戦で無敵を誇ったナチス・ドイツが、無条件降伏してしまった。政府は〝欧州急変に帝国不動〟の声明を出し、平然を装っているが、フィリピン、ビルマ、沖縄と皇軍の苦戦は目に見えている。大本営発表では皇軍は陸海空に敵の艦船を撃沈し、夥《おびただ》しい敵兵を殺傷していることになっているのに、敵の勢いは一向に衰えず、本土の空爆も日に日に激化している。三月十日は最大級だったが、四月十三、十四日の空襲もものすごく、ついに西大久保と落合がやられた。もっとも小暮の家は半分だけは助かったそうで、悠次は隣組防空隊の果敢な活動によると自慢げであったし、風間振一郎はこの日あるを予測して地下に要塞《ようさい》なみの大防空壕を構築しありしため、生活に支障なしとのことであったが。

よし、と掛け声を掛けて、起き上がった。面倒なこと、悲観的なことは考えまい。今日一日わが時田病院が安泰であればよろしい。あすのことを思いわずらうな、一日の苦労は一日にて足れりと耶蘇《やそ》も言ってるわ。

利平がベッドを降りると、いとが起き上がった。「お早うございます」という一声を、明瞭《めいりょう》にしかも事務的に、すなわち何の感情もまじえず、というより内心の動きを察知させぬ調子で言う。そういう具合に言われると、利平は何を彼女が感じ、思っているかが摑《つか》めず、当惑するのだが、当惑を抑圧する活力を体中から掻《か》き集め、利平は、「お早う」と声高に言ってみるのだ。それでも、いとはすました表情で鏡の前で髪を軽く梳《す》き、トントンと聞こえよがしな足音をたてて階段を降りて行った。彼が退院してきてから、いとは、以前には見られなかった、妙に丁寧で行き届いた接しかたをしてくるので、彼は戸惑った。夫が起きても平気で朝寝をし、むろん食事の支度は賄方《まかないかた》の女中に、身辺の世話は奥女中に任せっぱなしだったのが、夫が目覚めると気配で自分も起き、食事や身辺の世話はもちろん利平独自の習慣、朝の胃洗滌《いせんじょう》や浣腸《かんちょう》の準備まで、そつ無くしてくれるのだ。「一体どうしたことじゃ」と、三日目ぐらいに利平は訊《たず》ねた。「何を不思議がってらっしゃるの」「お前がすっかり変ったことがさ」「わたくしは変りませんことよ」「いや、変った。たしかに変った」「いいえ、あなたがお変りになったのですわ」「そうかな……」そこで、彼は黙った。そう言われれば彼自身も変っていたのだ。自分の用を家人の誰がするかなどという問題に気を回したことなどなかったし、誰かに質問して答が気に入らないと、すぐさま爆発したものだった。気が抜けたように、黙って考え込むことなどなかったのだ。

それにもかかわらず、いとが変ったことはまぎれもなかった。結婚したての頃《ころ》のように、いそいそと彼の世話をしてくれたし、夜も隣のベッドに寝た。入院前には、夫を避けて自分の部屋、〝お居間〟に一人寝していたのだ。さらに、夏江事務長の要請で婦長になってくれた。前の末広婦長は、利平が入院中に心筋梗塞《こうそく》の発作を起こして慶応病院に入院し、そのまま退職していたのだ。「お前、本当にやってくれるのか」「はい」「看護婦だけは、もう金輪際やりたくないと言っていたではないか」「そうです。でも、夏江さんが困ってらっしゃるし、婦人会の仕事も何かと大変ですけど、病院も大変だし、それに……昼間もあなたのおそばにいられるでしょうし」こう言った時に、いとは浅黒いけれどもきめの細かい肌《はだ》を、ぽっと、毛細血管の浮き出た血の気で染め、唇《くちびる》のあいだから白い健康な歯を輝き出すような微笑で、利平を和《なご》ませた。

夜、彼は女に擦り寄り、抱きしめてみた。モルヒネ中毒になってから何年もしたことのない行為を試みてみた。が、女を愛撫《あいぶ》しつつ、指と心が欲望に充ちてきても、肝心のものは立たなかった。いとの体に若い菊江の姿形を重ね合せて力んでみたが、及ばなかった。「だめじゃ」「無理をなさらないで」「年じゃ」「よろしいんですよ」「しかしな……」口籠《くちご》もった。おれが、この時田利平が口籠もる？ それは、かつてなかった事態である。いとは離れて行った。自分のベッドにそっと戻って、やがて寝息を立て始めた。この女と知り合って枕添《まくらぞ》いの夜は数限りなかった。それが、なくなったのは……利平は突如胸が騒いだ、平吉との仲を疑い出してからであった。それは、今、どうなっているのか。最初は疑心暗鬼で苦しみ、苦しみから逃れるためにモルヒネを常用し、中毒となってからはそのことを見ざる聞かざる言わざるの三猿《さんえん》で過ごしてきた。それが、またぞろ、気に懸かって仕方がない。彼は注意深く、しかもそれとなく、女と男の観察を始めた。ところが、女のほうにはまるでその気配が発見できなかった。むろん婦長だから、看護婦や病棟の用件で事務次長の平吉と接触せざるをえないが、少なくとも院長の目の光る場所では、昔のようにあからさまな媚《こ》びを売ったり、夫へのわざとらしい当てつけなど全く示さなかった。むしろ平吉のほうが、院長夫人への旧態依然とした阿諛追従《あゆついしよう》とおべんちゃらの連続で、彼の眉《まゆ》をひそめさせたのだが、そもそも誰に対しても同じ物腰を示す平吉では、媚態《びたい》としてとりたてて摘発するわけにもいかなかった。「ふん、こいつら、どうなっとるんじゃ」と利平はつぶやいてみるのだが、要領をさっぱり得なかった。

それに久米薬剤師が死んでから、職員の動静を逐一《ちくいち》密告してくれる情報源も失ってしまった。五郎は、こと、いとと平吉の不義密通にかんしては、熱心で細密な通報者であったが、利平が麻薬に溺《おぼ》れてから遠ざかってしまい、退院後は、もっぱら防空設備の拡充と建物疎開作業にかんしてのみ院長と交渉を持つのであった。我慢できず、利平が水を向けたことがある。「どうじゃ、このごろ、いとと平吉は」五郎は、いきなり拳《こぶし》を突き出されたかのようにのけぞったが、黒い肌に意外に繊細なさざ波のような薄笑いを浮かべ、「年を取りましたな」と言った。「どういう意味じゃ」と利平はなおも訊ねた。薄笑いが嘲笑《ちょうしょう》の感じを帯びてきて、五郎は無遠慮な視線で利平の顔に円を描き、利平のほうがどぎまぎした。まるで、利平が年を取って、露骨な質問をあえてしたと言わんばかりだったが、あとで思い返せば、いとと平吉が年を取って、往年の欲望をなくしたのだと正確な情報を伝えたかにも思えた。ともかく、二人の間に現在何がどのように進行しているかは、皆目《かいもく》見当がつかなかった。過去と比較して何かが変ったことは、利平にも漠然《ばくぜん》とつかめるのだが。

呼鈴が鳴った。下の準備ができた合図である。利平は階段を、いとに負けぬように足音高く降りて風呂場に入った。すでにいとは姿を消していた。体温に温められた挿入《そうにゅう》胃管と接続管、すべて現今入手不可能の英国ジャック社製の高級ゴム管である。広口瓶《ひろくちびん》の注入液は温度計できっかり三八度である。すべては整然と清潔に用意されてあった。これも変化だ。入院前の鶴丸看護婦の用意ときたら、胃管を忘れたり、注入液の温度を間違えたり、とくに近年はいい加減になってきて、利平が自分でやり直さなければならなかった。

利平は、手馴《てな》れた操作で、ゴム管をさげて、サイホンで胃液を白い陶製の膿盆《のうぼん》に流し出した。胃酸のかぐわしい香りとともに、透明な胃液が出てきた。おや、いけない赤い物が混じっている。胃粘膜に出血があるためだ。十日ほど前から胸骨の真下、すなわち心窩《しんか》部の疼痛《とうつう》と食思《しょくし》不振と膨満感があり、軽度の胃潰瘍《いかいよう》と診断される。毎朝の胃洗滌の折に治療薬を胃内に注入しているのだが、一向に好転しない。利平は、これも現今入手不可能の天然カルルス泉塩とデルマトール止血薬を湯に溶かして、高く掲げた漏斗に注ぎ込んだ。さっきの快楽に替わって、病気の不快が胃のあたりに蟠《わだかま》っている。その不快の幾分かは、これが潰瘍ではなく癌《がん》かも知れぬという危惧《きぐ》から来ていた。精密検査が必要だと考えるのだが、何せ暇がない。空襲の激化にともなって、為《な》すべき仕事がいや増しである。その仕事の内容もはっきりした形がなく、まるで焼けた家の残骸のように複雑に入り組んで堆積《たいせき》してくる。

風呂場の隅《すみ》にある〝院長専用便所〟に入った。浣腸用のイルリガートルと温かい五〇パーセント・グリセリン液もいとが準備しておいてくれた。肛門《こうもん》から直腸内に二〇〇ccを注入して、ベッドに横になった。便意がおとずれて一気に排泄《はいせつ》するときの快感は射精と似ている。これで管である人体が清潔に保たれたという満足が、利平の心を明るくした。朝日が彼を祝福するように窓から差した。惜しむらくは、胃が空ではなく、薬液という異物を含んでいる事実だ。疼痛がまたもや心窩部を刺した。

誰かが戸を叩《たた》いている。頭に怒りが充満してきて破裂しそうになった。朝の、このもっとも私的な静謐《せいひつ》な時間を邪魔する莫迦者《ばかもの》めが。

「おお先生」と呼んでいるのは平吉であった。

「ちょこざいなやつじゃ」利平は越中褌《えっちゅうふんどし》一つの裸で出て行った。

「倉庫が荒らされました」平吉の脂《あぶら》ぎった顔が便所の中を覗《のぞ》くように突き出された。その鼻先で、利平はぴしゃりと戸を閉めてやった。

「どこの倉庫じゃ」

「地下の食料倉庫です」

「何か盗まれたか」

「かき餅《もち》二袋、炒《い》り豆ひと箱」

「それだけか」

「はい」

「大したことはないがのう」利平はいらいらして言った。

「それが大したことでして、犯人は伝習生です」

「野本の伝習生か」利平はうなった。「確かか」

「はい。ついさっき、徳川邸の畑で餅を焼いてるところを菊池隊長が発見して、怪しんで尋問しましたところ、犯行の一切を自白しました。それればかりじゃなく、このところ頻々《ひんぴん》と兎《うさぎ》や鶏や卵がぬすまれたのも、みんなやつらの犯行だと判明したんで」

「伝習生の誰じゃ」

「全員です」

「全員がのう」利平はまたうなった。四月中旬に罹災《りさい》した野本邸の伝習生のうち、防空隊員だった七人の少年を、人手不足を補うために雇い入れた。消火作業の訓練を受け、空襲の実際を経験している少年たちは、即戦力として期待も大きく、事実彼らは防空演習の際、防空隊長の菊池勇の命令一下、きびきびした動作を披露《ひろう》してくれた。その彼らが全員で泥棒《どろぼう》を働いたという。

「飯は充分食わしていたんじゃろう」

「はい。当院は飯のお代わりは自由ですから、やつらも満腹していたと思われます」

「なら動機は何じゃ」

「さあ……防空隊長が取り調べていますが……」

「はっきりせんのか」

「はっきりしない話で」

「彼らはどこにおる」

「隊長室にいます。おお先生のお裁きを待っています」

「おれが出ても仕方がない。菊池にまかす」

「その菊池がおお先生をお呼びしてくれと言うんです」

胃がナイフを差し込まれたように痛む。さっき注入した薬液が吐き気とともに喉《のど》に昇ってき、ぞっとする不快が胸から溢《あふ》れんばかりになった。吐き気を呑《の》み込み、利平は警防団服を着ると、平吉を従えて、外来診察室を転用した防空隊長室へ行った。

ノックもせずにドアを開くと、腰掛けた菊池勇と五郎の前に、七人の少年が立って項垂《うなだ》れていた。坊主頭《ぼうずあたま》で日焼けして菜っ葉服で、一人一人の区別がつかぬみたいだが、体格は大小まちまちだし、童顔で小柄《こがら》で小学生と見まがうばかりの者もいる。平吉が室内に入ると、勇は利平を、そこから離れた事務室に招じ入れた。目をぎらぎらと光らせて、殺気だっている。

「朝早くからすまねえだが、連中をどうするか緊急に決定しておかねえと、いつ空襲があるかわかんねえ状況だからね」

「どうなんじゃ」

「次長から事情は聞いたですかね？」

「おおむねは聞いた」

「とぼけた連中で、糧食のほか、タバコ、毛布、蒲団《ふとん》なんかまで盗み出していやがる。ここひと月ほど、院内の盗難は全部連中の仕業《しわざ》だ。絞りあげたらすぐ吐きやがった」

「なぜじゃ。腹が空《す》いておったかのう？」

「いやあ、盗品を罹災者に売りさばいて、もうけようって魂胆でさあ。立派な贓物牙保罪《ぞうぶつがはざい》でさあ。警察に突き出すか、痛めつけて性根《しょうね》を叩き直すか、おお先生がお裁きをつけてほしいです」

「まだ子供だしな……」利平は、太い腕をさすり、鼻孔を息で押し開いて激昂《げっこう》している勇を、珍しげに見た。いつも冷静で、さすがは漁師を大勢使っていた元網元らしい貫禄《かんろく》と思っていたのが、何かの拍子に荒々しい野性を見せつける。顔に刻まれたひび割れは長年紫外線に曝《さら》された人の皮膚細胞の老化を示していて、自分より十も年下のくせに、すっかり老《ふ》けており、その老けた男が若者さながらに猛《たけ》っているのが目覚ましかった。

「野本家の工藤ってえ家扶《かふ》は、全員が七生報国《しちしょうほうこく》の信念に燃えた少国民だと折り紙をつけやがったが、とんだ七生報国だあ。おりゃ許せねえ。畜生もう一度、ぶちのめしてやる」

「待ちなさい」と利平は言った。「連中は防空訓練では、さすが経験者だけあって、なかなかの活躍振りじゃった。連中が欠けると防空態勢に支障をきたす。ま、ここは目をつぶってやったらどうかのう」

「そりゃいけねえ。こいつは犯罪だ。戦時窃盗だ。みんなが一所懸命にやってるのに、ふざけやがって。許せませんよ」

「ええじゃないか。どうせ空襲で壊滅する運命の病院じゃ」

「ちょっと聞き捨てなんねえね、え、おお先生。それじゃ、防空隊は何のためにあるのさ。何のために重装備をして、何のために日夜訓練に励んでるんかよ」

「かなわぬまでも敵に一矢《いっし》報《むく》いるためじゃ」

「弱気すぎるね、え、おお先生。そんなへっぴり腰じゃあ、病院は守れねえよ。院長がそんな考えなら、おれは防空隊長をおりる。やめさせてもらいます」

「そりゃ困る。あんたにやめられたら防空隊は全く機能せん。頼みます、ぜひとも防空隊を指揮してほしい」

「じゃ、どうしたらいい」

「あんたに連中をまかせる」

「徹底的に鉄拳《てっけん》制裁して、性根を叩きなおしていいかね」

「あんたにまかせる」

「いやあ、おお先生」と勇は顔の深い皺《しわ》を複雑に混ぜ合わせながら笑った。「奴《やつ》らをぶちのめすのは大変でさあ。性根を叩き直すなんてできっこねえ。いざ空襲ってえ場合に逃げださねえように、首に綱でもつけるより仕方がねえ。言っときますが、奴らは役にたたねえ。ほんの子供だから贓物牙保は見逃して、親元に返すのがいい。解雇追放ですな」

「しかし防空隊が手薄になる」

「足手まといより増しでさあ。消火と同時に奴らの監視にまでは手がまわらねえ」

「そうかも知れんな。ま、あんたにまかせる」

勇は頭を下げた。肉付きのいい肩を振って、隊長室に消えた。利平がその前を通ると、彼の怒声がして、鈍い物音と悲鳴が聞こえた。

二階にあがって、広間で新聞を読んだ。沖縄の戦局はますます芳《かんば》しくない。

敵再び猛攻を開始　特攻隊、六艦船撃沈破
熾烈《しれつ》の地上戦　空に神風、地に肉弾

見出しの勇ましさと裏腹に、記事は陰惨な断末魔の様相を伝えている。陸海空に優秀な武器弾薬を完備し、夥《おびただ》しい物量の敵の攻撃に対して、こちらは神風特攻隊と肉弾突撃だけで戦っている。敵の補給は無限と言っていいほど豊かなのに、味方の人的資源は限られている。他方、ヨーロッパでは、ドイツの降伏以後の新秩序が着々と作られている。ドイツを破ったソ聯は、その巨大な軍事力を日本に向ける余裕を持った。利平は、ふと日本海大海戦で散々に負けたバルチック艦隊の乗組員の心が了解できたように思った。彼らのなかにも英雄がいた。ミクルフ艦長は艦橋に立って沈没する艦とともに海中に消えていった。結局、人間が残せるのは事の成否ではなく、見事な行為だけだ。時田病院が炎上する、その時のおれの行為こそ、もっとも大切なのだ。利平は、炎の中に悠然《ゆうぜん》と立ち、死んでいくおのれを想像してうっとりとした。が、つぎの瞬間ぞっとして、いやまだ死にたくないと思った。そして、院長たるものは、あくまで生き残って患者と職員のために働くべきだと理屈をつけた。

いとが朝食を運んできた。献立は戦争中といえども決まりきっていて、七分粥《しちぶがゆ》に味噌汁《みそしる》、それに海苔《のり》、納豆、梅干である。汁のひと啜《すす》りで朝の健康状態の診断ができる。苦《にが》みが強い。さっき流し込んだ薬の影響と診て利平は顔をしかめた。今朝は出だしがよくない。

「何かありましたの」といとが尋ねた。

「伝習生どもの窃盗が露顕して、一騒ぎじゃ」

「このあいだからいろんな物がなくなり、内部犯行だという噂《うわさ》がもっぱらで、看護婦たちが恐慌《きょうこう》をきたしてましたわ。犯人が見つかって、よかった。で、どうなさるの」

「処置は菊池に一任した。とにかく防空活動を最重要課題とするようにとは言っておいたが」

「そうですか……」いとは、フッとかすかな息を漏らした。〝防空活動などどうでもいい。こんな東京を捨て、早く疎開《そかい》しましょう〟という意味である。しかし、以前そうしたようにそれ以上、執拗《しつよう》に主張しなくなったのが、最近の彼女である。

食後、利平は居間で白衣に着替え、散歩のつもりで二階の部屋を巡《まわ》ってみた。娘時代の初江や夏江の使っていた、広間より半間ほど高い部屋を覗く。娘の部屋の華やぎは失《う》せて、大日本婦人会の作業用品、慰問袋やら日の丸の小旗が山積みになっていた。

〝お居間〟に来た。早朝の夢に菊江が出てきたのを思い出す。今はいとが婦人会の事務所に使っているけれども、菊江の部屋だった時には、彼女の自作の日本人形がまるで人形屋の店先のように飾ってあったものだ。

仏壇の前に来た。扉《とびら》は開かれ、きのう裏庭で見つけた、牡丹《ぼたん》の赤い花が飾ってある。まず花瓶の水を替え、萎《しな》びた花びらをちぎって捨てた。さても見事な花である。まるで炎のように幾重にも燃えて、生命の営みをまざまざとかたどっている。それは五郎が丹精した牡丹だった。兎《うさぎ》、鶏《にわとり》、豚などを飼ったり、園芸に精出したり妙な男である。

診療に出掛ける前の習慣で、線香を焚《た》き、菊江の霊に手を合わせたものの、位牌《いはい》は新田《にった》にあって、主《ぬし》は留守である。仏壇ごと疎開したかったのだが、なにしろ浅草の仏具屋で一番豪華で大きいのを奮発してしまい、長押《なげし》や柱を取っ払って無理にはめ込んだ代物《しろもの》で、おいそれとは取りはずしができなかったのだ。

八時半が鳴った。昔から一分と狂わずに始める総回診の時間である。利平は、居間の扉をさっと押し開き、病棟に歩み入った。西山副院長、番場《ばんば》医師、いと婦長、看護婦二名、夏江事務長が待っていた。

まずは重傷者室を訪れる。最近は交通事故による負傷者が減って、空襲の被害者が多い。一番の重傷は、右肩を焼夷弾《しょういだん》の直撃で砕かれた十八歳の娘である。右腕の複雑骨折のほか、右肺に深い挫創《ざそう》をこうむり、しかも感染症を併発していて、もう意識を喪失した危篤《きとく》状態である。両親は空襲で焼死してしまい、身寄りはない。一両日《いちりょうじつ》の命だと診断した。

「治療不能《マハトロス》じゃな。結局親戚《しんせき》に連絡はつかないのか」

「次長に連絡を取らせているのですが、まだつかない模様です」と夏江事務長が答えた。

「次長はまた遅刻か」と利平は不満げに鼻を鳴らした。すると靴底の鉄鋲《てつびょう》をカタカタ響かせながら平吉が駆けてきた。空襲激化にともなって下足とスリッパの区別を廃し、土足御免にしたのだ。平吉は大袈裟《おおげさ》にハアハア息を切らせてみせたが、それがほんの見せ掛けであることは、すぐ平常の呼吸に戻ったので診断できた。

「この方の親戚と連絡とれまして？」と夏江が訊《たず》ねた。

「それが、その、きわめて困難で、あれこれしたんだが、要するに……」

「要するに取れなかった？」

「取っている最中です」と平吉はぐっと胸を張った。

「間に合わんな」と利平は舌打ちした。「入院以来ひと月の余も間があった。なにをしておったんじゃ」

平吉は恐れ入った様子で頭を下げ、利平の耳元で、ほかの人間には聞こえぬよう手で管を作ってささやいた。

「例の連中が、前非を悔いました。解雇すると申し渡したら急にあわてだし、今後一切悪さをしないと全員が誓い、盗品も、食べちまったものは別として全部返却し、へい、やつら自分たちで穴を掘ってそこに隠していやがったんで、だから全員めでたく防空隊員に復帰しました。おお先生のオオミココロのとおりでさ」

「何がオオミココロじゃ」と利平は大声を出し、平吉は首をすくめたが、利平の怒りはもう治まっていた。

一般病棟を巡っていくうちに、営繕《えいぜん》隊長の間島五郎と防空隊長の菊池勇が列に加わった。患者をどんどん退院させて、現在の入院患者は五十五名、最盛時には二百人の患者がいたのだから今は四分の一になった勘定で、全員が一階の病室にいたため回診は簡単であった。このくらいの数ならば、防空壕《ぼうくうごう》への避難は安全迅速にできるだろうと、利平は考えている。

焼夷弾が天井裏で燃えないように、天井板を全部取り払ったため、剝《む》き出しになった梁《はり》や棟木《むなぎ》や熨斗板《のしいた》が、病棟内をバラックめいた、荒れた感じに見せている。窓硝子《まどガラス》は縦横《たてよこ》斜めの絆創膏《ばんそうこう》で補強してあり、格子《こうし》が嵌《は》まった牢獄《ろうごく》を思わせる。

病棟奥の〝花壇〟に来ると、八角堂の広間のあちらこちらから、まるで四次元の空間のように重層する時の流れが吹き抜けて行く気がした。病院の数えきれぬ節目の集いがここで、家族、職員、客を集めて行われた。黒光りする柱の一本一本が、白い化粧壁が剝落《はくらく》してまだらに露出した茶色の粗壁が、時の記憶を吸い込んでいる。そうして壁の方々にあいている穴は去年の秋、鼠《ねずみ》退治をした折に発見したものだ。たしか二十数匹の鼠の屍骸《しがい》が集められた。しかし、その後、食糧事情の逼迫《ひっぱく》で残飯が出なくなったせいか、鼠はばったりと姿を消してしまった。

「歴史じゃな」と利平はつぶやいた。

「廃墟《はいきょ》ですわ」といとが吐き捨てるように言った。「掃除もしてない。がらくた置場で、見苦しい」

「手が回りませんで」と平吉が自分の責任のように弁解し、手帳に何か書きつけた。

「えらい暗いのう」と利平は天窓を見上げた。灰色の布でびっしりと埋まっている。垂木《たるき》を渡して補強した窓の上に砂を詰めた麻袋が積み上げてあるのだ。

二階に上がった。病室の一部は看護婦宿舎になっていて、院長一行の突然の出現に下着を洗濯《せんたく》していた看護婦があわてている。廊下には紐《ひも》が渡され洗濯物が干されてある。焜炉《こんろ》、机、本箱、ミシンまでが廊下を占領している。

「いざという時、これでは避難の邪魔になる」と利平が言った。

「外側の避難路に逃げるよう指導しています」と勇が言った。「避難路の近くの部屋だけ使うようにしていますから大丈夫です」と五郎は言い、扉を開いて、階段の無い斜面の避難路を見せた。

「そうじゃった。ウム」と利平は頷《うなず》いた。避難路を登って三階に行く。

ここは全くの無人で、最上階のため屋根裏の野地板《のじいた》が剝き出しになり、廊下を埋める土嚢《どのう》が異様な光景だ。要所には手押しの消火ポンプが置かれてある。焼夷弾を屋根の砂嚢で防ぎ、さらに三階の床一面に敷かれた土嚢で防ぐ、二重の防御《ぼうぎょ》態勢なのだ。防空隊は屋根上と三階に待機して消火にあたる戦法である。

「五郎」と利平が言った。「お前、屋上の医学研究室に住んでいたな。あそこは危険じゃ」

「絵を新田に疎開しましたから、平気です。あとの物は焼けても、どうってことはない」

「新田に？」と利平は渋面を作った。それは〝おれの許可もなしに勝手に新田の別邸に物を運ぶとは怪《け》しからん〟を示していた。が渋面のなかから笑顔が、じわじわと染みだしてきて、

「それは重畳《ちょうじょう》」と言った。五郎の〝記録画〟は貴重だと思いなおしたのだ。五郎がひそかに油絵を描《か》いていたのを知ったのは、松沢退院後である。絵画の鑑賞眼など持ち合わせのない利平であったが、見せられた数枚の風景画にはすっかり魅了された。とくに気に入ったのは、防空監視台、すなわち昔、紫外線の測定をした露台よりの俯瞰《ふかん》図で、病院前の大松寺、薬屋、元ビスケット工場、経師屋《きょうじや》など、大正時代からの懐《なつ》かしい町並みが細密に正確に写し取られていた。「うまいもんじゃ。まるで天然色写真じゃな」と利平はとみこうみして感心したものだ。

　看護婦が登ってきて、外来患者が大勢待っていると告げた。利平は、いと婦長をしたがえて避難路を身軽に下りて行った。

　人々は待合室から溢《あふ》れ、廊下や玄関前にまで列をつくっていた。都内の開業医の大半が疎開してしまったので、遠くからも患者が集まってくるのだ。防空頭巾《ずきん》、鉄兜《てつかぶと》、布袋《ぬのぶくろ》を携帯して、総体に黒っぽい服装の大群だ。

　三人の医師で診療が開始された。

　各医師に看護婦がつく。利平は菊池フクと決めている。正式の看護婦ではないが、その仕

事振りが気に入っているのだ。最初無口で陰気な女と思っていたけれども、勉強家の上に度胸があると知れた。いつだったか転落事故者の手術の補助をさせたら、血の海に平然として、利平の命令通りに動いてくれた。以来、手術室には無くてはならぬ補助者となった。手術の補助をするには器具の消毒法や器具の名称や用途を熟知していなくてはならぬが、参考書を貸してやると、すぐさま要領を心得てしまった。しかし、フクが気に入った最大の理由は、彼女の後ろ姿を盗み見るのが楽しみだったからである。肉付きのよい、引き締まった背中から腰への曲線がなかなか美しい。ぴちっとした看護婦服は体型をはっきり見せる。老婆《ろうば》の崩れた体ばかりを見せる看護婦たちのなかで、三十五歳のフクの若々しい体は一際《ひときわ》目立つのだ。時たまフクを抱いてみようかとも思う。いとの使い古した体では発動せぬ欲望が、フクなら復活しそうな気がする。男としてのおのれの余力を試したい。七十歳、まだまだ捨てたものではないわ。フクがこちらを向くと利平は目をそらす。怪しからぬ妄想《もうそう》を頭の片隅《かたすみ》に残したまま、院長の威厳を持ってつぎの用を言いつける。「体温を計って」とか「血圧計」などと言う。しかし、フクが向うを向くと、またじろじろとした眼差《まなざし》で女の体を愛撫《あいぶ》した。

患者がつぎつぎに呼び込まれた。まずは火傷《やけど》と外傷が目立ち、ついで栄養失調と感染症が多い。新しい罹災者《りさいしゃ》は、新鮮な火傷と強い焦《こ》げ臭さで、すぐ見分けられた。古い罹災者は、着の身着のままで、焼け跡の壕舎に住んでいるため風呂《ふろ》にも入れず、よごれた着物をまとい、垢《あか》と汗の悪臭を発し、感染症が目につく。家族に抱えられて入ってくる重症者もいた。高熱、腹痛、血便となると赤痢を疑わねばならないが、これ以上入院患者を増やしては空襲時の安全に責任が持てず、投薬して引き取ってもらった。といっても、下痢止めや解熱剤は在庫が少なく、充分な処方はできない。医師として充分な診療が不可能である現実に、懸命に立ち向かいながら、脳裏に去来するのは金州城外の野戦病院であった。今朝はどうしたことか過去がしきりと想起される。そう、四十……一年前にも戦争の惨禍があった。すさまじい機銃創、「全身蜂巣銃創《ほうそう》」というのや、榴霰弾《りゆうさんだん》による穴だらけの傷など、平和時には想像もできぬ、悲惨な傷害を、戦争は冷酷にしかも大量に作りだした。そして医学の無力と、医師の絶望とをふんだんにばらまくのだ。

綱町《つなまち》や豊岡町《とよおかちよう》に古くから住む昔馴染《むかしなじ》みは、「先生、いつまでおられますか」「あっしはここで頑張《がんば》りますから、先生も末永く頑張ってくださいよ」などと口々に同じことを言った。

午後一時過ぎ、何とか診療を終えて、立って背伸びをしている利平にフクが言った。

「兵隊さんが一人院長に会いたいと言ってます」

「兵隊?」

「前の高射砲陣地の人らしいです」病院向かいの寺町の高台には、先頃《さきごろ》、高射砲陣地が築かれ、陸軍の将兵が大勢駐屯《ちゆうとん》していた。

「通しなさい」

フクに導かれて入ってきたのは、体格のいい軍曹《ぐんそう》である。しゃちこばって一礼したまま、黙っている。利平はすぐ事情を察して、フクを退室させた。

「言わんでもわかっちょる。花柳病じゃな」

「はい」と軍曹は安堵《あんど》の表情である。

軍曹は悪びれず、下半身裸になった。近頃稀《まれ》に見る、栄養の行き届いた立派な体格である。陰茎に赤い潰瘍《かいよう》性の膿疱《のうほう》が三つもできて脹《ふく》れ上がっている。

「これでは痛いよのう」

「六百六号を打っていただけますか」

「その必要はない。これは梅毒ではない。軟性下疳《なんせいげかん》じゃ。洗えば治る」

「洗うと何日ぐらいで……」

「そうじゃな。かなりの重症じゃから、二、三週間はかかるじゃろう」

「そんなに？ 治療代は？」軍曹は、少し心配そうな顔付きになった。

「それより質問がある。この空襲のさなか岡場所がまだあるのか」

「はい」

「どこじゃ。どこで感染した」

「それを言わないと治療して頂けないので？」と軍曹はにやりとした。

「いまどきそんなうまい場所があるのかと思うてな」

「素人娘《しろうと》です、焼け跡の」と軍曹は得意げである。

「ほう」と利平は狒々爺《ひひじじい》を装って、だらりと下唇《したくちびる》をさげてみた。

「焼け出された、身寄りのない女の子に言い寄ると、すぐ応じまさあ。ところで治療代は？」

「遊ぶ金があるなら治療代も払え」

「弱ったね」とまた薄笑いだ。

「今から硝酸銀で洗浄する。菊池」とフクを呼んだ。「これを洗ってやれ」

「女じゃあ」と前を隠しながら軍曹は言った。「先生が洗ってくださいよ」

「軟性下疳治療に習熟しちょる看護婦じゃ。いやなら帰れ」

「なにを！」と怒鳴ると軍曹は、肩を怒らし、下を裸のまま床に立った。「下手《したて》に出てりゃあ付け上がって、おれは帝都防衛の第一線に立つ帝国軍人だ。いやなら帰れとは聞き捨てならねえ」

（本性を表しやがった。新兵苛《いじ》めで肥《こ》え太《ふと》った下士官じゃ。焼け跡で食うに困って春をひさぐ若い女と遊ぶ、栄養満点の男じゃ。）

「おい、軍曹」と利平は自慢の大声で言った。「おれは海軍少佐じゃ。戦場においては上級指揮官の命令に従う。気をつけ！」

　相手は反射で、不動の姿勢になった。

「ちんぼの清浄じゃ」とフクを促す。フクはアルコール綿で局所を拭《ぬぐ》い始めた。軍曹はフクを見ているうちに勃《ぼっ》起《き》を起こし、局所の痛みに呻《うめ》きながら、おとなしく看護婦の治療を受けていた。

「あす、また来い」と軍曹を送り出したあと、利平はフクと顔を見合わせた。するとフクが吹き出し、笑いこけた。生真面目《きまじめ》で無口な女の突然の大笑いに利平も貰《もら》い笑いした。が、そのとたん、多忙にまぎれていた胃痛が、キリキリと心窩部《しんか》に差し込み、笑顔が強張《こわば》った。

7

正午過ぎの食堂は、医師、看護婦、薬剤師、大工、防空隊員などでにぎわっていた。各自戸棚《とだな》から自分の箱膳《はこぜん》を取り出して、汁とお数を賄方《まかないかた》から給してもらってから、テーブルに坐《すわ》り、テーブルの穴に入れられたお櫃《ひつ》から麦飯をよそう仕組みはずっと昔からの伝統である。職員が減ったのと、長年の備蓄と患者からの付け届けで、病院の米や麦は、以前ほどではないにしても、まあ潤沢《じゅんたく》と言えた。肉と魚と野菜は、〝買出し隊長〟を自任する平吉が持ち前の勘と押しと縁故を利用して、どこからか手に入れてきたが、なお不足気味であった。それでも、焼野原で飢えている人たちよりは恵まれた食生活がここでは営まれているであろう。

いと婦長と西山副院長が朱の漆塗りの箱膳で食べていた。しかし、看護婦や薬剤師はニス塗りのを用いている。去年九月に帰ってきた夏江は最初どちらの箱膳を用いるか迷ったのだが、病院の秩序を維持するために、事務長として漆塗りを選ぶことにした。服装や道具は些《さ》事《じ》にあらず、多人数の統括のためには最肝要事なり、は利平が海軍生活の経験から得た信念であった。

夏江は、ざっと見回し、看護婦服の菊池勝子の隣に空いた席を見つけて坐った。同じ病院にいながら仕事が違うので会う機会は少ない。

「お、事務長さんもヒョウラだか」と勝子は昼食《ヒョウラ》という八丈島言葉を使った。

「あなたもお元気なようね」

「おかげで元気だが、困ったこともあるだで」

「困ったこと……どんなこと？」

勝子は、目だけ動かして左右をうかがい、すばやく夏江に耳打ちした。

「あとで話す。事務室に行く」

「事務室より、わたしの部屋にこない？」

「行く」と言うと勝子は、普通の声にもどった。「こんところ、八丈に敵機がさかんに来てるだ。硫黄島の玉砕のあとは、グラマンの銃撃で、焼夷弾よりたちが悪いよ。漁船が機銃掃射でやられたり、三根《みつね》飛行場が穴だらけだと」

「まだ島民が残ってるの？」

「あれは去年の夏だったね、兵団司令官の本土疎開《そかい》命令が出たのは。で、わたしらのように、みんな渋々疎開してきただが、その後、残った友達からの便りじゃあ、まだ二千人がとこは頑張ってるとよ。それに最近は敵潜水艦の出没で船が出せねえってえ事情もあるらしい。この四月にゃ、疎開船東光丸《とうこう》が敵潜に撃沈されて、大勢が死に、戸籍簿なんかの重要書類が海の底に沈んだと。ま、わたしらは、ここで御厄介《ごやっかい》になって、助かってるが」

「ここもいつやられるか……」

「すると、どうなるかね、わたしら」

「さあ……」そこで突然思考が停止してしまい、先のことが考えられなくなるのは毎度のことだった。夏江は、そこから未来の時間が現出すると期待するかのように、目の前の大時計の振子の動きを目で追った。金色の振子は片振り一秒で、悠々《ゆうゆう》と時を刻んでいる。「昭和八年十月一日開院二十周年記念　贈時田病院　津の国屋酒店」の金文字が、かなり黒ずみ、一部はかすれている。すると今年は開院三十二周年にあたる計算だ。柱も窓も壁も、煤《すす》と埃《ほこり》と腐食で、薄汚れている。採光と換気を兼ねた天窓を砂嚢でふさいだため、昼間から暗い空気が淀《よど》んでいる。

「何を考えてるだね」と勝子が、顔を覗《のぞ》き込んできた。

「この病院、古くなって、今にも腐って、倒れちゃいそうだなんて、思ってたの」

「古くって味があって、好きだ。いい病院。伯父さまの傑作よ」勝子が利平を〝伯父さま〟と呼んだのは初めてであった。そう呼ぶとき尊敬の念を表出して軽く頭を下げた。

「透さんに会ってきたわ」と夏江は話題を変えた。

「あにさ」と勝子は急に弾んだ声になった。「どうしてた」

「あそこも食糧難で大分瘦《や》せたけど、元気よ」

「あにさはもともと瘦せてただに、もっと瘦せたら骨皮になるわ」

　その通りであった。この五月初旬に豊多摩刑務所の予防拘禁所を訪れたところ、その異様な瘦せかたに夏江は息をのんだ。四月にはそれほど目立たなかったのだ。夏江が心配すると、透はいたって平気な様子で、体調はよいし、読書欲も旺盛《おうせい》だと笑い飛ばした。

拘禁所からも三月十日や四月十三日の大空襲はよく見えたようで、「硫黄《いおう》と火が天より降ったようだったね」と言った。それから、「ついに、十人の義人もいなくなったということさ」とも言った。あとで聖書を開いてみると、創世記第十九章二十四節に、「ヱホバ硫黄と火をヱホバの所より即《すなは》ち天よりソドムとゴモラに降らしめ、その町と窪地《くぼち》とその町の民およびに地に生ふるところの物を悉《ことごと》く滅ぼしたまへり」とあった。ところで、ヱホバは、アブラハムとの対話で、ソドムとゴモラに十人の義人がいれば滅ぼさないと明言しているのだから、このヱホバの滅ぼしは、ついに十人の義人も町にいなかったため行われたのだ。東京に義人なし、とは、夏江にとってまことに実感の深い事実であった。誰一人として、むろん自分自身を含めて、戦争に反対だと堂々と言う人がいない。ひそやかな愚痴、不平、不満、未練、皮肉、冗談はしばしば耳にするけれども、おおやけの席で、大勢の前で、それを口にする人は、政治家にも新聞記者にも庶民にも、そしてキリスト者のなかにも、ただの一人もいないのだ。千人の諾々《だくだく》は一士の諤々《がくがく》に如《し》かずだが、一士すらいない。キリストは違った。自分の命が危険に曝《さら》されていることを知りながら、堂々と正論を述べてやまず、ついに逮捕され、弟子たちが逃げ出した絶対の孤独のさなかで、自分の命を投げ出しても、おのれの信念は曲げなかった。ああ……。

「どうしたの、溜息《ためいき》なんかついて」と勝子が言った。

「このごろ溜息をつくことばかりでしょう」と夏江は言った。「そうそう、彼の仕事も前みたいな藺草籠《いぐさかご》つくりはなくて、もっぱら防空壕《ぼうくうごう》掘りと農耕作業ですって。でも、空襲の範囲はどんどん拡《ひろ》がっていくでしょう。あそこも近々、どこかに疎開するらしいわ」

「どこに」

「わからないけど」

「閉じこめられたまま空襲に会ったら、逃げられねえだね」

「そうね。いざという時どうするのかしら」それこそ夏江の一番の心配事であった。空襲の被害が重要施設に及ぶにつれて、予防拘禁所のように国賊を監禁している施設は重点監視地区になったらしく、高い塀《へい》沿いの道には、物々しい憲兵の巡邏《じゅんら》隊が見られた。面会人待合室で耳にした情報では、空襲の混乱に乗じて逃げようとした囚人は憲兵によって射殺されるという。逃げなければ焼け死ぬ。しかし逃げても殺される。国賊に助かる道はないらしい。

　向かいの看護婦が立ったあとへ、五郎が来た。いつもは眠ったように細い目だが、何かを見詰めるときは意外に大きく、利平そっくりのぎょろ目になる。今もそうで、おそらく横から夏江を見て、そのままの目付きで坐ったものらしい。それから、また眠った感じの伏目になって食事を始めた。五郎が近くにいると落ち着かなくなる、この不安な感覚はやはり、あの吹雪の日の出来事からだ。

　二月末の日曜日だった。今年の冬は寒く、頻繁《ひんぱん》に雪が降ったが、その日も朝から冷え込んで、粉雪が舞っていた。こんな日には空襲などありはしないと思い、蒲団《ふとん》を引っ被《かぶ》って寝坊しているうち、警戒警報が発令になった。飛び起きてみると、もういいと婦長が重症患者を防空壕に移す指揮を取っていた。しばらくして空襲警報となり、まもなく暗い雪空の上を敵機の音が充《み》たした。聞き慣れたB29の重い低音ではなく、小型機の、つまり艦載機のキーンという高音だった。そのまま帝都を通り過ぎてしまったらしく二時間ほどして空襲警報解除となった。昼食後から風雪がつのり猛吹雪になった。そしてふたたび空襲警報が濃密な雪のすだれを縫って都の悲鳴のように響いた。やがてB29の重厚な爆音が迫ってきた。患者と職員を壕内に避難させてから、夏江は院内の見回りに出た。三階の屋上に出ると、防空監視台に鉄兜の五郎が一人で頑張っていた。横殴りの風雪を浴びていかにも寒そうだ。夏江を認めて台を降りてきた。「大変ね」とねぎらいの言葉をかけると、五郎は、「こんな所に一人で出てきちゃあぶねえや。でも、今んところ、こっちへ来ねえ模様だ。ちょっくら休憩だ。ううさぶい」と言い、元医学研究室の自分の部屋に夏江を誘った。

夏江がこの部屋に来たのは二度目であった。内部がすっかり様変りしている。所狭しと並べてあった絵が消えていた。そのため、かつての医学研究室の棚や机や流しなどの配置がよくつかめ、ここに籠《こ》もって博士論文のために、家兎《かと》や白鼠《しろねずみ》を沢山飼い、解剖作業や顕微鏡検査に熱中していた精力的な父（あれはまだ還暦前だった）を思い出した。「父もすっかり元気になってよかったわ」と夏江はつぶやいた。「まるで、昔みたいに若くなって」「おお先生は生き返ったね」と五郎が言った。「麻薬中毒があんなによく治るとは知らなかったよ。松沢病院に入院していたって本当？」「そんな噂《うわさ》がながれているの？」「平吉が言っていた」平吉はいとより聞いたに違いない。松沢入院を知っているのは、夏江といとだけであったはずなのに、いつのまにか院内で公然の秘密になっていたのだ。出し抜けに、目の前の高台から高射砲の連射が開始され、窓硝子《まどガラス》をビリビリ震わせた。強風が窓を殴りつけ、敵機の爆音はいよいよ近く、高射砲はますますかまびすしくなった。五郎は声をはげました。「おお先生が入院中、平吉はおおっぴらに大奥に出入りしてやがった。まるで自分の家みてえな顔しやがってよ。そうして、おお先生が帰ると、ぴたりと大奥参りをやめやがった。だから、おお先生は何も知らねえよ。平吉のまやかしにころりと騙《だま》されている」「それが事実なら、おとうさまに報告したら?」「今はやめとく。またモルヒネ中毒になったら大変だもん」ふたたび高射砲の発射音が轟《とどろ》き、敵機の爆音も大きくなった。「今日は相当の数ね」と夏江が首をすくめると、五郎は、「なあに、やられてるのは、北の方角だね。丸の内か銀座か、そこらだ。おれは賭《か》けてもいいが今日は三田はやられねえよ」と笑い、石炭ストーブにかけてあった薬缶《やかん》から湯を差し、コーヒーをいれて出し、「まあゆっくりしなさいよ」と言った。轟音《ごうおん》のさなか、五郎の落ち着き振りは異様なほどであったが、彼を見ているうち、夏江は、彼への信頼の念がつのってきて、今日は何事もなく過ぎる気がした。コーヒーをすすり、ストーブに温まっていると、ここは平和で安全で、あたりの爆発音のほうが非現実の出来事のようにさえ感じられてきた。

「絵はどうしたの」

「疎開した。新田のお袋に預けた。ねえ、夏江さん、お願いがある。もしおれが死んだら、あの絵を全部あげるから保管しておいてくれない?」

「ゴロちゃんが死ぬ。そんな縁起でもないこと言わないで」

「お願いだ。おれにとってあの絵はすべてなんだ。あれが芸術的価値があるかどうか、おれにはわからねえ。でもよ、あのために死んでもいいくらい、本気で描いたんだ。あれをそっくり全部夏江さんに贈り物にしてえんだよ」

「贈り物？　どうして」

その時、五郎は、唐突に夏江の隣に移ってきて、何だか引きちぎったような声で言った。それは今でも胸の中に反響してくる強い言葉だった。「夏江さん、おれ、いつ死ぬかわからねえから、これだけは言っておきたい。おれ、夏江さんが好きなんだ」

五郎の言葉に、うろたえた夏江は、男の、筋肉労働で鍛えられた固い肉体に官能を刺戟《しげき》されて、そのためになおさらうろたえた。そして、背骨が曲がり十歳の子供の身丈しかない五郎の、それだけは大きな男の手に自分の両の手が包まれたとき、快感に包まれる感じでじっとしていた。五郎は冷静に、まるで坊主《ぼうず》が経を読むような調子で、おそらくは、これを言おうと何度も考え、言う言葉を推敲《すいこう》したかのように、「おれのような異形《いぎよう》の人間にはこんな告白をする資格がないとは、よくわきまえているさ。夏江さんとおれとは、母の違う姉弟で、とんだ邪淫沙汰《じやいんざた》だとも自覚してるさ。夏江さんは有夫《ゆうふ》の婦人だから、姦通《かんつう》罪に相当する行為だとも、ちゃんと知ってるさ。でも、おれ、一度だけ言っておきたかったんだ。おれ、夏江さんが好きだ。好きで好きで、たまらねえ」と言った。

五郎の指に力が加わり、掌《てのひら》が汗ばんできた。夏江が「痛い」と言うと、男は力を抜き、女は両手を引っ込めた。「わたしね……」「何も言わないで。おれ、夏江さんの言うことわかってる。だから聞きたくない」「そんなの勝手だわ」と夏江は怒った。「あなた、わたしを誤解してるわ。自分を異形の人間だなんて極《き》め付けてるけど、わたしね、そんな目であなたを見たことなんて一度もない。わたしの夫は右腕がないのよ。わたしは片腕の異形の人間と結婚したわけ？　そんなの失礼よ」「ごめん。許して」と五郎は深くこうべを垂れて言った。思いがけず、彼は涙を床にぽたぽたと落した。夏江は男への憐憫《れんびん》を覚え、涙ぐんだ。その突き出たコブを撫《な》ぜ、胸にむしゃぶりついて一緒に泣いてみたい衝動が起こった。その刹那《せつな》、建物全体が震撼《しんかん》して、爆弾の命中らしい大音響がした。五郎と夏江は立った。大勢が叫んでいる。なかで菊池勇の胴間《どうま》声《ごえ》が「間島さん」とはっきり呼んでいた。五郎は飛鳥のように走り、夏江もあとを追った、勇は階段の下から呼んでいた。雪の重みで病棟の屋根が一部落ちたというのだった。

　五郎が食事する姿を、夏江は視野の右端にぼんやりと認めていた。五郎は時々、何気ないように目を上げた。そこから曳光弾《えいこうだん》に似た光の点線が飛んでくる感じがして、夏江は落ち着きをなくした。この種の強い視線は、それから、朝窓を開くと、事務室で机に向かっていると、総回診の列に連なっていると、狙撃《そげき》兵にねらわれたように不意打ちに夏江に向かってくる気がした。しかしそれから、五郎は事務上の連絡や相談以外のことは何も言わなくなった。しかも彼はわざと二人きりになる機会を避けた。事務室なんかで話していて、ふとした拍子に二人だけになると、急用があるという身構えでそそくさと去って行った。しかし、そうされると、夏江には、かえって五郎の存在が強く意識されて心の平衡を失うのだった。

ふと五郎の姿が消えた。振り向くと五郎は流しで食器を洗っていた。猛烈な早飯である。しばらくしてまた見ると、もう姿を消していた。

伝習生たちが来た。七人はひっそりと端のテーブルについた。今朝の事件はあっという間に知れ渡ってしまい、彼らもばつが悪いのだろう、他の職員に顔をそむけて小さくなっている。目尻《めじり》や頬《ほお》に青痣《あおあざ》があるのは殴られた跡であろう。

靴《くつ》の鋲《びょう》の音をやたらに立てて、平吉が来た。事務長時代に使った漆塗りの箱膳を、当然のように使用し続け、しかもピカピカに磨《みが》きこんでいるのを振り回しながら、「おとめ婆《ばあ》さーん、汁の実がないよう」と突拍子もなくがなりたてた。これなら耳の遠いおとめ婆さんでも気が付くわけで、すぐさま「はいよ」と新しい汁桶《しるおけ》を運んできた。重い物を軽々と運んできた婆さんがもう八十過ぎであることは確かだが、正確な齢《とし》を夏江は忘れてしまった。とにかく、自分が物心ついた時には、もうみんなは賄方《まかないかた》の「おとめ婆さん」と呼んでいたのだ。

平吉は、片隅《かたすみ》に固まっている伝習生の脇《わき》に行き、「お前たち、気を落とすな。頑張れ」と言い、少年たちがきまりわるげに顔を赤らめているのに、「人間にはな、誰だって過ちはある。おれなんか、過ちだらけだけどよ、けっして気をおとさんぞ」と言った。誰かが彼の背後で笑ったのを無視して平吉は続けた。「要するにな、この頃、新聞などで報じられとる戦列離脱など絶対にするなということぞ。聖戦完遂のために、病院を守れ。わが時田病院こそ、今や、焦土の中にあって、野戦病院の重責をになってるんじゃ。わかったか」少年たちは困惑の表情で俯《うつむ》いている。平吉はもう一度、「わかったか」と言い、さらに、「聞こえん。はっきり返事をせい」と気合を入れた。少年たちが、「はい」と答えると、やっと「よし」とうなずき、解放してやった。伝習生たちは、立ち上がり、こそこそと逃げていった。

「次長さん、元気一杯ね」といとが口をすぼめて皮肉っぽく言った。「お勤めもそういう具合に元気一杯にやってちょうだいね」

「おやおや、婦長さんに聞かれましたかな。汗顔の至りで」

「あなたの声なら、院内どこにいても筒抜けよ」

いとの隣にいた看護婦が気を利かせて立ったあとへ、平吉は坐《すわ》った。いとに何かを言うと、いとがぷっと吹き出した。利平の前で取り澄ましていた彼女からは想像もつかぬ、蓮っ葉《はすぱ》な笑いようである。五郎が言ったように、利平が入院中に平吉が〝大奥参り〟をしていたのが事実とすると、今の二人の睦《むつ》み合いには、いやらしい解釈がつくことになるのだが、さて、衆人環視のさなかでわざわざ疑わしい関係を誇示するほど、迂闊《うかつ》な人たちでもないと思うと、夏江には、二人の関係の摑《つか》み所がないのだった。

「何だかいやらしい」と勝子が出し抜けに言った。

「何が」

「とにかくいやらしい」と勝子は言い捨てて立った。

「行きましょう」と、夏江が先に立ち、勝子はあとを付けてきた。病棟端の自室に入ると夏江は勝子に椅子《いす》をすすめた。

「いやらしいって、何が。そうして困ったことってなあに」

「両方とも次長さんのことだね。おいとさんにひっつく次長がわたしにも悪さするだ」

「あの平吉が？」

「そう。その平吉めが悪さをやらかすだ。この前、徳川さまの桜が咲いてたから、四月の十日前後だね、夜勤の時、病室を回ってたら、いきなり空き部屋から出てきていやらしいことをしただね」

「どんな」

「いやらしいこと……」勝子は、赤くなって脂汗《あぶらあせ》を額に滲《にじ》ませた。こういうところ、彼女は乙女さながらの恥じらいを見せる。夏江は、自分と同い年なのにうぶな人だなと感心する。

「ともかく、怪《け》しからん話ね。何とかしなくちゃ」

「すっぱりと言うよ、わたし。次長はね、勝子さんが好きだ、抱いてみたいって、おっぱいを撫でたんだ。それからは、外に買い物に行くと追ってくる。慶応前のあの人の下宿に遊びに来いって言う。夜勤の時はどこからかこっそり現れる。わたしの部屋に付け文を置く。しつっこいったらないの」

「平吉は前にも同じような問題を起こしたことがあるの」

「知ってるよ。神谷さんのことだろう」

「えっ、神谷って〝おばさん〟のこと？」

「そうだよ。おばさんが言ってたもん……あら、夏江さん知らなかったの。わたし、言っちゃいけなかったのかな」事務員の古顔である神谷昌子は、五十過ぎのおよそ洒落《しゃれ》っ気のない人で、男嫌《おとこぎら》いを表看板にしていた。

「神谷さん以外にも平吉が問題を起こしたことがあるんだね」

「時々、そういう噂がたつのよ。ああいう人だから、どこまでが本当やらさっぱり摑み所がなくてねえ」と言いながら、夏江は別れた前夫、中林松男を平吉に重ね合わせていた。中林も女にだらしがなかったと、記憶の糸を手繰《たぐ》っているうち、父の利平もそうだったと、思い掛けぬ魚を釣《つ》り上げたように苦笑した。

「夏江さん、笑ったね。知ってるよ、平吉の今の相手はおいとさんなんだろう」

「さあ……」

「看護婦仲間じゃあ、もっぱらその話で持ちきりだよ。わたしが許せないのはね、そういう男がわたしに付きまとうことだね。あんな男、やめさせられないの？」

「それがねえ……できればねえ……」夏江は歯切れが悪くなった。十万円もの大金を横領した疑いがありながら、また千五百円の窃盗は彼の犯行だと突き止めながら、警察沙汰にもせず、金の行方を追及もせず、まして解雇追放の処置もとらずにいたのは、税務署をごまかすための二重帳簿のカラクリと麻薬中毒となった利平の麻薬取締規則違反の事実を、前事務長の平吉が知悉《ちしつ》していたためであり、さらには、丁度その折に利平の松沢入院、空襲の災禍の拡大、食糧事情の悪化、隔離病棟や看護婦寄宿舎の建物疎開《そかい》と、非常事態が踵《くびす》を接したからだ。しかも、平吉は貨車一台を借り切って大量の食糧を持ち帰り、それ以後も食糧の買い出しに異常なほどの才覚を発揮するのだった。夏江は、「いろいろ事情があって、むつかしいのよ」とだけ言った。

ノックがあって、薬剤師の伊田角次郎が顔をのぞかせた。勝子はさっと立って出て行った。

伊田は元帰還兵らしく、軍隊式の礼をした。

「事務長さんにお願いがあってきました」と伊田は六角形の柱時計のような顔に笑いを浮かべた。金歯が三本、キラキラ光った。

「なんでしょうか」

「あと一週間で病院をやめたいですがな」

「そんなに急には困りますわ。代わりの方を大急ぎでさがさなくちゃあなりませんし」

「家のもんは埼玉の田舎に疎開させて、おれ一人残ってる。早く行ってやらにゃ……」

「あんまり急ですわ」

「急なのは空襲ですがな。おれが前に勤めていた本所《ほんじょ》の診療所は三月十日に丸焼けで、院長以下全職員が焼け死んじまった。早晩ここもあぶねえですがな」

「もう少し早く言ってくださらないと困りますわ。薬剤師なしでは病院を一日もやっていけません」

「家のもんの疎開も急に決まったわけでして。あのう、なにかと物入りなので、五月分の給料前払い願いたいんですがな。それから退職金も貰《もら》いてえね」

「今すぐ、お返事できませんわ。考えさせてください」

「いつ、返事が、もらえるかね」

「さあ……二、三日中に」

伊田は、今度は最敬礼をして出て行った。夏江は弱りきっていた。さきごろ番場医師も利平に辞職を申し出ていた。看護婦で辞めたがっている人も十人は下らない。家族の被災や疎開で辞めていく人が増えてきた矢先に、三月十日の大空襲で大勢の死者が出たという風説がひろまり、退職希望者が目白押しになった。退職金の支払いに四苦八苦のうえ、これ以上職員が減ると病院としての機能が果たせなくなるほどの窮境に追い込まれる。この頃は夏江もすっかり弱気になり、いとや平吉に同調して、全職員を解雇して、安全な地方、例えば山口県の須佐《すさ》に疎開して小さな診療所でも開いたらと考えるようになり、それを何度か利平に言ってみたが、利平は一切聞く耳を持たなかった。それどころか、ますます熱心に防空対策に取り組み、そして夏江には、そのように張り切っている若やいだ父の様子を見、それに従うのも嬉《うれ》しいのだった。

昼頃から気温が上がり暑くなってきた。初夏の分厚い葉叢《はむら》に陽光が無数の実のように弾《はじ》けている。鉄類献納で扇風機がないので、団扇《うちわ》で扇ぎながら事務員たちは仕事をしていた。平吉が欠伸《あくび》をした。〝おばさん〟の神谷昌子と簿記係の宮田花子が目くばせをし合った。と、平吉の壮大な鼾《いびき》が開始された。黄色い乱杙歯《らんぐいば》のあいだから唾《つば》が飛んだ。

「ちょっと」と夏江は、昌子を廊下に誘い出した。「話があるの」と空いている診察室に入った。

「こんなことをお聞きしたら失礼かもしれませんけど」と、年上の先輩に向かって丁寧な言葉遣いになった。「上野さんって、あなたに何かいやらしいことをしたことありません？」

「いやらしい？」と昌子はいぶかしげに聞き返した。

「はい。看護婦で同じような目に会った人がいるもんですから」

「ああ、菊池勝子さんね。あのことか。ありますよ。わたしに抱きついたり、旅館に誘いこもうとしたり、たしかにいやらしいです」

「あなたどうなすった」

「どうもしやしません。上野さんは誰にでもそうするんです。事務室では、わたしのほか、花子もやられたし、弓子もやられた。弓子なんて可哀相《かわいそう》に、一時は本気にして悩んでいましたよ。でも相手が冗談だとわかって、今じゃ笑い話ですよ」

「冗談なのかしら」

「冗談ですよ。上野さんは、誘わないと、女の人に失礼だという信念を持っているんです。だからずっと以前ですけど、事務長になって最初にわたしを挨拶《あいさつ》代わりに誘惑したんです。こっちははなから本気にしていませんでしたから、むこうも笑って手を引きましたけどね。だから、勝子にも向きになって怒ることはないと忠告したんですけどね。彼女純朴《じゅんぼく》なとこあるから、思い詰めちゃうみたい……」

「そうですか。よくわかりました。ありがとう」夏江は頭を下げた。

事務室に戻って、勤務時間中にしゃあしゃあと高鼾をかいている平吉を見ていると、この男にとってはすべてが冗談に過ぎないという事実をしかと見せつけられた思いがした。女性の誘惑も、十万円（目もくらむ大金である）の横領も、いととの不倫も冗談。それがそうでなくなるのは、勝子や五郎や利平のように、それを冗談と解せぬ人々がいるからだ。ところで、中間にいる夏江にとっては、それを冗談だと一笑に付すことも、真剣に追及することもできない。彼女が覚えるのは平吉という傍若無人な異母兄に対する、悲しいような無力感であった。事務長として、彼を叩《たた》き起こして仕事につかせても、どうせ大した仕事はしないのだし、結局、眠らせておくのが楽だと放置しておきながら、平吉への明確な態度を取れない自分が腑甲斐《ふがい》なかった。

平吉の鼾声《かんせい》を我慢しながら仕事を続ける。そこへ菊池勇が現れた。平吉が寝ているのを横目に、夏江に小声で、伝習生の盗難に遭った地下倉庫の点検をするから、事務長として立ち会ってほしいと言った。夏江が勇のあとから部屋を出ようとすると、平吉がぱっちり目を開き、「あの倉庫の扉《とびら》は早くなおさねえといけねえ」と言った。そうして、勇と夏江を靴音高く追いかけてきた。

病棟の廊下の突き当りのコンクリート張りの扉を開き、地下道を通った先が防空壕であった。壕内には利平と五郎がいて、倉庫の扉を調べていた。頑丈な木製の扉が無残に割られ、破片が散っている。

「乱暴ですわね」と夏江はあきれた。

「本当に乱暴なやつらだ」と平吉が口真似《くちまね》のように言った。

「掛矢《かけや》でやったと言ってます」と勇。掛矢は火災時の退路を確保するために、院内のいたる所に備えられてあった。「防空用具を悪用しやがった」

「あの子ら、本心から前非を悔いたかのう。ま、ええわ、火急の働きさえしてくりゃあ」と利平は言い、腹をしきりとさすった。

「おとうさま、どうかなさったの」

「胃がな、ちょびっと痛む。毎朝洗滌《せんじょう》しちょるから、すぐ治るわ」

「最近、またお痩《や》せになったんじゃあありません?」そう言ってしまってから夏江は後悔した。敵に弱点を突かれた将軍のおびえのようなものが、父の目顔に走ったのだ。言いなおした。「最近何やかやと御心痛が多いからですわ」

「まったく」と平吉が言った。「伝習生みてえな不心得者が多すぎまさ。最近の新聞の広告を見ると、工場でも戦列離脱が顕著なりと読み取れますわな。『工員諸君よ。すみやかに勤労戦列に復帰せよ』とか『諸士の職場はすでに作業を開始せり。全員ただちに出社敢闘せよ』なんてある。罹災《りさい》、疎開、その他の原因で労働人口が減っているだけではない。要は特攻精神の欠如ですわな。本院でも戦列離脱が著しい。看護婦がある日無断欠勤する。防空隊員が姿を消す。まるで塩に水をかけたみてえに人が減っていく。そこへ持ってきて、伝習生みてえな、破壊工作が進行する……」

「五郎」と、利平が平吉の長広舌を払う大声で言った。「さっきゅうに扉を直せ。壕の入口を、閉鎖しておいては、いざという時に危険じゃ」

「もう替えのを作りました。いつでも取り付けられます」

「なら、早よう取り付けい。夏江、どうじゃろう、倉庫内の物品は、ほかに異常なかったか」

「午前中調べましたが、伝習生が盗《と》った物を大体返却しましたので、異常はありません。おや、こんなところに炭俵が……」

発明研究室へ通じる鉄扉《てっぴ》の前に、まるで扉をふさぐように炭俵が積み上げられてあった。

「それおれだ」と五郎が言った。「扉の工事に邪魔なんで、倉庫の外へ出した」

「この際、発明研究室もあらためよう」と利平は急に思いついたように言い、炭俵の壁を見て舌打ちして、病棟へのトンネルに歩み入った。

一同は、病棟から外来棟へまわり、つまり大回りのすえ、発明研究室の入口に来た。鉄扉の鍵《かぎ》を利平は慎重に開けた。従来つけてあったノブの鍵のほか扉の上部に補助鍵をつけてある。ノブの鍵は、いとも夏江も五郎も持っているが、補助鍵は利平だけが持ち、彼の許可がなければ誰も中に入れぬ仕組みになっていた。鉄の螺旋《らせん》階段を、利平は真っ先に、勝手知った人の素早い足取りで、降りて行った。松沢を退院してから、利平はそこに、自分の発明品を集め始めた。最初に集めたのは、時田式レントゲン撮影機で、蒲田《かまた》の工場の在庫品十数台を、五郎と男たちに運ばせた。工場がいつ爆撃を受けるかも知れない状況で、大急ぎの搬入であった。自分の最大の発明品を、目を細めて眺《なが》めていた利平が、ふと防空壕に通じる扉の前に置かれた撮影機に目を止めた。

「誰じゃ。これでは、通行不能じゃ。いざという場合に危険ではないか」

「おれです」と五郎が言った。「わざと一台をあそこに置いてみたんです。もしも防空壕まで火がまわった時に、今のドアだけでは不安心なんで、補強しようと思ったんです」

「そうじゃな。それも一理あるのう」と利平はすぐ納得した。

最近、利平がここに降りてくると示すポーズで後ろ手を組み、自分の発明品を、満足げに見渡した。時田式紫外線療法室用の硝子窓《ガラスまど》が壁に立てかけてある。支那事変時代に売上抜群であった時田利平著『胃潰瘍《いかいよう》の器械的療法』が出版元の梱包《こんぽう》のまま積んである。硝子戸付きの本箱には医学論文の別刷が、きちんと整理されて入っている。剝《む》き出しの大棚《おおだな》には大小の発明品がごたごたと押し込まれてあった。夏江には親しい物が目につく。土瓶《どびん》の口に装着する簡便茶漉器《ちゃこしき》、時田式電動蓄音機、完皮液《かんぺーき》、完皮膏《かんぷこう》、大東亜丸、共栄散など……。とにかく時田利平の頭が生み出した作品のすべてがここに蒐集《しゅうしゅう》されてある。

「おとうさまのすべてね」と夏江は感心して見て回った。平吉は、「大分売れ残っていますな。空襲のせいでさあ。空襲がなくなれば、また売れ始めますよ。とくに水道事情が悪くなった昨今、また〝真水ちゃん〟の出番ですかな」とか言いながら、発明品の山を掻《か》き分けて、手帳に何やらしきりに書き込んでいた。

「まあ、みんな坐《すわ》れ」と利平が言った。利平は寝台兼用の長椅子に、一同は椅子や机に腰掛けて、利平に注目した。

「おれはな、入院中、古い日記を読み返しながら、自分の一生を振り返ってみた。そしてようわかった、虚《むな》しい一生じゃった。こんな発明だの研究など、みんな虚しい。いまに消えてしまい、何も残らん」

「そんなことはありませんよ」と平吉が言った。「紫外線療法だって、胃洗滌だって、おお先生の研究は後世に残りますよ。今、戦災地では、飲み水に困ってますから、〝真水ちゃん〟はまた緊急必要道具になりつつあるし、焼け跡の不潔から、皮膚病や下痢が流行していて、完皮液、完皮膏、大東亜丸、共栄散など今こそ出番でさあ。弱気にならないでくださいよ」

「もう、金儲《かねもう》けはええわ。金をいくら儲けても墓場には持っていけん」

「いやだなあ。おお先生はまだ死にゃしませんよ。とくに退院されてからは、若返りして率先垂範、おかげで院内も若返り、来たらば来たれ空襲と……」

「すこし黙れよ」と五郎が、断ち切るように叫んだ。額に癇癪《かんしゃく》を刻み、平吉を睨《にら》みつけている。

「おおこわ」と平吉は首をすくめた。「出し抜けにわめくなよ。心臓に悪い」

「ここにはおれの子が三人いる。いい機会だから言っておきたい」と利平が珍しくしんみりと言った。「ま、菊池さんは証人として聴いていてくれ。平吉、夏江、五郎、お前たちはおれの子だ。おれの血が流れている。これまで、他人の前ではなるべくそれを表面に出さずに来たが、おれ自身は、いっときもそれを忘れたことはない。血とは火じゃ。おれの火がお前たちに燃え移り、お前たちの火になった。おれの火はもうすぐ燃え尽きるが、お前たちは、なおしばらくは燃え続ける。言っておくが、しばらくだ。永遠に燃えつづける火などこの世には存在しない。平吉はたしか四十四、五じゃろう、夏江は丁度と言っておったから三十か。

すると翌年生れの五郎は二十九になる。みんな七十のおれからみれば、驚くべく若いわ。だから若さを大事にせい。おれが死んだあと、お前たちはどうか仲よう暮らせ」

「いやだなあ、おとうさん」と平吉は、〝おとうさん〟だけは気恥ずかしげに、小声で言った。「死ぬなんて、まだ早いですよ」

「何を言う」と五郎が、また平吉の言葉を断ち切った。「人間はいつ死ぬか知れねえ。親父《おやじ》はいねえよ。親父なんて、あんたもそうさ」それから彼は利平に突っ掛かった。「おれには親父はいねえよ。親父なんて、いまさら、しらじらしい」

「ゴロちゃん」〝言葉をつつしみなさい〟と夏江は言おうとした。しかし五郎は平吉に面と向かい、「だからよ、おれには兄貴もいねえよ」と、すごい形相《ぎょうそう》で睨みつけた。平吉は一旦《いったん》はのけぞったものの、態勢を立て直してぐっと胸を突き出し、「おれだってお前なんかを弟と思いやしないよ。安心しな」と嘲《あざけ》るように顔をゆがめた。夏江はその瞬間の利平の悲しげな表情を見逃さなかった。

「何をいがみ合っているのよ」と夏江は五郎と平吉を交互に睨み付けた。それから尖《とが》り声で、しかも泣きながら言った。「おとうさまがせっかく、ああおっしゃってるのに、お気の毒じゃあないの。今病院は危急存亡のときで二人の協力を必要としているの」

「まあええわ」と利平が、顔の深い皺《しわ》から歳月の疲労を滲《にじ》みだしながら言った。「けさ、不吉な夢を見た。地下室に隠れていた朝鮮人が殺された夢じゃ。大震災の時に病院の火事を消し止めたが、その直後、〝不逞《ふてい》鮮人〟という流言蜚語《ひご》が飛び交ってな、その男も地下室から引きずりだされて、虐殺《ぎゃくさつ》されたわ」

「夢でしょう」と平吉が慰め顔に言った。「気にすることはありませんよ」

「地下室って、ここですか」と五郎が、目をギロギロさせて室内を見た。五郎の目から曳光《えいこう》弾《だん》が飛ぶように思えるのはこの強い視線のせいだった。

「そうじゃ。しかも、夢にでてきたのは本当のことじゃ。その男はアン・ジェオンという朝鮮人でな。この発明研究室に隠れたが、誰かが密告しよって、そのため自警団の連中にここから連れ出され、棍棒《こんぼう》で滅多打ちにされて、殺された」

「まあ……」夏江は眉《まゆ》をひそめた。アン・ジェオン、安西のことは、うっすらと覚えている。片足が義足で大の働き者だったが、そんな死に方をしたとは知らなかった。安西の陰惨な事件の痕跡《こんせき》をまさぐるように、視線を動かした。

「密告者は誰だったのですか」と五郎が尋ねた。

「わからず仕舞いじゃ。ずっと昔の事件でのう。震災の混乱に紛れて、警察も犯人の詮索《せんさく》すらせんかった」

「暗い話ですわね」

「ああ暗い話じゃ。このアン・ジェオンのことを最近しきりに思い出す。彼はな、ちょうど本院が開院当初、患者不足で悩んでおったころ、電車に脚を轢断《れきだん》されて運び込まれ、おれが手術して一命を救い、義肢《ぎし》を作ってやった。この手術の成功が評判になってな、本院の名声が一気にあがった。すなわち、彼はわが時田病院の最初の最大の恩人じゃった」

「それで読めた」と平吉が柏手《かしわで》を打つように手をパチンと二度鳴らした。「おお先生がなぜ朝鮮人を大勢、防空隊員に雇い入れたかが。そのアンゼンとかへの感謝を示すためですな。失業して食うに困ってる連中を救おうとしたんでしょう」

利平は答えず、黙っていた。その凝固した沈思黙考の相を見て、ふと平吉も黙った。地下室に妙に蒸し暑い空気が籠《こ》もってきて、息苦しくなった。

「さて、この倉庫の検閲は終りじゃ」と腰を挙げた利平は、一同を、外に追い出すと、鉄扉の二つの鍵を大事そうに締めた。それから勇に向かって、「どんな大空襲でも、この発明研究室だけは大丈夫じゃろう」と言った。勇は頷《うなず》き、「まあ、院内でもっとも安全な場所でしょうな」と言った。

利平を先頭に、一同は防空壕《ぼうくうごう》の階段を登った。製薬工場を取り壊した跡の広い空き地には、斜陽が飛び跳ねて目に沁《し》みた。病院の陰影が濃く、ひどく立体的に迫ってきた。屋根の上の砂嚢《さのう》や、モルタルで防火工事をほどこした戸袋や、コンクリートで補強された防火扉が、戦闘準備が整った軍艦のように勇ましげに見える。一同は畑の端まで遠のいて、もう一度病院の全景を眺めた。兎小屋《うさぎごや》や鶏小屋（豚と山羊《やぎ》は食べてしまったので小屋は消失していた）の前には、五郎が作った花畑があり、牡丹《ぼたん》と芍薬《しゃくやく》が植えてあった。牡丹は盛りを過ぎていたが、なお大輪を見事に斜陽に燃やしていた。そう、まるで燃え盛る炎をかたどったようだ。そして、芍薬は開きかけの若い花と蕾《つぼみ》で、点《とも》したばかりの祭りの灯籠《とうろう》のように活気があった。いまどき食糧にもならぬ花を畑に植える酔狂は、いかにも五郎らしい。花と病院の華麗な姿に、夏江は悲しいほどの美を感じた。その美には、やがて花は散り、病院は炎上してしまう不安がくっきりと蔭《かげ》をつくっていた。

「防空隊長、どうじゃろう、これで、本院の防備は？」

「敵の爆撃如何《いかん》でしょうな」と勇は答えた。「敵は対象によって攻撃法を変えてる。下町の住宅密集地帯には三月十日みてえに、二、三百の超低空から濃密爆撃をやり、庭の多い山の手の住宅地には四月十三日みてえに、六、七千の中高度から広範囲爆撃をやりやがるだね。この三田界隈《かいわい》は、下町と山の手の中間の構造をした市街だから、両者の中間の高度で襲ってくる公算があると、おれは見てます。ま、三、四千の高度だとすると、かなりの濃密爆撃で、こりゃ手ごわい。それに敵は風をうまく利用してる。強風の日を狙《ねら》って襲って来る。三月十日は強い北西風、四月十三日は強い南風。三田がもしも強風の日に爆撃されたら、そりゃだいぶんの苦戦でしょうな」

「苦戦か。金州城か二百三高地じゃな。フーム」と利平が口髭《くちひげ》を震わした時、伝習生の一人が全速力で走ってき、「伝令」と利平に敬礼して患者の一人が死んだと報告した。例の直撃弾を受けた少女であった。利平は足早に病棟に向かいながら平吉を振り返り、「お前はついに家族に連絡せんじゃった」とギョロリと睨み付けた。

8

警戒警報のサイレンで目覚めた。枕元《まくらもと》の時計は零時半を示していた。しかし夜明け前のように空が白んでいる。利平は窓から首を突き出して、ほぼ満月に近い月を、寺町の高台の遥《はる》か上空に見付けた。十三夜ぐらいの月である。隣のベッドにいとがいない。夕方大日本婦人会の、〝総進軍運動〟の集会があると出掛けたまま、まだ帰っていない。本土決戦のため、婦人会を国民義勇隊女子隊に改編する相談だと言っていた。婦人も竹槍《たけやり》で敵を倒す訓練を開始することになったが、さてその竹槍を作る竹が都内には少なく、それをどこから入手するかが大問題だそうだ。近時、かかる種類の集まりが多く、気にも止めていなかったが、警戒警報となると、心配になった。婦長として患者の待避の責任を取ってもらわねばならぬ。警防団の制服で寝ていた利平は、ともかく起きて、鉄兜《てつかぶと》を背負い、懐中電灯や診療具一式をいれた布袋を肩からさげると、病棟へ出て行った。夜勤看護婦に、重症者の防空壕移動を指示した。看護婦と防空隊員が担架で運ぶ。伝習生たちもきびきびはたらいている。そのうち防空壕内を取り仕切っていた夏江から、軽症患者も避難させたほうがいい、最近は警戒警報と空襲警報のあいだが短いからと伝令があり、利平も同意してほかの患者も避難させ始めた。と、空襲警報の断続音が鳴り響いた。

「全員待避」と菊池勇がメガホンで呼ばわった。「B29多数が駿河《するが》湾と相模《さがみ》湾より本土に侵入、帝都に近付きつつあるという東部軍管区情報です。おお先生、危いから待避してください」と勇が忠告した。

「いとを見かけんかったかのう」

「さあ、見ませんでしたが」

「空襲というのに、どこへ行きよったか」

軽症患者が争うように防空壕に走った。職員たちも立ち退《の》いていく。いつもの訓練どおり、これは整然と行われた。全員が病棟を去ったあと、利平は何となく気になって、もう一度病棟の端から入院患者の逃げ遅れがいないかどうか点検する事にした。大震災の体験が鮮《あざや》かな記憶となって蘇《よみがえ》った。あれほどの地震と火災に遭っても、わが時田病院は、患者についてはただの一人の死傷者も出さなかったのだ。院長として、患者の安全を最優先させた結果である。あの誇り高き実績を今回も再現せねばならぬ。全部の病室をめぐり、患者の退去を確かめた時、拡声器から五郎の声が流れた。

「B29、約五十機、南西方向に現る。高度、低い……二千、三千ぐらいか。真っ直《す》ぐこっちに向かってる。防空隊員非常態勢。あ、爆撃開始。後続機多数、さらに五十、六十……」

五郎の放送に邪魔して、近くの高台の高射砲が火を吹いた。地鳴りが腹の底から突き上げてくる感じは、巡洋艦八雲の主砲が火を吹いた時を彷彿《ほうふつ》とさせる。百千の屋根瓦《やねがわら》を百千の金槌《かなづち》で叩き割るようなけたたましい騒音だ。敵機の爆音がそれに重なる。いつもの空襲とはまるで様相がちがう。戦闘開始、戦闘開始と勇ましくとなえながら、その実、利平は院内で最も安全な発明研究室に逃げ込もうとして、入院病棟から外来棟へと走り、急に思い返した。院長たるもの、患者と生死をともにせねばならぬ。よし、ひとっ走りだ。玄関から外に出て、防空壕の方角に急いだ。と、月をよぎる黒い怪魚のようなB29を見た。大きい。低空である。照空灯に銀の翼と星のマークがはっきりと照らし出された。来るわ、来るわ、沢山の怪魚の群れ、かつて海中に潜って見た、大魚の群れと何とそっくりじゃ。はよう通り過ぎい。いや、まちごうたか。こっちを狙うてくる。獲物に群がる鮫《さめ》どもじゃ。小癪《こしゃく》にも、わが時田病院に襲い掛かって来よる。鮫が赤い卵を産みよった。落ちてくる。落ちてくる。火の玉の大群が降ってくる。利平は、身震いすると、近くで一番安全だと思われる場所、砂嚢で守られている建物の中に駆け戻った。しかし遅かった。屋根の上に二、三本の火柱が立ち、さらに利平の数メートル後ろでも火が燃え上がった。地面に突き刺さった鉄棒の末端から紅の炎が吹き出している。火を消さねばと思い、軒端《のきば》の火叩きを防火用水に浸して、利平は火に立ち向かった。花火のように傘《かさ》を開く炎の中心を狙って火叩きを打ち下ろす。先端の布がもげてしまった。もう一本の火叩きを摑《つか》んで、同じ動作を繰り返す。畜生め、畜生め。と、火は消えた。

「何じゃ。腰抜け焼夷弾《しょういだん》じゃ」と拍子抜けするとともに、にわかに勇気凜々《りんりん》となった。胸は高鳴り喉《のど》はからからじゃ。心拍数百五、六十で、脱水症状をおこさんばかりの全身の発汗だと自己診断して、その落ち着きぶりに満足した。見ると屋根の上の火柱も鎮火されている。敵の第一次攻撃は失敗に帰し、わがほうの作戦成功である。もし、砂嚢の防禦《ぼうぎょ》がなければ、焼夷弾は屋根を突き破って建物の内部で発火し、たとえ二、三発でも大事に至ったであろう。

突如、陣頭指揮という雄々しい言葉が利平の頭に居座った。それは偏頭痛のように、がんがんと脳髄を叩いた。襲い来る敵弾をものともせずに、屋根の上にすっくと立ち、防空隊員たちを指揮して、挺身肉弾《ていしん》で消火活動にあたる。七十歳の翁《おきな》の獅子《しし》奮迅を見せてやるわ。陣頭指揮、陣頭指揮ととなえながら病棟に走りいる。

黒布に覆《おお》われた電灯の微光が、無人の病室や看護婦詰所を、洞窟《どうくつ》の奥にしつらえられた奇妙な部屋のように照らし出している。すると不意に停電になった。布袋から懐中電灯を取り出し、その光をたよりに、そろそろと廊下を歩く。ようやく二階への階段口に辿《たど》り着いたとき、耳をつんざく爆発音（畜生め、驚かせやがる）とともに、窓硝子《まどガラス》が吹っ飛び、外の明かりが闖入《ちんにゅう》してきた。無数の炬火《きょか》をかざして謀叛人《むほんにん》どもが押し寄せおったわ。本能寺に襲いかかる明智の賊どもじゃ。噴火した溶岩を思わせる火の流れが、前の家々を飲み込もうとしている。隣近所の家々が燃えている。遠く丘の上の三井邸やポーランド公使館は煙にむせび、近きあたりはひたすら炎を地に吹きつけ、七珍万宝《しっちんまんぽう》さながら灰燼《かいじん》じゃ。フム、『方丈記』の世界もかくやじゃが、あれよりすごいのは、天よりあとからあとから火の粉が降り注ぐことじゃ。いつかどこかの寺で見た『地獄変相』のほうが、真に迫っちょる。お、わが病院のどこかにまた命中しよった。建物がビリビリと痙攣《けいれん》して地震さながらじゃ。利平は走った。走ってどこへ行く当てもないが、海戦のただなかで敵弾を受けた軍艦にいる感覚で恐怖はすっ飛び、敵愾心《てきがいしん》だけが全身を熱くしていた。

〝花壇〟に来た。八角堂は血塗られていた。あとからあとからあとから血潮が飛び、堂全体が赤く揺らめいていた。しかし無傷だ。敵の焼夷弾もこの屋根を突き破ることはできぬ。頑丈《がんじょう》な作りを利して、砂嚢を二重三重に積み上げてあるからのう。おう、ここそは、病院の大黒柱である。ここが安泰ならば、大丈夫だという安堵《あんど》で、腕組みして佇《たたず》む利平を、誰かの悲鳴が呼んだ。防空頭巾に身を固めた菊池フクが廊下を転げるように走って来た。

「おお先生、夏江さんが心配して捜してるだよ。ここは危険だってば。早く待避しねえと……十三発ほどが命中しただ。三階が燃えてるよ」

「十三発？」かなりの数じゃのう。手押しポンプは十台しかないわ。しかし、朝鮮人に伝習生を加えて増強した防空隊員は二十数人はいる。一致協力して、砂嚢、土嚢を投げ、火叩きを振り回せば何とかなる。何とかせねばならぬ。

と、天窓を被《おお》う砂嚢を貫いて、一本の火の矢が落ちてきた。轟然《ごうぜん》として床に突き刺さり、巨《おお》きな火の傘を開いた。たちまち床から柱へと炎は拡大していく。畜生め！　利平は、砂嚢をかかえて火の中心へ、まるで血の海の中から出血部を探り出す気持で突進した。砂嚢を出火部に被《かぶ》せた時、油のようなべたべたした物が顔に飛び燃えだした。別に熱さは感じられないが、ひどい火傷《やけど》を負った自覚はあった。気が付くと焼夷弾はそれ一発ではなかった。つぎからつぎへと、天窓を打ち破り、硝子と砂の雨を降らしながら、壮大な火の饗宴《きょうえん》を拡《ひろ》げていた。その数、四、五本。そのうちの一本は利平の肩をかすめ、背中に油脂と炎をなすりつけた。利平は熱さにうめき床を転げ回った。フクが必死で濡《ぬ》れ布で消火に当たってくれ、何とか火は消えたものの、体の力が抜けてしまい、利平は立ち上がれなかった。意地悪い神経のやつが活動を開始し、熱さと痛みが、彼をさいなんだ。フクが利平を抱き上げようとするが、力及ばない。焦熱地獄での死を利平は覚悟した。「フク、もういい。逃げろ」と言っているつもりが、弱々しい呻《うめ》きにしかならない。この熱感と苦痛から逃げ出すためには、意識を喪失するのが最上の治療法だと、彼に残った医師の理性が告げていた……。

警戒警報が発令になった時、夏江は防空壕内に出向き、運び込まれて来る重症患者を簡易ベッドに寝かせる指揮を取った。元来いとがすべき仕事だが、婦人会の仕事で外出中だと看護婦が言っていた。看護婦と防空隊員の働きで、患者たちを担架に乗せたままベッドに載せたのは、非常の場合には即時にふたたび待避させる用意である。夏江は、今夜はしきりと悪い予感がして、軽症患者たちも早々と待避させたほうがいいと思うと、病棟の利平に具申した。患者、患者の家族、女中、賄方《まかないかた》、雑役婦たちが追々に薄暗い壕内を埋めてきたとき、空襲警報となった。すぐさまB29の鼓膜を切り裂くような爆音が聞こえ、しかもまっしぐらに近付いて来るおもむきに、今夜はこちらがやられると判断した。フクと勝子に患者と職員の点呼を頼み、夏江は階段を上り詰めて、壕の出口に立った。いつもそうするように、上空遥かな高みに縫い針のような敵機を望むつもりで目を凝らすと、意外にも、ずっと低い所、しかもごく間近に、模型飛行機のようなB29の大群を見て仰天した。徳川邸の森のすぐ上をかすめるようにして、おびただしい敵機が四つのプロペラの輪を几帳面《きちょうめん》にきらめかし、サーチライトの光芒《こうぼう》で、胴体や翼を青く光らせながら、お祭りの一大ページェントのような具合に飛んで来つつあった。広尾、麻布方面に火の手があがり、森の木々が黒い浮彫りとなった。地上の応射も密である。寺町の高射砲が射撃を開始し、強い衝撃が足元から伝わった。と、赤い尾を曳《ひ》いて、滝のような落下音とともに、幾十の、あるいは幾百の焼夷弾が降ってきた。そのうちの何発かが、つぎつぎに病院に命中した。夏江は防空頭巾の上に被った鉄兜の緒を確かめ、それから目を凝らして、数を数えた。四発である。一発は屋上の旧医学研究室に落ちて、火を吹き、他の二発は三階の屋根に落ちて、こちらは待ち構えていた防空隊との戦いとなった。人々の影が屋根の上でうごめいている。その中に勇らしい、太い頑丈な姿が認められた。一発は玄関前の空き地に落ちた。こちらは勝手に火炎をあげさせておけばいい。屋根の上の闘争にはけりが付いた様子だ。消し止めた。よかった。さすがは勇だ。朝鮮人も伝習生もよくやってくれた。

フクと勝子が階段を上がってきた。

「おお先生と婦長とおとめ婆《ばあ》さんが見当らねえだね」と勝子が報告した。

「おいとさんは外出中よ。おとうさまは、病棟で指揮を取っておられたけれど……おとめさんは、どうしたのかしら」夏江は、炎をあげている五郎の住居を見上げ、ひょっとすると、利平とおとめは逃げ遅れたかも知れぬと心配になった。

「わたし、捜しに行ってくる」と勝子が言った。

「いけないわ。直撃弾でも受けたら大変。さ、中にはいりましょう」と夏江は二人を壕の中へと押した。

その刹那《せつな》である、ふたたび焼夷弾の雨が降ってきたのは。文字通り今度は雨だった。まるで病院を標的にしたように、ずんずんと命中する。十二、十三。十三発という不吉な数だ。さすがの防空隊もこれでは手の付けようがない。病棟のあちらこちらで烟火《えんか》があがり、いつの間につのったのか強風に煽《あお》られて、炎は幾十倍にも膨れ上がった。十人ほどの赤鬼が出現し、酒に酔って踊り狂いながら、たがいに手をつないでいたかと思うと、魔法でぱっとより大きな赤鬼に変身する。

「十三発よ。もう駄目《だめ》だわ」と夏江はフクと勝子に言った。不可抗力だ。外で働いている防空隊員も一刻も早く避難したほうがいい。もっとも勇なら適切な命令を発していてくれるだろうが……。

勝子が「おねえさん」と叫んだ。フクが病院玄関に向かって走り出していた。後を追おうとする勝子の腕を夏江は必死で引き戻した。フクは、雨でも受け止めるように両の掌《てのひら》を前に出し、何か叫んでいる。父の勇を救いに行ったのだと夏江は思った。玄関に閃光《せんこう》があった。また一発落ちたらしい。フクは危ういところで直撃をまぬがれた。

夏江は勝子とともに防空壕に戻った。停電で真っ暗である。すぐ自家発電装置のペダルを踏むように看護婦に指示した。電灯が淡い光を染《し》みだして、人々の身を寄せ合う姿が浮かびあがった。不意に、病棟側の扉《とびら》が乱暴に開き、五郎が入ってきた。目敏《めざと》く夏江を見つけて近寄った。

「病棟はもう処置なしだ。防空隊は全員退却に決定した。ここも、すぐ、どこかに避難したほうがいい」

「あ、ゴロちゃん、おとうさまを見なかった？」

「おお先生がいないのか」

「壕内に見えないの。病棟じゃないかしら。フクさんが捜しにいったんだけど、まだ帰らない」

「そいつはいけねえ」と五郎は言い、壕の階段を駆け上がった。夏江もあとを追って地上にでた。

なるほど病棟の火勢はいよいよ盛んで、炎は本館のほうへも迫っている。その時、夏江がぎょっとしたのは、防空壕《ぼうくうごう》のすぐ前にある食堂と炊事場の窓が、内部から夕日に照らされたように赤く輝いたからである。敵弾が食堂の天窓を破ったらしい。と、窓硝子が弾《はじ》け飛び、火炎がギザギザの腕を突き出した。風に煽られて、赤い腕は防空壕のほうにも伸びてきた。はっと気が付くと五郎の姿はどこにも見えなかった。

燃える病棟の避難路を通る黒い影がある。勇や伝習生の防空隊員たちだ。担架が二つ、三つ、運ばれている。勇が先頭を走ってきた。煤《すす》で黒く、肩や膝《ひざ》が焼け焦《こ》げ、びしょ濡れの衣服から水を滴《したた》らせている。悪鬼のように険しい表情で、しかしかすれ声で言った。

「壕は危険だよ。すでに病棟側の地下道は火の筒で、通れない。全員壕から出て、逃げたがいい。全員待避。全員待避！」

「どなたか怪我《けが》したんですか」夏江は担架を覗《のぞ》き込んだ。一人は女、二人は防空隊員だった。

赤黒く脹《ふく》れた女はおとめ婆さんだった。

「おとめさんは二階の自室で倒れていた。耳が遠くて警報が聞こえなかったらしいだ。朝鮮人と伝習生が直撃を受けた。三人とも名誉の戦死だ。急げ、事務長、重症患者を運び出してください」

「わかりました。しかし、どこへ？」夏江は尋ねた。あらかじめ緊急時の避難先として想定していた徳川邸には、すでに幾つかの火柱がぽっぽとあがり、建物も森も燃え始めている。

「寺町だね」と勇が言った。確かに、道路向かいの寺町には、まったく火の手があがっておらず、黒々とした丘のままである。「あそこの高射砲を敵機はたくみに避けて飛んでいるだ。だからさ」

「それならば、大松寺よ」と夏江は言った。広い庭があるし、大きな井戸もあって水の便もいい。住職は時田家と懇意で、急場の避難を受け入れてくれるだろう。

勇が壕内に入り、みんなに待避を呼びかけた。壕を出た人々は周囲のすさまじい火災に驚き、争って、避難民でごったがえしてきた道路を横切って、逃げ始めた。夏江は重症患者の担架移送の指揮を取った。看護婦だけでなく、軽症の患者たちも担架持ちを手伝ってくれた。顔見知りの住職は二つ返事で避難者を受け入れてくれた。寺が爆撃された場合を考え、大樹の下に重症患者を寝かせ、池のほとりに死者を安置した。西山副院長と番場医師が防空隊員の火傷や怪我の応急手当てにあたったが、混乱のさなかに持ち出したのが往診用の鞄《かばん》ひとつで薬品も治療具も不足していた。

壕内に残してきた医薬品を取りに行くため、夏江は勝子ともう一人の看護婦とともに道路を渡って、病院に戻ろうとした。が、熱風で近寄れない。本館は猛烈な勢いの火炎に包まれ、巨人の赤い手で握りつぶされて行くようだ。炊事場も食堂もすでに内部は熾《おこ》し火のように赤く熟《う》れていて、火は二階の居住区で非情な破壊作業を行っていた。思い出の部屋が、母が死んだ〝お居間〟も、幼年時代から娘時代を過ごした部屋も、父の居間も、すべてが、あっけなく蹂躪《じゅうりん》されている。そうして火炎放射器のように長く延びた炎が防空壕の扉を焼いていた。あれでは内部は、天火さながらの焦熱炉となっていよう。

と、道にひしめく群衆の間からひょっこり五郎が現れた。老人を肩にかついでいる。老人は利平だった。だらりと両手をさげて意識はない様子だ。五郎の背中の瘤《こぶ》がますます際立《きわだ》ち、彼の体は今にも折れてしまいそうに前こごみになっていた。夏江と勝子が叫びをあげて寄り付いた。

「火傷《やけど》で倒れてた。失神している。すぐ治療しないと……」五郎は、自身も火傷を負ったらしく、鉄兜《てつかぶと》の下の額も頰《ほお》も火脹れをおこしていた。彼は利平を夏江たちに預けるとへたり込んだ。担架で利平を大樹の下に運んで、西山副院長が治療にあたった。父の火傷の具合を見るにしのびず、泣きながら夏江は顔をそむけていた。「フクさんは死んでいた」と番場医師の治療を受けながら五郎が言った。「おお先生と一緒に倒れていた。おお先生を助けようとして、力尽きたらしい」

空襲はまだまだ続行されていた。しかし敵機の目標は、ずっと南に移ったらしく、遥《はる》かな彼方《かなた》、おそらくは京浜工業地帯の上を飛び交っていた。「おお」「やった」と人々が歓声をあげた。Ｂ29の胴体に赤い輝きがあり、見る見る広がっていく。傾いて旋回を始めた。胴体全体が緋色《ひいろ》に染まり落ちていく。やがて高台の蔭《かげ》に消えた。

「今夜は敵さんも大分撃墜をこうむったな」と勇が言った。「低空で来やがったもんで、わがほうの高射砲の餌食《えじき》になっただね。おれも五機は墜落を見た」

「事務長さん」と西山副院長が手を洗いながら言った。「一応応急手当てはしたが、おお先生は重症です。顔と右腕と背中がひどい。第三度の熱傷というやつで相当深い所までやられている。ちゃんとした病院に移したほうがいい」

「どこがいいでしょう」

「さあ……大病院といえば赤羽橋《あかばねばし》の済生会病院だが、空襲の被害を受けてる可能性があるし、遠いな……やっぱり、近くがいい。魚籃坂《ぎょらんざか》の唐山《からやま》病院かな。焼けてなければの話だが」

「おれ見てくらあ」と五郎が言った。頭と腕に繃帯《ほうたい》をした姿ですっ飛んで行った。十数分して帰ってきた。

「泉岳寺は燃えたが、魚籃坂あたりはやられてねえ。唐山先生が準備万端整えて待つから、負傷者をすぐ運んでこいだって」

「それ」と掛け声もろとも、利平の担架が勇たちによって持ち上げられ、五郎の先導で走りだした。夏江は懸命に追い掛けたが、すぐあきらめた。しかし、重症患者だけは唐山病院に引き取ってもらう交渉をしようと心に決め、小走りに急いだ。

路上は避難する人々で混乱していた。さほどの人出でもないのだが、思い思いの方向に急ぐあまり、押し合い揉《も》み合いとなるのだ。家財道具を満載した大八車が行く。泣き叫ぶ迷子の子供が人込みから飛び出す。ぐったりとした老婆《ろうば》を背負った男が来る。綱町《つなまち》と隣の豊岡町《とよおかちょう》のほぼ全域で、家々が崩壊し、赤い炭火の堆積《たいせき》となっていた。時折風が大きな炎を道に伸ばすと、人々は逃げ惑い悲鳴をあげた。しかし、豊岡町を離れて魚籃坂を登りだしてから、にわかに人々は姿を消し、ひっそりと暗く、遠くの、おそらくは京浜工業地帯のらしい火明《ひあ》かりに、屋根や立木のシルエットが黒く鮮明に浮き上がった。月明《げつめい》の下をそろそろと登った。誰かに後ろから呼ばれた。勝子だ。「夏江さんひとりじゃあぶねえから、ついてきただよ」と言う。彼女の懐中電灯でにわかに足元がたしかになり、ぐいぐいと坂を登った。坂を上り詰めた所が唐山病院である。そこから先の下り斜面、伊皿子坂《いさらござか》から泉岳寺にかけてまた惨憺《さんたん》たる有様だった。こちらはすでに燃え尽きた感じで、青い月光に浸《つ》かった平坦《へいたん》な焼け跡に鬼火のような炎が点々と点《とも》っていた。泉岳寺とおぼしき辺りは黒い大穴に見えた。

およそ病院らしからぬ民家風の玄関から入ると、書院造りの十畳間が待合室であった。勇と五郎が神妙な顔付きで胡座《あぐら》をかいていた。伝習生たちは帰ったらしい。

「どんな具合なんですか」と夏江は二人に尋ねた。

「さっき、うっすらと意識がもどっただね」と勇が答えた。「でもよ、痛みがひどいで、かえって気の毒だなあ。危険な重傷だそうだ。申し訳ない、おれが迂闊《うかつ》だった。まさかおお先生が病棟内におられたとは、知らねえで……」

「父は、多分、患者の逃げ遅れがないか点検に行ったのですわ。でもフクさんが……」

不意に勝子が泣きだした。それを優しい目付きで一瞥《いちべつ》すると、勇は俯《うつむ》いた。

「フクの死は五郎さんから聞いた。おお先生を助けようとして、自分がやられたらしい。あの子なりに御国《みくに》に身をささげただ。ともかく、高度三千からの濃密爆撃に加えて南の強風だった。敵は市街地の特徴や気象条件を上手に組み合わせた、したたかな科学的作戦で攻めて来やがった。しかも精確な照準に加えて、無尽蔵の物量作戦と来ていやがる。所詮《しょせん》かなう相手じゃなかった。防空隊員は懸命に闘ってくれただが、多勢に無勢でどうにもなんねえ。二人の戦死者には気の毒した。それで隊長のおれが怪我ひとつしねえってんじゃ、示しがつかねえ……ところで、おいとさんを見かけねえが」

「どっかで被害に遭ったかな。集まりはどこだね」

「婦人会の集まりで外出したまま帰っていません」

「それを誰も聞いてないんです」

「じゃあ捜しようがねえ。そうそう、次長はまだ現れねえかね」

「目と鼻の先、慶応前の下宿だから、病院がやられたとすぐわかり、飛んでくるはずなのに、どうしたんでしょう。やっぱり被害に遭ったのかしら」

「いや、今さっき出会った警防団からの情報じゃあ、慶応義塾とその周辺は今回は焼けていねえ。やっこさん、例によってサボってやがるだね」

それから沈黙が続いた。手術室の中で利平の、傷ついた獣さながらの呻き声が尾を引いていた。空襲警報解除のサイレンが鳴った。四時である。空襲は約二時間半続いたわけだ。きのうと同じく白み初めた空だが、地上の有様は大違いだ。おとめ婆さん、フク、朝鮮人、伝習生、これで四人が死んだ。患者に死傷者がいなかったのが、せめてもの救いである。朝になったらフクの焼死体を捜さねばと思うと気ぶっせいだ。フクの死の模様をもっと詳しく知りたいとは思うものの、鉢巻《はちま》きのような繃帯頭を垂れている五郎を見ると話しかける気になれなかった。その場の誰もが、重い疲労に押しひしがれながら、必死で睡気《ねむけ》と闘っていた。ようやくドアが開き、手術着の唐山博士が出てきた。清潔な手術着の上に薄汚れた仙人の顔があった。一同は正座してお辞儀をした。

「今のところ、何とか一命は取り留めてはいるが、重態です。壊死《えし》した皮膚の面積が体表面の半分近くに達するので、皮膚呼吸が充分できず、呼吸困難をおこしておられる。これから先が勝負所でしょう。もし細菌感染でもおこせば危い。いずれ、どこかの大病院に移したほうがいいと思うが、今しばらくは動かさないほうがいい」

夏江は、深夜の救急治療に対する礼を述べ、併《あわ》せて、時田病院の重症患者の引き取りを懇請した。

「時田君とは三十年来の親友です。数々の思い出のある、あの名物病院が焼けたなんて信じられません。ぼくにできることは何でもしましょう。もちろん、重症の患者さんは引き取りましょう。ここも安全だという保証はありませんが……」

「ありがとうございます。助かります」

「軽症患者はどうします」

「仕方ありません。退院させます」

「うちで引き受けてあげたいが、何しろベッド数二十の小病院でね」唐山博士は苦笑し、また手術室に姿を消した。

しばらくして利平は病室に運ばれた。病室と言っても畳を敷いた普通の六畳間である。枕元《まくらもと》に夏江、五郎、勇、勝子の四人が集まった。鼻の穴が二つ開き、左腕と左脚が露出しているだけで、あとは頭を含めて体全体がミイラのように繃帯で巻かれていた。睡眠剤を注射したとかで安らかな寝息を立てている。鼻の穴には酸素吸入用のゴム管が挿入《そうにゆう》されてあった。夏江が左の手首を握って見ると、熱い皮膚の下でかすかな脈が感じられた。

「病状は予断をゆるさない」と唐山博士が言った。「どなたか付き添ってくださるといいのだが」

「わたしが……」と夏江が進み出た。

「駄目だよ」と勝子が夏江を押し退《の》けた。「事務長さんは、まだ仕事がわんさとあるでねえか。わたしがやるよ。大丈夫だよ、まかせとき」

結局、勝子に付添いをまかせて、ほかの者は大松寺にもどった。そこでは一騒動があったばかりであった。朝鮮人と伝習生が取っ組み合いの喧嘩《けんか》となり、朝鮮人の全員が姿をくらましたというのだ。

9

西山副院長の話では、事のおこりは伝習生が朝鮮人の越度《おちど》を追及したことにあった。伝習生の一人が肩に直撃弾を受けて倒れたとき、そばにいた朝鮮人たちが焼夷弾《しょういだん》に立ち向かって消火しなかったために、彼は焼け死んだとなじったのだ。すると朝鮮人の最年長者、四十年配の金が猛然と反対した。あの猛烈な爆撃のさなかで、誰でもおのれの身を守るのが精一杯であった、それよりも、朝鮮人の一人が直撃弾を受けて腕がもげ、出血多量となり朝鮮人たちが担架で運ぼうとしたとき伝習生たちが、消防作業に支障を来《きた》すという理由で邪魔立てしたことのほうが重大だ。そのためにその男は治療の機会を失して死んだのだ。

常日頃《つねひごろ》、朝鮮人はおとなしく、なるべく目立たぬように暮らしていた。食事も入浴も日本人が終ったあとにして、防空活動（演習と本番）の場合以外は日本人に顔を合わせないように心掛けていた。彼らは、たとえ利平院長が院内での侮蔑《ぶべつ》行為を厳禁してはいても、職員のあいだで軽蔑と差別のあからさまな言動がまかり通っていたのを、よく知っていた。だから、金が向きになって伝習生に反論するようなことは、日頃の彼らからは想像もできず、それだけに、伝習生の金への怒りは強く、「朝鮮人のくせに生意気な」という罵詈雑言《ばりぞうごん》となって噴出し、よってたかって金を殴り倒し、足蹴《あしげ》にしたのだ。すると、片隅《かたすみ》で身を縮めていた朝鮮人たちが、まるでライオンの群が鹿《しか》の群を襲うように、伝習生たちに襲いかかり、叩《たた》きのめしたすえ、さっとどこかへ逃げてしまったのだ。

「ともかく、あっという間の出来事でして、はっと気がついたら伝習生が全員伸びていたというわけです」と西山が言った。

「伝習生の怪我は？」と夏江は尋ねた。

「大したことはありませんな」と西山は苦笑いした。「きのうの菊池隊長の鉄拳《てっけん》制裁のほうがよっぽどすごかった」

「けしからん」と勇が拳《こぶし》を固めて、伝習生に近寄って怒鳴った。「あれほど朝鮮人には手を出すなと言ったではないか。皇国臣民として一視同仁し一億一心で聖戦を完遂せよと、口を酸《す》っぱくして言ったではないか」

「まあいいですわ」と夏江が言った。「あんたたち、大した怪我がなくてよかった。それよりも、今から、菊池フクさんの捜索をするから、手伝ってちょうだい」

朝日は建物の残骸《ざんがい》に酷薄な醜い陰影をつけていた。夏江は、自分がそこに生れ、幼い時より存在するのが当然だと信じていた大病院の、あっけない消滅に、ただただ呆然《ぼうぜん》としていた。食堂、炊事場、時田家居住区、外来棟、入院病棟と、その用途に従い、様式を変えて設計されていた各部分が、境界も区別もなく、ただ一様な廃墟《はいきょ》になり変わっていた。黒い廃墟は金色の光にまぶされていた。それは無数の硝子片《ガラスへん》が朝日に輝き、残骸を嘲笑《ちょうしょう》するような悪意をもって、たわむれていたのだ。まだ燃えているのは石炭置場で、置場全体がストーブとなって炎と煙を吹き揚げていた。溶解した硝子や割れた瓦《かわら》を踏み、八角堂とおぼしきあたりを捜すと、縮こまった黒焦げの塊が発見された。衣服は焼けて無く、顔も判別できない。わずかな手掛かりは前歯の金歯で、これを勇が覚えていて、フクの遺骸だと確認できた。

それから目のまわる忙しさとなった。大松寺で握り飯の焚《た》き出しをしてくれ、みんなが立ったまま食事をとったあと、まず患者たちの始末をつけた。入院患者のうち重症者は唐山病院に転院させ、軽症者は退院させた。しかるべき病院に紹介する労は西山副院長が取った。時田病院は解散し、全職員を解雇すると、夏江は言い渡し、退職金その他の残務整理は、武《む》蔵新田《さしにった》の時田別邸に書類を持っていき、自分が責任もっておこなうと約束した。こういうごたごたのさなか、伊田薬剤師がひょっくり姿を見せた。

「出勤してみたら、病院が焼けて無くなってる。みんなはどこへ行ったのかと、さんざん捜しましたがな。せめて焼け跡に立て札でも立ててくれれば、すぐわかったのに。半日潰《つぶ》しました。きのうおれが言ったとおりに病院は焼けちまった。退職金の件、よろしく」

「いずれ、ちゃんとしますから……」と夏江は答えた。

「おれ、すぐ埼玉に疎開《そかい》します。せめて五月分の給料だけでも貰《もら》いたいね」

「いま、それどころじゃないでしょう」と神谷昌子が脇《わき》から口を挟《はさ》んだ。「病院はまる焼け、事務長さんが後始末で忙殺されてるの、見ればわかるじゃないの」

「おれは、事務長さんに言ってるんだ」と、伊田角次郎は一歩も引かなかった。「きのう、ちゃんと申し入れしてたんだ。責任ある回答をもらわなきゃ、引き下がれないね」

「責任は持ちます」と夏江は言った。「こんな状態だから、今すぐには困ります」

「無理なんか言ってないですがな。おれはきのうまでしっかり働いたんだ、その報酬を払えと言ってるんですがな」

「ですから……今すぐには……」夏江は喘《あえ》いだ。

「勝手な人だね、あんたは」と昌子は癇癪《かんしゃく》をおこした。「おお先生は重傷、職員の四人は死亡、患者は全員退院、職員は全員解雇。そのさなかに、あんただけの面倒は見られないの。あんた、情《じょう》ってものがないの？」

「解雇だって？　おれは聞いてねえ。通告を受けてねえ」

「いま通告します」と夏江は言った。「けさの空襲が予想外にものすごくて、病院が壊滅したもんですから……」

「解雇と退職じゃ退職金に差があるでしょう。おれは、解雇される前に退職を申し出ていたんだから、解雇はできねえはずだ」と、くだくだ言う伊田角次郎を昌子が何とか追い払ったあと、ほかの職員たちからも給料退職金をどうするかと質問が出て、夏江は応対に追われた。

太陽が昇るにつれて、蒸し暑い南風がつのり、死骸から異臭が流れ始めた。ともかく棺に納めようということになり、五郎が製作を引き受けた。幸い彼の仕事場は着弾をまぬがれ、板や角材の備蓄もそっくり残っていた。三体には普通の棺が、丸く固まったフクのためには箱型の棺桶《かんおけ》が作られた。

おとめ婆《ばあ》さんには身寄りはいなかった。朝鮮人の朴《ぼく》は単身で来日した三十歳の男で朝鮮京《けい》畿《き》道《どう》にいる家族に死亡通知を出すことにした。伝習生の花田の家族は高崎に住んでおり、フクの両親は八丈島から本郷霊雲寺に疎開していたが、電報電話が杜絶《とぜつ》していて即刻の連絡が取れない。結局、神谷昌子事務員が高崎へ、鶴丸看護婦が本郷へ出向いて通報することになった。

いとの消息をたどって、夏江と勇は連れ立って、心当たりの大日本婦人会員宅を訪ね回ってみたけれども、これはと思う会員の家は焼失していたり、全家族が疎開して家が封鎖されてあったりで、さっぱり手掛かりが得られない。慶応義塾前の平吉の下宿は焼け残っていたが、本人はきのうから帰っていなかった。下宿の親父《おやじ》は、あの人は、しょっちゅうそんな生活だ、どこかに遊びに行ってんでしょう、そのうち戻りますよと、笑って気にも留めていない様子だった。

夏江と勇が大松寺に戻ってみると、病院の職員たちは全員が立ち去ったあとで、本堂に四つの棺が寂しく安置されてあるだけだった。病院の焼け跡では五郎が一人で後片付けをしていた。繃帯を巻いた頭を振り立て、防空壕《ぼうくうごう》の入口をふさぐ瓦礫《がれき》をシャベルで取り除いている。二人も五郎を手伝いだした。コンクリートの扉《とびら》を開くと、顔を焼く熱気に襲われて一同は飛び退いた。こわごわ覗《のぞ》くと、奥は噴火口の底さながらに赤く熟していた。「まだ燃えてやがる」と勇が言った。「水を注入しねえと入れないな。この分じゃ倉庫もやられたろうな」

ポンプ車を運んできて、三人が協力して水を掛けた。白煙と蒸気が爆発したように噴出してきたが、やがて鎮《しず》まった。ぬるぬるとする土を踏みしめて一同は、焦《こ》げ臭い壕内に入った。懐中電灯の光の輪のなかに、焼け爛《ただ》れた寝台や自家発電装置などが現れた。発明研究室の扉の前に積み上げた炭俵が熾火《おきび》となっていたのに水をかけた。倉庫の扉は焼け落ちて、蒲団《ふとん》や毛布が融《と》け合った塊となって燻《くすぶ》っていた。

　勇が思慮深げに言った。

「食堂と炊事場の火が南の入口から、病棟の火が東のトンネルから吹き込み、西の出口が煙突になった。つまり竈《かまど》の役目を壕がはたしたわけだ。ここにじっとしていたら、全員蒸し焼きだった」

　五郎が項垂《うなだ》れて、頭を両手で抱えた。

「絶対安全な防空壕を作ったつもりだったんだ。出口は多いほうが待避に便利だと考えたんだ。だけどよ、それがかえって裏目にでたようだ」

「いや、そうともいえない。出口が多かったから、いざという時、避難できた、とも言える」

「そうよ」と夏江が五郎を慰めた。「壕内にいた全員が無事だったんですもの」

「おかしいな」と勇が発明研究室の扉に触って首を傾《かし》げた。「こいつがちょっと開いてる。把手《とって》が焼き切れたのかな。いや、違う。鍵《かぎ》が掛かっていない。誰かが開いたんだ」と彼は把手をかちゃかちゃ動かして扉を閉めてみた。蝶番《ちょうつがい》の具合を調べ、把手のうえの補助鍵に触ってみた。「要するに、鍵が二つとも掛けてなかったわけだ。中に入れないかな」

　勇が音頭を取り、三人が体当たりして鉄扉《てつぴ》を押してみたが、向こう側でつかえて開かない。扉を覆《おお》うように置かれたレントゲン撮影機が邪魔をしている。

「ドアが開いていたとすると、中にも火が入ったかな」と勇が扉の十センチほどの隙間《すきま》から懐中電灯で中を照らした。「よく見えねえ。もう一つのドアから入って見よう」

もう一つの入口は、各辺二メートルのコンクリートの立方体につく鉄扉である。立方体は外来棟の跡、ベッドや外科機材や電線の、ごたごたと重なる上に、大きなサイコロのように建っていた。鉄扉には鍵が掛かっていた。すると、五郎が、肩にさげていた布袋を勇に差し出した。「おお先生のだ。こんなかに鍵が入っていねえかな」勇は袋から鍵束を取り出し、まず把手の鍵を解いたが、なおも補助鍵が掛かっていた。扉を勇が開くとき、夏江は、きのう利平が宝箱の蓋《ふた》でも開くように得意げに扉を開いた手付きを思い出した。それは、なんだか夢のなかの別天地、遠い過去の出来事のように思われる。

勇は爆薬庫の扉でも開くように慎重に扉を開いたが、防空壕のように熱気が吹き出すこともなかったので、「こっちには火が回っていないようだな」と中に入った。勇に続いて五郎と夏江が懐中電灯をたよりに螺旋《らせん》階段を降りた。レントゲン撮影機、医薬品の箱、蓄音機などが無瑕《むきず》でしっかりと残っている。さすがの猛爆もここまでは破壊できなかった、利平の地下要塞《ようさい》はさすがに堅固だと夏江は感心した。

収蔵された発明品の無事を確かめるように端から吟味していた勇が、何かに蹴躓《けつまず》いたらしくあっと声をあげた。「大変だ」と切迫した叫びになる。五郎と夏江が走り寄る。床に異様なものが横たわっていた。二人の人間が、床を搔《か》きむしるような形で倒れていたのだ。一目でいとと平吉だとわかった。勇は二人の脈をつぎつぎに取ってみて、「死んでる」と喉《のど》を摑《つか》まれたように呻《うめ》いた。

いとはモンペを着て防空頭巾《ずきん》を被《かぶ》り、平吉は警防団服を着て鉄兜《てつかぶと》を被っていた。つまり二人とも防空装備で身を固めていた。衣服にも顔にも焼け焦げはなく、血色のいい肌《はだ》は生きているようにつやつやしていた。試しにいとの頬《ほお》に触ってみると冷たい。夏江はやっとそれが屍体《したい》なのだと納得した。

「どうしたのでしょう」夏江は勇を振り向いた。

「薬を飲んで自殺したかと思ったが、そうでもなさそうだな」と勇が言った。「ほら、ここにレントゲン装置を動かした跡がある。防空壕側に逃げようとしたのだが、煙に巻かれて、窒息したとも考えられる」

「でもどうして、二人がこんな所に……」と夏江は絶句した。

「決まってるじゃないか」と五郎が犬歯を剝《む》き出しにすると、毒々しげに言った。「地下で逢引《あいび》きをしていやがったのさ」

「なあ五郎さん」と勇が尋ねた。「この人たちは前から研究室を利用してたのかね」

「おお先生の入院中は、時々使用していたようだね。退院後は発明品の運び入れがあったもんで、遠慮していたが、こんところその集積作業が一段落していたし、とくにきのう、おお先生が、発明品をみんなに自慢して見せたあとだから、ひと安心してまた使用し始めたと、こうおれは思うね」

「そうだとすれば、密会中に空襲となり、あわてて逃げようとしたが、存外に火の回りが早かったんで、逃げ遅れたというわけか」

「ノブの本鍵はおいとさんも持っていたけど、ドアの補助鍵を持ってるのはおとうさまだけでしょう。それなのに、どうして入れたんでしょう」と夏江は不思議がった。

「たしかにおかしいな」と勇が腕を組んで考え込んだ。「おお先生が鍵を掛け忘れたか。それとも、おいとさんが補助鍵の合鍵を持っていたか」

「それに、二人とも、どうして待避しなかったのかしら。ここにいると地上のサイレンは聞こえないにしても、すぐ隣の防空壕には大勢が待避していて騒がしかったから気付くはずなのに」

「二人ともぐっすり寝込んでたんだろう」と五郎が言った。「よろしくやって、ぐっすり寝込んでいて、気がついた時は火が回っていた」

「それとも、ここのほうが安全だと思ったか……」と勇。

「なんてことでしょう」と夏江は涙ぐんだ。「おとうさま、このことをお知りになったら、どうお思いになるかしら……」と、ハンカチと手拭《てぬぐい》で遺体の顔を覆った。

勇がいとを抱き上げて外へ運んだ。しかし、肥《ふと》って図体の大きい平吉は剛力の勇にも抱き上げられず、しゃがんだ勇の背に平吉を乗せて背負わせ、五郎と夏江が尻《しり》を押し上げながら、やっとのことで地上まであげた。道を行く人々は二人の屍体を見ても、別に不審とも思わず通り過ぎていく。屍体など被災地のあちこちに転がっていて珍しくもないのだ。大松寺から担架を持ってきて、二体を本堂まで運んだ。

五郎がひとっ走りして唐山博士を呼んできた。博士は遺体を見るとすぐに、「これは、一酸化炭素中毒ですな」と言った。脈を取り、聴診器を胸に当て、それから濡《ぬ》れ手拭でいとと平吉の顔を拭って、しげしげと眺《なが》めた。

「皮膚が赤いでしょう。これは一酸化炭素と結合したヘモグロビンの色なんです。一酸化炭素は赤血球のヘモグロビンに対して、酸素よりも三百倍も親和性が強くて、赤血球の呼吸作用をさまたげるんです」

そう言われてみれば、二人の顔や手の平は赤インクで染めたように異常に赤かった。

「夫人の死か。時田君には大打撃だな。上野さんも気の毒なことだった。しかし、防空壕内での一酸化炭素中毒は現今、非常に多いんだな。防空壕の通風の便を考えねばなりませんな」博士はいとと平吉に合掌して、長い間瞑目《めいもく》していた。

博士が帰ったあと、五郎はいとと平吉のために棺を作ってくると言い、仕事場に去った。勇は夏江を、「ちょっと気になることがある。現場をもう一度よく見ておこう」と誘った。

すでに日は徳川邸の森の彼方《かなた》に沈み、焼け跡はすっぽりと影のなかに沈んでいた。勇は地下室に降りると、要所に蠟燭《ろうそく》を点《とも》し、全体がよく見えるようにした。

「まず気になるのは、上の入口の鍵がノブの本鍵もドア上部の補助鍵も、ふたつとも掛かっていたことだ。ところがおいとさんの遺体のそばには本鍵しか落ちていなかった。これはどういうことか。それともどこかに補助鍵が落ちているか」勇は懐中電灯を片手に室内を捜し始めた。夏江も手伝った。長椅子《ながいす》、テーブル、棚《たな》、レントゲン撮影機の下と、丹念に捜し回ったが発見できなかった。

「するると、こういうことになるかね」と勇は腕組みして言った。「おお先生が補助鍵を掛け忘れたため、おいとさん、もちろん平吉さんでもいいが、二人は本鍵で地下室に入れた。ところが、逃げようとしたら、上の扉の補助鍵が閉まっていた。で周章狼狽《ろうばい》、下の扉から逃げようとして、煙に巻かれた」

「でも、そうすると、誰かが、二人が地下室に入ったあとで、補助鍵を閉めたことになりますわ」

「そうだ。補助鍵を持っているのは……」

「おとうさま」夏江はびっくりして口を手の平で覆った。

「きのう、われわれの前で、おお先生は御自分で補助鍵を掛けたね。だからそのあとで、御自分で補助鍵を解いた。おいとさんか平吉さんは、何かの拍子にそのことを知り、これ幸いと地下室に潜入して密会をした。そのあいだに、おお先生が補助鍵を掛けた」

「でも下のドアは開いてました。二つの鍵が掛かっていませんでした」

「こちらは大きなレントゲン装置でふさがれていたから出られない。装置は重くて男数人が力を合わせるか、搬入の時使った特殊な運搬機を使わないと、動かせない。運搬機はここにはなかった。おいとさんと平吉さんで何とか動かした形跡はあるが、それもやっと十センチほどだ」

「それでやっと鍵穴に手が届いて、ドアを開いた……」

「あるいは、最初から鍵が掛かっていなかった」

「きのうも父は、炭俵に邪魔されてこのドアの鍵は確かめませんでしたものね」

「そうだったな」

「二人は上からは逃げられず、仕方なしに下から脱出しようとして、力尽きてしまった……」

「その線が一番もっともらしいね。上から逃げられなかったのは誰かが補助鍵を掛けたからだ」

「おとうさまに限って、そんな恐ろしい企てはおできにならないわ」

「でも動機はある。おいとさんと平吉さんの不義密通については先刻御存知だったし、そのことでおいとさんとの間に諍《いさか》いが絶えなかったし、平吉さんにも辛《つら》く当たっておられた。麻薬中毒にまでなって、本当に死ぬほどの苦労もなさった。松沢退院後はおいとさんは表面は身を慎んでいたが、機会があれば平吉さんと縒《よ》りをもどそうと窺《うかが》っていた。おお先生はわざと、その機会を作り、二人を誘い入れた。警戒警報……いや空襲警報となってからかも知れないが、おお先生は二人を閉じ込めるため補助鍵を閉めた……」

「やめてください。そんなこと考えたくもありませんわ」

「やめよう」と勇はあっさりと頷《うなず》いた。「おれもそんなことを考えたくない。もっと精密に探索すれば、どこかに補助鍵が落ちているのかも知れないしな。もし二人が補助鍵も持っていたとすると、事情はまるで変わってくる。上の本館は火の海、隣の防空壕も火の海だと知った二人は、わざと隣へのドアを開いて窒息死した、つまり心中したということになる。まあ、この件に関しては、職員たちは解散してしまったし、こんな際だから警察も問題にする気遣いはない。防空壕内で一酸化炭素中毒をおこした人なんて、唐山先生が言うようにたんといるだからねえ」

「病院ではこれで六人も死んだ……」

「そう、この近所でも何人も死んでるだろう。だから幸か不幸か、この二人についても、誰も深くは追及しない。黙ってれば忘却の彼方に葬《ほうむ》られる」

「そうですわね」と夏江はこっくりしたものの疑問が解けたわけではない。事の経過に不審が多く、考えれば考えるほど混乱してくるのだ。そのうち考えが錆《さ》びついたように働かなくなった。体の動きも水中にでもいるように鈍い。疲れ切っている。そもそも、きのうから一睡もしていないのだ。

「夏江」と義父らしい威厳を見せて勇が言った。「お前は疲れている。すこし眠ったらいい。いや、おれも疲れた。寺で少し休ませてもらおう」地上に出ると勇は扉の鍵を二重に掛けた。それから、防空壕内に降り、そちらの鍵も掛けた。

「わたし」と夏江は大松寺の山門前で立ち止まった。「ちょっと、おとうさまの様子を見てきますわ」

「やめときなさい。今、お前が行っても役には立たない。あっちは勝子にまかせて、今は休みなさい。お前が倒れてしまったら、これから先、病院の後始末やおお先生の看病を誰がするんだね」

「はい、そうですわね……」夏江は、もう何も考えられず、従順に勇のあとに続いて山門をくぐった。庫裏《くり》の廊下に来たとき、砂山が崩れるようにへたへたと膝《ひざ》を突いてしまった。勇が抱え起こしてくれた。「大丈夫ですわ」と言いながら、ふらふらと歩み、座敷にたどりつくと倒れた。誰かが夏掛けを掛けてくれたのを感じながら、すっと奈落の底に落ちて行った。

「警戒警報だ」と勇に肩を叩《たた》かれた。もうすっかり夜である。「御住職が防空壕に入ったほうがいいと言っておられる」

「何時ですの」

「十時過ぎだ。敵機の多数が房総方面から接近中だ。目標は帝都らしい」

夏江は洗面所へ行き、煤《すす》にまみれた顔を洗い、髪をととのえた。眠ったせいで幾分生気が顔によみがえったかに見える。空腹を覚え、水道の水をがぶ飲みした。空襲警報のサイレンが鳴る。きのうと同じく、B29の爆音がすぐさま迫ってきた。高台の高射砲が轟《とどろ》く。鉄兜にゲートル姿の住職が走ってきて、「待避、待避」と叫んだ。読経《どきょう》で鍛えたなめらかな声音だ。五郎が現れ、「夏江さん、防空頭巾は?」と尋ねた。思い出せない。どこかへ置き忘れたらしい。「おれの鉄兜をかぶりなよ」と五郎は自分のを夏江の頭にのせると、「敵機が真上だよ。大急ぎで壕に入れ」と夏江の手を引きながら走った。近くで焼夷弾《しょういだん》の炸裂音《さくれつおん》がして赤い火の手があがる。「またもやこの辺りを狙《ねら》って来やがったな」と勇が言った。

蠟燭《ろうそく》を点《とも》した壕内には住職と住み込みの爺《じい》やと婆《ばあ》やがいた。住職は経を唱えている。その平静な声が外の騒音をなだめてくれ、夏江はほっとした。ふと、夏江が言った。「おとうさま、どうしていらっしゃるでしょう」勇が言った。「お前が寝ているあいだに、勝子が報告に来たが、意識は大分はっきりしてきたそうだ。それにあそこには職員患者全員を収容できる防空壕があるそうだから、安心してくれということだ」外が昼のようにあかあかとしてきた。五郎が壕から出て言った。「敵さん、御苦労なこった。きのうの焼け跡をまた爆撃していやがる」

夏江も外に出てみた。時田病院の焼け跡に数本の火柱が立ち、人々が逃げ回っている。おそらく焼け跡なら安全だと避難した人たちだろう。電信柱が火に包まれ、旗のように風に炎をはためかしている。例によって路上は避難の人々で混雑しだした。彼らの上に大きな火の幕が覆い被さると悲鳴があがった。しかし不思議なことに、寺の山門までは火が迫ってこない。境内は薄気味悪いほどに、暗い静もりに閉ざされている。勇は寺の裏手の斜面を登っていき、高い所から偵察《ていさつ》しながら大声で報告した。「東南の風が強いぞ。風速十メートル以上。敵の高度二千か三千。お、白金《しろがね》方面が火の海だ。慶応義塾も燃えている。この分じゃあ、済生会病院もやられてる」

敵機は、おのれが切り裂いた街衢《がいく》の血潮を浴びたように、血まみれとなった翼や胴体を光らせて、つぎからつぎへと飽きもせず連なっている。胴体の腹をばらりと開くと、無数の赤い毒虫を産み落とし、毒虫は残忍な雄叫《おたけ》びをあげて襲いかかって来る。空一杯にひしめいている敵機の数は、きのうよりも多いくらいだ。いったいどこから湧《わ》いてくるのか。どのような経済力と精神力に支えられて、こうも執拗《しつよう》に攻めて来るのか。ただただ呆《あき》れるばかりだ。

奇妙な円盤が飛んでいる、と見えたのは月であった。敵機がひとわたり通りすぎたあと、意外に静寂で広々とした夜空が残り、そこに満月と星が止まっている。なんと美しい夜空かと感銘を受けているうち、またもや、うんざりする敵機の襲来だ。まがまがしい血まみれの凶器の群れで空が満ちてくる。

四周が炎上しているのに、寺町一帯には別世界の孤島のように被害がない。なぜだか知らないが、敵機は避けて通って行く。夏江の心に、何だかここだけは焼けないという安心感が根づいてきた。彼女は壕の中に入り、ベンチに腰を下ろした。「どんな具合ですかな」と住職が読経をやめて尋ねた。

「きのうよりも大規模の空襲ですわ。また大勢の罹災者《りさいしゃ》と死者が出たでしょう」

「ああ、ナムアミダンブー、ナムアミダンブー」と住職は手を合わせた。

「あのう、こんなことをお聞きしてよろしいでしょうか。御住職さまは疎開《そかい》なさいませんの」

「妻子は群馬のほうに疎開させましたが、わたしはしません。とても地獄は一定《いちじょう》、すみかぞかし、ですから」

「はあ?」

「末法無戒《まっぽうむかい》の世ですからな。じたばたしても仕方がない。ここで独りで位牌《いはい》と墓を守っている」

「でも被害を受けるおそれが……」

「ありますな。燃えたら燃えたで仕方がない。死んだら死んだで仕方がない。寺なんかいつかは朽ち果てる。人間もいつかは死ぬ。そのいつかが今であろうと、明日であろうと、同じことですわな」

「はあ……」夏江は住職が、たしか利平と同じ、古希に近い年齢であることを思い出した。利平の現世へのすさまじい執着にくらべると、住職は随分と淡白である。

婆やが出してくれた乾パンを齧《かじ》り、出涸《でが》らしの冷え茶を飲んでいると、不意に高射砲の音がやんだ。釣瓶《つるべ》打ちだった轟音《ごうおん》がなくなると、逆に痛いような静かさが鼓膜に迫る。B29の爆音も遠のいて、家々の燃えていく音と風音だけが聞こえた。空襲警報が解除になったのは午前一時頃《ごろ》であった。夏江は、ともかく利平の様子を見に行こうと立ち上がった。勇と五郎は被害の現状を見てくると繰り出した。

利平は防空壕からふたたび病室に移された所だった。

「意識はだんだんはっきりしてきただが、痛みがひどいで、お薬で眠らしてあるだよ」と勝子が言った。

繃帯《ほうたい》には泥《どろ》がこびり付いていた。胸から首にかけて血が滲《にじ》んでいる。こんなに雁字搦《がんじがら》みの繃帯では、さぞ苦しかろうと夏江は同情する。どの程度の熱傷《ねっしょう》なのか想像するだけでもぞっとして、夏江は父から目をそらせた。とにかく今は見たくない、知りたくない、命だけ助かってくれればよいと思う。利平はまだ時田病院の炎上も、いとと平吉の死も知らない。やがてはそれを知らせねばならないが、さて、誰がどうやって知らせるか。六人の葬式を出さねば……そして荼毘《だび》に付さねば……なさねばならぬことが山積している。そう、一番の問題は利平の容体だ。病状が落ち着いてくれれば新田に移して看病してあげたい。幸い、五郎の母、間島看護婦はまだ健在だ。しかし、もし容体が悪化したら……東京には、設備のよい大病院がほとんど残っていないのだ。そして、もしも利平が死ぬような事態となったら……夏江は、考えまいとしても、同じ考えを反芻《はんすう》して、利平の枕元《まくらもと》に坐《すわ》ってまんじりともしなかった。

夜が明けてきた。雲まで焦《こ》げついたように黒っぽく、どんより曇って、一雨きそうな気配である。勝子は眠っていた。ふと透のことが心配になった。目まぐるしい目前の異変に心を奪われてしまい、夫のことを思う余裕がなかったのは、ひどく酷薄な所業だったと自分を責めた。昨夜と今夜の大空襲で中野の予防拘禁所にも被害があったのではと心配になる。近々訪ねてみねばならない。

勇と五郎が来た。二人でざっと近所を回ってきた、唐山病院を含む寺町一帯は無事だが、慶応義塾、田町《たまち》駅、増上寺《ぞうじょうじ》、芝浦埠頭《しばうらふとう》から汐留《しおどめ》駅など、きのう手付かずだった所も、丹念に焼かれてしまい、一面のだだっ広い焼野原で、五郎は、「慶応の丘から芝浦、御台場《おだいば》の海が見える。京浜工業地帯の鉄骨なんかもよく見える」と言った。そうして勇は、「あ、忘れていた」とつぎの報告を夏江の耳に囁《ささや》いた。「そうそう、病院の焼け跡にまた焼夷弾が五、六発落ちて、五郎さんの仕事場も焼けてしまった。発明研究室も直撃を受けて内部に火が入り、何もかも焼けてしまった。おお先生の発明品も全部完全にオシャカになっただね」

10

夏江は黙っている。何から言いだそうかと迷っているようだ。いつもは思い付いた順序で、面会時間が限られているのを呪《のろ》うように早口で話すのに。少し日焼けしたようだ。化粧をしていない肌《はだ》が赤い。目尻《めじり》の皺《しわ》。おや、こんなに皺があったろうか。それに櫛《くし》を入れてない乱れた髪。何かが起こったのだ。

「あなた、とうとう病院が焼けたわ」と夏江がやっと言う。

「全部かね」と、おずおずと尋ねる。

「全部よ」彼女は頬笑《ほほえ》む。誇らしげな報告でもしているみたいだ。何もかも焼けてしまい、さっぱりとしたという口調だ。でも、目は悲しげだ。目尻に集まった皮膚が、泣いたあとのように湿っている。そうだった、いつもと違う異常は眼球にあったのだ。地の澄んだ青白い球面に氾濫《はんらん》した河のような血管がからんでいる。不眠、焦燥、疲労、困惑、不安の軌跡。

「五月二十五日だった?」その日の夜、この中野区新井《あらい》町の高い塀《へい》の中にも、無遠慮に火矢が打ち込まれた。突然、考えもしなかった敵の侵入だった。二人の夜勤看守は、どうしてよいか判断がつかず、房扉《ぼうひ》を開くのがやっとだった。それも、火事より囚人たちを救うためではなく、〝開房〟を要求して騒ぐ囚人たちが焼け死んだ場合に責任を取りたくなかったからだ。二人は上からの指示をあおぐことができなかった。所長をはじめ幹部職員は刑務所の職員クラブで宴会を開いていたからである。何でも司法省行刑局長の送別会とかで酒を飲んでいたのだ。二十人余の囚人たちは外へ走り出ると看守を無視して、火叩きと水と砂とで火を消し始めた。舎房の一角は、奇襲に成功した敵の付け火のような炎に包まれたが、数を頼んだ囚人たちの働きで、たちまち無力な白煙に萎《しぼ》んでしまった。囚人たちは終始、自主的に活躍した。日頃の防空演習の筋書きどおりの活躍だった。そう、それが五月二十五日だった。塀の外でも、火事が発生していた。人々はわめき、家々は派手に軋《きし》んで崩壊していった。塀の中は無事であった。われら囚人軍の凱歌《がいか》であった。翌朝、所長が、「被害を僅少《きんしょう》にとどめえたのは、日頃の訓練のたまものである」と訓示して、囚人たちに頭をさげた。所長がわれわれに最敬礼するなど前代未聞であった。囚人たちは目くばせを交わして笑った。さざ波がひろがるように笑った。久し振りの笑いであった。

「いいえ」と夏江は言う。「二十四日よ。午前一時過ぎよ」

「ああ、前の日もすごかった。ただしこの中野には落ちなかったけどね」

「フクさんが死んだわ」と夏江は怒ったように言う。もちろんそうではなかろうが、声に力がはいり、言葉が怒声のように飛び出してくるのだ。「それから、おいとさん、平吉さん、ほかに職員三人」

「そんなに大勢……みんな死んだのかね」

「みんな死んだわ。おととい、大松寺でお葬式をし、すぐ庭で焼いたの。この節、火葬場は燃料不足で受け付けてくれないから」夏江は看守を見る。看守にとって関係が不明な人間についての会話は厳禁とされているのだ。が、今日の立会い看守は、あまり筆記もせずに、ぼんやりしている。で、彼女は続ける。「おとうさまが大やけど。唐山病院に入院」

「ひどいのかね」

「ええ、かなり。でも何とか命は助かるらしい。今のところ動かせないけど、すこし回復なすったら新田で看病してさしあげようと思ってるの。そうなると、勇おとうさまも、勝子さんも、五郎さんも、みんな新田に住むことになるわ」

「ここも近々……」おれは看守を気にして口籠《くちご》もる。噂《うわさ》によれば六月中に府中刑務所に移転となるらしい。五月二十四、五日の大空襲によって、前から囁かれていたわが予防拘禁所の疎開が急がれている気配なのである。なにしろ、この二日の空襲で宮城、大宮御所、東京駅、新宿駅、銀座の百貨店なども被害を受けた。これで帝都の主な場所はほとんど焼失したことになる。むろん、おれは被災地の惨状を見てはいない。毎日午後七時のラジオ放送の報道と看守たちの会話から想像するだけである。

夏江はまた沈黙に入った。おれが何かをいわねばならないが、先日の空襲以外に何も新しい事実はない。毎日毎日が、シベリアの流刑《るけい》監獄を囲う杭《くい》のように、同じなのだ。

「疲れているようだね」と、おれは言うべき言葉を探し出した。

「そうでもないけど……」と頬笑む。洗い晒《ざら》しの紺の襟《えり》のなかで、白い首が青白くゆがむ。額に垂れたほつれ毛が汗にべったりと濡《ぬ》れている。面会の時には取っておきの紬《つむぎ》を着て、きちんと髪を結って来るのに、今日は違う。おそらく着物も化粧品も焼けてしまったのらしい。

「あなたはどう？　お元気？」

「おれは元気だよ。大丈夫」と微笑を向けてみる。夏江を慰めるにはこう言うよりほかの言葉はない。実のところ、日々に弱っている。栄養物がまるで不足しているのだ。朝は薄い味《み》噌汁《そしる》に〝ほうれん草〟と称する雑草の実、昼は〝ほうれん草〟の煮つけ、夜は葱《ねぎ》の醬油汁。そして大豆と芋の分量が多い〝飯〟。それが毎日毎日、同じ献立なのだ。〝ほうれん草〟に代わって、ふき、わかめ、かぶ、大根が少量入ることはあるが基本に変化はない。一週間か十日に一度、動物性蛋白《たんぱく》が出るが、それもミガキニシンの小さな切り身や豚の皮であり、時には豚の脂身《あぶらみ》の臭《にお》いがするだけのこともある。この〝接見所〟まで歩いてくるあいだ、何度も目眩《めまい》がしてよろけた。

「ごめんなさい。この前頼まれた本、探しだせなかったの。三田の本屋はみんな焼けてしまったし、神保町まで出向く暇がなかった。もっともあそこも軒並み焼けてしまったらしいけど」

「いいよ。官本でまだ読みたいのがあるから」彼女に頼んだのは、頼むことができたのは、岩波文庫の日本文学の古典であったが、むろん本当は、アウグスティヌスの『告白』、ブレークの『抒情詩抄《じょじょうししょう》』、『イミターシヨ・クリスチ』などが読みたいので、それらの差入れが許されないため、仕方がなかった。この予防拘禁所の官本ときたら、ともかく日本精神の作興《さっこう》に寄与するものを中心に集められてあり、今年になっておれが読みえたのは、『古事記』、『日本書紀』、『神皇正統記』、『葉隠集《はがくれ》』、『明治維新史』、『近世日本国民史』などであった。

しかも必読文献とされた『国体の本義』と『臣民の道』の二冊は全員に配られて、それについての講習会や研究会が、絶えず反復されていた。

「日本はツロになるかしらんねえ」彼女は何気ないように言う。

「なるさ、もうすぐだ」とおれも努めて何気ないように答えた。案の定、看守は気が付かない。この五十近い、太った（ああそれだけで彼が不正に肥え太っていることが明々白々なのだ）男は、さっきから魚とアルコールの臭いを発散し、しきりに生欠伸《なまあくび》を噛《か》み殺している。

「あとどのくらい……」

「まあ、二、三箇月か……」それは、おれ独りの意見ではない。囚人たちの、ごく日常の会話のなかで、そして囚人たちの大部分を占めるマルクス主義者どもの理屈っぽい意見のなかで、日本の国力があとどのくらい聯合《れんごう》軍の猛攻に耐えられるかが述べられている。

「そんなに早く……」夏江の顔が明るくなった。今日初めて見せる明るい表情だ。看守は今の会話を聞いていなかった。旧約聖書に出てくるフェニキアのツロの民は異国民に打ち亡《ほろ》ぼされ、大海軍と富の一切を失う。ツロは日本の敗北と戦争終結を示す夏江とおれだけの暗号である。

「あなた、頑張《がんば》ってね」

「きみも……」おれは二人をへだてる金網に近付き、夏江に顔を寄せる。彼女も顔を寄せてくる。看守はおれたちの動作に急に警戒心を掻《か》き立てられ、注意深くおれたちを観察する。しかしおれたちが、彼の面前で堂々と別れの抱擁を行っているとは、彼には想像もできないだろう。おれは右腕のない人間の特技を最大限に行使する。失われた右腕は透明に再生して、金網を越え着物を剝《は》いで、夏江の裸の体を、ほっそりとした肩を抱き、乳房を撫《な》でているのだ。いつの頃からか、夏江はおれの別れの儀式を感じ取り、おれが〝幻影肢《げんえいし》〟を伸ばしていくと、軽く口を開き、身をくねらして応《こた》えるのだった。そして、おれの肉体が現在どんなに瘦《や》せ細っていても、この〝幻影肢〟は太く逞《たくま》しくあるのだ。

看守が時間切れを告知し、おれたちは別れる。夏江の眼差《まなざし》を背後に受け止め、おれは元気横溢《おういつ》した歩きぶりを見せようと、さっさと扉に向かう。しかし彼女の眼差は、おれの囚衣をレントゲン線のように貫き、骸骨《がいこつ》さながらの裸身を見抜いているだろう。おれは背中に彼女の憐《あわ》れみがぴたりと張り付いたのを感じる。陽光のきらめく廊下に出ておれは目眩をおこす。あやうく膝《ひざ》が崩れ落ちるところだった。倒れまいとする。倒れなかった。おれの努力に看守は気がつかない。

「美人じゃないかね」といきなり彼は言う。囚人の妻をほめて恩恵をほどこしているつもり、つまりおれの感謝の言葉を期待している尊大な口調である。おれは囚人らしい卑屈な態度を見せて彼の要望に応えてやる。

「ありがとうございます」

「菊池君には、もったいないような、かあちゃんだな」

「はい」

「大病院のお嬢さんなんだろう。いい暮らしをしているんだろうな」

囚人の身分帳を読むのは看守の特権だ。そこに囚人の家族関係が詳細に記録されてあり、夏江についても彼は一応の知識を仕入れているのだ。しかし〝いい暮らし〟とはどういう言種《いいぐさ》だ。彼はさっきの会話を聞いていなかったらしい。

「病院は焼けました。何もかも焼けて無一物になりました」

「ああそうだったな」と事もなげに言うが、驚きと失望を正直にゆがんだ口の形に示す。

「そいつは残念なことをしたな」

彼は心から残念そうだ。夏江が面会のたびに、鮭《さけ》や牛肉大和《やまと》煮の缶詰《かんづめ》を差入れし、彼はその幾分か（差入台帳を見せてくれないので、どの程度かわからないが）を平然と猫《ねこ》ばばしてきた。それが今日は不可能になり、彼は急におれへの関心を失ったようで、いつもの媚《こ》びるような饒舌《じょうぜつ》をやめ、背後より黙々としておれを追い立てる。

舎房の鉄格子《てつごうし》が閉まると、錆《さび》を撥《は》ねた鋭い金属音は長い廊下をひた走り、律儀《りちぎ》に谺《こだま》を返して来る。ここは、豊多摩刑務所の南の一角を高い壁で囲った、刑務所の中の刑務所、予防拘禁所である。アンデレ十字形に配列された赤煉瓦《あかれんが》二階建は、一見学校を思わせる瀟洒《しょうしゃ》な外観である。すでに三年余の年月、おれはここに拘禁されている。房の鉄扉《てっぴ》が閉められた。ここではすべての扉がそうだが、閉めれば自然に鍵《かぎ》がかかり、外側から鍵を使う以外にそれを開く方法がない。

おれは自分の独居房をしげしげと見回す。もう馴《な》れてしまってそんなことはしないのだが、夏江に会ったあとは彼女の目でおのれの住居を珍しげに見てしまう。この監房こそ、予防拘禁所が一般の刑務所とは画然と違う場所だということを示すために、わざわざ作った特殊な監禁施設なのだ。通常の刑務所の、広さ三畳ほどの独居房の壁をくりぬいて、二部屋を持つ監房が作られ、一室はベッドのある青壁の寝室、もう一室は机と椅子《いす》のある乳白色の勉強ないし作業部屋になっている。おれは椅子に腰をおろす。不意に便意が下腹をしぼりあげ、我慢できなくなる。けさから四度めである。数日前から下痢気味だ。椅子の蓋《ふた》を開くと便器が現れる。尻を出して力む。予感したとおり便意だけは強いが水っぽい便がちょっぴり出ただけだ。固形物は出てこない。固形物になるような食事ではないのだ。藁《わら》の束で肛門《こうもん》を拭《ぬぐ》う。紙は貴重品で使う気になれない。たとえ新聞紙の端切れであろうとも何かの役には立つのだから。

机に向かう。作業をする時間だが、今年になって、つまり空襲がひどくなってから、封筒張りの材料の紙がなかなか入ってこない。やっと紙が入ると糊《のり》がない。そうして春からは、中断したままだ。数人の者は農耕作業に狩り出されて、太陽の残酷な光に焼かれながらのろのろと草取りをしている。麦藁帽子から伸びる腕は一様にやせ細っている。針金細工の案山子《かかし》のようだ。

「菊池君」と隣房から声をかけられた。伊川憲次だ。この高名なマルクス主義者とは、二・二六事件のさなかに東大セツルメントで会い、昭和十七年の二月におれが予防拘禁に付されてここに来た時に再会した。彼はセツルメントでおれの看病を受けたのを感謝しており、おれには親しげに話しかけてくるのだった。ここの囚人には共産党員やマルクス主義者が多く、伊川憲次は彼らから先生と呼ばれて尊敬されていた。しかし持病の肺結核がすすみ最近ではほとんど寝たきりである。

「はい」とおれは窓辺に寄る。

「面会はどうだった」

「女房です。女房の里が焼けたそうです」

「いつ、どこだ」

「五月二十四日、芝区三田綱町です。芝、麻布、赤坂、品川一帯は全滅だと言ってました」

しばらく彼は黙っている。東京の地図を赤鉛筆で塗り潰《つぶ》しているのだろう。彼は毎日午後七時のラジオを注意深く聞き、所長、看守、教誨師《きょうかいし》、面会人などからえたあらゆる情報をもとに東京罹災《りさい》地図を作っている。これまでの空襲によって東京市街の三分の一が焼失したというのが彼の推定である。焼失区域のなかには軍需工場のすべて、下請け工場のすべてが含まれており、もはや日本の戦闘能力は無に等しいという。

「東京の空襲はこれで止《とど》めを打たれた。つぎに来るべきものは本土上陸だ」と伊川憲次は、この人の癖で、本でも読むように抑揚のないしかも文章語のような口調で言った。

「それはいつになるでしょう。沖縄はもう断末魔ですね」

「もう持ち堪《こた》えられぬ。あと二、三週間、おそらく六月中には米軍の手に落ちるだろう。それから、米軍が陣容を建て直すのにどのくらいかかるかを推定すると、この夏か初秋か、そんな見当だろう」

「本土決戦となれば、厖大《ぼうだい》な死傷者が出るでしょう。われわれもむざむざと殺される運命ですかな」

「政府が利口ならば、その前に降伏という道が残されている。ドイツのように、首都に攻め込まれてから降伏では……」

看守の足音が近付いてきたので、二人は黙った。おれは徳富蘇峰《とくとみそほう》の『吉田松陰』を開いて読む振りをする。


西日があけすけに房内を焼き、暑さが耐えられぬほどになった。汗がじくじくと染《し》みだし、たちまちシャツを濡れ雑巾《ぞうきん》に変えた。汗をかくたびに、塩分が、すなわち生命が流れ出していく不安がある。汗の臭いを嗅《か》ぎつけたのか銀蝿《ぎんばえ》が羽を光らせて飛んで来る。おれの体が腐り始めているのか、どうもおれだけに蠅が群がり寄る感じである。その反面、蚊の来襲が少なくなった。一匹二匹窓より入ってはくるが、血の気のないおれを選別して近寄ってこない。おれは自分の細い腕を誰かの屍体《したい》ででもあるかのように薄気味悪げに見る。

おれの意識は半死の肉体を抜け出し、ふわふわと空中を漂っている。体が異形《いぎょう》のものに成り代わっていくのに、意識は明確で健康で整っており、しかも素早く回転していく。断食《だんじき》行者の意識はかくもあらんか。

この予防拘禁所が、東京市中野区新井町にある豊多摩刑務所の東南隅の一区画に作られたのは昭和十六年の五月であったと聞く。三・一五事件および四・一六事件関係者が刑期満了で釈放された場合、彼らのうちの非転向者を拘禁し続けるために、つまり反政府運動者の自由を剝奪《はくだつ》し社会から隔離するために新設された施設であった。が、大東亜戦争の勃発《ぼっぱつ》は、共産主義者と社会主義者のほかに戦争反対の平和主義者をも予防拘禁所に監禁する必要を生じた。おれのようなキリスト者が、「国体ヲ否定シ皇室ノ尊厳ヲ冒瀆《ボウトク》スヘキ宗教活動ヲ行ヒシ」かどによって、十二月九日の早朝逮捕され、最初はジョー・ウィリアムズ神父とともにスパイ活動を行ったと追及されたものの、その事実を証明する証拠が発見されず、ウィリアムズ神父は交換船で追放帰国の決定を受け、おれのほうは、天照大神《あまてらすおおみかみ》や天皇よりもエホバやキリストを信じ、国体を否定する危険分子であるとの判決を受け、翌年の二月中旬、ここに収容されたのだ。予防拘禁の期間は一応二年とされていたが、治安維持法第五十五条の「特ニ継続ノ必要アル場合ニ於《オイ》テハ裁判所ハ決定ヲ以《モッ》テ之《コレ》ヲ更新スルコトヲ得」という規定にのっとり、おれは、さらに「罪ヲ犯スノ虞《オソレ》アルコト顕著ナル」者と断罪され、去年の二月〝更新〟の決定を受けた。つまり、無期刑に処せられたも同然である。

　ところで、予防拘禁所は犯罪者を収容する刑務所ではなく、国の方針に従わず、国体の尊厳を理解できない憐れむべき無知蒙昧《もうまい》なやから、および今次大東亜戦争の意義を認めない非国民の思想改善を実行する修練道場という建前で運営されていた。したがっておれは一般懲役囚の着ている赭衣《しゃい》ではなく、青色の作業衣と茶褐色《ちゃかっしょく》の縞《しま》の普段着を給され、「ここはお前の思想を改造するための施設である。お前が自分の思想の誤りに気付き、改悛《かいしゅん》して転向を誓えばいつでも出られることを忘れるな」と申し渡された。

刑務所にぶちこまれて強制労働を科せられる懲役囚の毎日を予想していたおれは、この予防拘禁所の一風変った臭みに戸惑った。刑務所では〝通声〟と言って厳に禁止されていた囚人同士の談話も、過度にわたらなければ自由であった。ただし談話の内容は〝官〟に報告する義務があったし、囚人内部のスパイによって密告される危険は常にあった。時間を限って新聞の閲覧も許されたし、毎晩七時のラジオのニュースも聴けた。所長は父、職員は兄、囚人は弟とする家族主義的思想改善が目標であると説かれ、職員は囚人を呼ぶのに、姓の下に〝君〟を付した。今まで留置場でも拘置所でも権高な職員から呼びつけにされ、怒鳴りつけられるのに慣れていたおれは、ここへ来て「菊池君」と朋輩《ほうばい》のように呼ばれた時は、その異様さに虫酸《むしず》が走る思いがしたものだ。毎日を規律正しく過ごさせるために、いろいろな〝労作〟が科せられた。おれも当初やらされた藺草《いぐさ》を使った買物籠《かいものかご》作りのほか、農耕作業、掃除や汚物処理の雑役、図書館や経理の事務などがあった。職員は刑務官の制服を脱ぎ、帯剣拳銃《けんじゅう》による武装もやめ、背広や国民服の平服で勤務して、看守ではなく、〝教導〟であるとされ、囚人たちは看守を先生と呼ぶように指導された。そうして、労作のほかに、日本精神を基調とする研究題目を選定して、〝訓育〟が行われた。所長を始め、教導が先生となる講座が開かれ、日本精神に関する講話、国史や礼法についての講義、書道・短歌・俳句の会、映画の上映、レコード鑑賞、外来講師を招聘《しょうへい》しての講演会や座談会の開催と学校のような様相も呈していた。

訓育の中心思想として、講座で重んじられたのが『国体の本義』である。昭和十二年三月三十日文部省発行の、12ポの大型活字で組まれ、わずか百五十六ページの薄っぺらなこの本は、『古事記』と『日本書紀』に記された神話による日本の〝肇国《ちょうこく》〟を認め、日本は神によって自然に始められた国であり、神の末裔《まつえい》である天皇によって統治される〝神国〟であると説いている。また日本人である以上、この肇国の精神を尊び、神国に生まれたことを感謝し、天皇には絶対服従しなければならないとも説いている。

この『国体の本義』の思想がおれには全く受け入れられなかった。

まず創世の問題がある。おれはキリスト者として万物が神によって造り出されたと信じている。創世記に記載されたように万物が神によって六日のうちに造りだされたなどとは思わない。三日目に太陽が造られたという記述を読むだけで、この〝日〟が太陽の二十四時間を示すものでないことは明らかである。創世記が文学であり、比喩《ひゆ》に満ちた文章であることを読み取れば、ここで重要なのは、万物が神によって造り出されたことだけである。しかもその神は唯一《ゆいいつ》の絶対神である。

ところで生物については、それが神によって〝一度に〟創造されたものではなく、進化によって〝長い年月〟のあいだにもたらされたのだから創世記は間違いであり迷信だとする論者がいる。しかしこの議論の立て方が誤謬《ごびゅう》なのだ。創世記を鵜《う》呑みにして神が万物を〝一度に〟創造したと主張するような頑固な創造論者は今時見当たらず、そのような架空の創造論者を敵視して論を立てることが、そもそも架空の議論なのだ。他方、進化論は、それ自体は究極の真理ではなく、あくまで科学の学説であって、すべての学説が仮説を含み、たえず改変されていくように、将来の学説の変化や進展を見込まれるのだ。進化論はさまざまな生物の関係や変化を対象とする仮説によって成り立つ学説である。しかも進化論はなぜ進化が行われたかという、進化の理由や目的については何も主張できない。科学は出来事の経過を記述し推測するだけで、出来事がなぜおこったかという理由や目的については無力である。進化に理由や目的を認めるのは信仰の問題であって、科学を越える領域に足を踏み入れることになる。進化論は、何百万年前に人類が発生した理由については何も述べられない。進化論が提示できるのは結果のみである。長い進化の末に、何百万年前に人類が発生し、人類が精神をそなえるに至った結果に、神の目的性、はっきり言って、神の摂理を認めるおれは、それが科学の枠内《わくない》にとどまっている限り進化論の示すすべての関係や変化や仮説を、あらゆる科学に対すると同じように幾分の懐疑を抱きながら認め、しかもそれがおれ自身の信仰と少しも矛盾しないと思っている。

　ところが、『古事記』でも『日本書紀』でも、天地が出来たあとに神が生まれると説いている。天地万物を造った神ではなく、天地のなかに、何か被造物のように生まれてきたのが、『古事記』の天之《あめの》御中主神《みなかぬしのかみ》、日本書紀の国常立尊《くにのとこたちのみこと》である。しかも、この神々のあと幾柱の神々が生まれたあと、神々の子孫である伊《い》弉諾尊《ざなぎのみこと》と伊《い》弉冉尊《ざなみのみこと》が天《あま》の沼《ぬ》矛《ぼこ》によって、まず大八《おおや》洲《しま》を生み、山川草木《さんせんそうもく》神々を生み、さらにこれらを統治する天照大神を生み、天照大神は皇孫瓊瓊《にに》杵尊《ぎのみこと》を降臨させ、神勅《しんちょく》によって君臣の大義を定めたとしている。

　ここで問題なのは、神々の子孫が造ったのが大八洲、つまり日本だけで世界のほかの大地や国々がまったく視野に入っていないことである。それは日本国内向けの、日本だけに通用する神話であって、全世界における普遍性を持たない。

しかもこの特殊な神話によって日本は天照大神の子孫である天皇が統治する神国とされ、さらに天皇は神の子孫であるから神の属性を持つ現御神《あきつみかみ》または現人神《あらひとがみ》であって人間ではないとされる。天皇は永久に臣民と国土の本源であって、限りなく尊い。だから、帝国憲法第一条に「大日本帝国ハ万世一系《バンセイイッケイ》ノ天皇之ヲ統治ス」とあり、第三条に「天皇ハ神聖ニシテ侵スヘカラス」とあるのは、天皇の本質を明らかにしたものであるというのだ。

おれは天皇を神とする思想について行けない。キリスト者であるおれにとって、神は主である唯一神でなければならない。主は万物を創造した、地球も星も全宇宙も、もちろん人間を含めて地上のすべての生物を、その進化の全過程を創造した。進化論は主の御技《みわざ》のほんの一部を照射しただけであり、創世記はその信仰の象徴的表白である。この一神以外に神はない。存在するものすべての源泉、創世記の冒頭にあるように、闇《やみ》、darkness から光、light を創造した。この光こそがおれの神体験であり、それはわが信仰を支える歓喜であり、山の中で谷に懸かる美しい虹《にじ》を見た時、洗礼をうけた時、八丈富士に登った時などに強く身に覚え、その歓喜がおれの信仰を支えている。特に、八丈富士の頂で、ジョー神父と海と空と風のさなかで感得した歓喜は忘れられない。神、有《あり》て存《あ》る者、I am that I am. を全身全霊をもって知った喜び、それがおれを支えてきた。おそらく、この歓喜の最大のものを体験し、それを福音として宣《の》べ伝え、いかなる困難にもひるまず、ついにおのが命を捨てた人こそ、あの方、イエス・キリストである。進んで受難の苦しみを受けながら、それに耐えるだけの歓喜をあの方は失わなかった。おれが、竹刀《しない》で殴られ、逆さ吊《づ》りにされ、爪《つめ》を剝《は》がされる拷問《ごうもん》のさなかで呻きのたうちながらも何とか耐えたのは、あの方に較《くら》べれば自分の苦しみなど、いかほどのこともないという事実であった。

ところが、日本の神話の神々に対して、おれはこの歓喜を感得できない。天地のなかから生まれ、自然のなかから生まれた神とは、ましてその支配圏が日本だけだという神には、被造物である自然に対する程度の感動しか覚えないのだ。

しかしまさしく、おれのこの感覚を予防拘禁所の教導は突いてくるのだった。

「菊池君は、天皇陛下とキリストとどちらをより偉いと思ってるのかね」

何度も同じ類《たぐい》の問いに出会ったのでおれは答を用意している。

「天皇陛下は日本の国主であらせられますから、心より尊敬申しあげております。しかしキリストは信仰の主でありますから、やはり尊敬しています。天皇陛下のものは陛下に、キリストのものはキリストに属します」

しかし教導はこの程度の答に満足しない。敵は聖書を読んでいるのだった。

「カイザルの物はカイザルに、神の物は神に納めよ、とキリストが言ったことは知っている。しかし、天皇陛下とカイザルとは違う。陛下は神の子であらせられるのだから、カイザルと同時に神であり、つまりすべてが天皇に帰一したてまつる、これが日本の国体ではないのか」

おれは黙ってしまう。敵は、おれが天皇を神ではないと思っている事実を聞き出したいのだから、沈黙以外の対応はないのだ。もし、天皇は神の末裔であると言えば、おれは自分の信仰のすべてを否定する言辞をつぎつぎに弄《ろう》せねばならず、耐えられぬ屈辱、踏絵を踏んだ転びキリシタンの痛みを覚えることになるだろう。おれの沈黙を目を細めて見て、相手はにやりとする。おれが改悛していない事実を見極めて、彼の評点簿に×をつけるのだ。

『国体の本義』は神の末裔である天皇を聖化するとともに、臣民をオオミタカラとして赤子《せきし》として愛護する天皇の姿を、記紀の記述を引いて描きだす。そうしてそのように仁愛深い天皇に対して、われら臣民は絶対随順、つまり忠義に励まねばならない。忠の道とは、天皇のために喜んで死ぬ奉公の道である。『教育ニ関スル勅語』の「義勇公ニ奉シ」、すなわち滅私奉公、没我献身、身を捨てて国に報じることこそが道徳の根幹であるというのだ。

そうして『国体の本義』が目の敵にするのが、西洋近代思想の個人主義と自由主義である。この二つの思想は利己主義を正当化して、貧富の懸隔を発生せしめ、ついに階級的対立闘争の思想、共産主義の妄想《もうそう》を生みだした。このような西洋の思想は、わが国体に反するから撲滅しなくてはならないという。言い換えれば、大東亜戦争に勝つためには、個人主義、自由主義、共産主義を捨てて、天皇主義に徹せよというのだ。

『国体の本義』をわかりやすく解説して、戦争を完遂するために日本国民の成すべき事柄《ことがら》を具体的に述べたのが『臣民の道』である。昭和十六年七月二十一日文部省教学局発行の本で、大東亜戦争の前夜に、西洋の個人主義と自由主義、ソ聯の唯物主義などの旧秩序を崩壊させ、日本の天皇主義による新秩序の建設、つまり戦争によって列強の植民地を解放しようという意図が露《あら》わに見られた。そこでは、昭和十五年九月の日独伊三国条約締結の際に天皇の出した詔書《しょうしょ》の精神が声を大にして宣伝されてある。「大義ヲ八紘《ハックワウ》ニ宣揚シ坤輿《コンヨ》ヲ一宇《イチウ》タラシムルハ実ニ皇祖皇宗ノ大訓ニシテ朕《チン》ガ夙夜眷々《シュクヤケンケン》措《オ》カザル所ナリ」という所から〃八紘一宇〃という流行語を生み出したのもこの『臣民の道』である。おれのように戦争を認めない人間にとっては、この本の主張も全然認められなかった。

結局のところ、この予防拘禁所は、国体の本義を理解せず、臣民の道にもとる非国民を隔離監禁して、訓育によって教育し直し、改悛させて思想の改造を実行する施設であるのだ。囚人は日常の言動、講座の際の質疑応答の態度、〃修養録〃の文章などにより、絶えず行状と思想傾向が判定されていた。〃修養録〃とは所内に出入りする教誨師《きょうかいし》（浄土真宗の坊主《ぼうず》が多かった）の勧めで書き記す日記であるが、もちろん教誨師の検閲があり、検閲内容は拘禁所側に筒抜けであった。

おれは毎日の囚人との会話には気をつけて、彼らのなかにいるかも知れないスパイに言質《げんち》を取られないように用心していたが、講座の場合に天皇主義に迎合するような発言はしなかったし、仏教の教誨師についても彼らにおもねり、〃修養録〃をものしたりはしなかった。が、囚人のなかには、思想転向の事実を官に示して、わざわざ八紘一宇だの聖戦完遂だの耳触りのいい会話をして、転向を誓う文章を書く者もかなりいた。こういう転向者が多く出ることは、予防拘禁所側にとっても実績になり歓迎すべきことなので、ある程度疑わしくとも、出所後実害がないとみなされる者は〝改悛の情が顕著〟であり、〝映えある皇国臣民として再生した〟という認定を受けて、名誉ある退所の恩典が与えられた。

おれは今までに何回も退所式に参列させられたが、いずれも大袈裟《おおげさ》な儀式であった。全囚人と全職員が二階の会議室に集められ、司法省の本省、東京刑事地方裁判所検事局、東京保護観察所、退所者の帰住地の保護観察所などから、お偉方が来賓として出向いてきて前席に居並んだ。君が代斉唱《せいしょう》ののち、所長から退所を命じる旨《むね》を記載した〝卒業証書〟と賞品として『国体の本義』一冊が授与された。そのあと所長と来賓から祝辞がえんえんと続き、ある所長は、「ナチス・ドイツの強制収容所などは周壁に電流を通じてあるが、本拘禁所はそのようなことはなく、天皇陛下の御仁慈により、所内で勉強ができ、今日このような晴れの式典をあげて、退所すらできるのである。退所のうえは、天皇陛下におのが命を捧《ささ》げる覚悟で聖恩に応《こた》えねばならない」と演説した。退所式のあと、所長以下全職員の見送りを受けた退所者は、ただちに明治神宮と靖国神社に参拝し、宮城に礼拝したうえで帰宅するようにと説諭される。そうして帰住地に帰ると、その地の保護観察所の監視下に置かれるのだ。

予防拘禁所の日課は、季節によって起床の時刻が多少違うほかは毎日が同じである。それはドストエフスキーが『死の家の記録』で書いた、シベリアの監獄を囲む塀《へい》の杭《くい》のようなものである。杭は、それでも一つ一つが多少は異なるであろうから、判で押したようなという極《き》まり文句の形容よりは、ここの毎日をうまく形容しているかも知れない。

起床、洗面、朝の挨拶《あいさつ》（これが点呼だ）、室内掃除、宮城および皇大神宮の遥拝《ようはい》と御真影への礼拝、朝食、便捨（桶《おけ》の大小便を穴に捨てに行くこと）、洗濯《せんたく》、晴天には蒲団《ふとん》の日光消毒、離室、労作、訓育、ラジオ体操、昼食、休憩、労作、訓育、訓練（最初のうちは教練や剣道だったが、そのうち、体操や防空演習が多くなった）、労作、入浴（一週二回）、帰室、夕食、夜の挨拶、就寝、消灯。起床は夏は五時、春秋は五時半、冬は六時、消灯は一年を通じて十時。

おれの予防拘禁が更新された昭和十九年の二月頃《ころ》から労作の買物籠の材料である藺草《いぐさ》が手に入らなくなった。極寒の地、おそらく満洲で使用するらしい将校用の革手袋作り、荷札作り、封筒作りと作業内容はつぎつぎに変った。空襲がひどくなるにつれて、労作も訓育も講義も少なくなり、終日房内に監禁される日が増えた。看守たちも人手不足で、囚人たちを外に出して監視できない事情もあった。食事も極端に悪くなった。当初の囚人を改悛させ立派な皇国臣民に教育しなおすという理想は崩れ、非国民どもをただ隔離監禁して、殺さぬ程度に生かしておく強制収容所になってきた。

逮捕されてからすでに三年半の年月が経《た》った。いったいいつ、ここから出られるか、それは日本が敗北して、治安維持法が撤廃される時しかない。おれはそれを待ち望んでいる。その時まで、何とかして生きのびたい。けれども、わが生命の力は日々に減弱しつつある。その時が来る前におれは神に召されるかも知れない。わが父よ。この杯《さかずき》もしわれ飲まで去りがたくば、御心のままになしたまえ。Nevertheless not as I will, but as thou wilt. あの方も祈った。死を前にして祈った。理不尽な死を強制されながら祈った。おれもあの方に倣《なら》って祈る、聖霊のくだるのを望みつつ、ひたすらにひたすらに祈る。この祈りのさなか、私は自由です。国体の本義も天皇主義も私を縛ることはできません。しかし何と私は孤独であることでしょう。ゲッセマネのあなたの孤独にくらべればむろん大したことはありませんが。

夜の挨拶が終った。看守が引き上げると、囚人は独居房に取り残される。近くの房同士で会話が飛び交い、中には難解な言葉を用いて哲学的な議論を闘わす者がいる。空気が冷えて、凌《しの》ぎやすくなった。おれは、英語の本でたった一冊、房内に〝舎下げ〟が許された The Holy Bible を開く。しかし、視線は活字の上を軽く滑るだけで、内容を摑《つか》みえない。夏江の寂しげな表情が活字の向うに見えてくる。

時田病院が焼けた。彼女が生れ、育ち、そこに住み、働いていた家が、焼失してしまった。あの、長い時間をかけて、複雑に精密にしかも野放図に入り組んで作られた時田利平一代の傑作が、跡形もなくなった。人が作ったものは、建物、財産、発明品……すべて虚《むな》しく亡《ほろ》びる。人が獲得したと思ってるもの、院長職、評判、名誉、医学博士、特許権、金鵄《きんし》勲章……すべて亡びる。病院を焼かれた義父を気の毒に思いながらも、おれは、それは仕方のない運命だと覚めた目で見ている。しかも、義父は、まさしく、亡びていくもの、病院や地位や栄誉に執着してきた。しかもそれらを守り向上させるためには日本の軍備拡張と大陸への侵攻と戦争の勝利が不可欠だと信じていた。自分が日本海大海戦に参加したことを人生最大の誇りとしていた。しかし、おれは義父の我武者羅《がむしゃら》でまっしぐらな生き方を面白く思う。耶蘇《やそ》と言って多少は莫迦《ばか》にしながらもキリストへの尊敬の念を持ち、娘二人をカトリック校へ入れ、夏江の受洗式にも出席してくれた岳父に憎めない人間味を見る。しかも、人の行為はそれが際《きわ》やかな印象を周囲の人々の心に残せば亡びない。時田利平という明治、大正、昭和を全力で生きて駆け抜けてきた人物の行為は亡びない。それは子供たち、孫たち、周囲の人々によって語り継がれて行くだろう。あの方は家も財産も名誉もなく、一片の著作物もなく、ただ語り、人々に感銘をあたえ、見捨てられて死んだけれども、その行為は十二人の弟子たちによって語り継がれ生き残った。あの方は亡びはしないのだ。利平は負傷したという。どの程度の負傷なのかはわからぬが、引き続き看病が必要だというからには相当の重傷らしい。おれは回復を祈る。一心に祈ることがおれに出来る唯一のことである。

夜。長い空虚な昼間がなんとか過ぎて、やっと夜である。十時、消灯となった。星がまたたく。星数が少ないのは、月明かりのせいだ。おれは星を見るのが好きだ。大宇宙、無限を創《つく》った主をひしひしと感じるからだ。無数の星のなかでこの地球に人類が生れた事実の不思議を思う。この宇宙のどこかに人類に似た生物が住む星があるかどうかは知らない。しかし地上におびただしい民族があるなかでイスラエルの民にのみ主が語りかけ契約を結んだように、主は地球にのみ人類を創り、イエスを送ってきたとも考えられる。ともかく確信できる事実は地球が選ばれた星、恵まれた星だということだ。せっかくのその星の上で今人類はおたがいに殺し合いをしている。日本もアメリカもイギリスもフランスもオランダも中華民国も、自国民と同じ人類を殺しているのは事実だ。事実の意味はさまざまに解釈できるし、殺人の口実もさまざまに言表《げんぴょう》できようが、それが主の御心《みこころ》に反していることだけは確実だ。主よ……。

きのう、五月二十七日は海軍記念日、数えてみれば日本海大海戦から四十年目の記念すべき日だったのに、新聞には記念日らしい記事は何もなく、第一面には「昨暁、B29約二百五十機　帝都を無差別爆撃　四十七機撃墜　宮城、大宮御所に被害」の見出しがあり、「都内各所に相当の被害を生じたるも火災は本払暁《ふつげう》までに概《おほむ》ね鎮火せり」の二十六日の大本営発表を載せていた。二十四日、二十五日と連続した大空襲のすさまじい大火災はこの中野の塀の中からさえまざまざと見極められたほどであるのに、「相当の被害」というだけの発表で済ますとは大本営もいい加減極まる。しかも鈴木首相は、宮城が焼けたことに、ひたすら恐懼《きょうく》しているだけで、国民の被害と苦難に対してはただの一言も憐《あわ》れみの言辞がない。

おれが興味を持ったのは、五月二十七日の海軍記念日が満月だという記事だった。すなわち、二十四、二十五日の空襲は、アメリカ軍が満月に近い月明かりを利用したものだったということだ。

議論する声が高くなってきた。共産党員の二人が戦争終結後の日本はいかにあるべきかを論じている。最近人出不足で、数の少ない夜勤看守は〝官区〟の看守部屋に引っ込んでしまい、舎房内は言論の無法地帯となる。議論はおおっぴらに、むしろ囚人全体に聞こえよがしに進行している。日本の敗戦が決定的になるにしたがって彼らは元気を取り戻してきた。共産主義革命が日本に起こり、人民が勝利し、ソ聯に続く地上の楽園が日本にも出現することを信じて、薔薇色《ばらいろ》の夢を描くのだ。そう、おれの孤独は、天皇主義の看守たちに入れられないためだけではなく、囚人たち——彼らの大部分を占める唯物《ゆいぶつ》主義者——からも入れられないためであった。

おれがキリスト者であると知ると、彼らは決まって冷笑を浮かべたり、気の毒そうな目付きをする。つまり大きな優越感と小さな異質感を顔にありありと表す。おれはセツルメントで働いていた時から唯物主義者のこの表情に数えきれないほど出会ってきた。宗教は人類社会の最も低い進歩段階に生まれた空想の産物であるから、お前は神などという空想の産物を信じている迷信家に過ぎないと彼らは批判する。

宗教は遅れた社会の構造の上に造られた上部構造である。歴史の弁証法的発展は、資本主義社会における資本家の労働者への特権を守るために、上部構造として宗教の阿片《あへん》を考えだして労働者に飲ませたのだ。しかし革命によって、経済的搾取《さくしゅ》のない共産主義社会が実現すれば、人間は完全に幸福になるために、今まで必要としていた阿片、幸福の理想、神など無用なものとなる。神を捨てた人間は、自分のために喜んで働き、搾取者の強制から解放される。階級のない歴史の最高段階においては、人間は経済的物質的要求から解放されて、何の不平も苦痛もない。このような神否定の言辞をおれは、飽きるほど聞かされてきた。この予防拘禁所でも、ますます声高に、確信を持った口調で聞かされてきた。天皇主義の宣伝の場として造られた予防拘禁所が、実際には唯物論的弁証法の教育の場となってきたのだ。彼らはむろん神が日本を作ったとか神の末裔《まつえい》としての天皇の神聖などをも、彼らの思想によって批判していた。そうしてかえす刀でキリスト教をも切り付けてくるのだった。

　ある日、伊川憲次が、おれに言った。

「ぼくは、君みたいな頭のいい人が、神などという空想にしがみついているのが解《げ》せないね」

「神は空想ではありません。神は自然にぼくの中に住んでいるのです」

「〝中に〟？　つまり、君の脳髄に生まれたのだな。それでは神は君の意識の一部ではないか」

「いいえ、神はぼくの心の中にも、体の中にも、そして心と体の深奥にある魂の中にも、わたしのすべての中に住んでいるのです」

「でも結局、君の意識が神を認めるのだろう」

「生れるという実体概念や認めるという認識論的用語では神は表現できません」

「しかし聖書は神の表現なのだろう」

「それはそうです」

「それなら聖書という文学によって神は伝えられた。言語によって伝えられた。そいつは神話、伝説と同じだろう。つまり君の意識が聖書を読み理解し、神を認めたのだ」

「伝達形式としてはそうです。しかし、ぼくが聖書を読むのは、単なる文学、神話、伝説としてではなく、自分の魂の中核にある神体験を検証するためです。初めにぼくの魂に神があり、その神が聖書の奥深い意味を教えてくれるのです。神の存在がすべての根源であり、それの確かさに較べれば、自分のいとなみなど小さな弱いはかないものです」

「おそろしく強固な妄想だね。訂正不能の誤った観念を妄想と言うならば、君の妄想は度し難いよ」

おれは苦笑した。神体験は、たとえば八丈富士の頂で体験した素晴らしい歓喜の念をこの唯物論者に伝えることは不可能だし、その神体験がなければ、おれが聖書を読んだ時の歓喜を、たとえばあの方の奇蹟《きせき》や復活を読んだ時の全身全霊を、つまり魂を揺り動かされる感動も彼には伝えられないのだ。おれは、苦笑という曖昧《あいまい》な表情でしか彼に答えられなかった。

おれは、ある日伊川憲次に質問した。

「革命によって階級のない社会が実現した暁には、もうそれ以上の社会的進化はないのでしょうか」

「それが実現した国においてはない」

「そういう国はありますか」

「ソ聯がそれに近いがまだ完全ではない。しかしあの国はそれに近付きつつある。マルクス・レーニン主義の勝利は近い」

「マルクス主義の主張では、人間は歴史によって変化していく、すなわち歴史的進化の産物でしょう。それは未来を差し示す。革命という未来です。しかし革命が成就《じょうじゅ》したとたんに未来がなくなる。歴史は静止状態に入る。するとマルクス主義も崩壊してしまうのではないですか。つまりマルクス主義の理想の実現は非歴史を人類にもたらしてしまう。これは論理の矛盾です」

「そうではない。一国において階級のない社会が実現しても他国では資本主義が残存している。歴史は続く。現にソ聯の誕生以後も歴史は続いている」

「でも、すべての国において階級のない社会が実現した暁には、全人類は経済的物質的要求から解放されて、歴史は静止するのでしょう」

「菊池君」ずっと淡々と、感情を交えない調子で話していた伊川憲次は、ここで不意に教師が生徒を叱《しか》りつけるような鋭い声音になった。「本音を言えよ。キリスト教徒である君は、全人類がキリスト教徒になる日が来るとでも思っているのかね」

　おれは急所を突かれてのけぞった。かつてそのような理想を歴史上さまざまな時代においてキリスト教徒が抱き、いまも多くの信徒がそれを願っていることは否定できない。そのために、全世界に宣教師が出掛けて福音を宣《の》べ伝えたし、異教徒を攻め殺し征服して、戦争闘争を繰り返してもきた。が、あらゆる異教徒をキリスト教に改宗させることなど不可能であったし、これからも不可能であろう。第一、聖書に記された多くのキリスト者の迫害は、この不可能性を象徴的に描いたとも言える。

「君はマルクス主義を極端に単純化してしまい、大上段から叩《たた》き切ろうとしているが、それはフェアではない。マルクスの理想は実現しつつある。ソ聯はもっとも進んだ理想の国になりつつある。革命の理想は君の神様と同じだ。君の信仰をぼくは決して莫迦にはしない。それどころか権力に抗して頑張《がんば》っていることに敬意を覚えている。しかし、君のほうでもぼくらマルクス主義者を否定せず、認めてほしい。君の信仰はキリスト教の歴史の一齣《ひとこま》に過ぎん。ちょうど、おれのマルキシズムがマルキシズムの歴史の一齣に過ぎんように」

おれは沈黙を続けた。伊川憲次は今度はおれにその尖《とが》った鼻を向け、ひげ面《づら》で微笑した。おれよりももっと痩《や》せて、しかも結核患者の赤い頬《ほお》の下にごつごつした頭蓋骨《ずがいこつ》の起伏を見せて、彼は謎《なぞ》めいた微笑を続けていた。

11

全身が血まみれになって、息も絶え絶え、敢《あ》え無い最期《さいご》を遂げる刹那《せつな》に目覚めた。ぬるぬるした血の海と覚えたのは汗であった。この病み耄《ほう》けた肉体のどこから湧《わ》いてきたものか、おびただしい汗である。胸から腹へ、足先へと撫《な》でてみて別に傷ひとつないのを確認して安心する。息苦しく、濡《ぬ》れた蚊帳《かや》を撥《は》ね除《の》けた。汗で濡れた小さな蚊帳が、猿轡《さるぐつわ》のように鼻を被《おお》っていたのだ。まぶしいほどの明るさが目に滲《し》みる。

今朝も生きて目覚めたことを、神に感謝。豊多摩刑務所の監視塔で看守のボタンがきらめく。毎朝、監視塔のてっぺんを朝日が薙《な》いだ瞬間が日の出である。とすれば、現在時刻は午前四時二十八分で、五時半の起床までまだ一時間ある。消灯後のように誰彼ががやがや喋《しゃべ》りまくることもなく、監獄は静寂だ。おれの心は朝風のように透明で自由に飛びまわる。

長い夢を見ていた。夢というよりうつつの出来事のように細部までがなまなましく記憶に焼きついている。むしろ、こうして、理不尽に閉じ込められている現実のおれのほうが、影のように頼りなく、悪夢のように異様である。

夢の最初のほうでは、おれはぴちぴちとした、元気いっぱいの大学生であった。幼い時から労働で鍛えた筋肉はギリシャ彫刻さながらに発達し、むろん四肢《しし》は健在で、頭も体も敏活に動いた。もっとも、早朝魚市場で働いては学資を稼《かせ》ぐ苦学生であったから、学生服は擦《す》り切れ、帽子は先輩のお古で油でてかてかであったが、高校生のバンカラが身についておれは、どこへでも平気で出ていった。

そばには楚々《そそ》とした少女がいた。水兵服の襟《えり》から抜け出た細い首、うりざね顔、切れ長の目の少女は、おれの元気を上回る元気で話しかけてきた。おれは少女のように、上等な洋服を着たお嬢様学校の生徒で、自分の階層と知識をひけらかすような相手を、からかい、莫迦にしていたのだが、少女はおれの態度に率直に怒りをあらわし、興奮して赤い顔で、臆《おく》せずおれに話しかけた。二人は、半ば喧嘩《けんか》のような口調で言葉を交わしつつ、市街を歩きまわった。大学、学生街、繁華街、公園、動物園、貧民窟《ひんみんくつ》。市街電車が轟音《ごうおん》をたて、巡査のサーベルが光り、並木がそよぎ、物干台の洗濯物《せんたくもの》がひるがえり、ドブが臭く、舗石が固く撥ね、握り飯の梅干が酸《す》っぱい市街を、飽きもせずに、むしろあらたなる発見をもとめて歩きまわった。

それから二人のあいだに悲劇がおこった。少女は別な男に去っていき、おれは旅に出た。

おれは肉体の苦痛を知った。

骨が砕けるほど木刀で叩かれ、逆さ吊《づ》りで鼻血を絞りだされ、柱にのぼらされて落ちると殴られ、革のスリッパで頰や尻《しり》をひっぱたかれ、凍る平原をどこまでも這《は》わされ、地平線までまっ平らな平原を重い荷物を背負って歩かされ、ついに右腕をもぎ取られた。おれは常に〝された〟〝され続けた〟、肉体の苦痛はすべて国家という権力からの強制であった。それでもおれの苦痛はあの方のそれにはおよばない。まさにその事実を思うことでおれは耐えたのだ。あの方の苦痛は、決して想像の産物ではない。それは実際におこったこと、歴史にたしかに記された出来事なのだ。あの方の苦痛、それは〝実際の〟人間として極限のものであった。あのような苦痛が実際にあったとは、しかもそれがあの方におこったとは何という神秘であろう。十字架上で息絶えるあの方を思いながら、おれは祈った。そしておのれがいよいよ息絶える瞬間に目を覚ました。

少女は夏江であろうか。おそらくはそうだろう。顔かたちも体付きも似ている。が、夢のなかではおれは彼女を夏江だと認めてはいなかった。第一おれが自分自身とは違い過ぎていて、ギリシャ彫刻のように美しい肉体を備えていた。ただ肉体の苦痛だけは、おれを実際の経験にそっくりの迫真の感覚で苦しめた。苦しみから逃れるために、途中で目を覚まさなかったのは、苦しみの極限を体験したいという希求、あの方に倣《なら》いたいという殊勝な気持がどこかにあったからであろう。それに、おお何という瞞着《まんちゃく》、それが夢であることをおれは知っていた！　知っていて安全な実験をするとは、おれの行為はとんだイミターショ・クリスチではある。

初めて夏江に会ったのは、忘れもしない、昭和八年の五月祭の法学部の展示場であった。おれは柳島の帝大セツルメントのセツラーの一員として、「セツルメント運動——その八年の成果」という展示パネルの説明役をしていた。その時、制服の女学生が数人立ち止まった。いずれも良家のお嬢さんらしく、アイロンの掛かった白の上着に紺のスカートを着て、作りたての人形のような、ほつれ毛一本ない三つ編みを垂れていた。おれは彼女たちをからかうように、大声を放った。

「そこのお嬢さんたち、スラム街とは何か知っていますか。この大東京、豪華な丸の内ビル群と銀座の繁華街と数々の名所旧跡を自慢にしている大都会の底辺には、飢えた細民の住む憐れな住宅地帯があるのです。わが帝大セツルメントは東京は下町、柳島のスラム街の一角に作られた施設です……」

おれは足を止めておれをあきれたように見詰める彼女たちに、自分でも意外であったが、突如向きになって話し始めた。関東大震災後に生まれた〝学生救護団〟を母胎にして、大正十三年に東京帝国大学セツルメントのハウスが柳島元町に落成した経緯、次第に託児所、診療所、法律相談部、市民教育部、図書部、調査部と活動範囲を拡《ひろ》げて来た歴史、この八年有半の活動の要約という具合に、およそ部外者には興味のなさそうな話をおれは滔々《とうとう》と述べ立てた。気がつくと彼女たちは何とかおれの前から逃げだしたくて機会を窺《うかが》っていた。彼女たちの一人に、「どこの学校?」と尋ねた。「聖心です」という返事に、大きく頷《うなず》いてみせ、

「あなた方みたいなお嬢さん学校の生徒は、こういうスラム街なんか見たことないでしょう」と言った。

「見たことありますわ」と別の一人が言った。「わたくし三田に住んでいますが、近くの三《さん》之《の》橋《はし》にもありますもの」

「三之橋は古川岸のごく狭い町でしょう、あんなのよりも、セツルメントが建っている、本所、深川の細民街のほうが、はるかにすごいですよ。あなたたちが見たら気絶するほどの、大スラム街です」

「それなら見せてくださいます?」と彼女がつんとして言うと、ほかの女学生が、およしなさいよと、彼女のひじを引いた。

「ああ、いつでもどうぞ。喜んでお見せしますよ」と、おれは藁半紙《わらばんし》に地図を描《か》いて渡した。日曜日なら朝から夕方まで法律相談に従事している、このところ多忙だが、あなた方がわざわざ来てくれるのならば、時間を空けて御案内しましょうとも言った。女学生たちは、去って行きながらくすくす嗤《わら》い、おれの強引な圧力から解放されたのを喜ぶ様子だった。

おれはそれっきり彼女たちを忘れてしまった。どうせ冷かしだろうと高をくくっていた。しかし、つぎの日曜日、彼女たちの一人が本当に柳島に現れたのである。

地味な洋服姿の大人びた彼女から〝制服の処女〟を連想できなかったおれは若い女性が名指しで訪れて来たのにどぎまぎした。おれはおよそ女に縁のない男であったのだ。

「時田夏江です」

「はあ……」

「聖心女学校です。五月祭でお会いした」

「ああ……」

「本当のスラム街を見せてくださいません?」

女の美しさにおれは気付いた。見詰めていると吸い込まれそうな顔立ちである。あわてて目を落とすと、可愛《かわい》らしい手が机上に載っていた。象牙《ぞうげ》のような木目細かな指を、桜貝にそっくりの爪《つめ》が飾っている。こちらの視線を羞《は》じるように手はそっと滑っていき、机の下に隠れてしまった。おれは「行きましょう」とうわずった声で言った。法律相談の予約が二件あったのを友人に肩代わりしてもらい、まずはセツルメント・ハウスの中を案内した。

二階建ての洋館は下が医務室、託児所、図書室、食堂、台所、小使室、浴室となっており、上は法律相談室、調査室、教室、物置、それに十のレジデント室があった。

「レジデント、ぼくもその一人なんですが、泊り込みの学生セツラーが宿泊している部屋です」

「お部屋のなかを見せていただけません?」

「そうですね……」おれは躊躇《ちゅうちょ》した。各室はレジデントの個室であり、無断では入れない。おれの部屋は起き抜けのままで、他人に見せられる状態ではない。が、とっさにおれは決心した、ひとつ貧乏学生がどんな生活をしているかを、このお嬢様に見せつけてやろうと。おれは自室のドアを開き、「どうぞ」と頭を下げた。

四畳半にベッドと洋服箪笥《だんす》と机と書棚《しょだな》が押し込んである。まことにせせこましい空間である。脂《あぶらじ》染みた枕《まくら》は曲がり、毛布は雑巾《ぞうきん》のように丸まっている。灰皿は吸いさしの山だ。昨夜飲み残した焼酎《しょうちゅう》の臭《にお》いが強烈に鼻を打つ。彼女は鼻を摘《つ》まみ後込《しりご》みするものとおれは思った。しかし、平気で中に入っていく。おれは窓にぶら下げたパンツを何とか片付けたいと切に思った。

「英語の聖書があるわ。原書を随分お持ちなのね。法律と哲学、むつかしい本ばかりだわ」

彼女は書棚をさっと見ると室外に出、「どうもありがとうございました」と丁寧に礼を言った。

「きたない部屋でしょう」とドアを閉めながらおれは言った。

「いいえ、男の方の部屋らしくていいですわ。わたくしの家、病院なんです。書生、大工、医員と、男が大勢いますから慣れてるんです」

「おとうさまはお医者さんですか」

「外科医です。でも何でも屋で、内科、小児科、レントゲン科、歯科などもやります」

「それで聖心なんですね」おれは納得した。聖心女子学院といえば金持ちのお嬢さんが行く学校である。

「はい」と彼女は微笑した。真っ白な美しい歯が光った。「病院が三田綱町で白金三光町の聖心に近いものですから、父は聖心の校医をしております。その縁で……姉も聖心ですの」

「おねえさんがいらっしゃるんですか」

「はい、新宿のほうに嫁いでおりますが」

物怖《ものお》じせずにずばずば物を言う少女だと思った。望んだことをすぐ実行する行動力と勇気もある。このような細民街に一人で来たり、男の部屋を平気で覗《のぞ》いたりする。二人はセツルメント・ハウスを出て、付近の街を見て歩くことにした。

戸口がなく簾《すだれ》を垂らしただけで内部がまる見えのあばら屋では、病人が臥《ふ》せっているそばで赤ん坊が泣いている。軒が傾いた長屋では、破れ障子の奥で老婆《ろうば》たちが手内職をしている。運河の岸に鋳物《いもの》や紡績の町工場が並び、排水で水は黒く、酒瓶《さかびん》、紙屑《かみくず》、猫《ねこ》の死骸《しがい》、野菜屑が悪臭を立てている。吾嬬町《あずまちょう》の皮革工場に近付くと特有の糞臭《ふんしゅう》が漂い、ドブ川は何とも形容できない醜悪な色をして淀《よど》んでいる。赤い連子《れんじ》窓《まど》の並ぶ色町の手前でおれは引き返した。もういい加減の所で辟易《へきえき》して鼻をつまむか、吐き気をもよおすかと思い、「戻りましょうか」とおれが言うと、「大丈夫です」と彼女はどこまでも平気な顔でついて来るのだった。大分歩き回って、二人はセツルメント・ハウスに帰ってきた。

「疲れたでしょう」とおれは言った。

「ええ少し」彼女は、何だか泣きだしそうな顔付きになった。「胸が詰まりました。菊池さんのおっしゃったとおりでした。この辺りは三之橋の貧民窟なんか較《くら》べ物にならないと、よくわかりました。ひどいですね。ものすごいですね」

「そう、ひどいものです。貧乏と病気の巣窟です。夏になると蚊と蠅《はえ》が風を黒く染めるほどで、感染症や栄養不良の患者が増えます。トラホーム、結核、チフス、赤痢なんかの患者が多いんです。セツルメント創設のころは衛生知識の普及で病気をふせげると考えた人もいたんですが、狭い部屋に大勢が住む環境では、結核やトラホームはすぐ蔓延《まんえん》してしまいます」

顔を顰《しか》めている彼女におれはさらに言った。「あなたみたいなお嬢さんには想像を絶する事実でしょう」

「そのお嬢さんてのやめていただけません？　わたしは医者の娘ですが父は漁師の息子で若いときは漁師をしてました」

「おや、ぼくも漁師の息子です。父は八丈島で漁師をしています」

「そうでしたの……ところで菊池さん、わたくしのような者でもセツラーになれますの？」

「もちろんなれます。もっとも専従者以外は無給ですが」

彼女の希望を聞いたうえ、おれは託児所で、開所以来ずっと保姆《ほぼ》をしている竹内睦子を紹介した。それも単なる出来心だと思っていたら、彼女は次の日曜日から託児所で働き出した。そしてもっとも熱心なセツラーになった。翌年三月に聖心を卒業してからは、週三日も来るようになった。

おれは彼女に会うたびに胸がときめき、愛し始めていると自覚していたが、彼女のほうがおれに何の感情も持っていない様子なのが、おれの告白の勇気をめげさせた。おれとは親しげに話すし、最初の縁で何かと相談しには来たが、託児所の仕事は忙しいし、おれは法律相談に忙殺されて、同じセツルメントにいても、顔を合せたり、話したりする機会が少なくなった。それに当時おれには、キリスト教との出会いという個人的事情があって、彼女のほうにあまり気が向かなかったせいもある。

英語をネイティヴに教わろうと思い立ち、大学の英語の教授から紹介してもらったのがジョー・ウィリアムズ神父であった。神田のカトリック教会を訪れた時、庭の桜の大樹が満開であった。教会堂には人影がなく、ちょっとギリシャ神殿を連想させる柱列の奥の祭壇にステンドグラスの透過光が五色の彩色をほどこしていた。誰もいないと思っていたのに、奥で跪《ひざまず》いて祈っていた人があり、立ち上がって出てきた。品のいい中年の婦人で、おれが神父の居場所を問うと、親切に司祭館に案内してくれた。信徒集会所の横のドアから廊下に入ると神父たちの個室が並んでいた。おれはジョー・ウィリアムズのドアの前で待つことにした。約束は午後三時で、数分前だった。三時の時鐘がどこかで鳴った刹那《せつな》、廊下の端からランニングシャツにパンツの小柄《こがら》な白人が走ってきた。

「ジャスト、ナウ。間に合った。ジョーです。菊池さんですね。どうぞ」とドアを開いて中に招じ入れてくれた。書棚と机だけの簡素な部屋だったが、書物がやたらと多く机上にも堆《うずたか》いうえ床の半ばを占領していた。

「ちょと待て。ぼく汗を拭《ふ》きます」神父は洗面台で顔を洗い、「ちょと失礼ね」と言って上半身裸になって濡れタオルで万遍《まんべん》なく拭《ぬぐ》った。乾いたシャツを着るとその上にカーディガンを羽織った姿で腰掛けた。三十半ばの細面《ほそおもて》で、ビング・クロスビーにそっくりな顔立ちだとおれは思った。

「あなたは何かスポーツをしていますか」と神父は英語で尋ねた。

「いいえ」とおれも英語で答えた。「スポーツをしたいのですがその暇がないのです。早朝から魚河岸《うおがし》で働いて、大学へ行き、授業が終ると、帝国大学セツルメントへ行き、法律相談の仕事をします。大体毎日がそのようなスケジュールで過ごしています。しかし魚河岸では魚のケースを運搬する重労働をしていますので、運動は充分にしていると思います」

「おお、完璧《かんぺき》に正確な英語を話す能力をお持ちですね。難を言えば完璧すぎる点でしょうか。会話ではもっと砕けた表現が人と人とのコミュニケーションを作ります。英会話の勉強とは何のことはない、ぼくと友達になればいいのです。まずぼくをジョーと呼びなさい。ぼくは君をトオルと呼ぶ。ＯＫ？」

「ＯＫ」

そんなふうにしてレッスンが始まった。テキストは The Authorized King James Version で週一回一時間の約束だった。本文の意味についてジョーさんが解説しおれが質問するという形で進行したが、ジョーさんは冗談や無駄口《むだぐち》が多く、いつの間にかテキストを離れて世間話や人の噂話《うわさばなし》に移ってしまい、気がつくと約束の一時間はとうに経《た》ってしまうことが多かった。もっとも結婚式や葬儀で予定が変えられたり、不時の来訪者で中断されたりで、約束の時間内での終了はしばしば不可能であった。ジョー神父は信徒たちに人気があって、老若男女がしょっちゅう飛び込んできた。妻を亡《な》くした男をしみじみと慰めた直後に新婚の若い男女を笑いながら祝福し、どこぞの教授と神学上の議論をしている最中「チンプチャマ！」とよちよち歩きで入ってきた幼い子を抱き上げた。おれは次第にジョーさんの流儀に慣れてきて、むしろそういった臨機応変な人々との交流を楽しむようになった。まだ日本語で込み入った話のできない神父のために、聖書についての疑義を聞きに来る人の通訳をしたり、神父の書いた説教の翻訳をしたりした。おれにとって好都合だったのは、彼が英語をおれに教える見返りにおれが神父に日本語を教え、これでレッスン料が相殺《そうさい》されたことである。

　昭和九年の夏休にジョーさんに誘われ、数人の学生たちと北アルプスに登った。ジョーさんは、コロラド州生れの根っからの山男で、すでにロッキーの山々に登っていたし、来日するとすぐ富士山に登り、その後南北アルプスを始め幾つかの山々を征服（この征服という表現だけはジョーさんの言葉でおれに違和感を与えた）していたから、みんなにとって信頼のおけるリーダーではあった。黒部五郎岳《くろべごろうだけ》から三俣蓮華岳《みつまたれんげだけ》を経て、北アルプスの山々に囲まれた高原、雲の平へと向かった。沢登りをしながら進むうちに、雨が降り出してきた。川が増水したため、川原でのテントをあきらめて、崖《がけ》の石畳に野宿することにした。夜半に土砂降りとなり、水位はどんどんあがって、石畳も水没寸前になった。その時、一人が足を滑らして川に流された。おれは彼を救おうと激流に身を投じた。革の登山靴《とざんぐつ》を持っていないおれはズックの運動靴を履いていたので、すぐ身軽に泳げたが重い登山靴の友人は深い所に引きずりこまれてしまった。おれは水中に潜って彼を押し上げつつ流されたすえ、木の幹を探り当ててしがみついた。彼をひきあげて人工呼吸をするうち息を吹き返した。ジョーさんたちが駆けつけ、凍えている彼とおれを、必死でマッサージしてくれた。おれが助けた男は理学部の学生で、なかなかの秀才であったが、その後支那事変に応召して北支で戦死した。二人とも軽い打撲傷のほか怪我《けが》はなかった。やがて雨がやみ、濡《ぬ》れた小枝を何とか燃やして暖を取った。しかし大半の食料やテントを川に流してしまい、わずかな乾パンをみなで分けあうより仕方がなかった。空腹を覚えながらも、一同は火を前にして活気づき、話が弾んだ。ジョーさんは、陽気で絶えず喋《しゃべ》りまくり、おまけに声量たっぷりのテノールで、カントリーウエスタンや黒人霊歌をつぎつぎに披露《ひろう》し、おれたちは高校の寮歌を合唱した。あの山奥の暗黒のさなか、岩を齧《かじ》るすさまじい渓声《けいせい》と競いながら、一人のアメリカ人と日本の青年たちは歌を唱《うた》い続けた。

翌日は濃い霧に閉ざされていた。雲の平を諦《あきら》めた一同は元の道を引き返し、山小屋で食料を入手すると、槍《やり》ヶ岳《たけ》から穂《ほ》高岳《たかだけ》を経て上高地への下山を目指した。上高地へと下っていく途中で、霧が裂け、夕日が射《さ》し、虹《にじ》が立った。壮大なアーチが灰色の空間に浮かんでいた、青い峰と峰とを懸《か》けて。

壮大なというありきたりの形容詞は、その景観の形容には到底間に合わない。形なく虚《むな》しい闇《やみ》に支えられた大きな半円の橋は、微妙に揺らめきながら七彩の内部から燃え上がり、形ある充実した光として、輝いていた。それが束《つか》の間《ま》の現象であることは太陽に迫る黒雲の影で察しられた。誰かがもう一つ虹が見えると叫んだ。その通り、その明るい円弧の外側にもう一つ更に巨大な円弧が現れていた。本来の虹とは逆に、その虹は赤を内側に紫を外側にしていた。二つの虹はおたがいの間に黒い鏡があるかのようにして寄り添っていた。おれは二つの虹の描く完全な半円形に魅了された。およそ自然界には太陽と月をのぞけば完全な円形はないものと何となく思っていたおれの心に、圧倒的な力で反証が突きつけられた。それは曇った心がはっと磨《みが》きあげられたような驚きであった。このような玄妙な現象は人間の力では到底創《つく》りえないと思ったとたん、トマス・アクィナスの『神学大全』の一節がふっと浮かび上がってきた。「太陽は最高に〝見られうるもの〟であるのに、あまりにもその光が強烈であるために、蝙蝠《こうもり》には見ることができない」おれは虹を見ることはできるが、太陽を直視することはできない。が、あの虹は太陽なのだ。そのようにして神はそこに自身の存在と本質とを啓示している。

神はあるという強い声が谺《こだま》となって渡ってきておれの耳を打った。ジョーさんが頬笑《ほほえ》み、おれに Authorized Version の一節を暗唱してみせた。

「I do set my bow in the cloud, and it shall be for a token of a covenant between me and the earth.」

「それたしか創世記の九章にある言葉でしょう。ぼくの好きな一節だ。われわが虹を雲の中におこさん。これわれと世との間の契約の徴《しるし》なるべし」

「すべてこの世の中にあるものは、あの虹のようね」とジョーさんは言った。「闇のさなかに危険な条件で（危うくと彼は言いたかったのだと思う）ある。ね、to be あるということは、危険なのよ。すぐに not to be になる。なにもない闇が、広大な闇が、わずかな光を持っている（支えると言いたかったのであろう）。not to be を、変化し危険で消え去る to be にするのが、God のいとなみでね。そうよ、God が創ったものはすべて危険。みんな消えてしまうのよ、あの虹のように美しいものも、汚物のように醜いものも」

「虹、雲、霧、森、そして山でさえも消えてしまう」

「そう、もちろん人間もね」

「すべては幻であり空である」とおれが言うと誰かが、「諸行無常」としたり顔に言った。

するとジョーさんは激しくかぶりを振った。

「諸行無常というの、日本人、好きね。それ、あらゆるものが変化して現れたり消えたりすることでしょう。ぼくが言いたいのは、その変化の source creator トオル、日本語で何と言うの」

「変化をおこす根源、天、いやちがう造物主……」

議論はそれで終ってしまった。というより、虹が消えてしまったのである。ふたたび、優勢な濃霧に世界は溶かされてしまった。一同は急坂の滑る土や石に気を取られて、黙々として下って行った。しかしおれは、ジョーさんの一言一言を魂に染み込む思いで反芻《はんすう》していた。人間はあの虹と同じく、自分自身を根拠にして成り立っているのではない。自分がこの世にあるのは、霧の晴れ間の陽光のほんの一刻の作用によるに過ぎない。とすれば、ほんの一刻の作用を創った根拠――造物主――が確実な実在であって、自分は頼り無い影に過ぎないのだ。山から降りてしばらくして、おれはジョーさんにおのれの感想を話した。神父はにこやかに頷《うなず》いた。

「トオル、きみは山を見たんだ。しかし、見ているだけでは何も始まらない。山の本当の姿を知るには登ってみるより仕方がない。ともかく第一歩を踏み出してみることだね」

おれはジョー神父の指導のもとにカテキズムの勉強を始めた。信徒たちの聖書研究会にも出席して聖書を詳しくゆっくりと——一語一語を味わうようにゆっくりと——読んだ。以前から読んでいたトマス・アクィナスに加えて、アウグスティヌス、パスカル、岩下壮一、ソーヴール・カンドウなどが座右の書となった。そのようにしてキリスト教に引かれながらも、反撥も覚えたので、その主な理由は、時局に対するカトリック教会の対応に疑問を覚えたことにあった。

昭和六年九月、満洲事変が勃発《ぼっぱつ》し、あれよあれよと思う間に日本軍は満洲全域を制圧して、翌年三月一日には、満洲国の建国宣言が出された。おれが東京帝国大学法学部の学生となったのは、そのひと月後である。四月二十九日の天長節には上海の祝賀会場に爆弾が投げられ、上海派遣軍司令官白川義則《しらかわよしのり》大将が殺された。五月十五日には海軍の青年将校らに犬養毅《いぬかいつよし》首相が射殺された。翌昭和八年の正月には日本軍は中華民国軍と山海関《さんかいかん》で衝突、その後北支に侵入を始めた。おれがジョーさんの神田教会を訪ねたのは、三月二十七日に日本が国際聯盟《れんめい》より脱退した直後であった。何やらきな臭い時代になってきたと思っていると、四月下旬に鳩山《はとやま》一郎文相が京都帝国大学法学部の滝川幸辰《たきがわゆきとき》教授の辞職を総長に要求した。いわゆる滝川事件の発端である。

鳩山文相の忌諱《きき》に触れたのは滝川教授の『刑法読本』で、おれも優れた参考書として愛用していたのだ。その本から推すと滝川教授は自由主義者だと思われるのに、学内の右翼学生が撒《ま》いたパンフレットには帝大赤化教授として槍玉《やりだま》にあがっていた。友人と真相はどうなのかと話し合ったりはしたものの、おれは早朝の魚市場での労働、講義への出席、セツルメント運動、ジョーさんのもとでの英語の勉強と忙しく、滝川事件にも立ち入った関心は持てなかった。

五月二十六日に滝川教授の休職が発令されると、京大の法学部教授会は声明を発表し、教授、助教授、講師、助手など全員が連袂《れんぺい》辞職するという抗議文が鳩山文相に出されて、東大の構内にも、共青東大細胞や学生自由擁護同盟の立看板が並び、盛んにビラが配られた。これに対抗する原理日本社や神兵隊や大東塾も負けじと立看板やポスターで赤化教授の追放を叫び、学内は鼎《かなえ》の沸くが如《ごと》しとなった。京大の学生らが上京して、本郷森永製菓で集会を開き、東大の共青細胞員が二人検挙されたのは五月の末であった。これに抗議する集会が安田講堂前で開かれた。約七百名ほどが、「学問言論の自由を守れ」「学園自治侵害反対」を唱えて気勢をあげたが、本富士《もとふじ》署から警官隊が来て十人ほどが検束された。おれは、滝川教授の休職処分に国の進路を一方向にねじ曲げようとする権力の黒い影を見、署名運動などには賛同していたが、集会やデモをする動きに対しては終始傍観の態度を取っていた。セツルメントで大勢のマルクス主義学生と付き合っていたおれは、彼らの主張と自分との間に越えられない一線があることを見極めていたし、警官隊が我が物顔に闊歩《かっぽ》する学内で集会を開き、むざむざと逮捕されるような戦術は拙劣だとも考えていた。

しかし、六月二十二日朝に、おれが全く予期しなかった出来事が起きてしまった。三十一号の大教室で美濃部達吉教授の憲法講義を聴いていたところ、突如、十数人の学生が立ちあがり、「先生、講義をやめてください」と叫んだ。教授が仕方なく教壇脇《わき》に退くと、学生たちはつぎつぎに教壇に立って演説を始めた。「学問の自由を守れ」「滝川教授を即時復職させよ」「大学の自治を確立せよ」というのだ。おれは午後からセツルメントで法律相談の予約があり、授業の途中で抜け出すつもりで最後列に坐《すわ》っていた。こういう騒ぎの係《かか》わりになりたくないので逃げ出そうとしたら、出入口の把手《とって》が太い麻縄《あさなわ》でぐるぐる巻きにされてある。窓を開いて用意の垂れ幕が垂らされた。数百人の学生は閉じ込められて抗議集会に強制的に参加させられたわけである。やがて、大学当局の通報によるものだろう、鉄ドアの外側に警官隊が押し寄せ、乱打をしつつ開けろと怒鳴っている。演説に反対の学生も立ち、喧々囂々《けんけんごうごう》の騒ぎとなった。やがて警官隊がドアを破って来そうになると、首謀者の学生たちが小使室の小扉から逃げ出した。警官隊が闖入《ちんにゅう》し、学生たちを誰彼かまわず検挙しだした。入口近くにいたおれは有無を言わせず手錠を掛けられてしまった。

本富士署の留置場に放《ほう》りこまれた学生は数十人もいて、狭い檻《おり》の中にすし詰めであった。大部分の学生は即日釈放されたが、おれはセツルメントに属していたため、左翼学生と疑われて厳重に取り調べられ、四日ほど止め置かれた。結局魚河岸にいる叔父の菊池進に身元引受人になってもらってやっと釈放された。

自由主義者、マルクス主義者などに対する迫害や取締りがきびしくなっただけでなく、国体に反する宗教への圧迫や誤解も強くなっていた。カトリックに対する軍部や一般の人々の誤解や迫害が始まっていたのだ。

その前年、昭和七年の五月から九月にかけて上智大学の学生と暁星中学の生徒が神社に参拝を拒否するという事件が起きていた。配属将校がこの件で学校当局に抗議し、さらに陸軍省に報告したため、カトリック系の学校が国体を蔑《ないがし》ろにする教育を行っていると見た軍上層部が激昂《げっこう》し、配属将校を引き揚げると学校当局を脅迫した。配属将校は現役の軍人であり、学校では大きな権力を持っていて、それを引き揚げられると学校の社会的信用に瑕《きず》がつくので、学校当局は文部省にお伺いをたてたところ、神社の参拝は教育上の大方針であって、例外なくそれに従うべしとの文部大臣の回答が出された。しかし、陸軍側はさっさと配属将校を引きあげてしまい、学校でキリスト教を教えないこと、国家主義教育の強化、御真影奉安殿の設置などを要求してやまなかった。

十月十五日、ローマ教皇使節で天主公教会東京教区長シャンボン大司教は、カトリック系の学校は四月と十月の靖国神社例祭には靖国神社に、十一月三日の明治節には明治神宮に参拝するように呼びかけた。しかし陸軍側は上智大学への非難と威嚇《いかく》をやめず、国体精神を理解できない教育を中止せよと求め続けた。新聞各紙も「わが国体に反する教育」を実施しているカトリック校という報道をおこない、昭和八年の上智大学受験生は例年の二百五十名前後から三十余名に激減してしまった。学長のホフマン神父は、大学経営の危機に苦慮し、陸軍省の柳川《やながわ》次官を訪ねて、配属将校の派遣を懇願するとともに、シャンボン大司教を通じて陸軍側をなだめ、事態の打開をはかった。ようやく、昭和八年十一月十三日、陸軍大臣はラジオ放送で上智大学と暁星中学からの配属将校引き揚げ処置を撤回するむねを公表した。翌昭和九年十一月には上智大学学長ホフマン神父は敬意を表するため靖国神社に参拝した。

東京以外でもカトリック校への圧迫が頻々《ひんぴん》として起こっていた。盛岡で奄美《あまみ》大島で熊本で、住民、在郷軍人会、ときには学校職員がキリスト教が国体に反する教えであると中傷や非難を繰り返し、中には廃校に追い込まれた学校もあった。とくに要塞《ようさい》地帯を持つ奄美大島では昭和九年の暮から外国人宣教師の排斥運動が起こり、要塞司令官、青年団、村民などがカトリック教徒を脅迫したり教会の打ち壊しを働いていた。

カトリック教会側は陸軍を中心とする弾圧に対して、ひたすら恭順の姿勢を示すことによって教会と教徒の安全を守ろうとしたのであって、その現れのひとつが、昭和九年一月のヴァチカン市国による満洲国の承認であった。三月に執政溥儀《ふぎ》が皇帝となり満洲帝国が実現すると、ローマ教皇庁は布教聖省の書簡で、オオギュスタン・ガッペ司教を満洲帝国内のカトリック教徒の代表にして、満洲帝国とヴァチカン市国の親善を図った。教皇庁は、旧東北軍閥政権に代わって、王道政治に立脚する〝理想的な法治国〟が誕生し、同国の人権保障法第三条に「満洲国人ハ種族宗教ノ如何《イカン》ヲ問ハズ凡《スベ》テ国家ノ平等ナル保護ヲ受ク」とあるのに感銘を覚え、大日本帝国、サン・サルヴァドル国に続いて満洲国を承認する光栄を有するというのだった。ガッペ司教は、五月に満洲国皇帝に〝賜謁《しえつ》を仰せつけられ、優渥《ゆうあく》なる御諚《ごじょう》を賜った〟。

こういうローマ教皇庁の動きの裏には、軍部の意向に迎合しようとした日本のカトリック教徒の働きがあった。とくにカトリック教徒の輿論《よろん》を代表する「日本カトリック新聞」は満洲事変勃発以来、終始軍部寄りの記事を載せていた。昭和八年十月、大日本帝国の満洲国承認一周年を記念した論説などは、その代表的なものだった。

今や満洲国は皇軍の犠牲的奮闘によつて、大匪賊《だいひぞく》を掃滅し得、ただ小匪賊の蠢動《しゅんどう》を残すのみで、愈々《いよいよ》兵馬倥偬《へいばこうそう》の時代から、経済的産業時代に入つてゐるのである……かうした輝かしい成績は、日満両国の協力一致によるものなることは、既に周知の事実である。旧軍閥の虐政《ぎゃくせい》から解放せられて、初めて独自の楽天地を創造しようと努力これつとめてゐる三千万民衆は、嬉々《きき》として新生命に雀躍《じゃくやく》してゐる……満洲国承認一周年を迎へ、吾々《われわれ》日本カトリック者は、国民としてのみならず、信者としても、大いに日満両国の共存共栄を図り、隣国の誼《よしみ》の実を徹底的にあげるやう心懸けねばならぬ。

昭和十年四月六日、満洲国皇帝は来朝し、天皇陛下は東京駅にお出迎えになって、新聞はこの記事と写真を大々的に報道した。この記念にカトリック神父田口芳五郎《よしごろう》は、『満洲帝国とカトリック教』を刊行して、満洲皇帝と在満カトリック教徒との親睦《しんぼく》関係を宣伝した。

ところで、ジョー・ウィリアムズ神父は上智大学事件、暁星中学事件、満洲国承認などに対して取った、教皇庁や日本カトリック教会上層部の態度に対して、終始疑問を抱いていた。もちろん司祭としての立場から、公のミサの場でそういう発言をすることはなかったが、おれとの会話では、ホフマン学長やシャンボン大司教、とくに軍部迎合の急先鋒《きゅうせんぽう》であるカトリック中央出版社長の田口神父への、批判や不満をあからさまに漏らしていた。たとえ軍部の御機嫌《きげん》を取るためであれ、神父が靖国神社に参拝するのは恥ずべき行為だ、満洲帝国は日本の植民地であって、その傀儡《かいらい》皇帝に媚《こ》び諂《へつら》うことはカトリック教の自滅行為であるというのだ。とくに、最近頻発している奄美大島の教会破壊や信徒の弾圧に対しては、もっと毅然《きぜん》としてキリスト教の精神を述べて軍部と対決すべきだと話していた。

昭和十年正月のことだった。おれはジョー神父の部屋で数人の信徒たちと雑談していた。お屠蘇《とそ》に酔った神父が、先年の十一月に靖国神社に参拝した上智大学のホフマン神父の行為は、カトリックの信仰に照らしておかしいと、ふと口を滑らせた。すると、教会の事務員をしている青年が、いきなり摑《つか》み掛かるような勢いで神父に言った。

「靖国神社には今次の満洲事変を始め、国のために命を捧《ささ》げた人が祭ってあります。そこに頭を下げるのが、なぜ恥ずべき行為なんです」

「靖国神社は神道の施設です。キリスト者は頭を下げる必要はない」

「そんなの外国人の発想じゃないですか。靖国神社に頭を下げるのは宗派を越えた日本人の共通の気持ですよ。ホフマン神父は日本人の気持がわかる方です」

「……」

「さきおととし、神父さんは靖国神社に参拝を拒否した学生を弁護していたけど、そんな学生こそ恥ずべき行為をした非国民だ。一人二人の非国民的行為によってわれわれカトリック教徒全員が非国民だと誤解されているのは迷惑です。上智大学のホフマン神父は、その誤解を解くために参拝したので、あれはわがカトリック信者の愛国心を示すために行った見上げた行為だと思います」

「……」

「カトリック信者と愛国心は矛盾しないでしょう」と青年はなおも熱くなって言った。「ジャンヌ・ダルクはどうですか。彼女はフランスの危機を救うために奮然として立った。ヴェルダン要塞を『ただ死あるのみ』として死守したペタン将軍はどうですか。アイルランドの自由獲得のために活躍したオコンネルはどうですか。みんな自分の国のために愛国の至誠を尽くしたカトリック教徒じゃないですか」

「ぼくは」とジョー神父はやっと青年の弁舌に割って入った。「愛国心を否定はしないね。ただ、靖国神社は神道の施設だから、そこに参拝することは宗教行為だと言うのよ」

「満洲事変が起きたとき、神父さんは日本軍の攻撃作戦を批判しましたね。ところがヴァチカン市国は満洲国を承認したではないですか。日本の軍部の聖なる戦いによってかち得た満洲国という成果を認めているじゃないですか。認めていないのは、英米に迎合している国際聯盟です。神父さんはアメリカ人だから、売国奴みたいな発言をするんだ。靖国問題もそうだ」すると、その場にいた数人――修道士も一般信徒もいた――が一斉《いっせい》に「そうだ。そうだ」と叫びつつ、部屋から飛び出して行った。おれはジョーさんと二人だけになった。

「みんな、大分憤激してましたね」

「ほんと、興奮しているね。でもぼくは自分の信念をまげるわけにはいかない」

「ジョー、ぼくはあなたの意見が正しいと思う。自分の信仰に忠実であって神社に頭を下げないのは立派な行為だと思うし、満洲事変は日本の侵略行為だと思う。この点、教皇庁の態度はおかしいと思う」

「ありがとう」とジョーさんはぼくの手を握りしめて笑顔となった。

おれが受洗の志をジョーさんに打ち明けたのはその直後であった。彼は即座に洗礼の許しをくれた。そしておれが受洗したのは三箇月後の復活祭においてであった。ジョーさんと知り合ってから、まる二年が経《た》っていた。

夏になって、ジョーさんが八丈島に来た。白人など見たことのない両親や兄や妹は最初気味悪がり、同時に恥ずかしがっていたが、ジョーさんが日本語をかなり達者に話し（この頃《ころ》、彼は日常会話に上達し、ジョークを飛ばせるほどになっていた）、正座ができ、箸《はし》を巧みに使い、刺身を好み、くさやの干物でさえ平気で食べるのを見て心を開き、すこしずつ話を交わすようになった。特に父はジョーさんが酒に強く、島特産の芋焼酎《いもじょうちゅう》をがぶ飲みするのを見て酒客《しゅかく》として珍重できると認定し、昔水兵だった折に覚えた片言の英語を使ってみせたりして、結構親しげに語りかけた。しかし父はジョーさんのいない所では、「西洋出来のバタ臭い宗教に入りやがって家風に合わねえ。お前、死んだ時に先祖代々の墓に仏教徒として入る気がなくなっただか」とか「釈迦《しゃか》は円満具足で大往生したが、耶蘇《やそ》は若くして残酷にも殺されたそうじゃないか。そんな宗教に入ったらお前も早死にすることになりゃあしねえか」

とか、なにかと絡《から》んできた。そうしてジョーさんが入った風呂桶《ふろおけ》を穢《けが》らわしいと決めつけ、ついぞそういうことには手を出さぬ父が、石灰をまき石鹸《せっけん》まみれにして、気の済むまで洗浄するのだった。

もっとも父は、ジョーさんの飾らない人柄《ひとがら》と陽気な性格にはすっかり感心したらしく、千畳敷の磯《いそ》に連れだして酒盛りをしたり、和船に乗せて、島の漁師が用いる木製の手投げ浮きで釣《つ》りをしてみせたりした。山登り、テニス、野球、ジョギングとスポーツ好きのジョーさんも泳ぎだけは駄目《だめ》で、その点父は優越感を満足させたらしい。

ところで、ある日、ジョーさんが島の北に聳《そび》える八丈富士に登りたいと言った時、一番驚いたのは父であった。

「何のためにだ」と父は外人をぽかんと見詰めた。

「登ると気持がいいでしょう」

「苦労するだけだ」

「景色がいいでしょう」

「なにもねえ。牛と牛の糞《ふん》しかねえだね」

「海が見えます」

「海なんか。島のどっからでも飽きるほど見えるだよ」

結局富士にジョーさんはおれと二人だけで登った。裾野《すその》は牧場になっていて牛が鈍い動きで草を食《は》んでおり、なるほど到《いた》る所に牛の糞が落ちていた。頂上に近付くと黒い岩肌《いわはだ》が露出し、火山岩がごろごろしていた。島の全景が俯瞰《ふかん》できた。菊池の家がある大賀郷《おおかご》の村が眼下に見渡される。そのむこうにこちらより少し低い三原山があり、それで島は終りであった。周囲はすべて海、海、海である。ぐるりと見回せば水平線が目の高さなので、島は広大な水の摺《す》り鉢《ばち》の底にちょこなんとある。大量の水に今にも飲み込まれてしまいそうな、ちっぽけな島、それがわが故郷であった。そうして頭上には、無限の宇宙の底である青空が、さまざまな形の、しかもどの一片も例外なしに美しい雲を浮かべて広がっていた。青空は風で充満していた。その厖大《ぼうだい》な風のほんの一かけらが透明な矢となって後から後から飛んできた。おれが矢に撃たれる。すると足元の岩の間に生える名もない草も震えた。おれは自分がこの草と同じだと切に思った。

自分は人間で自由で草とは違う存在だと自負しているが、しかし大した違いはない。無限の宇宙に散らばる夥《おびただ》しい星の一つである太陽の、その惑星の一つである地球の表面の、小さな小さな島におれは生まれたが、その誕生には人類始まって以来無数の男女が行った無数の媾合《こうごう》が係わっている。この現代に日本の領土である八丈島に男として生まれ、その運命からおれは離脱できない。おれの運命は草とほとんど同じで、自由がない。自分は自分の生命の根拠ではない、という抗《あらが》いがたい思いがおれを包みこんだ。風、ヨハネ福音書の三の八の「風はおのが好むところに吹く。汝《なんぢ》その声を聞けども、いづこより来たりいづこへ行くを知らず」をおれが呟《つぶや》くと、ジョーさんは即座に英語でそれを言った。「The wind bloweth where it listeth, and thou hearest the sound thereof, but canst not tell whence it cometh, and whither it goeth.」

ジョーさんが聖句を言い終ったとたん、モーセがホレブ山で芝の中の火を見た場面をおれは思い起こした。芝は火に燃えているけれども焼けないのだった。すると神は芝の中よりモーセに語りかけ、「我かならず汝とともにあるべし」と約束して、「Ego sum qui sum, 我は有《あり》て在《あ》る者なり」と告げる。トマス・アクィナスは、そこに神における存在と本質の同一性を見た。アウグスティヌスは、それを神の永遠性の現れと見た。続けてモーセがシナイ山の炉の煙のように立ちのぼる煙の中から十戒を授けられた場面が、明らかな映像として風の中に見えてきた。モーセの像とジョーさんが重なった。彼の緑の瞳《ひとみ》は火の中にあるように輝いていた。「ねえ、ぼくが何を想《おも》っているかわかる」すると彼は火のように揺らめく微笑で、今までとまるで違った、風そのものが声になったような声音で、「Ego sum qui sum, I AM THAT I AM.」と言ったのだ。いま風がおれに語りかけていた。神があるという力強い言葉が風の矢となっておれを貫いた。彼はなおも火のように揺らめきながら言った。「Certainly I will be with thee.」「いつまでも」とおれは言った。

ジョーさんが八丈島に滞在している間に東京で奇妙な事件が起きた。陸軍省軍務局長の永田鉄山《てつざん》少将が相沢《あいざわ》三郎中佐という剣道の達人に軍刀で切り殺されたのである。新聞記事を元に、この事件について精密な分析をしてみせたのがジョーさんだった。陸軍の一部の若手将校のあいだに、現代の日本を改造して、経済や資本の論理で国家が動いていくのではなく、大元帥《だいげんすい》陛下の統帥権を絶対視して、天皇親政の下で一気に国家の改造を目指そうという動きがあるらしい。すでに、血盟団事件、五・一五事件で噴出したように、テロと暗殺によって日本を動かしていこうという不気味な暗流があり、経済と資本の手先である財閥、君側にいて天皇の目をくらませている重臣、何らの改造意欲のない官僚、政党、そして軍の上層部を専断している軍閥を滅ぼせという。要するに、一昨年滝川事件を引き起こした文部官僚、今年になってから美濃部達吉名誉教授の天皇機関説は国体に反するものとして批判の矢を放っている貴族院や政府よりも、もっと極端な軍部中心主義、天皇主義が若い将校らにあるらしいというのが、ジョーさんの分析であった。

「これから日本はどうなるのでしょうね」

「わからない。しかし、満洲事変以来、軍部が武力拡張政策で国を引っ張って行く方向では、平和な未来は来ないだろう。戦争というのは一度火がつくと、どんどん燃え広がって、収拾がつかなくなる。そうならないことを祈るより仕方がない」

「そういう傾向に対して、声を大にして批判することも必要でしょう」

「ぼくは機会あるごとにそれを言っている。しかし、教会内部で一言言うと信徒たちの反撥《はんぱつ》を買うのが日本の現状だね」ジョーさんはいつになく元気のない表情をしていた。

九月初めジョーさんは東京に帰った。一週間後おれが上京して神田教会に顔を出したところ、大変な事件が出来していた。ジョーさんが奄美大島においてスパイ容疑により逮捕されたというのである。

奄美大島では依然としてカトリック排撃運動が続いており、外国人宣教師は要塞地帯に派遣されたスパイであり、日本が太平洋作戦のため作ろうとしている秘密基地を探りにきたという流言蜚語《ひご》が飛び交い、教会の打ち壊しや信者への迫害が絶えなかった。そこでカトリック側ではまず外国人司祭を引きあげ、代わって日本人司祭を派遣しようとしたが、現地の要塞司令官に動かされた陸軍当局の反対で実現出来ないでいた。つまり現地の信者たちは司牧者を失ったまま放置された恰好《かっこう》になった。この状況を憂《うれ》い、「牧者が群羊を捨ててしまう」とは何事かという批判がカトリック内部にも起こり、ウィリアムズ神父もその運動に加わり、駐日ローマ教皇庁使節やカトリック上層部にしきりと働きかけていた。しかし、事態は一向に好転しないので、とうとう痺《しび》れを切らしたジョー神父が自分の判断で、休暇を利用して奄美大島に渡って信者たちと接触しようとしたのだった。ところが、折からの台風により、鹿児島から名瀬港へ向かったはずの船が島の南西部に近接する加計呂麻島《かけろまじま》の要塞地帯に流れ着いてしまい、怪しい外国人がひそかに上陸したという島民の通報で、スパイとしてすぐさま憲兵隊に逮捕されたというのだ。

ジョーさんの身の上を案じながら、司祭館から出たところを、すっと影がいざるように寄って来た私服二人から、ちょっと来いと言われ、神田署に連行されてしまった。五人の特高の刑事たちが狭い部屋でおれの取調べを始めた。最初刑事たちは莫迦《ばか》丁寧で、カトリック教会の集会（ミサのこと）ではどんな種類の儀式をおこなうのですか、とか外国人の牧師（神父のこと）は何語で説教するのですかなどと質問していたが、アメリカ人ジョー・ウィリアムズとの関係を尋問する段になって俄然横柄《がぜんおうへい》になり、こっちはすっかり調べがついてるんだ、全部吐いちまえと口々に威嚇《いかく》しだした。要するに、最近教会内で反戦反国策の言辞を弄《ろう》しているウィリアムズ神父と親しく、神父の部屋に籠《こ》もって頻繁《ひんぱん》にしかも長時間英語で話していたのが怪しい、しかもこの夏には国防の第一線地帯である八丈島に二人して渡り、八丈富士の頂上から防衛陣地を偵察《ていさつ》したふしがあり、八丈島から帰った神父が奄美大島の偵察に出掛けた件と、お前は密な関係を持っているという迫り方であった。おれの教会内や八丈での行動を彼らが詳細に探知していたのにはびっくりした。誰かが絶えずおれを尾行していて、逐一復命したとしか思えなかった。おれはありのままを話しますと、質問には全部答えることにした。

「ウィリアムズ神父には英語を習っていたのです。だから英語で会話したんです」

「英語はどのくらいの時間習っていた」

「週一時間です」

「それなのに二時間も三時間もひそひそ話をしたのはなぜか」

「ひそひそ話などはしません。神父は来訪者が多いので時間が超過することはありましたが」

「ウィリアムズが、帝国陸軍の満洲や北支における活躍について、アメリカの肩を持った発言をしているのは知っているな」

「アメリカの肩を持ったのではありません。あの人は平和主義者であらゆる国が武力を行使するのに反対なのです」

「それは日本の国策に反するではないか。満洲事変で戦死した尊い護国の英霊に対して申し訳ないではないか。しかも神父の身でありながら、帝国の軍事施設を探訪しておる。そんなスパイと付き合ってるお前は日本人として恥ずかしくないのか」「お前も日本人ならば、ウィリアムズについて洗いざらい吐いてしまえ。そうすれば悪いようにはせん」「売国奴になるか真人間になるかの分かれ目ぞ」「ウィリアムズと交わした会話の内容を詳しく言ってみろ」

彼らは、おれがセツルメントの法律相談部に所属してスラム街に出入りしていることも、一昨年の六月、滝川事件反対集会の時に本富士署に検挙されたことも熟知していた。左翼学生の温床と見なされているセツルメントへの出入り、本富士署への検挙、反戦司祭との親交、八丈島旅行と、すべてのおれの行為が、被疑事実を証明していた。ジョーさんとの会話を順を追って話せと命令されて、ジョーさんのレッスンの内容を仕方なく、正直に、つまり英訳聖書の内容を創世記から話し始めると、彼らは「莫迦にしやがる」と激怒し、おれを柔道場に連れていき、代わる代わるに投げ飛ばし、首を失神直前まで締めつけ、ついには後ろ手に縛って宙吊《ちゅうづ》りにして、木刀で腕や尻《しり》や背中を殴り付けた。おれはこの点で父の勇に感謝しなくてはならぬので、おれが漁師にならず中学に進学したいと言いだした時、怒り狂った父から拳固《げんこ》の雨で体中に青痣《あおあざ》ができる程に叩《たた》きのめされた経験（何度も何度も父はおれを殴りつけた）が、警察での苦痛に耐える力と気力をおれに与えてくれた。おれは頑《がん》として彼らが聞き出したがっているジョーさんに不利な情報、とくに満洲事変批判については一切漏らさなかった。むろんアメリカのスパイなどという根も葉もない嫌疑《けんぎ》には答えようもなかった。深夜まで吊るされて、おれの肩と腕は鬱血《うっけつ》で二倍ほどに腫《は》れあがり、神経が麻痺《まひ》したのか痛みも感じなくなった。血まみれのぼろ布と化したおれは留置場に放《ほう》り込まれた。

おれの傷を拭《ぬぐ》い、濡《ぬ》れ手拭で湿布をし、二食分だというおじやを食べさせてくれたのは一人の青年だった。痩《や》せて咳《せ》き込む彼は結核の症状である赤い顔色をしていたが、ともかく親切な男だった。空腹で菓子屋の店先から煎餅《せんべい》一袋を盗んだのが彼の罪状であった。

翌日も柔道場での拷問《ごうもん》であった。翌々日もそうだった。が、四日目に尋問はぴたりと停止され、一週間目に不意に釈放された。あとで聞けば、アメリカ大使とローマ教皇庁使節の弁護と抗議でジョーさんが釈放されたためだった。

おれは真っ先に教会に行った。ジョーさんは外出中だった。人々のこちらを見る眼差《まなざし》が何となく冷やかなのをおれは敏感に感じ取った。受付の女の子は、疫病病《えきびよう》みを見るような目付きでおれをじろじろ見、この正月にジョーさんに詰め寄った事務員はあからさまにおれを鼻で笑った。日曜日（そう、その日は日曜日であった）のミサに出てみると、日本人司祭の説教では、暗におれの行動が批判されていた。

「最近、教会内に日本人としての自覚に欠けた言動がまま見られるのは残念です。当教会も国家の祭日には国旗を掲揚し、新年、紀元節、天長節、明治節のような大日本帝国の四大節には、国旗掲揚式を行い、君が代を欽唱《きんしよう》して、帝国陸海軍の武運長久を主に祈願いたしましょう。わが陸軍は満蒙《まんもう》三千万の民衆の運命を担《にな》って、満洲帝国を独立させるという偉業をなしとげ、今や支那に進出して、支那四億の民を善導して北の宗敵ソ聯に対する備えを着々と整えています。他方、英米勢力を中心とする国際聯盟はあらゆる手段を弄して妨害に乗り出しました。帝国が国際聯盟を脱退したのは当然でしょう。そのような時局を正しく認識して、軽挙妄動《もうどう》に走らず、わがカトリック教会の繁栄をこそ願うべきです。今、長崎教区長の主唱によっておこなわれている愛国機献納にも奮って寄付をいたしましょう。では、天皇陛下の弥栄《いやさか》と帝国陸海軍の武運を祈りましょう」

奄美大島において弾圧により教会活動が停止されている現実には何も言及されなかった。弾圧の主導権を取っているのは陸軍の要塞《ようさい》司令官ではないか。上智大学、暁星中学の事件も陸軍の横槍《よこやり》で生じたものではないか。この神父は時局推移についてあまりにも鈍感過ぎるとおれは思い、潰《つぶ》れた胸を抱いて教会を出た。

つぎの日曜日に教会を訪れるとジョーさんに会えた。「ぼくが軽率だったね。島に行ったのはよくない。自分が外人だとよく知らされた。そして、きみにまで迷惑をかけて、ごめんね」とジョーさんは頭を下げた。

「酷《ひど》い目に会いませんでしたか」

「ま、大したことないよ。イエズス様を思えば、この程度、小さなことよ。トオル、きみは酷い目に会ったかね」

「ちょっぴり叩かれ、殴られ、脅《おど》されたけど、大したことはない」

「気をつけねばならない。狼《おおかみ》がいっぱいいる。be ye therefore wise as serpents, and harmless as doves.（蛇のごとく慧《さと》く鳩のごとく素直なれ）だけど、自分の信念を人に話すのは、人間の自由ね。話せば、人の目が開くよ。話さないで人が盲目のままだったら、その人に悪いよ」

ともかく用心のため当分のあいだ英語のレッスンは中止し、二人はあまり頻繁に会わぬようにに心掛けることにした。

12

それから五箇月後、昭和十一年の二月、二・二六事件が起こった。その日は大雪でバスも電車も動かず、セツルメント・ハウスには、セツラーは誰も現れず、託児所の保姆《ほぼ》の竹内睦子とレジデントのおれ、それにマルクス主義者の伊川憲次だけがいた。伊川は肺病で刑の執行停止になり、駒込の病院に入院していたのだが、レジデントである共青の学生の手引きで脱走して二日前からハウスのレジデント室に隠れていたのだ。その共青は伊川の世話をおれに頼むと外出してしまい、まだ帰って来ていなかった。伊川は咳と発熱で動けず、おれは食事を運んだり身の回りの世話をしてやった。雪のため看護婦が姿を見せないので、おれは彼の排泄物《はいせつぶつ》の始末までしてやらねばならなかった。正午前に突然青共が現れて陸軍の一部部隊が叛乱《はんらん》して霞《かすみ》ケ関《せき》一帯を占領し、総理大臣を始め大臣の何人かを暗殺したという情報をもたらしてくれた。この大事件によって憲兵や特高が取締りを強化する、とくに左翼学生と朝鮮人の弾圧が予想されるとも言った。またセツルは当局から睨《にら》まれているから危険だと言い、彼は自室の本やノートを運び出し、伊川の潜伏先を探して来ると言い捨てて去った。

危険はおれにも迫っていた。すでに二回も検挙された札付きの学生、しかも今回は彼らが必死で捜索している伊川憲次と接触していた人間を特高が目こぼしするはずはない。これまでは濡《ぬ》れ衣《ぎぬ》であったが今回は歴《れっき》とした逃走加担犯である。おれはどこかに一時潜《もぐ》るのが得策と考え、自室の整理を始めた。

すると伊川に呼ばれた。つぎの隠れ家へ引越すために荷造りしてくれというのだ。するとノックがあって、唐突に時田夏江が伊川の昼飯を盆に載せて運んできた。

こんな雪の日に、えりにえって時田夏江が現れるとは予想もしていなかったおれの驚きは、それが神の摂理だという感謝と喜びに変った。今度逮捕されたらおそらく実刑を受けて、二度と彼女に会えないという思いが、おれを彼女への告白に誘ったのだ。

「実はぼく……きみが好きなんだ……愛している」という言葉を言うまでに、躊躇《ちゆうちよ》と迂回《うかい》があったのだが、そのほうはさらさら覚えていず、ただそれを言った瞬間が映画のスチール写真さながらに停止した映像として記憶に残っている。それまで親しげに、頰《ほお》を弛《ゆる》めていた夏江が、おれの目の奥底に真剣な視線を注いだ。おれは女の返事を待っていた。もちろん色よい返事を期待はしていたけれども、駄目《だめ》でもともとであるとも思っていた。相手は大病院のお嬢さんで、おれは離島のしがない漁師の息子である。その得難い瞬間を突き崩したのは、竹内睦子の一声であった。「時田さん」と廊下で無遠慮に呼んでいた。あの一声がなければ、おれの人生は全く別な道筋をたどったかも知れないのだ。

翌朝、例の共青が来て伊川憲次をどこかに連れ出した。その直後、おれも風呂敷包《ふろしきづつ》み一つを持って、セツルのすぐそば、北十間川《きたじっけん》のほとりの旅館に移ったのだが、これが失敗だった。セツルからずっと刑事につけられていたのだ。その日の夕方、刑事たちがセツルメント・ハウスに踏み込み、おれが伊川憲次に会い、話を交わした事実が、おれが伊川のいた部屋でのんだバットの吸殻《すいがら》から明るみに出てしまった。そして翌日、すなわち二月二十八日の朝、おれは逮捕された。再び特高の拷問に遇《あ》った。前科《まえ》があるふてえ野郎だというので今度は逆さ吊りで木刀で叩きのめされた。おれは、伊川憲次がこっそりとハウスに来たさい偶然レジデントとして世話しただけで、病院からの逃走を手伝ったり、ハウスから市内某所への潜伏逃走に加担したわけではないのだが、そんな理屈が通る警察ではなかった。秘密の共青員というのが彼らがおれから引き出したい自白であった。が、おれは頑としておのれの主張を変えなかった。それに拷問に耐える心構えが前回よりも確固として出来ていた。茨《いばら》の冠、鞭打《むちう》ち、手の甲と足の甲への釘打《くぎう》ちに耐えたあの方が、常におれの先達として励ましを与えてくださった。三月一杯留置場にぶちこまれたため、期末試験が受けられずに落第となった。釈放されてセツルメントへ行ってみると、セツラーたちが妙な目付きでおれを見た（釈放されて教会へ行った時と同種類の、裏切者を見る刺すような眼差であった）。おれが警察での拷問に負けて共青の連中の名前を言ったために芋蔓《いもづる》式に逮捕が行われたというのだ。もっと心外な噂《うわさ》も聞いた。昭和八年の滝川事件の時の学生集会の秘密がばれたのも、おれが密告したせいだというのだ。

おれは孤立していた。カトリック教徒としては軍国主義的信徒たちより白い目で見られ、セツルメントでは唯物論《ゆいぶつろん》を理解できぬ、遅れた意識のキリスト者として蔑《さげす》まれていた。そうしてもっとおれを孤独に追い込んだのは時田夏江が結婚してしまったことであった。相手は父親の経営する病院の副院長だということだった。

一年落第して二度目の四年生になったおれは、来年は満二十五歳だから大学生の兵役免除期間が切れて徴兵検査を受けねばならなかった。卒業後の就職運動をしてみたが、逮捕歴と落第歴のため、ことごとく失敗した。ともかく兵隊になり、二年の現役を終えてから将来のことを考えようと決心した。

十月半ばにおれは、時田夏江、いや結婚して中林姓となった彼女に葉書を出した。兵役に行くとなると、八丈島は麻布聯隊《れんたい》区に属して歩兵第三聯隊に配属され、聯隊主力が駐屯《ちゆうとん》しているる満洲へ送られる公算が高い、満洲には匪賊《ひぞく》が跳梁《ちようりよう》して生命の危険があるやも知れぬ、今生《こんじよう》の別れに一度逢《あ》いたいという気持であった。もっとも文面は簡単で、結婚おめでとう、この度、事情あってセツルメントを去ることになり、その前にぜひ一度お会いしたいとは思っているが、何かとお忙しいようなのであきらめています、という走り書きであった。出してから後悔した。人妻に男名前の葉書を送り、しかも、一度お会いしたいなどと書くのは不躾《ぶしつけ》もいいところだ。しかも、「きみが好きなんだ……愛してる」と告白した男からの文面である。さぞや夏江は立腹しているだろうと身の縮む思いでいると、数日後夏江が会いに来てくれたのだ。その大切な日は十月十七日、神嘗祭《かんなめさい》の午後であった。

おれは、女工の浦沢常子の家にいた。それは板囲いにトタンを被《かぶ》せただけの、ほんのあばら屋であった。肺結核の末期で極貧の生活に疲れた常子は催眠薬を飲んで自殺を図り、昏睡《こんすい》の重体で、幼い子供の明夫は飢えていた。おれはセツルから出向いて、母親の看病と子供の食事の面倒を見ていた。いよいよ臨終というので、工場の同僚たちが集まった。セツルから往診に来た医師は、今晩か明朝が最期《さいご》だと診断した。そこへ夏江がセツルから言づけられた食べ物を持って来てくれたのだ。

セツルメント・ハウスに戻ると、夏江と二階の法律相談室にあがった。彼女がそこにいた。温かく柔らかく、その息でおれを包み込んでいた。その日の雪のように白い細面《ほそおもて》、蜜《みつ》のように濡れた瞳《ひとみ》、繊細な細工のように組み合わされた象牙《ぞうげ》の指。その指には金の結婚指輪が光っていた。おれは、うわの空で、主題のまわりを遠く、言葉で飛びまわっていた。なにを話したか覚えていない。おそらくは来年兵役に行くこと、二・二六事件の時に逮捕されたことなどを話し、どういう拍子にか、おれはカトリックの洗礼を受けたことを告白したのだ。おれはロマ書、十三の一の「すべての人、上にある権威に従ふべし。そは神によらぬ権威なく、あらゆる権威は神によりて立てらる」を引用し、Divine Right of Kings王権神授説について述べ、日本の天皇制が神の定めた政体であり、天皇こそが神の定めによる支配者であると主張する日本の国体について何やら小むずかしい議論をした。すると遠くを言葉で飛びまわるおれを、夏江は不意に中心に引き寄せた。彼女は、「菊池さん、お葉書下すったわね。懐《なつ》かしかったわ」と言ったのだ。

心臓を彼女の可愛《かわい》い手でそっと撫《な》でられたように、おれの全身の血管が熱く開いた。何かを彼女に言おうとするとしどろもどろになるのだった。しばらくして、帰る彼女を市電の柳島停留所まで送って行った。おれは、別れ際《ぎわ》に必死の思いで言った。

「二・二六のとき、ぼくはきみを愛してる、と言ったね。覚えてる？」

「もちろん覚えてるわ」が彼女の答だった。

おれは、大きく息を吸い込むと一気に言った。

「あの気持は今も変らない。今も、いつも、世々にいたるまで」むろんこの言葉は祈禱文《きとうぶん》の『栄唱』「願はくは、聖父《ちち》と聖子《こ》と聖霊とに栄えあらんことを。始めにありしごとく、今もいつも世々にいたるまで。アーメン」を変奏させたものだ。すると彼女は困惑した表情になって、おれを絶望の淵《ふち》に追い詰めた。

「ありがとう、嬉《うれ》しいわ。だけど……」

おれは泡《あわ》を食って叫んだ。

「あっ、その先は言わないで」

電車が来た。夏江はふと振り向くと、いきなり奇妙なことを口走ったのだ。

「わたしの結婚生活、幸福じゃないの。夫は大酒飲みの女喰《おんなぐら》い」彼女は幸福ではない……彼女は不幸だ……彼女を幸福にするためにはどうしたらよいのか……この想念がおれの魂の中心に居座《いすわ》ってしまった。何かの折りにふとおれの心に染《し》みだして来た。極寒の氷原を凍えた体を無理に動かして匍匐《ほふく》前進しながら、速射砲の車輪を背負いその重さを必死になって支えながら、地平線まで真っ平らな草原を重装備でよろめきながら、無数の鋸《のこぎり》が回転しつつ兵士の首や胴を切断していくのを目の当たりに見ながら、彼女の言葉が魂の奥底から染みだしてきた。生きたいと思った……そう、彼女のために頑張った、ふん張った。

昭和十二年正月歩兵第三聯隊速射砲中隊陸軍二等兵菊池透。最下級の兵隊として、おれは命令されるままに行動した。麻布の留守部隊で新兵教育を終えると、六月、聯隊主力のいる満洲の斉斉哈爾《チチハル》へ送られ、すぐ七月七日の蘆溝橋《ろこうきょう》事件、さらに支那事変となり、七月末応急派兵の命令が下り、斉斉哈爾から山海関、外長城線を強行突破して張家口《ちょうかこう》と進み、中華民国軍の退路を断ち、さらに大同《だいどう》を占領した。初めての実戦であって、おれは命令されるままに敵兵に速射砲を撃ち、多くの人間を殺した。神よ許したまえ。この北支作戦は連戦連勝で、十一月下旬、聯隊は意気揚々と斉斉哈爾に凱旋《がいせん》した。

おれは一等兵に進級した。新兵が来て、古年兵になった。しかし、兵隊、つまり命令されて肉体労働をする立場に変化はなかった。夏江の姉の義理の甥《おい》、脇敬助中尉は大尉に進級して中隊長をしていたが、おれのほうから訪ねて行きはしなかったし、むろんむこうからおれに話しかけることもなかった。士官学校出の将校は兵隊にとってまぶしい別世界の存在であった。おれは、単調な兵隊生活を続けながら、ひたすら昭和十四年の正月の兵役の終了を待ちわびていた。

まことに単調な生活であった。起床、日朝点呼、朝食のあとは午前八時から午後四時まで演習である。集団教練、射撃、行軍、要するに敵を殺すための肉体訓練である。夕食、やっと二時間ほどの自由時間があるが、内務班訓練として整頓《せいとん》、清掃、兵器手入れ、将校と下士官の雑用にこき使われ、自由な時間はほとんどない。大学出の者は幹部候補生の試験を受けて、将校への道を目指していたが、〝前歴〟のあるおれには、その道も閉ざされていた。と言うより、おれは将校になる気がまるでなかった。自分の命令で兵が死ぬ、敵が死ぬ、人間が死ぬのがいやだった。

昭和十四年正月、現役終了と同時におれは召集されて、除隊の望みはなくなった。五月、満蒙国境ノモンハンで日本軍と蒙古ソ聯聯合軍との衝突がおこり、七月十七日、聯隊より速射砲中隊だけが戦場に派遣を命ぜられた。斉斉哈爾から海拉爾《ハイラル》までは汽車で行き、それから先は徒歩で行くのだ。砲兵隊は砲をトラックや輓馬《ばんば》曳行《えいこう》で運べたが、歩兵に属する聯隊砲、曲射歩兵砲、速射砲は人力で運ばねばならぬ。なぜなら歩兵は歩く兵隊であるからというのだ。缶詰《かんづめ》と米でずっしり重い背嚢《はいのう》に、分解した砲を持ち、何日も歩き続けた。背嚢は背中にめり込み、腰は弾薬の重みでくぼみ、昼の炎天、夜の凍る寒さのなかを数日間歩きづめに歩いた。疲労が増すにつれて、少しでも重みのあるものを捨てて行く。石鹼《せっけん》、便箋《びんせん》、剃刀《かみそり》、万年筆、紙……鼻紙、書類、文庫本、雑誌、新聞、手紙の束、あれほど夥《おびただ》しい紙が路上に捨てられたのを見たことがない。おれは何度も聖書を捨てようとしては、思い止《とど》まった。結局内物入れに入れた聖書のおかげで命が助かることになったのだ。

米は欠かさなかったものの、お数《かず》は切干し大根と牛缶のみで、三日目には大根と牛缶の臭《にお》いを嗅《か》いだだけで吐き気を覚えた。それでも無理に口中に押し入れ飲み下した。兵たちは日々に痩《や》せていき、腕時計が抜け落ち、巻脚絆《まききゃはん》を巻く位置がずれてきて、腰の革帯の穴が足りなくなった。足の肉刺《まめ》をナイフで切り割きヨウチンを流し込む。ついに足の裏は傷だらけになった。負傷者を満載したトラックが来る。何台も何台も来る。トラックの轍《わだち》に点々と血が滴《したた》り落ちていた。馬に挽《ひ》かれた野砲が行く。騎兵が行く。戦車が追い越して行く。ガソリン、弾薬、医薬品のトラックが行く。戦場に向かう者と傷ついて帰って来る者とがすれ違う。行けども行けども草原である。一応道はあるのだが、大部隊が通過したあとは道が崩れて草が枯れ、砂漠《さばく》のような砂地になっていて、ともすれば道から逸《そ》れてしまう。中隊長は現在地点を確定するために、絶えず地図を開き、双眼鏡で地形を見回しては、小隊長らと鳩首《きゅうしゅ》協議していた。

草原はゆるやかな起伏を持っていて、登りになるとわれわれも疲労は激しくなった。下りは楽だが、下りた分だけまた登らねばならぬと知っているため、ありがたくはない。だらだらした丘陵が果てしも無く、どこまでも続く感じで、がっくりと歩いて行くわれわれの気を滅入《めい》らせた。ほんのわずかな登り斜面に絶壁をよじるような困難を覚える。昼間は灼熱《しゃくねつ》の地獄で日射病で倒れる者が続出し、しかし夜は急速に冷えて風邪を引く者が多かった。この気温の急変が体を弱らせる一因にもなっていた。時々川があって、岸辺に柳が生えている。葦《あし》の茂みで汗を流すと生き返る思いだが、裸の足の肉刺を見てぞっとする。到底歩けるような足裏ではない。事実、川で水浴したあとは、にわかに跛行《はこう》する者が増えてきた。自己の肉体の状態を知るのはかえって不幸なのだ。疲労しきった体だが、それを疲労だと自覚するとまいってしまうので、意識を別な方向にそらせなくてはならぬ。おれは福音書の一行を読み、それをお経のように繰り返した。それで幾分かは疲労を忘れることができた。

戦況はおれのような一兵卒には皆目把握《はあく》できない。ただ戦場が近づいたことは砲声でわかった。もういわゆるノモンハンに来たのであろうか。丘の起伏が急になり、川があり湖があり、松や白樺《しらかば》や柳の茂みがある。この複雑な地形は身を隠すのに便利だと思う。蒙古高原と質が同じなのか、砂のきめがこまかい。困るのは風が吹くと砂が顔や手足に泥《どろ》のようにこびりついてしまうことだ。

突如、「敵襲」の叫びがあがった。「散開」の命令が下り、左右に砲をひいて広がる。陣地を構築する間はなく、変にねばねばした湿地帯にともかく白樺の林や葦の茂みを楯にして砲を構えた。丘陵の稜線《りょうせん》に黒い点々が現れた。砂塵《さじん》をまきあげて丘を下りながら見る見るうちに大きくなってくる。戦車である。右に約四十台、正面に百台、左に五十台ぐらいであったろうか、これに装甲自動車を加えると三百台以上の黒い鉄の塊が、圧倒的な轟音《ごうおん》を轟《とどろ》かせながら迫って来る。絶大な火力を備えた大機甲部隊が攻撃してくるのに、われわれには遮蔽物《しゃへいぶつ》がなにもない。完全に奇襲をくらったのだ。穴を掘ったり地雷を敷設したりする暇がなく、敵と戦わねばならなかった。幸い敵の目標とするのはわれわれ速射砲中隊ではなく左の丘の友軍らしい。じっと身を潜めていれば、敵は通り過ぎてくれるという希望が生じた。味方の砲撃が始まった。命中して敵戦車が火を吹くと万歳の歓声があがった。敵も応戦を開始した。

彼我の砲弾がわれわれの頭上を飛び交った。と、敵はわれわれの存在に気づき、いきなり至近距離で土砂が吹き上がった。おれの分隊は砲弾の作った穴のなかに移動した。中隊長はまだ射撃命令を出さない。速射砲の射距離は八千メートルだから、敵が八千メートルに近付くのを待たねばならなかったが、その前に敵弾が陸続としてこちらに届いてしまった。速射砲三門と聯隊砲二門に命中して、絶叫と血しぶきがあがった。やっと命令が下ってわれわれは撃ち始めた。しかしこちらの砲撃は敵にとって恰好《かっこう》の目標となっただけのようだ。こちらの弾は敵戦車に命中しても大した損害をあたえることができない。厚い鋼板で弾《はじ》き返すらしく、敵は平気で近付いて来て、ますます正確な照準でわれわれを吹き飛ばして行く。大小の砲弾が風を切る。閃光《せんこう》、轟音、火柱、砂埃《すなぼこり》、悲鳴、呻《うめ》き。朱に染まった肉塊が破壊された砲の周りに散乱する。二年前、中華民国軍と交戦したときには全く経験しなかった、極度に濃密な敵の砲火だった。それは何とも幻想的な光景で、空中に無数の竹とんぼのように鉄の破片と銃弾が飛んでくるのだった。その一つが鋭い斧《おの》のように光って向かって来た。腕をそいつにすぱっと切断された瞬間、おれは意識を失った。気が付いた時は全身を貫く激痛を覚えた。薄汚れた天井が見える。体を繃帯《ほうたい》で緊縛されて動きが取れない。ようやく首を左右にねじって、大勢の負傷者が荷物のように並べられているのを見た。呻き声、泣き声、どなり声が嵐《あらし》のように満ちている。負傷者を跨《また》いで人々が通る。そこが海拉爾《ハイラル》の陸軍病院の廊下で担架に載ったまま横たえられているとわかったのは、軍医が回診に来てからである。切り取られた右腕の付け根に槍先《やりさき》で貫かれたような鋭い苦痛がある。腹の奥にはらわたをよじるようなうずきがある。おれは呻いていた。呻かずにはこの酷痛を我慢できない。「わがはらわた痛む」というエレミア記の言葉を、そして「断腸」という言葉を、全身で、波のように襲いかかる痛みのただなかで実感していた。後ろ手に縛られて逆さ吊《づ》りされた際の苦しみなど問題にならない。あの人の苦痛を思った。手の平、足の甲に釘を打ち込まれ、脇腹《わきばら》に槍を刺されて腸を切断された痛みに耐えた人間イエスの苦しみが追体験された。あなたには人類を救おうという大目的があった。しかし、わたしには何もない。この理不尽な痛みを克服する目的を与えたまえと祈った。

その目的を与えてくれたのは聖書だった。軍医がある日「お前は聖書のおかげで助かった」と教えてくれた。機関銃の弾が左の胸を貫通したのだが、軍衣の物入れに入れておいた新約聖書が弾《たま》をすこしそらし、大動脈と心臓を守ってくれたのだ。それでも瀕死《ひんし》の重傷であった。右腕が切断されたうえに、腹には榴弾《りゅうだん》の破片が突き刺さり、肝臓の半分が吹き飛ばされていた。傷口が化膿《かのう》して熱を出し、壊疽《えそ》の悪臭と高熱が痛みに加わった。しかし、生きたいと切に思った。神が救ってくださった生命ならば、生きねばならないと考えた。歯を食いしばり、呻くことをやめた。熱のせいであろう、心地よい夢に包まれた。頻繁《ひんぱん》に現れたのはセツルメント・ハウスで、美しい夏江が看護婦姿で看病してくれていた。回復したおれが街を彼女と歩いている。失った右腕がちゃんと復活して彼女を抱いている。目覚めると、腕はない。左手は空虚な肩を虚《むな》しく撫でるのみだった。

人心地がついたのは九月半ばで、わが速射砲中隊は敵戦車隊の集中砲火を浴び、戦死者二十一名、負傷者三十数名の甚大《じんだい》な被害を受けたと知った。ナチス・ドイツがポーランドに侵攻し、英仏両国がドイツに宣戦布告をしたことを知った。またわが歩三の主力は海拉爾から ノモンハンまで行軍したところ、すでに停戦協定が成立して実戦には参加しなかったとも知った。

右腕切断、左胸貫通銃創、肝臓および右腎臓《じんぞう》挫滅創《ざめつそう》、小腸癒着症《ゆちやくしよう》が診断名だった。肝臓の機能が落ちて栄養補給ができず、日に日に痩せて行った。内地送還ときまり、大連から病院船で横浜に送られた。戸山町の陸軍病院に着いたのが九月下旬である。十月になって、八丈島の両親や友人に帰還を知らせる手紙を書き、ふと三田の中林夏江宛《あて》に葉書を出した。しかし、その直後、洗面所の鏡で自分を見て愕然《がくぜん》とした。黄疸《おうだん》でどす黒い皮膚が骨に貼《は》り付き、ひげは伸び放題、容貌《ようぼう》醜悪、まるでミイラだ。さまかたちあしくかはりて女子ども逃げ行きぬ、というどこかで読んだくだりが思い出された。切に願ったのは夏江がおれの葉書を無視してくれることだった。こんなおのれの哀れな姿を見せたくはなかった。しかし、葉書を見た夏江はすぐさま面会に来てしまった。

女に見詰められて、おれはすぐ目を落した。懐かしい象牙の手がまぶしく光っていた。彼女の手から目をそらした。相手に自分がふさわしくないと切に思った。不快そのものの異形の病人は消え入るのがよいと思った。

「随分苦労なさったのね」と鼻をすすり、泣きじゃくる。これは予期しなかった反応だった。

「右腕を失ったよ」と毛布をはね除《の》けて見せた。まだ傷口が膿《う》んでいて悪臭を発している肩を意地悪く女に突きつけ、胸と腹に巻き付けた繃帯を白衣の前をはだけて、ことさら暴露した。けれども、彼女に何かを強制した感じとともに、深い後悔の念が呼び覚まされた。恥じて、今度は毛布にもぐり込んだ。

「ごめんね、醜いだろう」

「醜い……」悲鳴に似た声がおれの発言を断ち切った。「そんなこと、ないわ、絶対」

「でも……」

「いいこと、菊池さん、わたしそんなこと思いもしない。あなたは昔とちっとも変っていない」

「変っているよ。ぼくはその事実を知っている」

「それは違うわ。あなたは昔のままの菊池透さんよ。ただ、体が傷ついただけ。傷は治る。治せばいい」

「でも腕が……」

「あなたにとって腕は何なの？　腕がなくても生きて行けるわ。物を書くのは左ですればいい。戦争で右手を失ったピアニストでさえ演奏できたのよ。ラヴェルはその人のために『左手のための協奏曲』を書いているわ」それから夏江は泣きだした。「えらそうなことを言って、わたしってどうかしてる。あなた、生きてちょうだい、わたしのために」

「君のために？」

「そう、わたしのために。わたし……わたし、あなたが必要なの」この一言を夏江がつぶやいたとき、不思議にも病室内にいたのはおれたち二人だけだった。十人ほどの同室者は、偶然散歩か何かで出払っていたのだ。夏江は自分が離婚したと告げ、指に結婚指輪がないことを示した。それから毎日、女は病院に見舞いに来てくれた……。

「起床」と看守が怒鳴り、百二号の予防拘禁所囚人、菊池透はわれに返る。夏江に求婚したときの女の顔の鮮明な輝きにくらべれば、この独居房は何とも非現実の頼りない存在でしかない。監獄らしさを擬装するために塗られた青いペンキも、この三年半の間にすっかり古びて剝落《はくらく》し、地の灰色塗料が現れた。さまざまな落書きが、海底の砂を剝《は》いで露出した古代都市の楔形《くさびがた》文字のように、奇怪な表現を示している。判読は不能であるものがほとんどだ。逆……愛失ふ……人民から×が……流、いや硫、そのつぎは劫《ごう》か功か……。この壁のなかに閉じ込められた人間の痕跡《こんせき》である。国家の壁。国家とは壁を作る機構である。古代の殿《いん》では奴隷《れい》を閉じ込める壁が最大の文化遺跡であった。「起床」と看守がまた怒鳴る、どかどかと足を踏みならし、今の時間が国家が勝手に決めた午前五時半であることを、国家の代表になったことに満足している首相や大使や長官のように誇らしげに告げて行く。洗面、朝の挨拶《あいさつ》、遥拝《ようはい》、朝食と行事が続く。おれはのろのろと起き、本当にのろのろとしか体が動かず、水道の栓《せん》をひねるのが重い荷物を動かすように大仕事で、顔を洗い胸や背中の汗を拭《ぬぐ》う。目覚めるたびに、体力が落ちているのを実感するのは憂鬱《ゆううつ》なものだ。日々におのれの生命力が減っている。やがて財布のようにある日生命は一銭も無くなるのだ。血が全身にこびりついている感覚は朝の悪夢の痕跡である。ところが血どころか濡《ぬ》れ紙のような薄っぺらな皮膚だけだ。

皮膚のどこを眺《なが》めても血の気はまったくない。おや、何か異変がおきたらしい。数人の看守が走ってきた。隣の伊川憲次の房だ。病状が急変したのか。「医務」と聞こえる。当直医の足音は、ここの看守〝教導〟のとは明らかに違い、お供の医務看守を引き連れた四つの規則正しい足音である。「担架」と聞き取れる。〝視察孔〟のわずかな隙間《すきま》から覗《のぞ》いていると、担架に載せられた伊川憲次が運ばれて行く。顔は見えない。騒ぎはそれでおさまる。しばらくして、朝の挨拶が開始される。房扉《ぼうひ》が開き、教導が菊池透と言う。はい、おはようございます。それで挨拶が終りだ。教導のネクタイが曲がっている。表情は普通だ。

食器孔が開いて配膳《はいぜん》となる。雑草の薄い味噌汁《みそしる》に芋粥《いもがゆ》。みんなすぐ呑《の》み込んでしまい、アルミの食器を返すが、おれは味噌汁を口に含み、五十五回は噛《か》む。そこにある栄養分を全部吸収すべく、雑草の葉っぱだろうが、粥だろうが五十五回は噛む。これはなかなか忍耐と技術のいる行為だけれども、〝ロザリオの祈り〟をすることで喜びに転化される。ロザリオの珠《たま》を十個繰りながら〝アヴェ・マリア〟を十回、つぎの大きな珠で〝主の祈り〟を一回、これを〝一環〟として五環を終えると一巡して五十五の祈りとなる。つまり一回の咀嚼《そしゃく》ごとに祈っている。この祈りは、戦争が終るまでにおれの生命をどうにかして保ちたい、その祈りでもある。二十回も噛むと味噌汁は味がなくなるが、なおかすかな〝厚み〟を舌の上に残している。これをさらに噛む。ロザリオを繰る心で数を数え、噛み続ける。

今日の〝労作〟は荷札作りだ。針金がないので、スフの糸を孔《あな》に通す作業である。くにゃくにゃの糸を小さな孔に通すのが、結構の熟練を要する。人間とは妙なもので、こんな物でも人より多く作ろうとする。伊川憲次は「裏門から出た」というのが、もっぱらの噂《うわさ》である。死以外にこの監獄のなかの監獄を出る方法はない。病気になっても、たとえ伊川憲次のような重症でも、隣の豊多摩刑務所の病舎を利用して治療することは許されない。医師が往診して、注射投薬するだけだ。囚人の悪性の思想のほうが問題であって、肉体は思想のとばっちりで隔離されるのだ。一般病舎に入れて、悪い思想を他の囚人に感染させでもしたら大変だというわけである。

労作の休憩時間に伊川憲次の自殺が伝わってくる。首に赤い縄跡《なわあと》があるのを目撃した者がいる。彼らの聖書『資本論』の翻訳者で解説者で、戦争と戦況についての最上の解析者であった人の死は、大事件なのである。なぜ先生は自殺したのだろう。もうすこし生きていれば、日本帝国の敗戦を見られるのに死ぬ必要はなかったではないか、と一人が言うと、いや、先生の命はもう尽きていた、先生は自然死のくる前に自裁によって権力者へ抗議したのだ、と他の一人が言った。先生と最後に話したのはおれだというので様子をみんなが聞きたがる。おれは東京空襲が「これで止《とど》めを打たれた」という彼の言葉を伝える。預言者の言葉を聞いたように多くの人々がうやうやしく合点する。戦争の帰趨《きすう》についての議論が雪融《ゆきど》けの水流のようにひろがっていく。看守はわざと座をはずしているので議論は日本の降伏が近い事実、そのあとの人民蜂起《ほうき》と革命の達成にまでおよぶ。どうせ話の内容はスパイによって密告されるのだろうが、人々は図太くなって平気で大胆な発言をする。日本の敗色が濃くなってから、看守たちもいままでのように居丈高《いたけだか》に言論統制ができなくなっている。その一つの例が、二階東棟の奥に隔離されていた徳田球一と志賀義雄の〝厳正独居〟の解除である。彼らは共産党員としての信念から、獄内細胞をつくり、「政治報告」とか「事務報告」の秘密出版物を配付したかどで、三年ほど前、たしか昭和十七年半ばから懲罰として〝厳正独居〟を命じられていたのだ。おれは、沖縄出身の徳田という男に興味を覚えた。いが栗頭《ぐりあたま》のてっぺんが禿《は》げててらてら光り、早口でまくしたてる。思想教育では場数《ばかず》を踏んでいた教導たちも徳田の弁舌には押され気味であった。「いまに日本は戦争に負けるよ。そうなれば、かならず共産主義革命が勃発《ぼっぱつ》して君たちは反動分子として処断される。いまのうちにわれわれの要求を呑み、労作など廃止して、明日の日本のためにマルクス主義の基礎ぐらい勉強をしておいたほうがいい。何ならおれが講師になって君たちに教えてあげよう」という調子であった。

伊川憲次が理論家として尊敬されていたとすれば、徳田と志賀は実践家として頼もしがられていた。そうして、どのような連絡方法を用いるのか知らないが、両者の間には密接な情報の往来があり、〝厳正独居〟を解除されたときの徳田と志賀は、獄内の出来事や人間関係の推移を精密に把握していた。

五月末に横浜方面に大空襲があったが、東京には品川、大森地区に被害があった模様。その後帝都にはマリアナから大挙飛来して来るB29による空襲はぴたりと無くなった。伊川憲次の予言どおりらしい。そのかわりに硫黄《いおう》島から来た小型の戦闘機P51による銃撃が行われている。三機ぐらいが組になり、焼野原の東京を物見遊山《ゆさん》でもするように飛び回り、電車、畑の農民、通学途中の子供、動くものがあれば、よき標的と襲いかかる。自分は安全圏にいてまったくの弱い者苛《いじ》めだ。看守の国民学校三年の娘も通学途中を襲われて死んだ。日頃《ひごろ》、四人の配給の軍手や醬油《しょうゆ》の上前をはねる嫌《いや》な男だが、娘の死に泣く姿には人間としての哀憐《あいれん》をもよおす。

六月になり起床時刻が五時になる。食事時も三十分切上げである。しかし消灯は午後十時で変りはない。梅雨が始まったのか雨の日が多い。暑熱の苦しみからは逃れたが、湿気と蚊に悩まされる。ベッドの藁蒲団《わらぶとん》が酸《す》い臭《にお》いを発散し蚊帳《かや》が黴《か》びた。樋《とい》の出口には池が出来、これに無数のボウフラが湧《わ》き、たちまち旋風のような蚊柱となって襲い掛かってきた。おれのような血の薄い者にも飢えた吸血虫は容赦なくたかってきた。そうして、蚊を追い払うのに疲れて手を休めると、黒い毛皮のようにわが肌《はだ》を蔽《おお》い、血を吸うのだった。一度吸い出すとあさましくも離れないので、簡単にたたき潰《つぶ》すことができた。そのあと、おれに異常な欲望が迫ってくる。蚊の塊を蛋白源《たんぱくげん》として食べてしまいたくなるのだ。汚らしい池に湧いた蚊が不潔な代物《しろもの》だと知りつつ、それを捨てるのがもったいない気がするとは、われながら情けない。

雨は降り続く。空襲は依然として無い。東京は敵にも見捨てられた廃墟《はいきょ》なのだ。もうこれ以上攻撃すべき戦略的価値がない砂漠《さばく》に過ぎない。六月十一日、面会に来た夏江が、中野駅でずんぐりした敵機、おそらくP51の襲撃を受けた。三メートル離れた所で老婆《ろうば》と抱かれていた赤ん坊が殺されたそうだ。それを人ごとのように話したあと、夏江は利平が武蔵新田《むさしにった》の別邸に移り、勇、勝子、五郎の看病を受けていると報告する。火傷《やけど》の爛《ただ》れが神経を刺戟《しげき》して痛痒《いたがゆ》いのが利平の苦しみだという。そうして、もっとも重要なことを、ぽつりと彼女は漏らす。

「父は両眼の視力を失ったの」

「何も見えないのか」

「熱で両の目がとろけてしまったの。もう医者としては立ってゆけないわ」

「それは……何ともお気の毒だ……何と言ったらよいか……」

「でも、精神はしっかりしています。記憶力はいいですし、新聞など隅《すみ》から隅まで、誰かに読ませます。気分のいいときには、謡《うたい》もする。声は障害がなくて、朗々としていて、不思議なくらい。ただ……」

夏江は言いよどむ。何か問題があるらしいが、看守の手前言えぬらしい。おれは表情を読む。今日は薄化粧をしている。髪に乱れはない。悲しみを隠した能面のような表情が読めぬ。この前の不眠と疲労と不安をあからさまにした顔のほうが夏江らしくていい。と、一言。

「あなた、ツロまで生きてくださいな」

「生きているともさ。大丈夫だ」

かすかな微笑が滲《にじ》み出て、頷いた。それで接見時間が切れた。

13

六月二十六日　火曜日　曇のち雨

毎日雨である。喜んでるのは田圃《たんぼ》の蛙《かへる》だけだらう。いつまでもびしよびしよの洗濯物《せんたくもの》、庭にはきのこ、裏の竹藪《たけやぶ》からは蚊の大軍。ひさびさに朝は雨があがり、勤労奉仕に出て山裾《やますそ》の農家で芋の植ゑつけちゆう雨が降りだし、ざんざん降りで作業中止、おめあてのお米もらへずがつくり。帰宅しても子等に食べさせるお米なく、坂上のお姉様をたづねてお米融通していただき、かへつたら研三が怪我《けが》をしてゐた。ああ、ああ、いやなことばかり続く。

橋の中程で初江は足を止めた。視点が迫《せ》り上がった分だけ川は曲折を明らかにして伸びて、褐色《かっしょく》の水を恐ろしい速さで遠くに押し流していた。このまま吸い込まれて屍体《したい》となって海に捨ててもらえば随分と楽ですよと、一瞬、雨音に混じって悪魔がささやいた。これまで精一杯に生きてきて精根が尽き果てた感じで、ときどき悪魔がささやく。悪魔——声なき声が、自分の弱り切った魂を甘く撫《な》でさするのだ。それはこの苦しみをのがれる手っとり早い方途を教えてくれる。けれどもそんな誘惑に自分は負けはしない、と初江は知っている。駿次と研三、食べ盛りの男の子二人の糧《かて》を何としてでも手に入れてやらねばと気を奮い立たす。

橋脚に切り裂かれた水は、白い内臓を見せてのたうち、葦《あし》の茂みを薙《な》ぎ倒すと、今度はどす黒い尾となって揺れ動いた。そのあたりに動くものがある。水鳥であった。一羽だけではない。番《つが》いがいる。雛《ひな》がいる。親鳥が勤勉に水に潜って魚を追う。この恐ろしいような奔流のなかに魚がいて、親鳥が働きさえすれば食物が得られると思うだけで、水鳥たちが羨《うらや》ましい。ともかくも彼らはたつきの道を立てている。ところが、自分はどうだろう。手にしている風呂敷《ふろしき》のなかには、半日の労働の報酬として、種芋数本と大根一本、いんげん豆一束があるが、夕食に足りない。山辺の農家の薩摩芋《さつまいも》の植えつけを一日手伝って、白米をすこしもらうつもりが昼近くの雨で中止になり、もらいそこねた。

梅雨時になって毎日毎日うんざりとする雨だ。水かさを増した川は、せせら笑いながら光っている。黒い雲の下を、青白い馬の雲が走りぬけて頭に迫ってくる。ああ雨が降る。雨は容赦なく落ちてくる。骨の折れた蝙蝠傘《こうもりがさ》を痛めつけ、襟首《えりくび》を這《は》い、背中に侵入してくる。傘を斜めにして雨脚を避け、橋を渡って泥道《どろみち》を急いだ。地下足袋に水が染《し》みて、歩きにくい。ピリピリと奇妙な感覚が膝《ひざ》から足首のあたりに蠢《うごめ》いている。膝の関節が外れたかのように足の位置が定まらずによろめく。体が重くて一歩ごとに今にもしゃがみこむような不安な歩行だ。こういう異常を、最初はリュウマチか何かだろうと心配して川下の八十島《やそじま》という医師に診てもらったところ脚気《かっけ》だと診断され、ヴィタミンを一本打ってくれ、栄養を充分に摂《と》るように言われた。が、その栄養補給がままならない。農家の勤労奉仕をすれば昼飯に握り飯が出るので、夜は飯を我慢して子供たちに回し、肉や魚の配給でもあればおのれは食べずにすごし、こういう日が何日も続く。こうして脚気は一向に治らない。

街に入った。家々に沿って小川が流れている。茶色の水が道一杯に溢《あふ》れた場所に来た。じゃぶじゃぶと水を横切り始めたところ、泥濘《ぬかるみ》に足を取られ、あっけなく転んでしまった。さて立ち上がろうともがくが、膝にさっぱり力が入らず、水中でもがく。誰かに見られたらさぞ滑稽《こっけい》な有様だろうと、必死になって泥まみれの体を起こした。糞尿《ふんにょう》に似た悪臭が全身に貼り付いた。どこかの肥溜《こえだ》めが溢れて流入しているのかも知れない。

やっと、家の前に来た。小川にかかる木橋を渡り石段を登ると丈高い雑草地の向うに藁葺《わらぶき》の平屋が、背後から迫ってくる崖《がけ》にいまにも押し潰されそうにして建っていた。崖には竹が群生しており家の屋根は倒れかかる竹の葉に被《おお》われている。要するに、上下から盛大な緑に挟《はさ》まれて、今にも消え入りそうな家なのである。

中央に竈《かまど》や水場を備えた土間があり、右側に幾つか部屋があって筒井《つつい》という大家の一家が住んでいる。初江の借りたのは、土間の左側にある六畳間と二畳ほどの板の間で、以前は台所の物置場であった。一応障子で土間との間は仕切られてあるが天井はなく、筒井家の人々の話し声は筒抜けであった。逆に初江たちの立てる物音も先方には筒抜けに違いない。

茶の間で婆《ばあ》さんは繕いもの、国民学校一年生の娘はおはじき遊びをしていた。二人とも初江を見ても知らん顔である。無関心なのではない。一緒に住んでいて、挨拶の習慣が無くなったのだ。初江は、家の裏手の井戸端へ行き、素裸になると冷たい水を全身に被《かぶ》った。ぶるぶると震えが来たけれども、これには馴《な》れている。固い鯨脂《げいし》石鹸《せっけん》をだましだまし泡《あわ》をたてて、丁寧に体中を洗った。手も足もふやけて皺《しわ》だらけだ。脛《すね》が腫《は》れて氷嚢《ひょうのう》のような感じなのは脚気の浮腫《ふしゅ》なのだ。地下足袋を履いていた部分のみがほっそりとしている。どうにも不恰好《ぶかっこう》で見るたびにぞっとする。幸いモンペはこの浮腫を隠してくれる。乾いたモンペに着替えて髪を整えると、ほっと一息ついた。化粧はしない。ここに来た当初、東京と同じつもりで化粧したところ、近所の悪童どもから、「お化粧おばさん、やーい」とはやし立てられてから、一切白粉気《おしろいけ》なしで過ごすことにした。

押入れの中の空の米櫃《こめびつ》を見て溜息《ためいき》をつく。薩摩芋と大豆の雑炊をこれでもう一週間も続けている。少しは米の入ったものを作りたいのだけれども、どうしても入手出来ないでいる。着物や帯はほとんど米に替わってしまい、残るのは絹物だが、農家の人々はそんな上等品よりも木綿の実用品を望むので、買出しに成功しないのだ。そこで強制割当の勤労奉仕をする農家に平身低頭して売ってもらっていたのに、この長雨で作業中止が続きこのところ米が底を突いた。親戚《しんせき》の中村家の当主は鉄道員で農家ではないため、自分の子供たちの食べ物にも事欠く有様で頼れない。大家の筒井は農家だから、細君に頭を下げれば少しは融通してもらえるだろうが、すでに何回もそうして無理に米を借りているし、初江がもう木綿物を持たないと知ると、細君はにわかに冷淡な態度で、一合二合の米を出し渋った。

どうしたものか……ふと脇美津に会いに行こうと思う。悠次からの便りによれば、美津の所は敬助からの仕送りと、地主であるお里の岡田家の援助によって食べ物が豊富らしい。困ったら美津を頼れと悠次は言ってくるし、これまでにも何度かそうしようかと思ったがやめている。義姉に頭をさげるのが嫌《いや》だったからである。が、今夜は本当に子供たちに食べさせてやるものがない。一度、恥を忍んで頼んでみよう。

雨が小降りになるのを待って、初江は家を出た。おしゃかになった蝙蝠傘はあきらめ、重いからかさを開き、長靴《ながぐつ》を履いた。さっき溢れていた小川の水は引いていたが、泥濘はかえってひどく、ともすれば足を取られそうになるのを、何とか踏ん張って進んだ。

通称鶴間坂《つるまざか》という急坂を登りはじめたところで、浮腫《むく》んだ足が重くなった。一歩を踏みだすのにまこと鉛の塊を引きあげるような苦労が要る。それどころか、ぬるぬる滑る斜面に足裏が慣れず、ともすれば転びそうになる。十歩も行くと心臓が早打ちしてしばらくハアハア息を継がねばならなかった。到底無理だ、引き返そうと何度も心めげながらも、何とか急坂の半ばまでたどり着いた。

六座の石地蔵が、いまどき誰が世話をするのか新しい笠《かさ》をかぶり赤い前掛けをして並んでいる。初江は思わず手を合わせた。わが子のために、なにとぞ米を与えたまえと祈った。と、風が立ち、竹藪から大粒の飛沫《ひまつ》が滝のように降ってきた。気を取り直して進む。ここまで来た苦労をいまさら無にはできぬ。一歩、一歩……。

坂の上では高いコンクリート塀《べい》が視野を遮《さえぎ》っていた。監獄である。菊池透を思い出した。開戦の翌日に逮捕され、いまだに幽閉されたままだ。獄中で栄養失調となり、すっかり痩《や》せ衰え、明日の命もおぼつかない状態だと夏江からの便りにあった。何度も警察に捕まったり、激戦の第一線に駆り立てられて重傷を負ったり、ほんとに不運な人だ。自分に正直に生きてきて、夏江の夫として立派な人なのに、信念も信仰も時代にそぐわない。こんな時代に生まれて来るべき人ではない。と、夏江が知らせてくれた三田の焼失と利平の大火傷が胸を締めつけた。おとうさまの顔は目茶目茶で目が融けてしまったという。どんなお顔になったのだろう。全身に火傷の跡があるそうだが、どんなに熱かっただろう。盲目ではもう二度と外科医としてはお立ちになれない。あんなに颯爽《さっそう》として、重傷患者を診ていた医者の姿がもう見られない。悲しい傷《いた》ましいことだ。地下に貯蔵されてあった発明品も全部が焼けてしまい、無一物になられたそうだが、これから先、どうやって生計を立てて行かれるのだろう。東京で一人暮らしの悠次からは時々手紙があるが、名古屋の悠太、軽井沢の央子からの便りは途切れがちだ。いま、どうしているだろう。いやな戦争だ。多くの人が不幸に追い込まれた。多くの人がばらばらになった……。

監獄脇の小道を抜け、兼六園から伸びて来た大通りに出た。北西から南東に直進しているこの道を中心に金沢の街は形成されてある。北側には浅野《あさの》川、南側には犀《さい》川を擁し、浅野川の向うに卯辰山《うだつやま》などのゆるやかな丘陵地帯を控え、犀川の西には広々とした平野が開けている。この都市はまだ空襲を受けていなかったが、空襲に備えてあちらこちらの家々が強制疎《そ》開《かい》の取り壊しを受けて無残な空地になっている。しかし、出会う人々は東京のように防空頭《ず》巾《きん》をかぶり布鞄《ぬのかばん》を肩にさげという姿でなく、平時の不断着でのんびり歩いていた。それでも早晩ここが敵に狙《ねら》われるのは必定《ひつじょう》と見て、近々能登《のと》半島の農村に越したいと美津が考えていると、悠次からの手紙にあった。寺、病院、広い庭のある邸宅が連なり、初江の借家のある浅野川沿いのちまちました農家とは画然と違う屋敷町に来た。

美津の借りているのはある寺の離れであった。兼六園に間近な寺の山門をくぐると、正面の本堂では大勢の子供たちが走り回っていた。甲高い関西弁の会話が聞こえてくる。金沢には大阪、尼崎、神戸の国民学校から一万数千人の学童が集団疎開してきて、市内の寺や公会堂に泊まっている。薄汚れた身なりの、痩せて顔色の悪いさまは、草津で見た研三と同じである。親元を離れて、洗濯掃除一切を自分の手でせねばならず、あてがわれた乏しい食事で満足せねばならない子供たちの境遇が、初江にはまざまざと想像されて、同情で胸が詰まった。

本堂の裏手には墓地があり、墓地の尽きた所、松林の中に離れがあった。独立した小体《こてい》な隠居所である。玄関前に立つと、中で話し声がした。女の子が何かを母親に訴えている。美枝と百合子だ。初江が声をかけると、亀《かめ》が首を引っ込めたように、急にしんとした。もう一度声をかけると何かを片付ける物音がしてからやっと玄関が開いた。

「おや、いらっしゃい」と百合子が長い睫毛《まつげ》の目を細めた。近眼の彼女はそうして相手を吟味する癖がある。突然何しに来たのか探る目付きでもある。それでも、「まあ、雨なのに大変だったわね」といいたわった。

「御無沙汰《ごぶさた》しちゃって……」と言いつつ〝おねえさまは？〟と奥をうかがう目付きをした。

「それがねえ、お出掛けなの」と、百合子はこちらが〝どちらへ？〟と尋ねる前に答えた。

「西養寺《さいようじ》でお墓のお掃除。もうすぐお盆でしょう。けさは雨がやんだんで、急に墓石の苔《こけ》を磨《みが》いてくるとおっしゃって、弁当持ちでお出掛け」

「じゃあ雨に会われて大変ね」

「なあに住職さまと話し込んでおられるわよ。最近本堂裏の位牌所《いはいじょ》に小暮家の位牌と過去帳が見つかったんですって。それで夢中になっておられるの。ところで、初っちゃん、何か御用？」

「この近くに用があったものだから、ちょっと……御無沙汰しているし……」

「おかあさま」と美枝が襖《ふすま》の蔭《かげ》から言った。「花林糖《かりんとう》食べていい？」

「いいわよ。ちょっとにしなさい。おとうさまが送ってくださった大事なものなんだから。さあ小暮のおばさまがお見えよ。御挨拶《あいさつ》なさい」

美枝が出てきた。筒井家の娘たちの野良着《のらぎ》みたいな服装にくらべると、段違いに身綺麗《みぎれい》で、赤い色が派手に見える。母親に似てなかなかの美人が、はにかんで俯《うつむ》いた。そうして珍しかったのは、子供の頬《ほお》が、栄養が足りてふっくらとしていることであった。自分の飢えた息子たちの骨張った様子とは段違いである。美枝はちょこっと頭をさげると、すぐ引っ込んでしまった。

百合子と二人だけで向かい合っていると初江は気詰まりになるのが常であった。話題が見つからないのだ。中に入れとも坐《すわ》れとも言わない。こうして立って向き合うのは苦痛である。すこし休みたかった。板の間にべたっと腰を下ろしたいという一言が、しかし、言い出しにくかった。

「ちょっと寄っただけだから……お元気にね。さようなら」と別れを告げた。とぼとぼと墓地の角を曲がった。濡《ぬ》れて光る墓石が不意に彼女の内面を照らし出した。ここへ来たかった本当の理由は晋助の安否を知りたかったためである……けさ見た夢を思い出した。晋助が南国の、いかにも蒸し暑そうな病院で死に、はっとして目覚めた。それから、ずっと胸の底に不安が蟠《わだかま》っていた、家事をこなしながらも、芋の植えつけ作業の最中も、歩いていても、そしてさっき墓の群を横目に見たときも。晋助がサイゴンの陸軍病院に入院中だと美津から聞いたのは、この三月の初めであった。病名も病状も皆目不明の奇妙な話であった。その直後、桜子から住所を聞いて男名前で手紙を出したが返事がない。おそらく、美津の所には本人からまたは敬助を通じて何らかの情報が入っているだろう、近々訪れてそれとなく探ってみようと、これは本気で考えていたのだ。それをてっきり忘れて今思い出すとは……。

濡れた赭《あか》の色合いが風格を出している、赤戸《あかと》室《むろ》の墓石が目を引きつけた。何気なく寄って行きながら故陸軍上等兵の文字に胸を刺されて立ち止まった。金沢では赤戸室石の墓は身分のある士分の墓とされている。戦死者の多くが急場しのぎの白木の墓標であるのにこのような立派な墓を建立《こんりゅう》して弔《とむら》うとは、この上等兵はよほど家族にとって大事な人であったのであろう。すると背後から肩を叩《たた》かれて初江は飛び上がった。美津であった。

「何を見てるの」

「英霊のお墓が多いなあと思って……」

「ほんと、多いわね。ここへ来てから、かれこれ四箇月だけど、十柱は増えたかしら。所で家にいらしたんでしょう?」

「いいえ、今おいとまするところなんです。百合子さんには会いましたわ」

「何か御用がおありですか」

「はい」思いきって言った。「お米が切れてしまったんです。今日入る当てがはずれました。伸び盛りの男の子ふたりをかかえていますもんですから」

「そう」と美津はしばらく考えたすえ言った。「それはお困りだわね。融通しましょう。あんたたちを飢えさせちゃあ、悠ちゃんに申し訳ありませんからね。うちは岡田がしっかり気を使ってくれるんで食糧はわりと潤沢《じゅんたく》なの」言外には、〝中村は何もしてくれないんでしょう〟という棘《とげ》が隠されていた。

「ありがとうございます」と初江は素直に頭を下げた。

「初江さん、あなた顔色が悪いわ。このお天気の加減かしら。変に蒼《あお》いわ」

「そうですか。別に何ともありませんけども」

「そんならいいけど、まあいらっしゃい」

美津は先に立った。仕立てのよい軽快なモンペに雪駄《せった》をはいている。飛び石にひょいひょいと巧みに乗って行く。

美津を玄関に迎えた百合子は、初江が後ろに立っているのに一瞬目を剝《む》いたが、そ知らぬ顔でいそいそと水をバケツに汲《く》んできて初江の足ぬぐいを手伝うと、どうぞどうぞと座敷に通してくれた。

別室で美津が着替えをしているあいだに、百合子が麻袋を二つ持って現れた。

「はい、お米一升と小麦粉一袋。それから花林糖」

「まあ、ありがとう」

「初っちゃんたら水臭いわよ」と百合子は恨めしげに睨《にら》んだ。「さっき言ってくれればいいのに……わたし、おかあさまに叱《しか》られちゃった」

「ごめんなさい。言いにくかったのよ」

「いいわよ」百合子は目に角を立てたまま去った。美津が出てきた。初江は改めて挨拶し直し、米と粉のお礼を言った。さっきは気付かなかったが、鬢《びん》は真っ白だし、髪は全体に半白で、額の皺も増えて、すっかり婆さんの相である。白髪は小暮家の遺伝らしく、悠次も最近めっきり白いものが目立ってきたのを思い出した。

「あなたんとこ、みなさんどうしていらっしゃいます。お元気?」

「すっかり御無沙汰して申し訳ありません。疎開者にも農家の増産報国隊の割当がありまして、それに男の子二人では食糧の調達に時間を取られまして……駿次も研三も、県立二中で、授業と農耕作業が半々の毎日です」

「男の子二人は大変ね。うちのほうは、女ばかりだから、まあ何とかやってますよ。岡田が手を回してくれて、百合子もわたしも報国隊は免除してもらったのよ」また〝岡田〟が出た。

「能登のほうに再疎開なさるとか……」

「悠ちゃんからニュースが流れたのね。実は、それ中止にしました」

「ま、なぜでございましょう」

「前から言われていたことだけど、京都、奈良、金沢、倉敷の四都市には空襲がないってこと、確からしいのよ」

「敬助参謀さんがそう言っておられたとか……」

「そう、これ極秘情報よ。最近また諜報《ちょうほう》活動でそれが確認されたんですって。わたしねこの話を信じることにしたの。せっかく慣れた学校を美枝に変わらせるのも可哀相《かわいそう》だし、引っ越しって面倒ですからね。それに西大久保の小暮の土蔵は無事で、わたしの子供時代の物なんか助かったし、わたしにはそれで充分満足です。それにしても、あなたんち、焼け残って本当に運がいいわね。それに引換え、脇は散々。あの野本の工藤なんていう男、とんだ食わせ者ですよ。伝習生とかで磐石《ばんじゃく》の防空態勢を取っておりますから、昭和史の生証人である故脇礼助先生のお屋敷は死守いたしますから、奥さま御安心を、なんて大見得を切っておきながら、屋敷どころか土蔵まで焼かれちまうんだからね。夫の集めた憲政資料も、美術品もみんな焼けてしまった。大損害よ」

「ほんとに……お気の毒でした」

「あなたんとこも、三田のお里が焼けたし、おとうさまも大火傷《おおやけど》で失明なさったとか……。大勢が亡《な》くなられたそうね。時田先生にはお見舞としてお米を少々お送りしておきました。百合子の落合の里も焼けたし、なにもかも様変わりですね。一度どんなになったか東京を見たいと思うけれども、最近は汽車が頻々《ひんぴん》として小型機に銃撃されるでしょう。そうそう、沖縄は玉砕したわね」

「はい」と答えて今朝の新聞を思い出した。**沖縄陸上の主力戦最終段階　軍官民一体の善戦敢闘三箇月　全員最後の攻勢　長根千歳《ちやうこんせんざい》に尽《つ》るなし**　などの見出しがありありと記憶に残っている。書物は梱包《こんぽう》されたまま納屋《なや》に積み上げられてあり、現在読める活字というと新聞しかない。そこで活字を惜しむように全部を読み通し、すっかり戦況や世相の通になってしまった。千数百隻《せき》の艦船で来襲した米軍は、完全な兵站《へいたん》補給を受けながら圧倒的な空軍力と火力で軍隊も島民も無差別に殲滅《せんめつ》作戦を行い、ついに日本軍は、全員斬込《きりこ》みで玉砕してしまった。九州南端から六百キロに基地を獲得した敵が本土上陸を狙うのは目に見えている。つい二週間前、鈴木首相は議会で演説し、本土決戦は我に有利である、地の利、人の和は敵に優《まさ》り、皇軍の大軍を要点に集中でき、しかも補給は容易だと力説したけれども、沖縄の戦況を見ると、有利なのは大量の艦船で要点に上陸して来る敵のほうだとは、わたしのような女でも自明の理屈なのだ。ただ、美津の前でさかしらに見られるのを嫌《きら》って、初江は黙っていた。

「いよいよ本土決戦だとなると敵はどこに上陸するんでしょうか」

「大本営ではむろん察知していて、邀撃《ようげき》の準備をしているでしょうけど、それを敵に悟られたら大変だから、わざと曖昧《あいまい》にしているんでしょうね」

「はい……」

「ただ言えるのは、金沢を始め、福井、富山一帯には来ないということね。関ヶ原の会戦でも戊辰《ぼしん》の役《えき》でも、北陸地方が安泰だったのは、ここに戦略的価値がないってことを示すんだと敬助が言っていたわ」

「敬助さんもいよいよ任務重大ですわね」

「夜は風間の防空壕《ぼうくうごう》に住んで、昼は市ヶ谷の大本営陸軍部に通ってるの。市ヶ谷のほうも地下の防空壕らしいから、てっきりモグラみたいな生活ね。このごろえらく忙しいらしく、さっぱり手紙をよこさないわね」美津は、長男を思う眼差《まなざし》で遠くを見た。初江はじっと待っていた。美津は長男を想《おも》うと、つぎに次男を思う癖がある。果して彼女は晋助を話題にした。

「晋助は、ひょっとすると内地送還になるかも知れませんよ」

「お手紙でも、あ、あったのですか」初江は冷静に言ったつもりが、声帯がもつれた感じで唇《くちびる》が震えて、変に吃《ども》ってしまった。

「例によって簡単な文面です。病気療養のため内地転送者の候補になったとあるだけで、病気の内容は書いてないの。こんなにこっちは心配してるのにね、困った子ですよ。内地送還となる以上は病気が重いんでしょうね。菊池透さんの場合がそうだったでしょう」

晋助が帰ってくる。生きて帰ってくる。たとえどんな重傷でも、生きている彼とまた会える。初江は嬉《うれ》しくて、笑顔がこぼれそうなのを抑えて、眉根《まゆね》を寄せて深刻な面持《おもも》ちを保ち、

「ほんとに、どうなさったんでしょう。御心配ですわね」と言った。

「お宅はどう？　悠ちゃん、どうしているかしら」

「一人暮らしで不自由なようです。ついこないだ、防空壕に物を取りに入ろうとして足を滑らして胸を打ったんですって。翌日は痛くて起き上がれず、とうとう会社を休んだそうです。近所の医者はみんな焼け出されていないし、電話は通じないので、井戸水で湿布して、治し

たそうですが、もう十日も経《た》つのにまだ胸が痛いとか」

「苦労しているのね」

「時々、敬助さんが市ヶ谷からの帰りに寄って、時局談をして励ましてくださるのがありがたいと書いてます」

美津の家を出たとき雨は止《や》んでいた。分厚い雲が裂けて望めた青空が懐《なつ》かしく、太陽はやけにまぶしい。荷物は重かったが初江は軽やかな足取りで歩いた。晋助にまた会えると思っただけで、枯渇《こかつ》していたかに思えた力が体の隅々《すみずみ》から湧《わ》き上がってきた。鶴間坂の急斜面を下るとき、膝《ひざ》ががくがくしたけれども、傘《かさ》を杖《つえ》に、ぬるりとした土を滑って行くのにむしろ快感を覚えながら一気に下りてしまった。家の格子戸《こうしど》を常になくがらりと音高く開けると、筒井の婆《ばあ》さんがびくっと驚いて縫い針を落しそうになった。井戸端に出る硝子戸《ガラスど》を開けようとしたら、研三に「いま、裸だよ」と怒鳴られた。

研三がタオルを腰に巻き付けて出てきた。駿次だとぬうっと大きく、男を感じて恥ずかしいのだが、小柄《こがら》な研三は中学生になっても子供っぽくて、上半身を平気で見られる。

「おやお前、どうしたんだね」研三の様子がおかしいと気付いた。額や頬《ほお》が妙に赤く、右足を顔をしかめて引きずっている。

「どうしたの」「転んだんだよ」「転んだだけでそんな怪我《けが》するわけないでしょう。ちょっと、お見せ」

額と頬のはかすり傷だが、尻《しり》と腹には棒で殴られたような赤い痣《あざ》がいくつもあり、膝が腫《は》れあがっている。

「大勢にやられたんだね」と事情を察した。研三が土地の子に襲われたのはこれで三度目だ。疎開《そかい》っ子を集団で襲い、降参するまで乱暴をする事件が、この五月、六月と被災地からの疎開者が激増するにつれて増えてきた。襲われるのは寺などに宿泊している集団疎開の児童ではなく、研三のような縁故疎開者で、しかも体の貧弱な子供が単独で歩いているときだった。相手に取り囲まれたら、すぐ降参すればよく、悪童どもはそれで満足して立ち去るのだが、研三は、頭を下げたり泣いたりは絶対しない子だから、酷《ひど》くやられてしまう。

「やったのは中学生かい?」傷に完皮膏《かんぷこう》を塗ってやりながら初江は訊《たず》ねた。

「違うと思う、小さい子も混じっていたからね。犀川の川原に隠れていてわっと来たんだ。竹棒なんかてんでに持ってるんで、かなわないよ」

「前と同じだね。顔を知ってる子がいたかい?」

研三はかぶりを振った。初江は嘆息した。相手が不明では苦情の持っていきようがない。研三と駿次が転入学した石川県立第二中学校は、坂上の石引町《いしびきまち》にある。二人はそこまで毎日歩いて往復していた。最初は授業と農耕とが交互にあったのだが、田植え、麦刈り、草取りの農繁期となると、毎日が勤労奉仕で、鍬《くわ》を肩に弁当を持って犀川の向う側の農家まで通っていた。

「困ったよ、おかあさん、鍬を取られちまった」

「それは困ったね」鍬は貴重品で、しかも必需品だから、帯の三筋と交換でやっと一挺《ちょう》手にいれたのだった。学校に置いておくと盗まれるので必ず携帯していく。今となっては再入手はおそろしく困難である。が、何とかしてやらねばならぬ。

冷えた蒸《ふ》かし芋を出してやると、研三はがつがつと食べた。それから静かになって、おといの日曜日に採ってきた蝶《ちょう》やら虫やらを展翅《てんし》板《ばん》にピンで刺して整理しだした。

日暮時になって駿次が帰ってきた。「腹減った」とすぐ言い、竈《かまど》に掛けた鍋《なべ》の蓋《ふた》を取った。「汗だくじゃないか。水を浴びておいで」「つめてえからいやだよ。それより飯だ」「今夜は白米が手に入ったんだよ」「ゴーセイだねえ」手も洗わずに、蠅帳《はいちょう》から蒸かし芋を摑《つか》み出してむしゃむしゃやっている。それから「おかあさん、蛍《ほたる》がいたんだよ」と弁当箱の蓋を開けると薄暗いなかに青白い光が五つ六つと漂った。それを巧みに手摑みして元に戻すと、「あとでさ、蚊帳《かや》を吊《つ》ったら放してみようよ」と言った。

「蛍なんてどこにいるんだい」

「若松橋のたもと」

「へえ……」初江は驚いた。浅野川に懸かるすぐ近くの橋で今日も通ったが蛍なんか一匹も見なかった。

14

「あそこの中洲《なかす》に葦《あし》の茂みがあるじゃない。そこに沢山いるんだよ」

七月十五日　日曜日　晴

三日前から梅雨があがつたみたいに、燃えさかる暑い日が続く。浅野川の川原の竹槍《たけやり》訓練に召集されて集合する。ところが曹長《さうちやう》殿の訓話中にまつたく突然に全身の力が抜けて、ふにやふにやとすわりこんでしまふ。気がつくと部屋に寝かされてゐた。

胸の奥を掻《か》きむしられるような痛みだ。心臓が狂ったように暴れている。いまに破裂して、このまま死んでしまうだろう。あたりに空気が希薄なのか、えらく息苦しい。この部屋は天井板がなくて、煤《すす》けた野地板《のじいた》と梁《はり》がまる見えである。この世の見納めがあんな汚い景色ではしにきれない。さっき水を飲んだばかりなのに喉《のど》が渇く。「駿次、水」と言うと言葉がねばねばした唾《つば》に引っついて、異様な唸《うな》り声になった。「はい、水」と駿次の手が伸びてコップが渡された。冷たい水がおいしい。一息ついて、心臓の鼓動を聞いている。と、と、と、と脈が走っている。

七月になって脚気《かつけ》は一層ひどくなり、勤労奉仕には出掛けられなくなった。仕方なく家に籠《こ》もっているうち心臓の具合がおかしくなってきた。脈が異様に速くなり、ちょっと体を動かしただけでも息切れした。八十島先生は脚気による衝心《しようしん》と診断したが、ヴィタミン剤を一筒打ってくれただけであった。

今日の竹槍訓練は到底無理だと知っていながら、ともかく話を聞くだけでもと病を押して出てみた。割当の勤労奉仕を休んでいるので、近所の人々から疎開者はだらしがないとか、東京の人は根性がないとか陰口をたたかれていると駿次が伝えてくれたからである。軍曹が号令をかけて女たちを整列させ、演説をぶった。いよいよ本土決戦の機は熟した。あんたたち一般国民は男女とも全員、国民義勇戦闘隊に編成された。これは実に三千万名の大組織であって、敵がたとえ百万の大軍で押し寄せたとしても恐れることはない。十人で敵一人を倒したとしても三百万を殺せるのである……。この演説の最中に初江は不意にあたりが暗くなって失神したのだった。

「おかあさん、中村の小母さん」と駿次が言った。小柄な中年の婦人が心配そうに顔を寄せてきた。初江は中村加代という人と自分との関係がよく理解できない。悠次の母の里が中村家であることは知っていたが、加代が中村家の中でどういう位置を占めているのかが不分明《ふぶんみよう》なのだ。ともかく、東京から疎開荷物を送って蔵に預かってもらったのも、金沢に来てから疎開者手続きを手伝ってもらったのも加代であった。すぐ近くの浅野川沿いに住んでいて、気さくに訪ねてきてくれる。

「わざわざお見舞い、ありがとうございます」と初江は半身に構えて言った。

「そのまま寝とってくたんし。急に倒れなさったと聞いたさかい、心配で来たんやいね」と加代は風呂敷《ふろしき》をひろげると、玉蜀黍《とうもろこし》や枝豆と鰺《あじ》の干物を取り出した。鼻先に玉の汗を光らし、鄙《ひな》びた顔付きである。油蟬《あぶらぜみ》がひとしきり鳴き、熱風が窓から吹き込んでくる。

「お恥ずかしい。暑気中《あた》りです」

「東京のお人には畑仕事はきついやろね」

「元来は丈夫な質《たち》なんですが、このところ体が弱っていまして」

「医者を呼んだんかいね」

「いいえ」実のところ、八十島医師まで駿次を使いに出したのだが、老齢と多忙のため往診はできないと断られていた。

「黒田の神さんを呼ぼうかいね」と加代は人がよさそうな微笑で頷《うなず》いた。

「はあ……」〝黒田の神さん〟とは、中村の遠い親戚《しんせき》にあたる女性で、神憑《かみがか》りとなって万病を治し、霊と交信し、失《う》せ物の占いをし、加持祈禱《きとう》によって出征兵士の武運長久を保証するというので、この近郷で評判を取っていた。初江は行ったことがないが、常には医王山《いおうざん》の奥の祠《ほこら》に住み、霊験にあやかろうと登山して訪れる人も多いらしい。時々浅野川のほとりに現れ、家々を泊まり歩きながら業《ぎょう》を行うとも聞いている。ほんのときたまであるが、東京や大阪まで出向くこともあり、現に脇美津なんかも、その神通力を信じており、神さんが上京すると家に泊めてお祈りをしてもらっていたが、初江はどうも胡散《うさん》臭い気がして、近寄らないでいた。

「ほんまのことを言うと、神さんはもうそこに来なさっとるわ」と加代は真顔になって言った。

土間に黒ずくめの老女と白装束の少女が立っていた。老女は加代をそのまま年取らせたような面立ちで、純綿《ちりめん》の上等な黒衣さえ着ていなければ、このあたりの農婦によくある面相である。顔の皺《しわ》は縮緬状に刻まれているけれども、不思議に黒々とした豊かな髪を背中に垂らしている。

「ほんなら、お願いします」と加代が這《は》いつくばると、老女は、軽やかな羽が飛ぶようにして、ひらりと初江の脇《わき》に来た。少女が案《あん》の上に三方《さんぼう》を置き、瓶子《へいし》を並べ、その左右に高坏《たかつき》を配した。米粒と塩の神饌《しんせん》を榊《さかき》の葉に載せて供えると祭壇が出来上がり、祈禱が始まった。

神さんは祭壇に向かって身を投げ出すようにして平伏し、何やら熱心に祈り出した。口の中でもごもごご言う言葉は意味が不可解だ。両手をすり合わせながら徐々に起き上がると、突如、両腕が何か大きな力で上に引っ張られたように上がり、万歳の恰好《かっこう》になった。ぶるぶると全身を震わせる。そのうちに坐《すわ》ったまま飛び上がった。何度も飛び上がる。まるで大きな力に引き上げられるように見える。今度は「ハハー」と叫ぶと両の拳《こぶし》を勢いよく振り下ろして畳をどんと叩《たた》くようにして突っ伏した。この動作を何度でも反復する。少女と加代は神さんを真似《まね》て同じ動作をしたが、神さんほどの迫力はなかった。そのうちに神さんは、汗だくになり、抹香《まっこう》臭い匂《にお》いをぷんぷん発散し、赤黒い頰《ほお》や額から汗を噴き出した。汗は驟雨《しゅうう》のように畳を濡《ぬ》らす。駿次と研三は板の間に逃げて行き、襖《ふすま》の蔭《かげ》からこわごわ覗《のぞ》き見ていた。筒井の細君と婆さんが神妙な、しかし好奇心もあらわな顔付きで土間に出てきた。

神さんは突然こちらに向き直った。初江の額に手をあて、猛烈な早口で呪文《じゅもん》をとなえる。欠けた前歯から唾《つば》が飛んできて、フウフウという臭い息がまともに顔にかかってきたが、初江は我慢した。神さんは、ふと静止すると奇態な印を結び、腹話術のように唇を動かさず、優しい、諭すような口調で言った。

「あんたを霊が呼んどーる。ほれは遠くから来たんやあ。南方からやあ。なんやら言うとーる。あんたの助けが欲しいがやてえ。おお、あんたの助けを欲しいがやてえ」

「男の方ですか」不意に興味を持った。神さんの力を試そうという気にもなった。

「そうやあ、男の霊やあ」

「南方……それ、東京の方角でしょうか。主人が東京に残っていますが」

「東京でなーい。遥《はる》か南方やあ」

「じゃ、南西ですか」

「待ちまっしい。申《さる》か未《ひつじ》かあ。うーむ、坤《ひつじさる》やさかいー、南西やあ。沖縄よりずーっと、ずーっと先やあ」

「すると、どのあたりですか」

「フウフウ」神さんはふたたび動き出し、両手を擦《こす》り合わせて、熱心に祈った。早口に言う。

「南方戦線の激戦地や。親しい人や。あんたを呼んどる。祈りまっし。助けてあげまっし」

　初江は身を起こし、加代と少女に支えられて神さんの隣に正座して祭壇を向いた。意外にも背筋がしゃんとして、胸苦しさも去っている。平伏しては直る動作も難なくできる。五、六回礼拝をしているうちに神さんの形相《ぎょうそう》が変り全身が震え、男のような太い声が喉の底から押し出されてきた。聞いたような声音である。おお、晋助によく似ている。ただし東京弁ではなく金沢訛《なま》りなのが、ちぐはぐしていたが。

「ひどい。わしはひどてならん。わしはこの世の地獄に堕《お》ちた。体中の骨と肉とのあいだに熱風が吹き抜けていく。肉は溶け骨はとろけて、胸が燃えはらわたが痛む。おお、わしの苦しみは去らん。助けてくれ」

「助けてあげたいわ。助けてあげます」と初江はいつしか本気になって叫んでいた。それが晋助の声に思えた。晋助が熱病に罹《かか》って苦しんでいる。危篤《きとく》に陥っている。

「おう、おう、ひどいぞ。助けてくれ」

「助けてあげます。お祈りします。わたしの命をあなたにあげます。わたしの代わりに生きてちょうだい」

「おう、おう……」霊は何かを言ったが意味は不明である。

「ねえ、あなたのお名前は？」

「わしの名は……」

「誰ですって？」初江は聞き返した。

「わ、き、し、ん……」と聞こえた。「ともかく祈れ。祈ってくれ。わしの苦しみを取ってくれ」

「祈りますとも。あなた頑張《がんば》って」

「おお、あんたのその言葉こそ百万の味方や。わしは……」

神さんは、ふっと動きを止め、また優しい、諭すような口調に返った。「霊は行ってえしもーた。ああ、行ってえしもーた」

神さんは少女の差し出す手拭で汗を丁寧に拭うと一礼した。

初江は「ありがとうございました」と畳に手をついて深々とお辞儀をした。それから加代と少女に助けられて、蒲団《ふとん》に横になった。神さんと少女は加代や筒井の細君と婆さんの見送りを受けて去って行った。

「加代さん」と初江は尋ねた。「神さんへのお礼はどうしたらいいでしょう」

「わてが頼んだんやさかい、ただでいいんや。なにしろ、うちの縁戚やさかい。ほかの人やったら応分の喜捨をせんならんけど……。なんやら初江さん、ちょっこし元気になられたようやね」と加代が言った。

「はい、神さんと話しているうちに、すこし気分がよくなりました」

「よかった。あんた、信心をなされば病気なんかすぐようなります。ところで南方には誰がいなさるんやろ」

「蘭印《らんいん》に弟がいます」

「ああ。それや。その方があんたを呼んだんや。弟さんは第一線で傷でも負われたらしいねえ。お祈りしまっし。それが一番の功徳《くどく》や」

加代は土間に下り、竈に火をおこして、持参した玉蜀黍《とうもろこし》を焼き始めた。香ばしい匂いに誘われて筒井の子供たち――高等一年の長男、国民学校三年の次男、一年の娘――が顔を出したが、加代はかまわず焼けた分を、駿次と研三に食べさせ、初江にも持ってきた。いつも、筒井の子供たちは、駿次や研三の前でこれ見よがしに芋や玉蜀黍を食べているので、これはおあいこである。

「初江さん、栄養つけないかんよ」と加代は言った。「うちは百姓でないから、米麦《べいばく》の類《たぐい》はないけど、能登に漁師の従兄《いとこ》がいるさかい、魚は時々入るがや。また持ってくるさかいね」と、言い置いて帰った。

西日が射《さ》し始め、部屋の中は天日《てんぴ》の熱気に満ちた。しかしさっき感得した晋助の苦しみに較《くら》べれば、これしきの暑さは平気だと自分に言い聞かせて、噴き出してくる汗を拭った。しきりと水を飲み、額の湿布を替えているうちに、霊験が切れてきたのか、心臓がふたたび異常な動悸《どうき》を開始した。酸素が希薄になったかのように息苦しい。大川岸の公園に寝ていたときと似ていて、いくらはあはあ息をしても及ばない。横になっているとこのまま心臓が停止する恐怖に駆られて、蒲団の上に上半身を起こし、駿次に団扇《うちわ》で扇《あお》いでもらった。こんな場合、東京で常用していた扇風機があれば楽なのだが、疎開した荷物は中村家の土蔵に梱包《こんぽう》したまま仕舞ってあった。

夕方、脇美津がひょっこり姿を見せた。金沢に疎開してきた当初に一度来訪したのみだった人の炎暑のさなかの突然の再訪に、初江は驚き、見苦しい様子をお見せして申し訳ないと、しきりに謝った。

「びっくりしました。聯隊《れんたい》から連絡があったのよ」と美津は説明した。金沢第七聯隊では本日曜日、下士官が手分けして市内に散り、敵本土上陸に備える国民義勇戦闘隊の竹槍訓練を行ったのだが、旭町地区に派遣された軍曹に、訓練中倒れた主婦が、東京から来た疎開者であり、大本営陸軍部参謀脇中佐の義理の叔母に当たるという事実を誰かが注進したらしい。

美津は「お顔がむくんでるわよ。初江さん、どこか病気よ。ちゃんとお医者さまに診ていただかないと……」と、最近ますます目立ってきた額の縦皺を一層深くした。

「八十島先生に診ていただいています。軽い脚気だそうです」

「八十島……聞いたことがあるわ。何でもすっかり耄碌《もうろく》されたお医者さまじゃないこと……山《やま》ノ上《うえ》町の村瀬先生なら矍鑠《かくしゃく》としておられますよ。すっかり懇意にしていただいているの。先生の坊っちゃんが晋助と一高の同級生なものだから」

「村瀬……もしかしたら、その坊っちゃんて、以前、葉山でお会いした方かしら」

「そう、村瀬ヨシオ。芳《かんば》しいの芳に、英雄の雄。芳雄さんは晋助が葉山に連れて行ったことがありますよ。随分前のことだけど」

「覚えていますわ。モーツァルトの『すみれ』をドイツ語でお歌いになった方でしょう。四角いお顔で、玄人《くろうと》はだしの美声をお聞かせになる方でしたわ」

「その通りです。御本人は音楽のほうに進む希望だったのに、おとうさまの希望で医学に進んだのね。応召されて、今は海軍軍医で南方のどっかの島におられるとか。あの芳雄さんを知ってるなんて、いい御縁ですよ。村瀬先生たら息子さんには目がないの。さっそく往診をお願いしますよ」

「往診なんて恐れ多いですわ。わたしのほうが伺います」

「そのお体じゃ無理ですよ。村瀬病院は山ノ上町にあるんですよ。相当坂を登らなくちゃならない」

「だったら、なおさら……」

「心配御無用。先生は第七聯隊や工兵隊の軍医も兼ねてらっしゃるから、毎日サイドカーのお迎えで野田町の工兵隊までいらっしゃる。工兵隊はこのすぐそばですよ。その帰りに寄ってくだされぱいいの」

「はあ……」

美津は、お見舞いだと言って、米と小麦粉を差し出してから帰って行った。

万事に器用な駿次は煮炊《にた》きも得意で、夕食は久し振りの白米飯と焼き鯵《あじ》で、初江もおいしく食べることができた。

七月十六日　月曜日　晴

きのふはお姉さまが米と小麦粉。けふは加代さんが薩摩《さつま》芋《いも》を届けて下さる。筒井さんからも大根と茄子《なす》を頂く。病気見舞ひで急に食糧が豊かになつた。みなさんの厚い人情に感激してゐる。夕方、村瀬先生来診される。

けたたましい爆音がしてサイドカーが家の前に止まった。アフリカの猛獣狩りのようなヘルメット帽をかぶり、大型の黒鞄《くろかばん》をさげた紳士が降り立った。玄関前に立つと、「村瀬です」と大声で言う。初江が起きようとしているところに、もう医師は入ってきて、「そのままで寝とんなさい」と言うと、有無を言わさぬ勢いで夏掛けをめくり、診察を始めた。

「衝心性脚気《しょうしんせいかっけ》。ヴィタミンB_1の不足やな。心臓もかなり弱っとる。米糠《こめぬか》エキスを置いときますから、一日三回服用すること、心臓の薬はあす届ける。当分毎日注射に来ますよ」と、手早く注射をして、にっこりした。初江が礼を述べると、それを面映《おもは》ゆげに遮《さえぎ》り、「脇さんに聞いたが、芳雄をご存じやとか」と言った。

「はい、お目にかかったことがございます。葉山で。歌がお上手でした」

「はは、あいつは歌手になりたい言うて、この頑固親父《おやじ》と大喧嘩《おおげんか》しましたんや。結局、医者になることまでは折れてくれたが、卒業の時、内科やのうて精神科に行く言いだし、またひと騒動でしたわ。今度は親父が折れて、金沢一の精神病院を作る計画を立てたところで、赤紙になった。芳雄は脇君とは親友やったさかい、脇君も金沢に遊びに来よった」

「はあ……」

「冬やったな。脇君が冬の日本海の荒波を見たい言うて来沢《らいたく》し、芳雄の案内で能登へ出掛けたんや。吹雪をついて海岸伝いに歩いて、たしか輪島まで行ったのとちごうかな」

「お坊っちゃんは、たしか今、南方の島におられるとか……」

「そうや。島には捕虜収容所があって、英語の通訳もしとる書いてきますわ。あの子は語学が得意やったもんで」

「はあ……」

「南方の島もいつ敵に狙《ねら》われるか知れんから……」と村瀬は顔を曇らせたが、つぎの瞬間、自分の危惧《きぐ》を笑いで吹き飛ばした。「まあ、大丈夫や。あの子は運の強い子やからな」

こうして村瀬医師は、息子の話をいつまでも続けたい様子であった。

七月十九日　悠次より初江へ

十五日付けの其処許《そこもと》の手紙を受け取つた。竹槍《たけやり》訓練中に倒れた由《よし》中村の加代さんが親身に世話してくれた由姉さんが医者を紹介してくれた由委細よくわかつた。其処許も大変だらうが頑張つてくれ。脚気は栄養をつけねばならぬが男の子二人を抱へての困苦欠乏では思ふに任せぬであらう。

黒田の神様では笑つてしまつた。金沢には病気を祈禱《きたう》で治すやうな迷信が残つてゐるのかとあきれてしまつた。しかし神様を呼んでくれた加代さんの好意には素直に礼を言はねばならぬだらう。俺《おれ》からも加代さんに礼状を書いておいた。ついでに百円を同封して何か栄養のつく物を買つてくれるやうに頼んでおいた。

神様には一度俺も東京の姉さんの所で会つたことがある。中村加代さんの曾祖父《そうそふ》の兄弟の子孫でごく普通の百姓女であつたのが中年になつて急に山に入り、断食《だんじき》して滝に打たれる荒行を始め岩頭で祈禱中に合掌した手が突然高く吊《つ》り上げられて体が震動するとともに神が腹のなかに入つたといふ陶酔に陥つたのださうだ。約三年の修行のあとに山を下りて家に帰つたのだが熱病に罹つて死にさうな人の前で祈り病気を治したり失《う》せ物の場所を正確に当てたりしたのが評判になり段々に商売として巫女《みこ》をやるやうになつたといふ。その後医王山に祠《ほこら》を作つて住んでゐるのは其処許も知つての通りだ。姉さんは黒田の神様の霊験を信じてゐて敬助が陸大を受験する前にわざわざ医王山に登つて加持祈禱をしてもらつたし陸大に合格してからは恩賜《おんし》の軍刀組になるやうに祈つてもらつたのだがこちらの方は御《ご》利益《りやく》がなかつた。まあ俺は黒田の神様などは信じないね。加代さんがまた呼んでくれると言つても何か口実を設けて丁重に断つたらいい。其処許が姉さんが来た時黒田の神様の話をしなかつたのは賢明だつた。これは加代さんからの手紙にあつたことだが姉さんは晋助の武運を神様に祈禱してもらひたくて何度か加代さんを通じて頼んでゐるさうだ。ところが神様はこの時局多難のため八方から武運祈禱を頼まれ忙しくてまだ来てくれぬさうだ。其処許の病気治しに神様が来てくれたとなると姉さんはあの気性だからえらく焼餅《やきもち》を焼くからね。実の所神様が其処許を祈つてくれたと聞いて驚いてゐる。多分偶然加代さんの所に神様が滞在してゐる時に其処許が倒れたと言ふ訳であらうかと推測してゐる。

雨は降つたり止《や》んだり梅雨はまだ明けぬらしい。家族無しのたつた独りでの生活にも何とか馴《な》れた。学生時代の山岳部の経験を生かして自炊をやつてゐるが五月からこれで二箇月半まつたく野菜無しで海草粉の水団《すいとん》に玉蜀黍《たうもろこし》と薩摩芋を加へた常食を毎日食べてゐる。栄養はやはり不足気味なのであらう。すつかり瘦《や》せてしまひ洋服がだぶだぶで恰好がつかないし、爪《つめ》がかさかさで割れて困る。そのかはり糖尿病は治つてしまつたらしく眼底出血の時の視野の欠落も無くなつた。瘦せた分だけ体も軽くて都立家政にある会社の農場での仕事にも体がよく動いてくれるので妙なものだ。もつとも防空壕《ばうくうがう》で打つた胸はその後も痛む。かういつまでも痛むのは肋骨《ろくこつ》に罅《ひび》でも入つたのかとも思ふが焦土に医者は不在でわからぬ。

時田病院に過去に於《おい》ていかに世話になつてゐたかを今になつて身に沁《し》みて思ふ。医者がゐてしかも往診までしてくれる金沢は別天地だと感謝せよ。

五月二十五日の大空襲の後東京にはぱつたりと敵機が来なくなつた。ときたま空襲警報が出るが小型機による銃撃が主だ。それも都心部には来ずに調布北多摩立川あたりが狙はれてゐる。都心部は完全な廃墟《はいきょ》でもはや敵にも見捨てられたらしい。逆に言へば広大な焼跡にわづか三百戸ほど焼け残つてゐる中にある我家は艦載機の標的になる公算大なりと心配ではある。

周囲の家々が焼失したために空が地平線まで拡《ひろ》がり日の出と日没が暦通りの時刻に眺《なが》められる。焼け跡を歩いてみると改めて被害の甚大《じんだい》なのに茫然《ぼうぜん》とする。新宿駅から新大久保駅が見え新大久保駅から東大久保の丘が見え東大久保の丘に登ると四谷見附《よつやみつけ》さらにその先の平河町半蔵門《ひらかはちやうはんぞうもん》まで見通せるのだから驚く。これを言ひ換へれば案外に東京は狭い町だつたと確認したと言ふ訳である。

市ヶ谷の大本営陸軍部はまだ被害を受けてをらず敬助中佐はそこの地下要塞《えうさい》で仕事をしてゐる。(この地下要塞の存在は軍の最高機密だから注意!) 軍務多忙で帰りが遅いため省線に乗れず住居である落合の風間邸の地下壕まで帰り着けないものだから深夜我家の玄関を叩《たた》いて泊まつて行くことが屢々《しばしば》だ。いつそのこと西大久保に下宿したらと勧めるのだが自室の金庫に軍機に属する書類を多数保管してあるので風間の頑丈な地下壕のはうが安全なのだと言ふ。敬助中佐によると焼けた東京の外観はかつてソ聯軍と戦つたノモンハンの丘陵にそつくりなのださうだ。ゆるやかな起伏を露《あら》はにして森のないところが似てゐると言ふ。大日本帝国の首都が満洲の最果ての地と同じに見えるのだから前代未聞の椿事《ちんじ》である。

さうさう晋助の病状が悪化したため内地送還になるといふニユースを姉さんから聞いたらうか。サイゴンの陸軍病院では手に負へないほどの重態らしい。ただし沖縄失陥のあとの厳しい戦局では輸送船が敵潜や敵機の餌食《ゑじき》になる場合が多くて送還も早急には実現しえぬと言ふのが敬助中佐の観測である。運命は予測しえぬ。むしろ現地に留《とど》まるのが得策とも考へられる。

先の日曜日即《すなは》ち七月十五日に武蔵新田の利平博士を見舞つた。庭に面した部屋に安楽椅子《いす》を据《す》ゑて坐《すわ》つてをられた。頭や顔や目の傷痕《きずあと》を隠すために弁慶みたいな黒頭巾《くろづきん》をかぶり濃い黒眼鏡を掛けてをられる。それに紗《しや》の黒衣に黒い手袋をはめて全く坊さんみたいな出《い》で立ちだがこの猛暑のさなかにあの恰好《かつかう》では辛《つら》いだらうと御同情申し上げた。戦局の先行きに第一の関心があつて本土決戦で米軍を撃滅しなければ日本民族は亡《ほろ》びると声を振り立てて悲憤慷慨《かうがい》の演説をなさる。心配なのはさういふ場合に興奮が高まつて行きつひには抑へがきかなくなり声を限りの絶叫となつてしまふことだ。夏江さんによると火傷《やけど》が治つたあとがひつつれて痛痒《いたがゆ》いのでまたモルヒネなんかを使ひ始めて酒量も増えて困つた状態なのださうだ。まあ将来のことはわからぬが上京の機会があれば父上を見舞つて差上げたらいい。夏江さんと菊池勝子さんが交代で父上の身の回りの面倒を見てゐるし菊池勇さんや間島五郎も掃除薪割《まきわ》り農耕と小まめに働いてゐるのでその点では父上一人に大勢の看護者がついた感じで安心は安心なのだが何せ病院と発明品を失つた上に失明と辛い後遺症では父上の傷心を慰めるのが大仕事である。五郎といふのは一風変つた男だね。自分で畑の端に小屋を建てて住んでゐるがその小屋が油絵だらけなのだ。技量はなかなかのものだと認めるがみんな気味悪い暗い絵で昔ルーヴルで見た宗教画にあんな感じの殉教画があつたのをふと連想した。傴僂で無表情で何を考へてゐるのかさつぱりわからずそこも気味悪い。

悠太からの便りでは八月上旬に一週間ほどの夏期休暇を賜るとのことである。まづ東京に来てそれから金沢に回り名古屋に帰る様に指示した。今年の正月にも休暇がなかつたのにこの戦局多難な時期にしかも最悪の運輸事情のさなかに敢《あ》へて休暇を賜るのは本土決戦に備へて最後の別れを両親として来いとの恩情ある措置らしい。ともかく一年振りに我子に会へるのは有難いことである。そしてそれは桜井の里の別れになるかも知れぬ。我子が来ても東京には何も御馳走《ちそう》がない。大きな声では言へぬが闇米《やみごめ》と密殺の肉を買ふやうに手を回してゐる。ただし野菜はないが。

愚痴は言ふまい。其処許も脚気を治して頑張つてくれ。売る物が無ければ疎開《そかい》荷物の中にある刀剣類や陣羽織などを手放してもよい。先祖伝来の逸品だがもう惜しくはない。それよりも今生きること病気を治して行くことの方が大事である。

七月二十三日　初江より悠次へ

お手紙ありがたう存じます。すつかり御心配をおかけしまして申し訳ございません。お姉さまの御配慮でその後村瀬先生が毎日往診して下さりヴイタミン注射をして下さり、処方していただいた肝油と米糠エキスを服用致してゐるうちに足の浮腫《むく》みや胸の動悸もとれ足腰もしやんとして床をたたみ日中起きて家事が出来るまでになりました。勤労奉仕にも出たいのですがまだ村瀬先生のお許しが出ません。

貴方《あなた》のお胸の痛み、早くよくなることをお祈りしてをります。二箇月半も野菜を食べてをられないと知り胸が痛みます。どうかお体御大切に頑張つてくださいませ。

金沢でも疎開者はなかなか野菜を手に入れられませんが、それでも一週間に一度ぐらゐは食べられます。こかぶ、えだまめ、きうりなど少量ですが顔見知りの農家の方が売つてくれます。ただし米麦芋《べいばくう》などの主食は勤労奉仕でもしないかぎりは売つてくれません。私が寝込んでから駿次が張り切つて食糧増産隊に参加して、薩摩芋だけは四本六本と持ち帰つてくれます。研三の方は体が小さいせゐか力仕事は嫌《きら》ひますし此の前鍬《くは》を無くしてからは唐鍬《とうぐは》しか手に入らず、唐鍬では能率が悪くて農家のお礼ももらへず、またそれを友達にからかはれ辛い思ひをしてゐるらしいです。

悠太の夏期休暇を楽しみにしてをります。本当にこんなに大変な時期に休暇を下さるなんて天皇陛下は有り難い御方だと、手を合はせる気持でございます。今から米、芋などを少しづつ溜《た》めておくやうに心掛けませう。能登まで行くと加代さんの従兄《いとこ》の漁師さんがゐて魚を売つてくれるさうなので、貴方の御言葉に従つて荷物を解き陣羽織でも探して能登に出掛けてみようと考へてゐます。

央子が珍しく葉書をくれました。軽井沢の梅雨は寒くて霧が多いらしいのですが、あの子らしく、十種類ほどの小鳥の声を五線譜に写してくれました。央子は充分に食べてゐるらしく、食べ物の事ばかり書いてきた研三とは大分違ひます。さすが桜子さんうまく工面をしてくれてゐるらしいです。桜子さんの添へ書きに、オツコちやんは、ヴアイオリンは大層上達し、シユタイナー先生からほめられてゐるし、ドイツ語とフランス語もかなり話せるやうになつたとありました。子供たちの中で央子だけは恵まれた別世界に住んでゐるやうです。央子に会ひたいのですが、官公衙《くわんこうが》発行の証明書持参者以外は旅行禁止の御時世ですからあきらめてをります。悠太は子供でもさすがは兵長の位の軍人ですから、堂々と証明書を持つて汽車に乗つて来れるわけですね。

福井市もたうとう空襲されました。七月十九日から二十日にかけての深夜にB29の大群に襲はれました。北陸地方には空襲がないと金沢の人々は高をくくつてゐたので、隣県がやられて大変な衝撃を受けてゐます。

その夜は、午後十一時頃《ころ》の寝入り端《ばな》に警戒警報があり紀伊半島から侵入した敵機は琵琶湖《びはこ》を北上中とのこと、またいつものやうに舞鶴《まひづる》の軍港を狙つてゐると思ひ気にも留めてゐなかつたのが、十二時になると突如の空襲警報、ただいまB29約百機が福井市を爆撃中といふのでいよいよ金沢にも来るかとうろたへました。と言つて、ここらの家々には防空壕は無し、子供たちに着替へさせてじつと待つだけでした。でも結局金沢には敵は来ず、安堵《あんど》致しました。

翌日、午後遅くに、福井を焼け出された人々が縁者を頼りに三々五々近所にも現れて、空襲の実態が伝はりました。県庁も西本願寺別院も神明神社も焼け、市街のあらかたが一面の焦土になつたさうです。夜遅く寝支度をしてゐるところに、福井で焼け出された筒井さんの親戚《しんせき》の石田さん一家がたどり着きました。身重の奥さんが赤ん坊をおぶつて、駿次ぐらゐの男の子と幼い男の子と幼い女の子を連れて来たのです。煤《すす》けた顔、黒焦《くろこ》げの衣服、それに私など東京でお馴《な》染《じ》みになつてゐた焦げ臭い臭《にほ》ひがぷんぷんです。御主人は県庁に勤めてゐて役所に駆けつけたきり消息不明なのださうです。

石田さん一家を私どもが借りた所に泊めることになりました。六畳間と二畳の板の間に私ども三人と罹災《りさい》一家の五人が寝るのですから大変でした。荷物を土間に下ろしたのですが狭い所にぎゆうぎゆう詰めのうへに、蚊帳《かや》をはみ出る人が出てかゆいかゆいの悲鳴があがります。お母さんのお乳が不足で赤ちやんがわんわん泣きます。火傷が痛いと女の子がひいひい叫びます。腹が空《す》いたと幼い男の子がぐづぐづ言ひ続けです。夕食の芋雑炊の残りを子供たちに分けて上げましたが、幼い男の子はこれでは足りないと、しきりにお母さんにこぼすので、今度はお母さんがその子をきんきん叱《しか》りつけます。そのお母さんが夫の安否を心配してしくしく泣く始末です。

それでもやがて罹災者一家は疲労のためにぐつすり眠り込み、駿次も研三もやはり昼間の労働で疲れてゐたのでせうね眠つてしまひ、私ひとりだけが寝付けずにうぢうぢ思ひ悩みました。小川のさらさらとした流音が心を乱し竹藪《たけやぶ》のさやさやといふ囁《ささや》きが鋭く胸を刻むのです。罹災者たちの発散する焦げた臭ひが、B29の爆音や炸裂音《さくれつおん》や火事や悲鳴や屍体《したい》を呼び覚ましたのです。三月十日、四月十四日と、帝都の街が消え、残骸《ざんがい》の上に死と悲しみの風が流れた日々を追憶いたしました。おぞましい敵機はつひに福井に襲ひかかりました。つぎは金沢でせう。どのやうにして子供たちと自分の身を守つたらいいか。予感と不安と心配で胸が張り裂けさうで、明け方までまんじりともしませんでした。

それから石田さんたちとの同居生活が続いてゐます。罹災証明書があると五日分の米の配給が受けられますが、もちろんそれでは足りず、一応炊事は別にしてはゐるものの子供さんに赤ちゃんをかかへたお母さんの困窮がわかるだけになけなしの食糧を時には分けてあげることになり、その皺寄《しわよ》せは子供たちや私にも来てしまひます。

私は何とかやつてをりますが、正直に言つて疲れ果てました。こんな苦しい生活がいつまで続くのかと心細くなります。勝つまでは、本土決戦で敵を撃滅するまではと萎《な》えてしまふ気持を必死で引き締めてゐますが……。

七月二十六日　初江より悠次へ

梅雨はすつかり晴れたやうで毎日暑い日が続きます。それでも東京の焼ける暑さとはどこか違ひ、ここはやはり北陸、風にひんやりした気がひそんでゐて助かります。

さて御報告ですが、困つたことと言ふよりお恥づかしい事件を起こしてしまひました。金沢警察に出頭を命じられて防諜《ばうてふ》上好ましからざる言動を行つたと言ふので厳重注意を受けてしまひました。事情はかうでございます。

きのふ、この旭町でも防空対策を立てようといふ隣組の回覧板が回つてきて、夜組長さんのお宅に大勢が集まりました。石田さんを始め福井の罹災者三人が空襲の体験を話しました。そのあと東京ではどうだつたのかといふ話が出て私が引つ張り出されました。随分と遠慮したのですが東京から来てゐるのは私一人だけでしたので、やむをえず話し始めました。去年の十一月の初空襲から、三月十日の下町の大空襲のこと、四月十四日の西大久保の炎上などを思ひ出すままに話しました。冷静に話したつもりが、三月十日の時の体験はつい熱が入り、川に屍体が積み重なつてゐた光景だとか、逃げ遅れて炭になつた人々の様子を詳しく描写しました。さうして敵の落とす焼夷《せうい》弾《だん》は沢山で絨毯《じゆうたん》爆撃だから個人の力では防ぎきれない、三月十日に大勢の犠牲者が出たのは逃げ遅れたからだ、そこで四月に自宅の近辺が空襲を受けた時にはいち早く逃げ出して助かつたと話したのです。さうしたら、翌日朝、お巡《まは》りさんが来て、警察に来いと命令されたのです。

金沢警察は兼六園のそばの広坂《ひろさか》にあります。そこまでお巡りさんに連行されたのです。恐《こは》くて恥づかしくて夢中で、どこをどうして歩いたのか覚えてをりません。

警察で追及されたのは二点でした。一つは空襲の情況を大袈裟《おほげさ》に話して人心に不安を与へた。流言蜚語《ひご》は利敵行為でけしからんと言ふのです。下町の運河に屍体が折り重なつてゐたとか、上野公園におびただしい屍体が並べられてゐたとか、嘘《うそ》を言ふなと言ふのです。

本当にその通りでしたとちよつと抗弁しましたら殴られました。拳固《げんこ》で右目の横に一発、目から火花が出てくらくらしました。それで黙つてしまひました。もう一つは防空活動をせずに待避しろなどと言ふ利敵の言動は許せないと言ふのです。空襲の時は自宅にとどまり防火活動に挺身《ていしん》するのが皇国民の勤めだと言ふのです。西大久保で私たちが外苑《ぐわいゑん》に逃げた行為は敵前逃亡罪に相当すると極《き》めつけられました。私は殴られた跡がじんじん痛むので、唇《くちびる》を噛《か》んで俯《うつむ》いてゐますと、おい、非国民、目を伏せるな、本官の言葉を聞いてをるのかと怒鳴られ、今度はほつぺたをぴしやりと張られました。

それからは、私がこのところひと月ほど農家の勤労奉仕に出てゐない理由を聞きただされました。脚気でしたと答へると、足のむくみを見せろと言はれ三人の男の前でモンペをめくつて恥づかしい思ひをしました。結局、医師の診断書を持つてきて脚気を証明せよと厳命されて釈放されました。

何だかがつかりしてしまひ警察署を出たあと立つてをれぬくらゐ脚の力が抜けてをりました。私は自分なりに国のお役に立ちたいと懸命に生きてまゐりました。四人の子供を育て、子供を国のお役に立てたいと念じてまゐりました。悠太が幼年学校に合格するために明治神宮にお百度を踏みました。研三の学童疎開、央子の縁故疎開でさびしい思ひをしながらも、乏しい食糧事情の東京で必死で生きました。三月十日は疎開した央子と研三を訪ねて、研三を家に連れ帰らうとしてゐるうちに空襲に巻き込まれたのでした。疲労と無理と不潔から肺炎になつて貴方にも迷惑をおかけしました。四月十四日に待避したのは、貴方もしつかり御存知の通り、ぎりぎりまで家にゐて、周囲に火が回り、駿次と研三を助けたいと遮二無二《しやにむに》待避したのでした。金沢に来てからは子供たちに食べさせたい一心で自分は節食して脚気になつてしまひました。勤労奉仕に出掛けたくても出掛けられない体になつたのは私の責任でせうか。どうして私が利敵行為をし、流言蜚語を流し、皇国民の義務をないがしろにする非国民なのでせうか。警察では必死でこらへてゐた涙がとめどもなく流れました。夏の昼日中に警察からよろめき出た女がしくしく泣いてゐたので変に思つたのでせう、通行人が振り返ります。ふと目の前の兼六園に入りました。松の葉が針のやうにきらきら目に刺さるやうで、蟬《せみ》の鳴き声が耳に棒を突つ込むやうに痛いのでした。さいはひ誰もをりませんでした。こんな真夏の炎天下、優雅な庭園に来る酔狂はをりませんものね。池のほとりの灯籠《とうろう》をかかへて思ひ切り声を出して泣きました。外でこんなに泣いたことは初めてです。貴方、こんなつまらぬことを書いて申し訳ありません。でも貴方だけには聞いていただきたくて書きました。

15

八月四日　土曜日

電車を降りた悠太は、プラットホームを見回した。屋根は吹き飛んでしまい、鉄柱だけが等間隔で連なり、発掘された廃墟《はいきょ》のようにわびしい光景であった。かつて天井の明り窓で照明されていた地下道は、天井が崩れ落ちていて、水の涸《か》れた運河の底を思わせる。赤銹《あかさび》の鉄骨やコンクリートの破片のあいだを人々はすり抜けて窮屈そうに歩いていた。

駅前に出た。薄暗い、無色の空間が視野の底を占めていた。薄暗いと感じるのは奇妙な感覚だとわれながら思う。午後の太陽はかなり傾いてはいたがなお焼きつく光線を送っていたし、青空はまぶしく入道雲は明るさの極点にあったからだ。しかし、そういった光を受け付けぬ、執拗《しつよう》な暗さが廃墟には備わっていた。それは幼い時から見慣れて親しんできた街が目の前から掻《か》き消えた悪夢の世界であり、東海道線の車窓から、省線の窓から、いやというほど見せつけられて来た焦土とは違った、喪失感のこびりついた薄暗い廃墟であった。

駅前の半分崩れたビルが総合食料品店の二幸《にこう》であった。パン屋の中村屋と二つの百貨店のビルと二、三の映画館が残存しているだけで、あとは巨大な鍬でざっくりと掘り返されたような、荒涼とした遺址《いし》であった。それはどこまでもどこまでも広がっていた。省線の線路を辿《たど》って行くと新大久保駅が見え、その向うに戸山ヶ原の全景が展開している。線路沿いには子供の時の遊び場所、三角山も見える。右に視線を移すと、斜面を下った視界の果てに濃い緑の茂みと甍《いらか》の群が光っていた。都電の線路との位置関係から推すと、どうやらその辺りがわが家のある一角らしかった。父よりの手紙でわが家が奇蹟《きせき》的に無事であったと知っていても、その灰色の砂漠《さばく》に浮かぶ緑のオアシスは不思議で異様な存在であった。

歩き始めると軍服を〝地方人〟に見られているという緊張感が体全体を固くした。皇軍の楨幹《ていかん》として、軍人の模範として、胸を張って手を振って堂々と歩かねばならない。通行人には、名古屋でよく見かけた防空頭巾にズックの肩掛け鞄《かばん》という服装は、まず見られない。こんな焼け跡を空襲する莫迦《ばか》はいないと高をくくった無防備な半袖《はんそで》を着た人々が、でれでれと背を丸めて行く。本土決戦は近いのに、このだらけた態度は何事ぞ、幼年学校生徒を見習えと、悠太はことさらに歩度を早めた。革帯に締めつけられた軍服は風を通さず、たちまち汗汗を噴き出させた。米三升を詰め込んだ背嚢《はいのう》が背中に密着してくるのを撥《は》ね飛ばすように歩く。帯剣が踊る。さきほどまで全身をけだるく包みこんでいた疲労が汗とともに散っていく。夜明け前に学校を出発し、名古屋からの始発の列車に乗り込んだが、満員で立ち詰めの列車は遅れに遅れ、通常は九時間のところを十二時間もかかった。寝不足と疲労はひどいはずだが、十七歳の肉体にはまだ活力が温存されてあるようだ。

伊勢丹百貨店の角を左に曲がる前に振り返ってみた。駅が信じられないほど近くにあった。新宿の繁華街は何と哀れに縮小してしまったことか。果物屋、本屋、洋服屋、酒屋、食堂、ミルクホール、麻雀屋《マージャンや》、映画館……雑踏のなかで目を奪われてきた店々が消滅すると、あとには無差別で単調な空間が残っているだけであった。

こんな大破壊をやらかしたのはアメリカ軍だ。何とひどい蛮行だ。しかも今度は本土上陸で日本人の大殺戮《だいさつりく》を画策している。許せないと悠太は力んだ。しかし力んだあと、胸にぽっかりと穴があいて、心も体も萎《しぼ》んで行く思いがした。いくら力んでみても失われた街は二度と戻ってはこないのだ。

幼年学校を出発する前に生徒監山岡少佐の訓示があった。「いよいよ本土決戦は近い。敵の上陸地点は不明だが、本校においては、それを本土の中心部、名古屋と想定して陣地構築に精出してきた。遠州灘《えんしゅうなだ》から天伯《てんぱく》、高師《たかし》ヶ原《はら》へ上陸した敵が中京地区を狙《ねら》う公算は十二分にある。その時こそお前たち将校生徒は、皇軍の先駆けとしていさぎよく散華《さんげ》せねばならぬ。今回の夏期休暇は死を前にしたお前たちの、両親家族との訣別《けつべつ》の旅である。この戦略輸送錯綜《さくそう》の折に特に休暇を賜る聖恩の尊さを思い奉《たてまつ》り、一意専心最後のお別れをしてこい」本土決戦となれば、幼年学校生徒は死なねばならないらしい。しかし自分には死の覚悟がまだない。十七歳で死ぬと納得できない。大石主税《ちから》は十五歳、矢頭右衛門七《やとうえもしち》は十七歳、ともに死を覚悟しえた人々である。おれは到底その境地に達しられない……。

大通りを下って行く。花園神社は、焼けていた。花園饅頭《まんじゆう》の店もガソリンスタンドも、焼けていた。しかし新田裏《しんでんうら》の停留所より先、大通りの左側は、焼けていなかった。わが家も一高教授宅も落語家宅も人形問屋も、そっくりそのまま、魔法で復元されたように建っていた。ただし、彼が幼稚園の時まで住んでいた古い家は消えていた。そこだけが空き地となっていた。

石段を駆けあがり、門をくぐった。苔《こけ》むした飛び石も繁《しげ》った唐楓《とうかえで》も、一高教授宅の梧桐《あおぎり》の緑のなかで油蟬が鳴きしきっているのも、玄関も庭木戸も、家全体が去年の夏期休暇で来た時のままだ。梢《こずえ》と軒と屋根に隈取《くまど》られた夏空は、和やかな表情を取り戻していた。

玄関の格子戸《こうしど》には鍵《かぎ》がかかっており、「ただいま、悠太です」と叫んでみても返事がない。手紙で予告しておいたし、土曜日なのに、汽車が遅れたため父はどこかに外出したのだろうと思い、勝手口に回った。ここの戸は開く。背嚢をおろし、帯剣を取る。巻脚絆《まききゃはん》を解いていると「誰」と声がした。旧家の焼け跡のほうから父が現れた。

「やあ、お帰り」と笑いかけた悠次は、上半身は裸で首に手拭《てぬぐい》を巻いていた。げっそりと痩《や》せてしまい、白髪が増えた。自分の年に27を足して父は44だと計算する。「いまな、畑の草むしりをしていた」

「畑?」

「ああ、まあ見てみろ」焼け跡はすっかり掘り返されて薩摩《さつま》芋《いも》畑になっていた。「瓦礫がまだ土に混ざっていて出来はよくねえが、秋にはかなりの収穫が見込めるぞ」

「玄関が閉まっていたんで、いないのかと思った」

「こんところ空き巣が多いんだよ。焼けなかった家は目立つんで狙われるんだな。三度も侵入された。めぼしい物はありゃしねえんだが、食糧を盗まれるのは痛手だねえ。配給の米をごっそりやられたんで、今では食糧品は全部金庫にしまってある」

「金庫?」

「そうだ。家の金庫は悠之進じいさんがアメリカで買ってきた大型だからな。まああがれ」

風呂場《ふろば》で水を浴びようと水道の栓《せん》をひねったが水が出ない。

「今は断水中だ。風呂桶《ふろおけ》のなかの水を使え」と父が言った。「水道はきのうから出ない。焼けた家の井戸を使いてえんだが、ポンプが融《と》けてしまい使い物にならん。釣瓶《つるべ》か滑車を作りゃいいんだが材料も道具もねえときてらあ」

水を浴びてから半袖半ズボンに着替えると人心地がついた。縁側で悠次が煙管《キセル》を吸ってい
た。そんな古風な手つきの父を初めて見る。以前は紙巻きか葉巻に決まっていた。
「汽車はどうだった」
「水兵が大勢乗っていた。軍人と官吏だけのはずが地方人も乗り込んで網棚《あみだな》の上まで超満員
だった。名古屋始発なのに窓からやっと入れたよ」
「汽車の数が減ってるからな。敵の小型機は鉄道を重点的に銃撃しやがる。重そうな荷物だ
な」悠次は蓋《ふた》が弾《はじ》けそうに脹《ふく》れあがった背嚢を撫《な》でた。
「米がある。三升ある」
「そいつはすげえや。やっぱり軍隊だ」悠次は嬉《うれ》しげである。その三升を大事に運んできた
のに、そんなことで喜ぶ父が気の毒であった。靴下《くつした》に入れた米を三本取り出し父に渡した。
父はその重みを確かめるように押し頂いていたが、全部を返して寄越《よこ》した。「金沢へ持って
行ってやれ」
「だって金沢は米所じゃない?」
「農家は強制供出で自家用には僅《わず》かな米しか持たないし、配給予定外の疎開者がどんどん流
れ込むし、おかあさんも大変なんだ」
「そうなの……」悠太は、米を背嚢に戻した。「おとうさん、防空壕《ぼうくうごう》で打った胸どうなの」
「まだ痛いが我慢することにした。こうやって農耕作業もできるしな」
庭に出た。防空壕が傷ついた獣の形でうずくまっている。一面の夏草が毛皮のようだ。中

に入ると黴《かび》の臭《にお》いがして、湿気た蒲団《ふとん》や汚れた箪笥《たんす》が目についた。

「防空壕はもう必要ねえと思うんだが、銃撃をくらったら、やっぱり逃げ込むしか手はねえしな」と悠次が縁側から言った。

睡気《ねむけ》に襲われた悠太は欠伸《あくび》をした。茶の間に横になるとすぐ眠ってしまった。目覚めたときは薄暗かった。父が七輪《しちりん》に懸けた鍋《なべ》を掻き回していた。「闇米《やみごめ》と味噌《みそ》が入ったんで、今夜は味噌粥《みそがゆ》を作ったぞ」と言う。

疲れが大分取れて気分がいい。悠太は旧家の門の跡に立った。

大通りの向こう側では、街が消えていた。門や垣根《かきね》や庭木や格子窓などおのがむきむきに設《しつら》えて、人々の生活が営まれた街が消えてしまい、黒ずんだ斜面を登って行く電車は見知らぬ荒れ地を行く感じである。あれは抜弁天《ぬけべんてん》の高台であろう。あの付近にあった富士千束《ちづか》の洋館もあえなく焼滅したであろう。

地表を薄皮のような斜陽が這《は》っていた。廃墟には夕日も付着しえない。黄色い光はわずかに煙突のてっぺんや崩れたビルの側面にくっつくのみで、墨を塗りたくられた流氷のような木立やトタンや瓦礫は、光をかたくなに拒否しており、行き場を失ってすっぽ抜けた光は地平の彼方《かなた》へ飛び去っていた。乾いた、不毛の、死滅した空間に、虚《むな》しい光の風が吹いている。悠太は『神曲』の一節になにかこの場の情景にぴったりした表現があったような気がした。しかし思い出せない。

不毛の、死滅した空間……いや、あの防空壕には人が住んでいる。立ち働く男女の姿があり、洗濯物《せんたくもの》がひるがえり、炊事の煙があがっている。焼け木立はよく見ると緑の葉をつけ、焦土には草が生えている。悠太はすこし勇気づけられ、大通りの中央に出てみた。

かつて自動車が通い、戦車が走り、軍隊の行軍が絶えなかった通りは、散乱する土砂にうずまり、干上がった川底のように静まり返っていた。南の丘の上には百貨店や映画館や銀行のビルが、城下町を失った孤独な城砦《じようさい》の塔さながらに連なっている。振り向いた彼は北の異様な光景に軽い目眩《めまい》を覚えた。大通りの左右がまったく異なった様相で、安定した視点を持ちえない。

右側は見知らぬ広大な廃墟である。ふと、さっきから意識に浮かび上がってこなかった『神曲』の一節を思い出した。「正しき道を失へりし我は、とある小暗き森の中に我自らを見出《い》でき。嗚呼《ああ》、埒《らち》もなく生ひ茂りて、荒れにあれたるこの森のありさまを述ぶることの、いかに易《やす》からぬ業なるかな」

が、左側は目に慣れ親しんだ家並みであった。夕日は、彼の子供時代と同じく、屋根瓦《やねがわら》と窓と羽目板に睦《むつ》んでいた。一軒一軒、個性を保った家々が、彼の視線が撫でると平和な微笑を漏らしてきた。

この左右の不均衡が彼の目眩を触発したと思えた。が、それだけではなかった。以前からの平和な家並みが、自分の家も含まれている焼け残りの一角が、焼け跡から来る圧倒的な力に飲み込まれてしまう気がしたのだ。

大通りによって左右に分たれていた風景が、丁度陽画が陰画に、陰画が陽画に変るようにそっくり左右が入れ代った感じがした。こういうことだ。右側にあるべきはずの物が無いのではなく、そちら側の廃墟こそ常態であって、左側の家々こそ幻なのである。そこには無いはずの家々が、無理に出現していたのだ。

「御飯だよ」と父に呼ばれた。悠太は茶の間に行った。父は、わが家で昔から使っている背の高い卓袱《ちゃぶ》台《だい》の上で鍋を掻き回していた。粥を丼《どんぶり》に掬《すく》う。具は海草粉の団子と薩摩芋だ。それが御馳《ち》走《そう》のすべてだった。

「こんな食事ですまねえな。野菜がねえんだ」と悠次は言った。「配給は割干《わりぼし》大根や糠漬《ぬかづけ》ばかりだしな。この闇米と味噌は背広と交換でやっと手に入れた。農園でトマトや胡瓜《きゅうり》を作ればよかったんだが、全部薩摩芋にしちまったもんだから」

「ああ」と悠太は曖昧《あいまい》な相槌《あいづち》を打った。父と二人きりで夕食を取るのは初めての経験で、話の糸口がつかめないでいた。

「すっかり焼けたろう。手紙で知らせたように、この西大久保は四月十三、十四日の空襲ですっかりやられた。脇も野本も、お前の友達の家もほとんど、大久保国民学校も、みんな焼けてしまった。そうそう、国民学校の大講堂の焼け跡から軍の物資だった鮭缶《しゃけかん》が沢山発見されてね、みんなで拾いに行った。まあ盗みだが、監視兵はいねえし、みんなおおっぴらに拾ってきた。おかあさんなんか三十個も拾って、袋を引きずりながら帰ってきたよ」

「それ、みんな食べちゃったの」

「ああ、食べちゃった。ほかに蛋白源《たんぱくげん》がなかったもんでな。お前が来るんだったら、取っておけばよかった。幼年学校じゃ、ちゃんとした物を食べさせてもらえるんだろう」

「食糧不足は同じだよ。芋飯に芋の葉っぱの汁だ。みんな腹を空《す》かしているさ」

「米が入っているだけ増しさ。こっちは海草粉の水団《すいとん》が常食だからな」

それで会話が途切れ、悠次は灯火管制用に黒い覆《おお》いをした電灯のもとで新聞を読み始めた。食事はそっけなく終り、悠太は食器を流しで洗うと二階にあがった。窓に黒幕を引き電灯をつける。机上には白い埃《ほこり》が溜《た》まっている。本箱の上の硝子《ガラス》鐘《しょう》のなかに金の懐中時計がある。祖父から幼年学校の合格祝いに貰《もら》った日露戦争の戦利品である。竜頭《りゅうず》を巻くと秒針が動き出した。七時三十八分に時刻を合わせてまた置いた。その動く音が聞こえるほどの静寂であった。

ぺたっと何かがガラスを撫でた気がした。黒幕を引き開けると、窓の磨《す》りガラスに守宮《やもり》の影が映っている。小さな吸盤が形のよい白点を描く。昔からこの二階にはよくこの愛すべき爬虫《はちゅう》類が這い登ってきた。窓をそっと開いてみたが、もう姿はない。電灯を消し、窓を思い切り開いた。室内に溜まっていた熱気と涼しい夜気とが入れ代わる。地上が不毛の焼け原で乾いて空気が澄んでいるためであろう、秋のような澄んだ星がこぼれるように天球を飾っている。月は見当たらない。思い出した。今夜は月齢二十五で、夜明けにならないと月が出ないのだ。ひときわ明るい赤い星から、斜め下に星が連なりその先が円を描いている。夏の毒虫、蠍座《さそり》だ。赤い星は一等星のアンタレス。火星に似て不吉な血痕《けっこん》を連想させる星だが、夏になるたびに再会するので、これを見ると、ああまた夏が来たなと思う。

六中の天文部員であった時、夏休みに合宿してペルセウス座流星群の観察をしたことがある。多数の流星を一夜のうちに見た。あの頃《ころ》、幼年学校の受験勉強をしながらも、心の底では将来天文学者になりたいと願っていた。そのせいで勉強に身が入らず、一年目の受験は失敗した。それが二年目には合格してしまった。晴れて将校生徒になったと両親は大喜びだし、利平祖父も自分の秘蔵する日本海大海戦の戦利品をお祝いにくれた。しかし、これでもう一年半、名古屋の幼年学校にいて、どうも自分は軍人には不向きだと認めざるをえない。

体力も運動神経もないので、体を使う〝術科〟は、すべて人後に落ちた。剣道も柔道も体操も遅れを取っていた。高さ三メートルの梁木《りょうぼく》の上を恐くて渡れず、遊泳訓練では高台からの飛び込みができず、百キロ行軍ではいち早く落伍《らくご》した。こういう惨《みじ》めな経験が重なるたびに自信をなくし、将来、将校になって体格の立派な兵隊たちを指揮するなど想像もできないと、暗澹《あんたん》とした気持になった。

反面、〝学科〟のほうは、まあまあの成績であった。とくに記憶力が物を言う、国語、歴史、フランス語などは得意であった。幼年学校では答案を成績順に返す習慣があり、フランス語の時は彼が一番に呼ばれた。しかしフランス語など出来ても、第一線の戦闘に役立ちはしないだろう。

彼が唯一《ゆいいつ》頭角を表したのは野営演習に際して、星座の位置から方角を確定し、月齢と月の高さから現在時刻を推定してみせた時だけであった。もっとも、そんな天文学の初歩的知識を褒《ほ》められても、大して嬉しくはなかった。

押入れに詰め込まれた雑品の奥から天体望遠鏡を引っ張り出した。埃を払う。中学校の天文台にあった口径二十センチの反射望遠鏡に較《くら》べるといかにも小さく、赤道儀も備えていない。しかし小学校時代はこれを使って、毎夜、物干台にあがっては観測に熱中していた。土星の輪をこれで見分けた時の興奮を思い出す。悠太は、望遠鏡と星座表を持って、物干台への階段を登った。

北斗七星のエータ星、つまり柄《え》の先と北極星とを結ぶ線の五十七度、すなわち満月二つを並べた距離だけ柄に近い点が、正しい北極なのだ。真北を確定すると三脚を固定して足場を決め、星座表を開き、懐中電灯でそっと見た。

天頂から東へ流れる銀河に白鳥座、鷲《わし》座、蠍座が漬かっている。まずは蠍座に狙いを定め、アンタレスの赤い円を視野の中心に据《す》えた。この星は六百光年と割合に近い所にあり、一生の終りに近付いた老残星で、直径は太陽の二百倍以上、学者によっては八百倍はあるという希薄な赤色巨星だ。天文部長の野沢先生は言っていた。「この地球の最後はあのようなものだろう。あのアンタレスのように、太陽は膨張して地球はもちろんあらゆる惑星を呑《の》み込んでしまい、まがまがしい血の色を全宇宙に向けて放散しているだろう」

野沢先生に教わった星団を見たくなった。南の地平線近くの蠍座と天頂近くの蛇《へび》座とのあいだには幾つもの星団が散在している。まずはアンタレスの西側にある球状星団に狙いを定めた。ぼんやりと白いものに目を凝らしていると、段々に粟粒《あわつぶ》のような星が見えてきた。星雲ほど大規模なものではないが、それでも数十万の星が集まっているのだ。地上の様相は戦争によって激変したが、天上の世界は何ひとつ変わっていない。こんどは蛇座の頭の部分に視野を移す。天頂近くで大球状星団をとらえた。星雲はわが銀河系に似て渦《うず》を巻いているが、この星団は球状になった星の大群で、何とも不思議な美しい形をしている。これを性能のいい望遠鏡でじっくり見たい。利平祖父のオプティック・カール・ツァイス十五センチで見たい。祖父は大火傷《おおやけど》で盲目になったという。しかし、新田の家は無事だそうだから、あの天文台も立派に機能することだろう。

視野が揺れた。大球状星団が逃げて行った。誰かが登ってきた。父だった。

「なあんだ、星を見てたのか。姿が見えねえんで探したよ。蚊に食われるぞ」そう言われてみると、大分蚊に食われていて、腕や首筋が痒《かゆ》い。悠次は扇子で脛《すね》を扇《あお》ぎながら、煙管を吸い出した。

「東京はどろどろに様変りだってえのに、あっけらかんとした星空だよ。星のやつますます磨《みが》きをかけて、どうだ綺麗《きれい》だろうって見せつけやがる。ところで、幼年学校では、戦局についてどう教えられている」

悠太は父の隣に坐《すわ》り、「本土決戦は必至でもうすぐだと教えられている」と言った。

「やっぱり本土決戦かねえ」と悠次は煙管の火を明るくした。「脇参謀によると、帝都がだだっ広い広野になったのは、敵が邪魔物を取り払って、見通しのいい戦場を作ってくれたので、味方に有利だという。東京には丘が多いから、丘の上に味方の陣地を構築して上陸してくる敵を迎え撃てばいい、丁度ノモンハンみたいなもんでな、丘に機動部隊を集結して攻撃したソ聯軍の立場に皇軍がなるんだそうだが、そんなもんかねえ」

悠太が黙っているので、悠次は続けた。

「おれは反論したさ。こっちから見通しがよけりゃ、むこうからも見通しがいい。沖縄みたいな濃密な艦砲射撃と空爆でやられたら、こっちはかえって不利だ。こんなに何もなくなった帝都なんか占領したって敵には何の得もねえ。皇軍は関東平野の奥へ転進して、山岳地帯で邀撃《ようげき》したほうがいいとね」

「そしたら脇参謀は何と答えたの」

「黙ってた」

「なあんだ」

「敵がどこに上陸するかは脇参謀だってわからねえんだよ」悠次は煙管の雁首《がんくび》をポンポンと竹筒に打ちつけた。

八月五日　日曜日

大通りから横道にそれた。徒長した大木が両側から覆《おお》いかぶさり、石垣の底に沈んだほの暗い坂道を登っていく。と、ぽかっと明るくなった。赤間石の門柱だけが残り、野本邸も脇美津宅も消えていた。脇礼助の権勢を誇った大邸宅が、車廻《くるままわ》しのあった唐破風《からはふ》の玄関も豪壮な母屋《おもや》も、何もかもがあっけなく消え去っていた。

瓦や電線を踏み分けて野本邸跡に入った。土蔵が崩れて黒い口を開き、鉄扉《てっぴ》が半ば融けて横たわる。中は消炭がわずかに散るのみの、がらんどうであった。鉄の奇妙な塊を見つけた。

見覚えがある。大広間の天井に吊《つ》りさげてあったシャンデリアだ。古い記憶が掘り起こされた。政治家脇礼助の葬式の時、幼い悠太が大人たちの間から見上げたシャンデリアが、風もないのに揺れ動き、誰かが機械を操作しているのかと不審に思ったのだ。美津伯母によれば、それはチェコ硝子を使った逸品で、見る角度によって色が違うというのだった。

美津宅のほうは、一気に叩《たた》き潰《つぶ》されたような感じであった。伯母が楽しんでいた数多くの庭木、泰山木《たいさんぼく》や金糸梅《きんしばい》や庭の花壇を埋めた草花は、すべてが燃え尽きていた。庭の防空壕のみが瓦礫《がれき》を被《かぶ》って、もぐらの屍体《したい》のように盛り上がっていた。

焼け跡は、垂直に落ちてくる、重い鉛ガラスのような光に叩かれていた。その重い光に押し拉《ひし》がれるようにして歩いた。大通りに戻り、北の方角に向かった。坂の頂きの精神病院の前から、消防署の火の見櫓《やぐら》と前田侯爵《こうしゃく》邸の残骸《ざんがい》が見えた。侯爵邸は広い庭の木々がまだらに残っていて、急拵《きゅうごしら》えの植林のようだった。その左に幼稚園のあった高千穂学園の丘が、いびつな禿山《はげやま》となって連なっている。思えば長いあいだ幼稚園のことなど忘れていた。

幼稚園の跡に立った。何と小さく哀れな空間であろう。この狭い場所で幼年時代の一年間が過ごされたとは信じられない。砂場、ブランコ、遊戯場、バスケットの弁当、黍稈《きびがら》細工……そうして幽霊船を想像した船の形をして丸い窓を持った三角形の家、親切な親爺《おやじ》が鉄を鍛えていた鍛冶《かじ》屋、そして赤い屋根の千束の家、何も彼《か》もが、今灰になって意識から散って行った。虚しく散って行った。そして、言い知れぬ悲哀が胸をきゅっと締めつけた。項垂《うなだ》れて、とぼとぼと家に戻ってきた。

卓袱台の上に父の書き置きがあった。

都立家政の会社の農場に行つてゐる。昼飯の蒸《ふ》かし芋は蠅帳《はいちやう》の中にある。背嚢《はいなう》の中の米は盗難予防のため金庫に仕舞つた。

芋を食べていると、玄関に声があった。香取栄太郎が立っていた。悠太が去年の春、六中を去ってから初めての邂逅《かいこう》である。ぬうっと背は悠太より高くなり、鼻の下に薄い髭《ひげ》があって大人びている。「やあ、さっき、きみの姿を見たもんだから……」と、これも去年とはまるで違う太い声で言った。

友を縁側に招じ入れた悠太はまず尋ねた。「この頃どうしてる」

「〝輝く陸軍将校生徒〟は授業を受けて勉強しているが、こちとら、しがねえ六中生は、去年、三年生の二学期から授業もなく、学徒動員の浮草稼業《かぎよう》さ。疎開《そかい》家屋取毀《とりこわ》し、防空壕建設、今は鮫洲《さめず》の工場でバルブの製造だぜ。旋盤、ミーリング、ボール盤、セイパーなんてえ、しもじもの作業を知らねえだろう」

「六中には空襲の被害があった?」

「これが不思議に無疵《むきず》なんだね。目と鼻の新宿の繁華街が壊滅したのにへいっちゃらだった。西大久保できみんちとぼくんちが焼け残ったように、奇蹟《きせき》はおこるよ。そうそう、去年の十一月、B29一機が最初に偵察《ていさつ》に来た日、校庭に高射砲の破片が落下したっけ」

「それだけか」

「ああ、それだけだ。もっとも先生は何人も出征していなくなったけど」

香取は出征した教師の名前を数えた。

「きみんとこは疎開しないのか」

「しない。父が区役所勤めで、淀橋区《よどばし》の防空に責任があるからね。妹と母と四人で暮らしている。やあ、懐《なつ》かしい景色だな」と香取は庭を見回した。防空壕の向うに一高の生物学教授の家の木々が繁《しげ》り、梧桐《あおぎり》の大木が蟬時雨《せみしぐれ》を振り撒《ま》いている。

「大久保国民学校は焼けちゃったんだな」と悠太が言った。

「ああ焼けた。なんと、その夜、ぼくんちは学校に待避してたんだよ。一家四人がプールに飛び込んで熱風を避けて、やっと助かった。帰ったら、てっきり焼けてると思った家が残ってた。同級生で焼けなかったのは、きみとぼくだけだよ。松山君、中村君、大沢君、竹井君……」と焼け出された同級生の名前を何人かあげた。「百人町の湯浅先生んちも焼けた」

「全滅だな。さっき、高千穂学園のほうへ行って見てきた。あっちも全滅だったな」

「これを見ろよ」と、香取は手に丸めて握っていた地図をひろげた。この界隈《かいわい》を示した手製地図で、焼けた部分を赤鉛筆で抹消《まつしょう》してあった。〝西大久保地形図〟とある。思い出した。小学校四年生の時に、彼が夏休みの作品として作り、優秀作として長いあいだ貼《は》り出された、詳細精巧な地図だった。

「焼失区域を調べたなんて、きみらしいな。もう全部〝探検〟したんだ」

「そう、わが古里の戦災焼失状況は、ここに正確に記録してある。一度スパイだって疑われた。被害を敵に通報するつもりだろうってからまれた」

「被害状況なんて、とっくに敵は航空写真で写しているさ」

「そう言ってやったよ。そしたら、ぷいっと行っちゃった。ぼくは、懐かしい街の、せめてもの記録を取りたかっただけなんだ。やたらに気張って見せやがる大人がいるんだよ」

「学校を見たいな」

「ぼくもまた見たくなった。行ってみよう」と香取は立った。

二人は香取宅の前に来た。丸木小屋風の家は古びたけれども、ゆかしい姿を保っていた。その近く、高い黒塀《くろべい》の平沼騏一郎邸も〝健在〟であった。しかし平沼邸の背後からは一望千里の荒地がひろがっていた。

「元総理大臣の邸宅だから、消防署が必死で消火した戦果なんだ。しかし、元総理大臣でありながら新田裏の阿部信行大将邸は丸焼けになったんだからおかしな話だよね。平沼さんのほうが消防署に睨《にら》みが効いたってえことか。しかも、平沼邸を消火しているうち当の消防署は丸焼けの憂《う》き目を見たってえお粗末の一席さ」

鬼王神社に面した〝鬼王様通り〟に来た。左右に商店の並ぶ細い道で、大久保国民学校への通学路であった。残存物の少ない、べたっとした焦土で、国民学校の大講堂の焼け爛《ただ》れた鉄骨がすぐ目の前に見えた。新大久保駅がまる見えである。

「よくぞ燃えたもんだ」

「ここに何屋があったか覚えてるかい」と香取栄太郎が言った。

「角が花屋だろう。それから、靴《くつ》屋、本屋、古道具屋、材木屋、そうして大久保館」

「大久保館に行く前にまだあるよ」

「待てよ。そうだ、魚屋だ」

「それだけじゃない。団子屋、八百屋、お茶屋、そして魚屋だ。じゃ向う側は？」

「伊勢米《いせよね》酒店、漢方薬屋、銭湯、パン屋、床屋」

「伊勢米と漢方と銭湯まではいい。だけど、盆栽屋、煎餅《せんべい》屋、車屋、それからパン屋だ。そして写真屋の先が床屋だ」

「無くなると、元の家ってのは思い出しにくいものなんだな」

大久保国民学校の前に来た。建物も板塀も焼けてしまい、黒ずんだ四角な空き地となっている。正門の跡に融《と》けた鉄のドアが転がり、焦《こ》げた奉安殿と首の落ちた二宮金次郎の銅像が残っている。玄関にはコンクリートの防火壁が崩れ落ち、押し潰されたガラスケースの粉が散っている。

「ぼくらのメッサーシュミット」と香取が言ったとき、悠太も同じことを思っていた。それは生徒の優秀作品として、玄関の広間にあったガラスケースに、村田銃や風洞《ふうどう》模型や明治時代の学校写真とともに展示されてあった。

二人はコンクリートやガラスの破片を掻《か》き分けた。が、それらしいかけらも発見できなかった。

「ないな」

「ないや」

「あれをさ、まきちゃんのお見舞いに持って行ったことがあったな」と悠太が言った。

「あった」と香取が頷《うなず》いた。「松山君と三人で行ったんだ」

「電車のなかで変な男に怪しまれたっけ。爆弾か何かと間違われてさ」

「そうだった。あいつも気張って見せやがる大人だったね。雨が降っていたんで濡《ぬ》れないように大きなトランクに詰めて、そうっと持って行ったからね」

「あれが、まきちゃんに会った最後だったな」

「あれは……」

「六年生の時さ。梅雨時にお見舞いに行って、夏休み中に死んだんだ。ところで、まきちゃんのおとうさんは枢密《すうみつ》顧問官になったな」と悠太が言った。吉野牧人の父、吉野市蔵は外交官の長老で、大東亜戦争の直前に仏印駐劄《ちゅうさつ》特命全権大使として赴任して、たしか去年の秋まで仏印で活躍していた。

「そんなこと、よく知ってるね」と香取が感心した。

「新聞に出てたんだよ。幼年学校の掲示板には新聞が貼り出されるんだ。戦局の帰趨《きすう》を知るために、隅々《すみずみ》まで読むもんだから」

「キスウ？　要するに、戦争はどうなるんだろうね」

「こうなったら本土決戦しかないな」

「みんな死ぬね」

「ああ、死ぬ」

「いやだなあ、死ぬのは」と香取が吐き出すように言った。悠太には友の率直さが好ましくて微笑した。思ったことをあからさまに言えず、無理に胸を張っている自分がむしろ惨《みじ》めであった。

「まきちゃんは早く死んでよかったんだ。ぼくらは敵の砲弾で吹っ飛ばされて死ぬんだから」

「そうかも知れないね」と香取が、今度は暗くくぐもった声で言った。

二人は校庭の中央に進んだ。アスファルトが焼かれて陽炎《かげろう》が舞い上がり、その揺らめきが瓦礫を混ぜ合わせ、正面に丸時計をつけた木造二階建ての校舎と、日の丸がはためいている国旗掲揚塔とが、ふわっと浮かびあがった。一瞬のちには幻影は掻き消えて、緑色の水を湛《たた》えたプールだけが廃墟《はいきょ》と不釣《ふつ》り合いになまなましく残った。

「まきちゃんがあそこの砂場から、こっちの雲梯《うんてい》まで逆立ちで歩いたの覚えてる?」と香取が尋ねた。

「もちろん覚えてるさ」と悠太は答え、消え去った幻影を呼び戻そうとして、砂場と雲梯のあいだに視線を往復させた。そうしながら、自分のほうが先にそれを思い出さなかったのが少し悔しかった。

「まきちゃん、頑張れ」の声援が校庭に満ちた。クラス全員が声帯が破れるほどの黄色い声を振り絞った。子供の声、澄んだ声、鬼ごっこ、水雷艦長、ドッジボール、キャッチボール、押しくらまんじゅう……ゴンベ、ゴンベ、押されて泣くな。

「きみ、愛知ってえ、駆けっこの速い子、覚えてる？」と悠太が尋ねた。

「愛知……」香取は首を傾《かし》げた。「思い出さないな」

「一年生の時さ。一等小さい子のくせに駆けっこが滅法速くって、選手になった」

香取はかぶりを振った。

「じゃ、柳川は？　洋服屋の子でさ、一年生の時、死んでしまった子」

「忘れちゃったね」

「そうかね……」悠太は失望した。香取栄太郎とは一年生から六年間ずっと同級生だったのに、自分が大事にしている幼年時代の記憶を彼と共有していないのだ。

二人はプール・サイドに登った。青味泥《あおみどろ》を湛えた水は臭い。

「ここに飛び込んで助かったんだ」と香取が言った。

「寒かったろうね」

「汚いし冷たいし、ひでえもんだった。でもね、外はもっとひでえ焦熱地獄だったからね。講堂の炎がバーナーみたいに吹きつけてきて、油断するとぺろっと火傷《やけど》しちゃうんだから。口だけ出して息をするんだ。唇《くちびる》が焼けるとあわてて潜るんだ。それをね、必死で繰り返したんだ。ほら、口と鼻に火傷の跡があるだろう」

「ほんとだ……」

「そのうち炎が弱まったんでプールから出た。講堂はもう全部燃えて、あんなふうに鉄骨だけになってた。でもね、中に積み上げられてあった物資がまだ燃えていた。毛布だの軍手だのが白煙を立てて、缶詰《かんづめ》があっちこっちで爆発していた。誰かが軍の備蓄物資だと言ったんで、缶詰を盗もうと思ってたんだが、怖くてあきらめた。あとで聞いたら、缶詰を盗んだのが大勢いたそうだから、正直者が莫迦《ばか》を見るさ」

二人は講堂の鉄骨の前に立った。ねじまがった醜悪な形である。祝祭日には白手袋の校長が勅語を高く掲げて奉読し、悠太は頭痛と脳貧血でよく外に逃れでて、講堂前の相撲場に腰掛けたものだった。相撲場……屋根が燃えてないが土盛りは残っている。この土俵でよく相撲を取ったものだ。小兵《こひょう》のくせに竹井広吉が相撲巧者で、何人も勝ち抜いた。麦島先生が相撲好きで、行司を買って出た。

学校跡を出たとき、香取が「これからどこへ行こうか」と言った。

「そうだな」と悠太は汗を拭《ぬぐ》った。猛烈に喉《のど》が乾いていたので、目についた水道栓《すいどうせん》をひねってみたが水は出なかった。「おれ、一度、家に戻る」

「水なら、ぼくんちで飲めよ」

「そうしようか……」

二人が香取の家まで戻って来たとき、悠太は不意に言った。

「きょうはこれで探検やめとく。おれ家に帰ってやることがあるんだ」にわかに押えがたい衝動が起こってきて、三田の病院跡を見たくなったのだ。

香取に別れて家に帰ると、悠太は父の文章の隣に書き加えた。

三田の焼け跡を見に行きます。それから武蔵新田のおぢいちやまをお見舞ひに行きます。もしかすると、新田に泊まつてくるかも知れません。

新宿から山手線で田町に来た。駅のプラットホームは展望台のようで、芝浦の埠頭《ふとう》をはじめ海浜地帯が一望できた。工場や倉庫や起重機の燃え殻《がら》がいじけた姿を曝《さら》す先に、夏の海が伸び伸びと寝そべっていた。船の影がない、幾万の波と入道雲だけの、太古から変らぬ海である。御台場の堡塁《ほるい》が白波に洗われていた。御台場の真向かいに永山光蔵博物館があったはずだが、そのあたり波の光る渚《なぎさ》のみが続いていた。

駅前に出ると街はなく、いきなり慶応義塾大学の丘が見えた。もっとも、大学の建物はあらかた消えて、攻め落とされた山城《やまじろ》の残骸の相である。道に迷わぬように、以前の街並みの記憶を呼び覚ましつつ歩いた。右側を慶応の高塀が限る坂の上で、予想していたことではあったが、非常な失望が悠太をとらえた。ここへ来ればかならず、大きな軍艦のようにぬっと迫《せ》り出してきた時田病院の影も形もない。あの複雑怪奇な建造物、近寄るにつれ異なった窓をきらめかして歓迎してくれた病院が、もうないのだ。ただし、道の両側の電信柱の巻広告は残っていて、「時田病院　外科内科小児科レントゲン科歯科」と「医学博士時田利平」が交互に、まるで人をからかうようにして現れた。

幼い日から最近まで、追憶の背景としていつも確固として存在していた祖父の病院は今や屑物《くずもの》の堆積《たいせき》に過ぎなかった。午陽はじりじりと堆積を焼き、焦げ臭い陽炎を吹き上げていた。シャツはぐっしょりと濡れ、煮立つようだった。戦闘帽の端から汗が目に流れ込み、彼は目をこすった。

焼け棒杭《ぼっくい》とトタンと瓦礫《がれき》と電線は、乱暴な手で混ぜ合わされたように一見無差別にひろがっていた。しかし考古学者が廃墟から古代の建物を想像するように、悠太の注意深い視線は、ちょっとした痕跡《こんせき》から昔の部屋や廊下の様子を復元して行くことができた。

小さなボートと砲台がある。それは待合室の中央に飾ってあった装甲巡洋艦八雲の模型の断片だ。待合室はいつも患者の大群で占められていた。人々は、軍艦の模型や『三笠艦橋の図』を見て、辛抱強く名医時田博士の診察を待っていた。ところで、軍艦八雲を押しつぶしている赤錆《あかさ》びた鉄の塊はベッドに違いない。この待合室の真上に利平の寝室があったとは思いがけないが、二階の間取りをよく考えてみればそうだと思い当たる。

山積みのガラス瓶《びん》。ラベルが読める薬瓶がある。ここは薬局だ。薬剤師のお久米さんは、コルク栓で人形や家の模型を刻んでくれた。そうしてガラス瓶の山には蓄音機や黒い円柱……どうやら融けて融合したレコードの山が混じっている。薬局の上は、〝お居間〟だった。菊江祖母が手作りの人形を並べ、いと祖母が本箱や蓄音機を置き、近来は婦人会の事務所になっていた。

倒れた金庫。鉄扉《てつび》が半ば融けているから、耐火金庫の役目はしなかったろう。ここは事務室だ。夏江叔母や上野平吉が坐《すわ》った回転椅子《いす》の脚だけが火星人のように立っている。そこに奇妙な鉄片が沢山散っている。それが何かを判定しかねて悠太は考え込んだ。やっと桐簞笥《きりだんす》の引出しの把手《とって》であると突き止めた。事務室の真上は母と夏江叔母が使っていた細長い部屋だった。座敷より三尺高い位置にある不思議な部屋で、押入れが三尺幅の階段になっていて広く深く、隠れんぼにはもってこいの場所だった。押入れの最上段に桐簞笥が三棹《さお》あって姉妹の子供時代の着物が仕舞われてあった。

鉗子《かんし》やメスや鋏《はさみ》。外科機材だ。繃帯《ほうたい》巻取機や消毒用の煮沸器もある。あきらかに手術室だ。時田院長の颯爽《さっそう》とした手術着姿が君臨していた。看護婦を遠慮なく叱《しか》りつけ、時には患者にも嚙《か》みついていた。ここで、時田利平氏は外科医としての長い時間を過ごしたのだ。いったい何百人何千人の患者が彼の手によって治療されたことだろう。

ひしゃげた鉄板と融合したガラス。レントゲン撮影機の残骸だ。青白い閃光《せんこう》を発して大音響をたてる時田式レントゲンの撮影現場を何度も見た。自分が設計製作した診断機を得意になって操作した時田先生は、何とその真上を居間にしていた。その証拠が鉄製の頑丈な額だ。大正初期に退官した折の海軍軍医少監の軍服を着た利平の写真が入っていて黒ずんだ大黒柱に掲げてあった。さらに探すと洋簞笥の上に飾ってあった錨形《いかりがた》の置時計を発見した。黒焦げで、針が一時四十五分を示しているのは空襲で炎上した時を示すものだろうか。元海軍軍医は毎朝几帳面《きちようめん》にこの置時計のネジを巻いていた。

高さ二メートルほどの壁を穿《うが》って鉄扉をつけてある。地下の発明研究室への扉《とびら》だ。扉を押してみたが錆付いていて動かない。五センチほど開いた中側に黒焦げの螺旋《らせん》階段と地下室の闇《やみ》があった。おそらく内部は全焼したことであろう。

竈《かまど》、鍋《なべ》、皿、スプーン。炊事場だ。隣が食堂で片振り一秒の振り子を持つ大時計があったはず……発見した。振り子とゼンマイがメスや鉗子の間に隠れていた。メスや鉗子……食堂の上にあった倉庫に放《ほう》りこまれた古い医療器具が落ちて来ている。そう、それは病院が増改築を繰り返すうちに忘れ去られた倉庫で、埃《ほこり》まみれのガラクタが小学生の彼にとっては秘宝の山であった。今見出《みいだ》されるのは鉄棒、滑車、釣り針などだけで、厖大《ぼうだい》な〝秘宝〟の痕跡に過ぎない。

深底の釜《かま》が竈にちょこなんと乗っている。五右衛門風呂《ごえもんぶろ》の釜だ。幼い日に菊江祖母と一緒に入浴した。大穴のあいた風呂釜は不安定な恰好《かっこう》で竈にへばりついており、悠太が人差し指でちょっと突くと、悲鳴のような轟音《ごうおん》をたてながら斜面を転げ落ちて行き、赤錆の血にまみれて倒れ伏した。轟音のあとの、しーんとした静もりに悠太は耳を傾けた。誰かが息を殺しているような静もりのさなかから囁《ささや》きが聞えてきた。囁きは次第に明瞭《めいりよう》な言葉となってきた。われは悲しみのまちへの入口なり。われはとこしへなる悩みの入口なり。われは失はれたる者らへの入口なり。汝らここに入らむもの、一切の望みをすてよ。ここにはためいきと、呻《うめ》きと、深き嘆きの闇と、星なき天に響き渡れりしかば、まづわれは涙をのめり。悠太は汗を拭って立ち上がった。光は彼の脳髄を貫き、追憶の一つ一つを焼き滅ぼして行くようで、そこにいたたまれなかった。

誰かに見られていた。発明研究室の壁に寄り添い、背の低い老婆《ろうば》がいた。白頭のみがはっきりし、痩《や》せた腕も体も焼け跡と同じ色彩で、かろうじて見分けられた。つぎの刹那《せつな》、老婆は掻《か》き消えていた。崩れた防空壕《ぼうくうごう》の中に人の住む形跡があった。茶碗《ちゃわん》や箸《はし》。汚い筵《むしろ》の上の皿の齧《かじ》りかけのふかし芋。さらに進むと猛烈な悪臭が鼻を突いた。屍体《したい》か何かの腐臭のようで、悠太は辟易《へきえき》して後じさりした。道をしばらく歩いてから不意に振り返ってみると、最前の老婆が防空壕の上に棒切れのように立っていた。

蒲田《かまた》から目蒲《めかま》線に乗って武蔵新田に出た。駅から小川沿いの道を行くとき日が暮れかかった。天文台のドームだけが夕日に照らされている。堀割の小橋を渡って庭に入ると、一面の菜園だ。トマト、ナス、キュウリなどが実っている。池のほとりで薪割《まきわ》りをしていた五郎が目敏《めざと》く悠太を認めた。鉈《なた》を置いて、ひょいと池を飛び越してそばに来た。

「おう悠ちゃん、よく来たな。いつ東京に着いた」

「きのう」

「こんな戦局で休暇とは優雅だな」

「違うよ」と悠太は向きになった。「本土決戦にそなえて両親と訣別《けつべつ》して来いって」

「訣別か。戦死する前にお情けを頂いたってえわけだな。さすがは陸軍幼年学校、勇ましくていいや」

五郎の口調には茶化すような響きがあり、それが悠太には不愉快で、突っ掛かるように言った。

「本土決戦になったら死ぬしかないさ。とくに幼年学校生徒はそうなんだ」

「そうかね」と五郎はにやりとして真っ白な歯を光らせた。「おお先生がお待ちかねだよ。悠ちゃんの手紙をお読みになってから、悠坊はいつ来るかと日に五回はおっしゃるね」と言った。

「いらっしゃい」と声がした。縁側に夏江叔母が立っていた。「よく来たわねえ。待ってたのよ。今日か明日か、みんなで話してたの。わたしはたぶん今日だろうと思っていた。おとうさま、悠太ちゃんよ」と後ろを振り返った。

籐椅子《とういす》に黒ずくめの人物が腰掛けていた。座敷には絨毯《じゅうたん》を敷いて籐の応接セットが、床の間にはベッドが置かれてある。

悠太は利平の前に坐った。黒頭巾《くろずきん》に黒い着物と黒手袋は、鞍馬天狗《くらまてんぐ》そっくりだ。全身の大火傷で両眼も焼け爛《ただ》れてしまったというから、醜い姿を人前に見せない用心なのだろうが、それにしても暑っ苦しい出《い》で立ちである。

「おじいちゃま、こんにちは」と悠太は平凡に挨拶《あいさつ》した。

「悠坊か。元気のようじゃのう」と言った言葉は、酒でも飲んでいるのか、すこし呂律《ろれつ》が怪しい。「どうじゃ。早飯には慣れたか。胃腸は害せんかったか。インキンに感染せんかったか。水虫にはならなかったか。金は足りちょるか」

「おとうさま、そんなに一遍に聞いたって、答えられませんわよ」と夏江が笑った。

「おれ、一遍に答える」と悠太も笑いながら言った。「早飯には慣れ、胃腸は平気、インキンにならず、水虫はなく、金は使わないから要らない」

「そうかそうか」と利平は頷《うなず》いた。「悠坊、今夜は泊まっていけ。御馳走《ちそう》があるぞ。黒鯛《くろだい》を伊東の漁師に持ってこさせた。黒鯛鍋といこう。酒はまだ飲めんじゃったのう」

「幼年学校の百キロ行軍のとき農家で出してくれて飲んだ。でも、飲んだやつはあとで怒られた」

「もう酒を試したか。それは重畳《ちょうじょう》。悠坊にはおれの遺伝があるから酒は強いはずじゃ。ま、大いにやれ。将校が酒が飲めんようじゃあ兵隊にあなどられる」

菊池勝子が冷たい麦茶を盆で運んできてくれた。肉付きのいい体、日焼けした笑顔、きびきびした動作は相変らずだ。

悠太は井戸端で汗を流した。油蟬《あぶらぜみ》が鳴き止《や》み、蜩《ひぐらし》が涼しげな音を送ってくる。夕焼け空にさまざまな鳥の群が移っていく。不器用な飛行をしながらばらばらに飛ぶのは蝙蝠《こうもり》である。付近一帯の田圃《たんぼ》から蛙《かえる》の合唱が湧《わ》きあがった。

浴衣《ゆかた》を着た悠太が母屋《おもや》に戻ろうとすると、ひょっこり五郎が現れ、「おれんとこへ来いよ。向うに小屋を建てて住んでるんだ」と誘った。

「うん」と悠太は生返事をした。汗を流したらすぐ夕食にしましょう、と夏江に言われていたのだ。

「ちょっとの間だよ」と五郎が言った。「どうせ暗くならねえと、おお先生は食べ始めないんだから」

「だって目が見えないんだろう」

「目が見えなくても、暗闇はわかるんだ。闇がくっついた風を吸って嗅《か》ぎわけるのさ」

「そんなもんかねえ」

畠《はたけ》の端、堀割のそばに新築の小屋があった。かつて病院の屋上にあった五郎の住処《すみか》に似ているのは屋根を四角く切り取った明り窓のせいだった。果して内部はアトリエ風の作りで、絵の具の刺戟臭《しげきしゅう》が充満し、おびただしい絵が並んでいた。

「相変わらずやってるんだなあ」と悠太は感心して作品を見て回った。大部分は初めて見る絵で、荒涼とした大地が執拗《しつよう》に描かれてあるのが目立つ。

「これ砂漠《さばく》？」

「砂丘だ。おれは小さい時にこの砂丘のそばの因業《いんごう》夫婦に預けられて、朝から晩まで納屋《なや》に閉じ込められていたんだ。納屋の窓から砂丘が、いや砂丘だけが見えたのさ。風の強い日には砂は波立ち、松林へと押し寄せて行く。時には不機嫌《ふきげん》にこちらに砂の目潰《めつぶ》しを投げつける。晴れた日、雨の日、雪の日、おれは砂丘を眺《なが》めて、そいつに嫉妬《しっと》したのさ。あんなふうに太陽と風と自由に遊べたらなと思った。おれにはまるで自由がなかったからな。因業夫婦の囚人で奴隷《どれい》で、その結果、おれはこんな体に仕立て上げられた。この背中の瘤《こぶ》は……しょうがねえ、こんな愚痴を言っても」

「ゴロちゃん、苦労したんだな」

「苦労？　苦労ってのは自分でするもんだろう、おれのは拷問《ごうもん》さ。無理やり背中の骨を折り曲げられたんだ」

「その因業夫婦って、テナルディエ夫婦みたいなんだな」

「テナルディエ?」

「『レ・ミゼラブル』に出てくる因業夫婦さ」

「あいつら、今度会ったらただじゃおかねえ。そうして、本当に悪いのはよ……」五郎は、牙《きば》を剥《む》いた豹《ひょう》さながらにらんらんとして目を光らせた。そのとき、奥で物音がした。ドアの向うにもう一部屋あって誰かがいるらしい。「お袋だよ。病気でな、寝てるんだ」と五郎は取り繕《つくろ》ったように微笑した。間島キヨには随分長い間会っていない。

「どこか悪いの」

「ああ……」と五郎は吐息した。「お袋も拷問の連続だったからな」

悠太は事情がよくつかめず、説明を求めようとした。しかし、そうしてはいけない気もして黙っていた。

「さあ、もう行きな。坊っちゃん、夕食のお時間ですよ。おお先生と夏江さまがお待ちかねですよ」と五郎が言った。

「ゴロちゃん、一緒に食べないの」

「一緒……坊っちゃんとおれは身分が違うんです。おれはお袋と食べるさ」

〝そんなふうに言うゴロちゃん嫌《きら》いだな〟と口までのぼってきた言葉を悠太はのみ込んだ。それまで気さくに付き合ってきた五郎と、今、うまく通じ合えない何かが生じていて、そういう状態に馴《な》れず、彼の前でひどく居心地が悪かった。

すっかり暗くなっていた。母屋に戻る途中、菊池勇に会った。肩に鍬《くわ》をかつぎ今畠から帰ったところだと言った。以前、間島キヨと五郎が住んでいた離れのほうへ行く。離れの玄関前で勝子が父を出迎えた。

この郊外では灯火管制もゆるやかなのか、夜、電灯を点《つ》けたまま戸も窓も開け放してあるので風が通る。しかし、昆虫《こんちゅう》はどんどん飛んでき、蛾《が》が舞い黄金虫が笠《かさ》に当たった。

食事となった。利平と夏江と悠太の三人がテーブルを囲んだ。大皿に、黒鯛の切り身、葱《ねぎ》、人参《にんじん》、大根などの野菜が盛ってある。きのう父と食べた貧しい夕食から見ると浮世離れした御馳走である。煉炭焜炉《れんたんこんろ》に夏江が土鍋を掛けた。真夏の盛りであっても、ぐらぐら煮立つ鍋料理を祖父は昔から好んでいた。利平は頭巾の一部をはずして、引き攣《つ》れた唇《くちびる》を見せ、赤ん坊のするような丸いエプロンを首に巻いた。

「さあ飲め」と利平が徳利を勧めた。夏江叔母が頷いたので悠太は猪口《ちょく》に酒を受けた。三人で乾杯する。一杯目は「悠坊の帰省を祝して」で、二杯目は「悠坊の武運長久を祈って」であった。

夏江が小皿に取ってあげた魚や豆腐を陶製の匙《さじ》で器用にすくって食べ、利平は杯を重ねた。立て続けに飲み、酔ってきた。嵐《あらし》の海に浮かぶ船に乗ってでもいるように、左右前後に体を揺らし、時々まごの手で背中をぴしゃぴしゃ叩《たた》いた。「どうもな、火傷《やけど》の跡が痒《かゆ》うてならんのじゃ」

「おじいちゃま」と酔って口が軽くなった悠太は言った。「その着物脱いじゃったら。傷跡なんか気にしなくてもいいよ。おれ平気だから」

「いや、夏江が見とうないと言うもんじゃから」

「いいえ」と夏江は悠太に言った。「おじいちゃま、人には絶対にお見せにならないの。でも、五郎さんだけは別で平気なんですって。お風呂も五郎さんに入れてもらって、体を洗わせてるの」

「おう、五郎は別じゃ。あいつは、おれが火傷で倒れておったのを、火のなかから運び出してくれた男じゃからのう」

「今日午後、三田の焼け跡、見てきたよ」と悠太が言った。「おじいちゃまの病院、目茶苦茶になっちゃったね」こう言う途中で夏江が顰《しか》め面《つら》を振ったので、話題が不適切だったと悠太は気付いた。が、遅かった。利平は、急にがっくり頭《こうべ》を垂れ、小声で独り言を言いだした。「何もかものうなった。何もかもじゃ。三十二年間、齷齪《あくせく》働いた報いが無一物じゃ。のうのう、あわれやな」謡《うたい》の節付けで、匙を扇子代わりにして膝《ひざ》を叩きつつ言った。「げにや眺むれば、月のみみてる、しおがまの、うらさびしくも、あれはつる、あとの世までもしおじみて、老いの波も、かえるやらん。あら昔、こいしや。おい酒がない。からではないか」

「もう大分お過ごしになったわ。ちょっと、お休みなさいませ」

「何をいう。老い先短い身、酒で死ねば本望じゃ。そのために、この新田には、かねがね大量の酒を備蓄しておいたんじゃ。持ってこい。夏江、おれの酒じゃ、持ってこい」

「持ってきません」

「なにい」と利平は激発して叫ぶと、陶製の匙で力一杯テーブルを叩いた。匙は折れながら皿を割って料理を飛び散らせた。今度はまごの手を握り、剣で切り付けるように夏江に振り下ろした。悠太は素早く祖父の腕を摑《つか》んだ。衣服のなかに骨のように固い細い腕があった。

「おじいちゃま」と、骸骨《がいこつ》のような祖父を押さえながら悠太は言った。相手が、あまりにも非力なので、落ち着きはらって話せた。

「病院は目茶苦茶になっちゃったけどさ、発明品はまた作ればいいじゃない。完皮液《かんぺーき》だって完皮膏《かんぷこう》だって、簡便茶漉器《ちゃこしき》だって蠅取《はえと》り器だって、世の中の役に立つものを、おじいちゃま、沢山発明したんじゃない。それまた作ればいいじゃない」

「おれはもう、金儲《かねもう》けはまっぴらじゃ。金なんか、一銭も墓場に持っていけん」

「金儲けしろなんて悠太ちゃん言ってませんわ。おとうさまの発明は人の役に立つと言ってるんですわ」

「〝真水ちゃん〟だって役に立つよ」

「南方へはもう輸出できん。敵潜《てきせん》の跳梁《ちょうりょう》のせいじゃ」

「もうすぐ戦争は終りますわ」と、夏江はきっぱりと言った。「内地にもまだ水道のない所が沢山あります。真水ちゃんは活躍できますわ」

「戦争は終らん」と利平は怒鳴ったが、すっかり息を切らしていた。「もうすぐじゃと？　何を言う。戦争は終らせてはならん……敵を、撃滅するまで……まだ時間がかかる……今終ったら、日本民族は滅亡する……滅亡したら、おれの発明なんか、何の役に立つ……」利平の力がふっと抜けたので、びっくりした悠太は手を離した。利平は鼾《いびき》を立てて眠っていた。この瞬間を待っていたように夏江は悠太に目くばせした。二人は利平をベッドに運んだ。信じられないほど軽い体であった。

二階に、夏江が悠太のために蒲団《ふとん》を敷き、蚊帳《かや》を吊《つ》ってくれた。

「御免なさいね、悠太ちゃん。おじいちゃま、ちょっと変でしょう。あんなに酔って、わめき散らして」

「瘦せてるね。骨と皮だ」

「もう体力がないのよ。見たとおり食欲がないでしょう。それなのにお酒だけは飲む。朝から一日中飲んでるのよ」

「でも記憶力はいいし、元気もいいな」

「まだ、見かけだけはね。でも、段々弱ってるの、体力も精神力も。もう長くはないと御自分でも見限ってるの。お酒を浴びるように飲むのは、早く死ぬためなんですって。日本が亡《ほろ》びる前に死にたい、早く死にたいって、そればかしなんだから」

夏江と悠太は廊下に出た。蛙の鳴き声が夜の底に沸き立っている。見上げれば昨夜にも増した満天の星空である。

「天文台の望遠鏡見たいんだけど。おれあれの動かしかたよく知ってるんだ」

「残念だけど、それが駄目《だめ》なの。つい先週、敵の銃撃で木っ端微塵《こっぱみじん》になっちゃった。天文台って、空から見るとトーチカか砲台みたいに見えるらしく、目標にされてね。もっとも銃撃を終えると敵機はさっと通り過ぎてくれたんで、みんな無事だったんだけど」

「そう……」悠太はすっかり気落ちして、蠍《さそり》座の赤い星を見た。あのアンタレスのそばの球状星雲を十五センチ望遠鏡で見たかった。それが、ここまで来た動機の一つであったと思う。

「オプティック・カール・ツァイス、惜しかったなあ」

「悠太ちゃん、天体観測が好きだったわね。小学生のとき、物干台でアンドロメダ大星雲っての見せてくれたわね。覚えてる？」

「覚えてるさ。透叔父さんに初めて出会った日だ。あれはね、昭和十四年の十月の初めだよ」

「悠太ちゃん、そういうことよく覚えていて感心しちゃう。すると五年以上も前のことか」

「あの日、香取ってえ友達と陸軍病院に兵隊さんの慰問に行ったんだ。そこで偶然透叔父さんを慰問に来てた叔母さんに会ったんじゃない」

「そうだったわね。思い出した」

「叔父さん、予防拘禁所に入れられてるんでしょう」

「知ってたの……」

「おとうさんが教えてくれた。幼年学校の身上調査で聞かれたら困るから、キリスト信者で平和主義者だったものだから、予防拘禁所という所に隔離されてるそうだと答えろって」

「身上調査で聞かれた？」

「聞かれた。憲兵が調査するんだから、何もかもお見通しなんだ。隠せないよ」

「それで何か言われた？」

「聞かれただけさ」と平気なふうに言ってのけたが、実のところ生徒監は、「お前の親戚《しんせき》に国賊がいるが、お前とは血がつながっておらんな」と念を押し、「お前も平和主義などという聖戦誹謗《ひぼう》の謬見《びゅうけん》にかぶれんよう心せよ」と釘《くぎ》をさされたあげく散々な目に遭ったのだ。

「さっき叔母さん、もうすぐ戦争が終るって言ったな。それ本当？」

「本当よ」

「叔父さんがそう言ったの？」

「そう、叔父さんもそう言ってるの」

菊池透の男らしい面構えと脇晋助の斜に構えた微笑とが重なった。悠太の知るかぎり、戦争に反対した、たった二人の大人であった。祖父を始め、両親も学校の先生も、むろん幼年学校の生徒監、班長、教官の全員が熱烈な戦争賛成者であった。

「おれ」と幼年学校の習慣で使っている主語を言い換えた。「ぼく、戦争が終るなんて信じられないんだよ。幼稚園のときからずっと戦争だものね。これが終るなんて……」

「この世に終らないものなんてないの」

「終る。つまり本土決戦で一億玉砕するのがもうすぐってこと？」

「別な終りかたもあるわ。日本が敵に降伏するのよ」

「降伏なんかしたら日本人はみな殺しにされるよ」

「いいえ」と夏江の細い目から鋭い光線が飛び出し、悠太を射抜いた。「本土決戦なら日本人の多くが死ぬけど、降伏ならそうはならない。ドイツが降伏したときドイツ人がみな殺しにされた？　悠太ちゃん、しっかりして！」

「そうかも知れないけど……」悠太は考え込んだ。降伏などという言葉は幼年学校では絶対の禁句であった。最高の道徳基準とされていた『軍人勅諭』も『戦陣訓』も、戦況が不利なら死ねと教えていた。

「悠太ちゃん、軍人の卵でしょう。この戦争に勝つと思ってる？」

「そうだな。正直言って勝てそうもないな」と、悠太は叔母には本音を言った。

「そうでしょう。だったら、日本にとってどっちがいいの、一億玉砕と降伏して生き残るのと」

「……」

「やめましょう、こんな話。もう寝ましょう」夏江叔母はお休みを言うと階下に去った。悠太は蚊帳にもぐり込み、目をつむった。酔いに火照《ほて》った意識に、皇軍が玉砕した島々の名前が走馬灯のように巡《まわ》って行く。バサブア、アッツ、クエゼリン、ルオット、サイパン、グアム、硫黄《いおう》、沖縄……三田の焼け跡で流れ出してきた言葉、『神曲』の一節が、玉砕地の名に接続した。荒れ果てた地獄を巡るダンテと自分とを重ね合わせているうち、暗い奈落《ならく》に落ちて行った。

16

大本営発表（昭和二十年八月七日十五時三十分）

一、昨八月六日広島市は敵B29少数機の攻撃により相当の被害を生じたり
二、敵は右攻撃に新型爆弾を使用せるものの如《ごと》きも詳細目下調査中なり

八月九日　木曜日

駅前に出た悠太は、思わずほっと溜息《ためいき》をついた。居並ぶ店々は威厳に満ちた面構えで、甍《いらか》を朝日の後光で晴れやかに飾り、看板や暖簾《のれん》でおのれの家業を誇らかに示していた。ポールを光らせる電車も、出勤の途次らしい人々も、夜から目覚めたばかりの街に調和して、おのがむきむきの役割を果していた。それは何だか理想の夢の街のようだ。日本にもまだこんな都会があったのだという安堵《あんど》と懐《なつ》かしさで、彼は佇《たたず》んでいた。焼け跡の、ざらざらと荒れた光景に疲れた眼底が、今、和《なご》んでいる。

金沢病院行きの市電に乗って終点で降り、刑務所の裏の坂道を浅野川のほうへ下って行けばよいと母の手紙にあった。行き先を確かめて、まずは電車に乗った。

晴れて炎暑を予想させる朝なのに、窓よりの風はひんやりして気持がいい。東京よりは北に位置する国のせいかとも思う。人々の会話に独特の抑揚があって興味を引かれた。名古屋

幼年学校には関西の生徒が多いため関西風の発音を聞き馴れていたが、この金沢も関西風だと判定された。ここでも軍服は在りふれたものに違いなかろうが、陸軍幼年学校の制服は余程物珍しいらしく、こそばゆいような人々の視線に曝《さら》される。が、休暇の初め、新宿駅頭で覚えたような緊張を彼は感じなかった。わずか数日間で自分が変ってしまい、肩肘《かたひじ》張って将校生徒でございと人に示すのが面倒になってきていた。とくに夏江叔母が〝降伏〟などという可能性を教えてくれてから、自分の心を無理に締めつけていた箍《たが》が緩んでしまい、気抜けした気分なのだ。

旅行者の好奇心が起こり、移ろいゆく景色に見とれた。

寺や神社が多い町だとまず気付いた。釉《うわぐすり》で濡《ぬ》れたようにきらめく瓦《かわら》――脇礼助邸はこれとそっくりの瓦を使っていた――が際立《きわだ》って多い。城壁が迫《せ》り上がってきた。城門を兵隊が守っている。聯隊《れんたい》か師団司令部らしい。大樹奇樹を配した奥深い庭園がある。これが有名な兼六園だと思う。やがて広々とした練兵場――戸山ヶ原にはおよばないけれど――が続き、金沢病院前、すなわち金沢医科大学附属病院前に来た。これでもう終点だとすると、随分とこぢんまりした町である。

病院の塀沿《へいぞ》いに進むうち、赤い煉瓦《れんが》の瀟洒《しょうしゃ》な建物の前に出た。木札に刑務所と読んだとたん陰鬱《いんうつ》な建造物に見えてきた。エドモン・ダンテス、ジャン・ヴァルジャン、エカテリーナ・ミハイロワ・マースロワ。今まで読んだ小説の監獄の場面が、それを読んだ時の胸が裂ける思いとともに甦《よみがえ》った。高い塀の内側には、どんな監房があってどんな人物が囚《とら》われているのだろう。透叔父もこんな監獄に閉じ込められている。刑務所の裏手の陰湿な道に来た。鬱陶しいほど竹藪《たけやぶ》が覆《おお》いかかる坂道である。路傍に苔《こけ》むした石地蔵がひっそり身を寄せ合っていた。母の手紙にあった鶴間坂《つるまざか》とはここのことだろう。背嚢《はいのう》の米や、新田から託された野菜を詰めたトランクが重く跳ねるが、じき母に会えると思えば苦にはならない。竹の間にぎらついているのは川だった。川は藁葺《わらぶき》の家々や田圃を縫っている。市街地からあっけなく田舎に出た変化の妙が、東京人には珍しい。

道沿いに小川が流れ、水車がのどかに回っている。何軒目かに筒井の表札を見付けた。いまにも崖《がけ》に押し潰《つぶ》されそうな陋屋《ろうおく》である。暗い土間を通り抜けた先の井戸端で洗濯《せんたく》をしていたのが母だった。

萎《しぼ》んでしまった、それが第一印象だった。力なくひょろりと立ちあがり、「悠太」と叫ぶと、これだけは変らない大きな目を輝かした。「ただいま帰りました」と息子は軍隊式に挙手の礼をした。

「お帰りなさい。汽車、この節、ものすごいんでしょう。まあ重そうな荷物。そんなの持ってたんじゃ大変ね。汗びっしょり。水を浴びなさい。着替えのパンツもシャツもズボンも出してあるわよ。汽車が遅れたのね。明け方に着くという電報だったから、駿次も研三も早起きして待ってたんだけど、出掛けちゃったわ。学校のため防空壕《ぼうくうごう》を掘るんだって。東京ではとっくに作っていたのが、こっちでは今頃《いまごろ》作り始めてるのよ。東京はどうだった。おとうさん、お元気だった？　お前、すこし背が伸びたねえ。幼年学校じゃあ百キロ行軍したんだってね。大したもんだね。体力がついたんだね。そりゃまあ辛《つら》いんだろうけど、勝つまでは頑《がん》張《ば》らなくっちゃ……」

悠太は目を細めた。頭に詰まっていたものを全部一遍にぶち撒《ま》けるような話し振りが、いかにも母らしい。

水を浴びて半袖《はんそで》に半ズボンに着替えた。持ってきた米と野菜を出して並べるあいだ、母は喋《しゃべ》り通していた。

「丁度よかった。おとといまで、ここに福井の罹《り》災者《さいしゃ》家族が一緒に住んでいてね、狭い所に鮨《すし》詰《づ》め生活で、悠太が来ても泊まる場所がなくて、おねえさまにお願いしようかなんて思っていたの。ところが、八月二日、富山に大空襲があって全市丸焼けの被害だったもんで、つぎは金沢に決まってると、その人たち大あわてで、湯《ゆ》涌《わく》温泉、浅野川のずっと上流の山の中に疎《そ》開《かい》して行ったもんだから、うちは助かったんだよ。おやまあ沢山のお米とお野菜だね。今夜は御馳《ち》走《そう》が作れるよ。ところで、お前、いつまでいられるんだい」

「日曜日、十二日、しあさっての午後六時が門限だ。だから、あさっての朝には金沢を立つ必要がある。汽車は敵の銃撃でどこも遅れる一方だから、早めに出発しておかないと帰校時間に遅れてしまう。そうなったら大変だからね」

「あんまり時間がないんだねえ。でも贅《ぜい》沢《たく》言っては申し訳ない。この決戦のときに天皇陛下が休暇をくださったんだからねえ」

「おかあさん、すっかり痩《や》せたな。病気でもしたの？」

「いいや。元気だよ。丈夫で長持ちだけがおかあさんの取り柄《え》だからね」

「そんならいいけど……」

母が用意してくれてあった朝飯を食べた。麦飯に生卵と味噌汁《みそしる》でおいしい。卵も味噌も伝《つて》を求めて能登《のと》に買出しに行った戦果だという。食後散歩に出た。水車の前でのどかな軋《きし》みに耳を傾け、炎天下にぐっと開いている向日葵《ひまわり》をまぶしげに見上げ、森を削るような蟬《せみ》の声を浴び、浅野川岸をしばらく歩いた。川に面した家々には、夾竹桃《きようちくとう》が咲き夏蜜柑《なつみかん》がなり、窓辺に草花を飾ってあり、生活を楽しむ風が見られる。中洲《なかす》に葦《あし》が生い茂り水鳥が群れていて、子供たちが十数人はしゃいで水しぶきをあげていた。空襲などまるで知らぬげな平和な光景である。

家に戻ると突然暗い。暗いさなかに、新聞を読んでいた母が顔をあげて目をしばたたくのが見えてきた。

「そうそう、忘れないうちに言っておくけど、おねえさまが、悠太が帰省したら是非会いたいって言っておられた。小暮家の先祖代々の墓に案内したいんですって」

「お墓参り……」

「東山の西養寺《さいようじ》に、小暮家のお墓が十ぐらいあるんだって。お前、貴重な時間が惜しいから行かなくてもいいよ」

「いいや、行ってみたい。この際、先祖の墓にお参りして最後の別れを告げておきたい」

「最後だなんて縁起でもない」と初江は蠅でも追い払うように手で空を払った。「先おととい、広島に落ちた敵の新型爆弾ってのは、くわばらくわばら、すごい威力らしいね。落下傘《らっかさん》で降下して閃光《せんこう》を発して大爆発をして熱線を照射する、非人道的な残虐《ざんぎゃく》爆弾だそうで、広島では大勢の人たちが殺されたらしいね。宮様まで亡《な》くなったそうだ」

「新聞にはそう出ていたけど……」父は新型爆弾が原子爆弾だという新聞記事を見せてくれたが、さて原子爆弾とはどういうものかが、父も知らず悠太にも理解できなかった。

「悠太」と母は急に心細そうに言った。「これから戦争はどうなるんだろうね」

「本土決戦で玉砕か、それとも……」〝降伏〟という言葉が痰《たん》のように喉《のど》に引っ掛かった。

夏江叔母のように明けすけには物が言えない。それに土間の向うに人の気配があって、うっかりしたことは言えない。

「やっぱり、みんな死ぬしかないのかねえ。悠太とこれっ切りでお別れなんて、おかあさんいやだよ。ああ、おとうさんとも、オッコとも、お前とも別れて、駿次と研三と三人で金沢で玉砕、そういう運命なのかねえ」と初江は涙声になった。

八月九日　木曜日　晴のち夕立

夏期休暇で悠太が来る。早朝着くとの電報だつたものだから早起きしてみんなで待つてゐたのに着いたのは十時過ぎである。昨日午後四時より約一時間、東京には久しぶりの空襲があり、それも小型機ではなくB29百機による大空襲で、そのため汽車の出発が大幅に遅れたのだといふ。悠太は、この時期に敵が大挙して焼野原の帝都を襲つたのは、いよいよ本土上陸の前触れではないかと軍人の卵らしくいつぱしの憶測をしてみせる。背丈は少し伸びたが、帰宅した駿次と背較《せいくら》べをさせたら弟の方が大きくなつてをり、兄は悔しがつてゐる。

一家四人で夕食を始めた時に雷鳴と突風と驟雨《しゅうう》となる。久方振りに兄弟三人がそろつたのに悠太がむつつりしてゐるため話が滞る。それに風で裏の竹林が騒ぎものすごい音である。ラヂオをつけたら丁度臨時ニユースでソ聯が日本に宣戦布告をしたと告げてゐてびつくり仰天する。これから日本はどうなるのであらうか。子供たちはどうやつて生きて行くのだらうか。みんな黙つてしまひせつかくの御馳走も砂を噛《か》むやうになる。

大本営発表　（昭和二十年八月九日十七時）

一、八月九日零時頃より「ソ」聯軍の一部は東部及西部満「ソ」国境を越え攻撃を開始し又其《そ》の航空部隊の各少数機は同時頃より北満及朝鮮北部の一部に分散来襲せり

二、所在の日満両軍は自衛の為之《ためこれ》を邀《むか》へ目下交戦中なり

八月十日　金曜日　晴

けふの新聞であらためて読むと、ソ聯の参戦とは大層な国難が来襲したのだとひしひしと感じられる。南の沖縄を占領した米軍はこしたんたんと本土を狙《ねら》つてゐる。北のソ聯軍の大軍は満洲朝鮮全土を占領しようとしてゐる。前門の虎《とら》、後門の狼《おほかみ》。ああ大変なことにな

つた。日本はもう駄目《だめ》ではないかしら。

悠太は、午前中腕組みして暗い顔で考へ込んでゐたのが、午《ひる》近く急に荷物をまとめ、今より帰校すると言ひ出す。こんな事態だからこそかへつて心ゆくまで母や弟たちと過し、十分な覚悟で御国のために戦へばよい、あさつての帰校時刻に間に合ふぎりぎりまで滞在しなさいとすすめると、いや、新型爆弾とソ聯の空襲で鉄道が寸断される前に是非とも帰校せねばならぬと言ひ張る。それならせめてお姉さまにお会ひしてお墓にお参りしてからにしなさいといふと、帰校の軍装一切を整へてからお姉さまを訪ねて、西養寺へ行き、そこから金沢駅に直行して名古屋へ向つてあわただしく去つて行く。


浅野川大橋を渡った所から、細道の両側に連子窓《れんじまど》を連ねている、一見して色街とわかる界隈《かいわい》に入った。金沢は行い澄ましたような街と思っていたのが虚を突かれたとともに、初江は息子をこんな場所に連れてきてしまったのを気恥ずかしく思った。が、美津は平気で、もう相手を一人前の男性と見なしているかのように、説明した。

「ここは東の廓《くるわ》よ。金沢の廓の中では一番格式が高い所。金沢には廓が四つあるの。この東の廓とその先の愛宕《あたご》の廓、それからあちら側、犀川沿いの野町にある西の廓と三番町の廓。東の廓が第一の格式で、つぎが西の廓、それから愛宕、三番町の順かしら。ええ、お偉いさんはみんな、東の廓にあがるのよ。ほら、東と書かれた提灯《ちょうちん》が軒並みさげてあるでしょう」

悠太はもっともらしい顔をして聴いてはいるが、話をどこまで理解しているのやら。

真夏の昼間、明るい街路の光は簾《すだれ》の内の暗さを際立てて内部は何一つ窺《うかが》えないし、通りにも女一人の影とてないが、三味線の爪弾《つまび》きが川面《かわも》に流れ、ぽっくりの音が路地裏に反響し、嬌声《きようせい》の遠音がどこかでする。こんな戦時中でも夜ともなれば賑《にぎ》わいを見せるのであろう。弟の史郎《しろう》が悪所通いを自慢にしてわざと姉の前で話すのを、聞きたくないわと顔をそむけて見せてきた初江は、内心それに対する好奇心はかえって強く、遊廓《ゆうかく》を舞台とする小説となると熱心に読み、歌舞伎《かぶき》などに傾城《けいせい》が登場すると目を凝らしというわけだったから、今も、怪しい感じの路地や家の風変りな佇《たたず》まいに注意深く目を配った。ふと気付くと二人の姿が消えている。あわてて追う。つぎの曲がり角へ来ると、遥《はる》かな坂上で二人が振り返っていた。小走りに少し登るとたちまち息が切れ、心臓が狂ったように踊った。一昨日、能登での買出しの荷物を背負ったときも、これとそっくりの状態になってしまい、田舎道を休み休み歩かねばならず、そのため帰宅が深夜になってしまった。

「おやまあ大変な汗だこと。初江さん、あなたまだ病気が治ってないんじゃないの」と美津が目を剝《む》いた。

「病気?」と悠太が怪訝《けげん》な面持《おもも》ちをこちらに向けた。

「大丈夫ですわ。このところ、何ですか、お暑いものですから、寝不足気味なんですの」と初江は平気を装った。

「寝不足はひびくわねえ」と美津はさらりと受けて、「あれが西養寺よ」と石段の遥か上の山門を手柄顔《てがらがお》に指差した。

初江はまだ大分登らねばならぬと知ってうんざりしたが、「あらもうすぐですわね」と微笑してみせた。

　無理して足を運ぶが、石段を一段登るのに異常な努力を要した。遅れがちになると悠太は気遣わしげに待ってくれたが、美津は健脚を誇るようにどんどん登ってしまった。

「おかあさん、病気してたの？」

「ちょっとね、脚気《かっけ》だったの」

「それで痩せて顔色が悪いんだ」

「もう治ったのよ」

「まだ治ってないよ、そんなにひょろひょろじゃ。脚気って、ヴィタミンB_1の不足からくるんだ。おかあさん栄養不良だよ。おれ、新田のおじいちゃまに知らせて食糧を送るようにする。あそこは食糧が豊富なんだ」

「心配しなくていいの。悠太は、自分の心配だけしなさい」初江は、すっと倒れそうになる体を無理にこらえて、一段一段と高みに上がっていった。

　山門からは金沢が一望できた。眼下に、東の廓が由緒《ゆいしょ》深げに入り組んだ甍《いらか》を連ねている。浅野川の向うには、一つ一つの屋根の下に人生の愛憎を秘めた家々が、全体として調和した美を醸《かも》しだしながら、兼六園、城、神社、寺、駅などを島嶼《とうしょ》のように浮かべていた。街並みは不意に果てて、肥沃《ひよく》な田畑が入道雲の影をくっきりと載せて拡《ひろ》がり、青々とした海で終っていた。風が耳を擦《こす》って涼しい。海風の爽《さわ》やかさだと初江は思った。

「日本海は青い。黒っぽい太平洋と全然違うな」と悠太が言った。

「おや、悠太ちゃん、それ本当？」と美津が甥《おい》をからかうように言った。「伯母さんは、逗《ず》子《し》から太平洋を見てたけど、海って青いのよ。太平洋だって日本海だって同じよ」

「違うんだ」と悠太は向きになった。「五日前、おれ田町駅から太平洋を観察したんだ。時刻も丁度今頃、午後三時、そうして天気も今と同じ、入道雲がぐんぐん昇っている晴天だった。物事を較べるには、すべての条件を同じにするべきなんだ。伯母さんの言う青い太平洋は逗子で見た太平洋の記憶の総合なんだ。そんなの非科学的さ。海の色ってのはね。季節、天候、時刻によって全部違うんだから、比較する場合はその三つの条件を同じにする必要があるんだ」

「悠太ちゃん、軍人になってから理屈っぽくなったのね」

「そうじゃない。物事をきちんと科学的に観察するのは科学の出発点で大事なことなんだ。敵は科学を発達させて、原子爆弾なんか作った。日本も新兵器を作らないと、敵に勝てない」

「そうね。悠太ちゃんも科学兵器を作って日本を救ってね。伯母さん、期待してるわよ」と美津は、甥の勢いにたじたじとなった具合に一歩身を引いた。

　庫裏《くり》の玄関口で美津が声を掛けると、住職がひょこひょこと出てきた。紗《しゃ》の僧衣を着た、上品な老人である。「こちらは小暮悠次の連れ合いで初江と申します。こちらは悠次の長男で悠太と申します。陸軍幼年学校生徒です」と美津が二人を紹介すると、住職は初江と悠太に、「ようおいでになりました」と丁寧なお辞儀をし、悠太の軍服姿に目を着けた。

「ほう、陸軍幼年学校生徒さんですか。立派やなあ。将来皇軍の中枢《ちゆうすう》になられるお方や。頑張りまっし。御先代の小暮悠之進さまいうお方は、御立派な金沢藩士で、殿様のお側《そば》御用を勤め、御維新後は前田家の家扶《かふ》をお勤めになったお方とお聞きしております。わしも小坊主《こぼうず》の時にお見知りおきをお願いしましたんや。謹厳実直、それはよう御先祖の霊をとむらわれた方やった。今日は八月十日、四万六千日の地蔵菩薩《ぼさつ》の縁日やさかい、今日お参りすると四万六千日の間お参りしたのとおんなじ功徳《くどく》があるやがし。世が世なら、大勢の参詣人《さんけいにん》がある日やけど、今日参られたんはあんた方だけのようやね。ほんなら、墓前にて経を誦《よ》んで差し上げるさかいね」住職は着替えのため奥に引っ込んだ。

「初江さん、ジュキョウは?」と美津がささやいた。

「はっ?」

「お布施よ。お経を読んでくださるのだから何か差し上げなくては」

「困りました。用意がありません」

「そう……」美津はしかめ面《つら》をした。むろん〝あなたったらいつもそういうことうっかりしているのね〟という意味である。

「すみません」初江は、自分の失策に泣きたいような気持と前もって注意してくれなかった美津への恨みで、複雑な表情で項垂《うなだ》れた。袈裟《けさ》を掛けた住職が出てきた。携帯鐘と蠟燭《ろうそく》と線香を持っている。先に立った。墓地を横切り、裏山へ行く。また石段だった。登り口脇《わき》に木札があり、「大正十三年小暮悠之進寄進之」と読めた。

「御先代がこの石段を御寄進なさったんや。よう精進なさったお方やった。それまではぬかるみの坂で墓参もなんぼか大変やんたがやぞ」

山門前の石段よりもさらに急勾配《きゅうこうばい》になった。初江はまた息を切らした。老住職と美津が事もなげに登る後ろ姿が羨《うらや》ましく、自分が歯がゆく、美津の嫌味をさらに聞かされると思うと憂鬱《ゆううつ》である。中段に悠太が待ち、手を差し延べてくれた。さすがは男の子、小力で吊《つ》り上げてくれ、楽である。

「おかあさん、脚気はまだ治ってないよ。幼年学校でも一時脚気が増えて、大騒ぎだった。関節が痛くて、脚がだるくって、歩けなくなるんだ」

「もう治ったんだよ。いいお医者さまに診ていただいたもんでね」

「でもまだ、栄養不良だよ。そんなに痩せたおかあさんって初めて見たもん。それからお布施だけど、おれ金持ってるんだ。五十円。これじゃ足りないかな」

「充分だよ。でもそれはお前のお小遣いじゃないかい。旅先でもしもの場合必要だよ」

「いらないよ。あと二十円あるから。心配ない」悠太は財布から十円札を五枚抜き出して初江の懐《ふところ》にねじ込んだ。初江は登るのに精一杯で、息子にそれを返す余力がなく、そのままにしておいた。

ようやく石段の尽きる場所に上がった。左手の道を十間ほど行くと、林の中に十ほどの大小の墓石が並んでいた。いずれの石にも小暮の文字が読めた。傾いて今にも倒れんばかりのも三、四ある。

「今年はなんやら、不思議に大雪が続いたさかい、ここだけでなくて、一杯墓石が押し流されたんや。まだここはいいほうや。雪崩《なだれ》で根こそぎ持っていかれた所もあったんや」と住職が言った。

湿った陰気な場所で、読経《どきよう》のあいだ蚊の来襲に悩まされた。美津は遠慮なしに平手で叩《たた》き潰《つぶ》したが、初江は手で払うのも、刺されぱなしの住職に悪いようで、じっと我慢した。経のあと焼香が終ると、悠太が住職と美津に向かい、「汽車の時間がありますから、これで失礼します」と言った。あわてたのは初江で、「だっておかあさんは駅まで送って行くつもりだよ」と言った。

「いいんだよ。金沢の地理はわかったから。おれ一人で行ける。それにさ、おかあさん、そんなに栄養不足で無理をして倒れたら、駿次と研三が困るでしょう。ゆっくり休んでください」

美津も悠太を引き止めた。

「悠太ちゃん、今日はお寺に保存されてある小暮家の御位牌《おいはい》堂やら過去帳一式なんか、縁のものを御住職さまが御用意くださってるのよ。あなた小暮家の嫡男《ちやくなん》で墓守なんだから、ぜひ見せていただかなくちゃ……」

「戦争に勝ったら見せていただく。和尚《おしよう》さん、伯母さん、おかあさん、ありがとうございました」悠太は敬礼した顔を三人に回すと、石段を飛ぶようにして下りて行き、下に着くと、振り向いてもう一度挙手の礼をして、さっさと立ち去ってしまった。

八月十二日　初江より悠太へ

毎日暑い日が続きます。悠太が来た時の夕立が唯一《ゆいいつ》のお湿りであとはすつからかんに晴れ渡つて田んぼの水が減りだしたとお百姓さんが騒いでをられます。

無事帰校された事と存じます。随分と汽車中も混雑と遅延で困難であつたらうと、それに敵の銃撃にでも遭はなければよいがと案じてをりました。駿次も研三もお兄ちやんに色々と戦局の話を聞きたかつた、幼年校の日常ももつと知りたかつたと今頃《いまごろ》になつて申します。もつともソ聯の参戦で大急ぎで帰校したのですから仕方がありませんが。二人ともけふは日曜日とあつて浅野川に泳ぎに行つてゐます。

脇の伯母様も西養寺の御住職も小暮家の嫡男が墓参りしてくれたと喜んでをられました。悠太が帰つたあと、本堂で小暮家の御位牌と過去帳を見せて頂きました。初代小暮善慶様は生国播州赤穂《ばんしゆうあかほ》で幼少より茶道稽古《けいこ》をして江戸表にて前田家の御茶道役をなさつたさうで、以来悠之進様が七代、御父様が八代、悠太が九代目ださうです。かういふ事になると伯母様は熱心で、虫食ひで穴だらけの古文書をすらすらお読みになるし戦局の急迫などどこ吹く風です。でも悠太ももしも機会があれば九代目の当主としてお寺の古文書を見せて貰《もら》へば面白からうなどと思ひます。さうさう御布施はをさめましたよ。恥をかかずに済みほんとにありがたう。

ますます重大な時局となり学校の御方針通り進まれる様に祈つてゐます。では又御身御大切に。

八月十三日　悠次より悠太へ

無事に予定通り帰校出来たことと思ふ。

当方その後相変らずの生活できのふの日曜日には例によつて都立家政にある会社の農場で草取りをした。甘藷《かんしよ》がだんだん大きくなつて茄子《なす》位の大きさになつたので初物として三つ四つ持帰り芋汁にして食べたが自作の感慨ありて殊更《ことさら》おいしかつた。玉蜀黍《たうもろこし》も二十本ばかり採れたのでこれは焼いて丸齧《まるかじ》りでうまい。この調子だと秋には収穫多しとたのしみである。

八月八日の大詔奉戴日《たいせうほうたいび》に其処許《そこもと》を上野駅に送りに行つた折午後四時空襲警報のため汽車の出発が遅れて心配したが会社に用があり止《や》むを得ず別れた。四時五十分空襲警報解除となり社員が八方に出向いて調べた結果B29約百機が帝都西部荻窪《をぎくぼ》田無《たなし》及一部千住《せんじゆ》近辺の主に工場を爆撃した事実が判明した。この時期に百機の来襲とは大袈裟な話だがこの翌日の大本営発表によれば九日零時よりソ聯の満洲侵攻対日宣戦布告がありその前哨戦《ぜんせうせん》であつたと考へられる。さう見れば八月七日京浜西南方に侵入したP51の編隊中に英国機スピットファイヤーが混じつてゐた事実も理解出来る。米英ソが力を合はせて日本を攻撃してしかも広島長崎にて用ゐられし原子爆弾の殺傷力は恐るべきものがあるといふ。まさしく我国は開戦以来最悪の事態に直面した。如何《いか》なる事態が発生しても周章狼狽《ろうばい》して軽挙妄動《まうどう》してはならぬ。落ち着いて事態に対処するやうに望む。

17

八月十四日　火曜日　午前七時少し前

昨日午後五時に空襲警報が発令され、少数のB29来襲中であったが、脇敬助中佐は、市ヶ谷台の大本営陸軍部の地下壕《ちかごう》の自室で眠っていた。ところが、数分前、その一機が市ヶ谷台に近付きつつあるという報告を受けた脇中佐は駆け足で階段を登って行った。地下壕の出口で衛兵の敬礼に答える。が、そこはまだ地下一階である。さらに階段を登り、やっと地上に出た。どんよりと曇った空だ。敵爆撃機特有の爆音が響いている。高々度、たしかに一機だけの爆音だ。高射砲が轟《とどろ》いているが、おそらくは弾丸は届きはしないだろう。一度去ったかに聞こえたが、また戻ってきた。旋回飛行をしている。

本部前の松の枝から雫《しずく》が滴《したた》り落ちている。ついさっき雨が止んだらしい。雨に幾分冷やされてはいるが、一晩を地下壕の涼しい空気で過ごして来た身には、地上の空気はむっと生温かく、蒸し蒸しする。と、同じ作戦課の小池大尉《たいい》が、「おはようございます」と敬礼し、「こんなものを兵が拾いました」と濡《ぬ》れた紙を差し出した。「敵の伝単《でんたん》であります」

敬助は手に取って読み始めた。

日本の皆様

私共は本日皆様に爆弾を投下するために来たのではありません。お国の政府が申込んだ降服条件をアメリカ・イギリス・支那並にソビエット聯邦《れんぱう》を代表してアメリカ政府が送りました回答を皆様にお知らせするために、このビラを投下します。戦争を直ちにやめるか否《いな》かはかかつてお国の政府にあります。皆様は次の二通の公式通告をお読みになれば、どうすれば戦争をやめる事が出来るかがお判《わか》りになります。……

日本政府より聯合国政府への通告

……日本政府は一九四五年七月二十六日ポツダムにて米国・英国・支那及び後に記名加入したるソ聯邦の諸政府首脳者によつて共同宣言されたる諸条件を受諾の用意あり。但《ただ》し同宣言は君主統治者としての陛下の大権を損ずるが如《ごと》き如何なる要求も包含せざるものとの諒解《りやうかい》の下に申し込むものなり。……

アメリカ合衆国・大英帝国・ソビエット聯邦及び中華民国を代表して、米国々務長官より日本政府へ伝達したメッセーヂの全文（八月十一日）

……降服と同時に、日本皇帝及び日本政府の統治権は降服条件実施に適当と思惟《しゐ》する措置を採る所の聯合軍最高司令官の下におかれるのである。我々は日本皇帝にポツダム宣言を実施するに必要な降服条件について日本政府及び日本の大本営による署名に権威を与へ、且《か》つこれを保証する事を要求し、日本皇帝は日本の陸海空軍当局を始めその支配下のあらゆる地域に所在する総《すべ》ての軍隊にむかひ軍事行動を停止すべく命令を発し、その外《ほか》最高司令官が降服条件を実施するに要するすべての他の命令を布告する様に要請されるのである。

……ポツダム宣言の条項に則《のっと》り究極に於《お》ける日本政府の政体が、自由に表明された日本国民の意思に副《そ》つて定めらるべきである。……

天皇を皇帝と称し奉《たてまつ》ったり、翻訳調の生硬な日本語だし、皇軍の編成についての誤解もある。皇軍には陸海軍はあるが空軍はない。空軍の代わりに存在するのは、陸軍航空隊と海軍航空隊の二つである。ルーズヴェルトの開戦の演説にもあったアメリカ人らしい誤解だ。それにしても内容はおおむね正確で、帝国政府の回答内容も聯合国側のそれに対する回答も、きちんと翻訳してある。つまり大本営陸軍部作戦課参謀脇敬助中佐にとって目新しい内容ではない。しかし、一般国民にとっては、日本政府がポツダム宣言（その内容もまだ詳細には国民に知らされていない）をたとえ国体維持の条件つきであれ、受諾したこと、すなわち敵に降伏した事実は寝耳に水であろう。

「まずいな、これは」と脇中佐は小池大尉に言った。「この伝単は多数散布されたのかな」

「おそらく何万枚という数量でありましょう。昨夕午後五時に数機によって散布され、一時途絶えましたが、夜半からまた一機が来て散布を開始し、都内全域にばらまかれた模様であります」

「国民は、政府がポツダム宣言受諾の意向があると知ってしまったな」

「この伝単を信用すれば、でありますが、受諾、すなわち降伏の意思があると知ったわけでありましょう」

「ふむ……」と脇中佐は考え込んだ。

　脇中佐は、ここ数日の政府と陸軍部内の動きについて、大本営陸軍部作戦課の一員として大体の経過を知らされていた。

　八月九日の午前十一時から、ソ聯参戦の報を受けて緊急の最高戦争指導会議が宮中の防空壕内で行われたが、この会議の最中に長崎への原子爆弾投下の報告が入り、ポツダム宣言の受諾の方向、すなわち降伏する方向に全体の空気が動いた。もっとも阿南惟幾《あなみこれちか》陸相と梅津《うめづ》美《よし》治郎《じろう》参謀総長は、宣言に国体護持の確約を取り付けるべきことを強く主張し、宣言が明記している日本本土の占領や皇軍の武装解除や戦争犯罪人の聯合国側による裁判などの条項を削除させるべきだと主張していた。しかし、だからと言って、満洲で戦争を継続しても、すでに本土防衛のため関東軍の大部分を本土に移駐してしまったあとでは、ソ聯軍の不意打ちの、大軍の機甲部隊と空軍を繰り出した総攻撃を防ぐ方法がないという現実を、両将軍もよく認識してはいたのだ。

　午後二時半から閣議が開かれ、夕食で三十分中断したあと、午後十時まで続いた。鈴木貫《かん》太郎《たろう》首相は宣言受諾の気持であったし、東郷茂徳《しげのり》外相は、ポツダム宣言受諾はドイツのように無条件降伏することではなく、敗者の名誉と立場を慮《おもんぱか》った有条件講和の提案に応じることであって、日本側がこれ以上の条件を持ち出しても聯合国側は受け付けぬであろうと観測した。阿南陸相は当然、外相に反対して、閣議の結論は出なかった。

閣議で結論が出ないので御前会議を召集すると聞いた陸軍側は熱《いき》り立った。この会議で陛下が御発言になると陸軍側の主張は全く通らなくなるので、陸相と参謀総長よりその危惧《きぐ》を聞かされた陸軍省と大本営陸軍部の主戦派の将校たちは迫水久常《さこみずひさつね》内閣書記官長の部屋に押しかけて行った。午後十一時五十分頃から、最高戦争指導会議の構成員に枢密院議長平沼騏一《きいち》郎男爵《ろうだんしゃく》を加えて、御前会議が宮中吹上御苑《ふきあげぎょえん》の防空壕内で行われた。

八月十日午前三時に市ヶ谷に帰ってきた陸相と参謀総長は泣き腫《は》らした目を伏せて、黙して語らず、各自の自室に閉じこもってしまった。陛下が御発言になり、聖断に従って御前会議においてポツダム宣言を、「天皇の国家統治の大権を変更する要求を含んでいないという了解の下に受諾す」と決定されたと聞いたのは朝になってからであった。この決定は中立国政府を通じて聯合国側に伝達された。そうして聯合国側の回答が、米国のラジオで放送されたのが、二日前、八月十二日の午前零時半過ぎで、その内容も伝単で詳細に翻訳されてある通りであった。

しかし、聯合国側の回答の真意について、鈴木総理、東郷外相らが、大体において、帝国の国体維持の要求が入れられたと解釈したのに対して、平沼議長が、強硬な反対意見を述べた。要するに、日本の天皇の存在は、天照大神《あまてらすおおみかみ》以来の神の御子孫としてあるのであって、天皇の統治権が聯合軍最高司令官という外国の人間の下におかれるなどとはもってのほか、まして天皇制の存続が国民の意志によって決まるなどとは、国体をないがしろにするものだというのだ。

この平沼議長の強硬論は主戦派の軍人の賛同を呼び、淀橋区西大久保の平沼邸は、陸海の主戦派軍人の本部になったようで、軍人要人が出入りして、もう一度聯合国側に国体護持の確約を得るように交渉し、もし拒否された場合には、本土に配置した関東軍主力を中軸にして、本土決戦をすべきだと気勢をあげた。阿南陸相も梅津参謀総長も再交渉すべきだという意見で、閣議も最高戦争指導会議も二つに割れて議論を続け、収拾がつかぬまま、今日八月十四日の朝となったのである。

「まずいな、この伝単は」と脇中佐はまたつぶやいた。伝単によって国民のあいだに動揺が起これば、陸軍の主張はますます通りにくくなると予測したからである。その時、黒塗りの自動車が入ってきた。降り立ったのは阿南惟幾大将であった。背をぴーんと伸ばした姿勢と温顔に特徴がある。脇中佐と小池大尉は直立不動の姿勢を取り、さっと敬礼した。陸軍大臣は、二階の大臣室のほうへと、時間を正確に刻みつけるような思い切りのよい足取りで階段を登って行った。続いてまた自動車が来た。今度は梅津美治郎大将であった。小柄《こがら》な白髪の将軍は、ちょっと誰かを探すようにあたりを見回し、脇中佐に訊《たず》ねた。

「大臣は到着されたか」

「はい。大臣室のほうに行かれた模様であります」

参謀総長は、さっきの大臣の足取りとは画然と違う、疲れた老人の重い足運びで、一歩ごとに何か考えごとに区切りをつけるようにして、階段を登って行った。

同じく午前七時少し前

出勤前に一服しようと小暮悠次は縁側で煙管《キセル》を取り出した。雁首《がんくび》に詰まった燃え滓《かす》を捨てようとして、煙管を灰入れに打ちつけたところ、雁首の根元でぽっきり羅宇《らう》が折れてしまった。何だか、不吉だなと思う。紙巻きタバコが払底《ふってい》したため煙管で刻み煙草を吸い始めてからこのかた、こんな無様な失敗はしたことがない。この煙管は父の悠之進が使っていたもので、江戸時代に金沢の職人が作った逸品である。雁首と吸口には花鳥の象嵌《ぞうがん》がほどこされ、羅宇は朱色で金泥《きんでい》で漢詩が書き込まれてある。終南陰嶺秀積雪浮雲端と読めるが素養のない悠次には意味は不明である。ともかく、この煙管は同じく煙管に転向した会社の連中に自慢にしていたものなのだ。悠次は折れ口を指先で惜しそうに撫《な》で、あきらめて安物の銅鋳物《どういもの》の煙管をつかみ、さて刻み煙草を詰めようとすると壺《つぼ》の中が空であった。舌打ちして、茶の間に取りに立った。と、卓袱台《ちゃぶだい》の上にあった、さっき玄関先で拾ったばかりの敵の宣伝ビラが目に止まった。どうせ敵のいい加減な嘘《うそ》が印刷されているに決まっているとほっておいたのだが、妙に気になり、刻みを雁首に詰めながら読み始めた。すると、「日本の皆様」と丁寧な語り口に誘われて、つい最後まで読んでしまった。

天皇陛下が、「戦争の早期終局を衷心より願望せらる、」とある。「陛下の御諚《ごぢやう》を畏《かしこ》みて日本政府は数週間前当時中立関係にありしソ聯政府に対し、諸敵国との平和克服の斡旋方《あつせんかた》を依頼せり」つまり、和平条約を結ぶ努力を数週間前におこなったということか。ポツダム宣言のことは七月下旬の新聞にも報道されてあった。ドイツ占領についての聯合国間の取決めであって日本については何も触れられていないと報じられていた。しかし、このビラによると日本の降伏を勧告する宣言であったらしい。「降服と同時に、日本皇帝及び日本政府の統治権は聯合軍最高司令官の下におかれる」とある。降伏がいよいよ実現しそうな宣伝文だ。全部が嘘だとは思えない。今、日本が取りうる最良の道は降伏しかないという気がしていたところだ。負けるのは悔しいけれども、もう戦争に勝てる見込みはない。沖縄を占領され、満洲をソ聯軍に席巻《せっけん》され、原子爆弾を落とされ、あとは日本民族玉砕しかないという現状で、「日本の皆様」と丁寧な言葉で呼びかけてくるアメリカに降伏するのがいい。そうすれば生き残れる。これで戦争が終わればほっとする。このビラの通りだといいが。

　きのうの月曜日、会社では降伏の噂《うわさ》が飛び交っていた。社員が集まると、誰それがある筋から聞いたとか、新聞社の友人がこっそり教えてくれたとか、短波放送を傍受したとか、そんな話ばかりであった。八月十一日の新聞に載った阿南陸相の「全軍将兵に告ぐ」はいかにも異様だと一人が言う。「〝仮令《たとひ》草を喰《は》み土を齧《かじ》り野に伏するとも断じて戦ふところ死中自ら活あるを信ず〟とか〝醜敵撃滅に驀直進前《ばくちょくしんぜん》〟とか、何だか悲壮な言葉ばかりで、勝利とか勝つという言葉はまったくない。こいつは敵に降伏という意味じゃないか」そこで新聞を丹念に読んできた悠次は発言した。「たしかに八月十一日から新聞の論調が急変したね。阿南陸相の〝死中自ら活あるを信ず〟の隣に下村情報局総裁談が載っていたろう。〝大東亜戦争は帝国にとって最後の一線にまで到達した〟だの、〝今や真に最悪の状態に立至ったことを認めざるを得ない〟だの悲観的な観測ばかり述べて、〝国体を護持せん〟と取って付けたように話している。しかも同じ紙面に皇太子殿下の御写真を掲げていた。この急迫した局面で皇太子殿下の疎開《そかい》先での御日常を報道する必要など何もないのに変だと思ったよ。しかも、それ以後毎日、新聞は国体護持、大御心《おおみこころ》を奉戴し赤子《せきし》の本分達成、聖慮を安んじ奉る、とにわかに天皇陛下に従えという記事をトップで掲載し始めた。どうもおかしい」「やっぱり降伏したのかな」「その公算は大きいね。天皇陛下の御意思で敵に降伏しようという空気を新聞は作りだしている」

一週間前だったら、そういう会話に対してはかならず誰かが〝非国民的言辞はやめよ〟とか、〝必勝の信念であくまで戦うんだ〟とか、勇ましい発言をしたり、特高への通報を恐れてあたりを見回したりしたものだが、きのうは悠次の推測に対して、社員たちは黙って頷《うなず》くのみであった。

降伏を予想させる出来事は、この西大久保界隈《かいわい》にも見られた。おとといの日曜日、平沼邸のあたりを散歩していたら、大勢の警官が門前や塀際《へいぎわ》に並び、ものものしい警戒ぶりで、しきりと黒塗りの自動車、おそらくは重臣の車が出入りし、陸軍海軍の将校たちが、血相を変え、声高に何やら議論しながら玄関内に消えて行った。ほんの一分ほど立ち止まって見ていただけなのに、警官に怒鳴りつけられ、追い払われてしまった。

昨日は空襲警報が一日中続き、夜になっても解除されず、それなのに敵機の姿は見あたらず、狐《きつね》につままれたようだった。夜半から豪雨となった。連日の炎天で焼けただれていた瓦《かわら》が冷やされて涼しくなったが、雨音は何やらものすごく、かえって目を覚まさせた。今朝、濡れた庭に白い物があり、不審に思って拾いあげたところ、敵の宣伝ビラであった。すべての兆候が日本の降伏に結びついているではないか。

「やっぱり日本は負けたか」と悠次は言い、煙管を吸った。負けたと思うと何だか気が楽になった。悔しいという気持より、ほっとした気分が強い。空襲も疎開もない世の中が来る、一家がそろって生活できる、と思うと何やら広々とした緑の原っぱに出た感じなのだ。

午前九時過ぎ

市ヶ谷台で本部と呼ばれている建物は元陸軍予科士官学校の本部教室であった所で、昭和十六年の七月、予科士官学校が埼玉県朝霞《あさか》町に移転したあと、大本営陸軍部と陸軍省が移駐して共同使用している。一階の東半分を大本営陸軍部が、西半分と二階を陸軍省が占領している。しかし空襲が激化してからは、大本営も陸軍省も、本部下と前庭の地下に掘られた地下壕に重要書類や執務室を移した。地下壕といっても、昭和十六年八月から翌十七年末までの長い工期をかけて近衛《このえ》工兵が露天掘り工法で作った、地表から地下十四メートルの深所にある地下室で、天井のコンクリートの厚さ四メートル、縦横四メートル奥行き四十九メートルのトンネルが三条も走っている。通風設備は完備していたし、厨房《ちゅうぼう》、食堂、浴室、便所、宿泊所を備えて、どんなに激しい空襲が続こうとも、何日でも籠城《ろうじょう》して戦争指導ができる大《だい》要塞《ようさい》なのであった。事実、今年になって空襲が頻繁《ひんぱん》になってからは、大本営陸軍部の参謀たちも陸軍省の課員たちも地下壕に泊まり込んで任務を遂行してきた。しかし、五月二十五日の大空襲以後、帝都にはＢ29を主体とする焼夷弾《しょういだん》攻撃がぱたりと無くなり、地下生活の陰気と圧迫感を嫌《きら》う人々は当座必要な書類を持ち出しては地上で執務することが多くなった。地下壕のほうは、食事睡眠などを取る宿泊施設、重要書類の保管所という使われかたになった。ことに、八月十日にポツダム宣言の条件付き受諾の方向に政府が動きだしてからは、本部二階正面にある陸軍大臣室には要人の出入りが激しいし、課員や参謀たちも、何かと寄り集まっては情報交換をし、密談しという有様で、地上に出て、忙しく飛び回っている感じであった。

もしも国体護持の条件を聯合国《れんごうこく》側が呑《の》まない場合には、問題を白紙に戻し、以前からの方針通り、本土決戦をして、敵に反撃を加えるべきだという意見は阿南陸相を始め陸軍省の多くの将校たちによって主張されていた。ことに、陸軍省軍務局軍務課の椎崎二郎《しいざきじろう》中佐と畑中《はたなか》健二《けんじ》少佐などはさらに極端な意見で、鈴木首相や重臣たちが弱腰で、降伏などという屈辱を陛下に強《し》いし奉っている、まず近衛師団を蹶起《けっき》させて宮城を占拠し、ここから全軍に徹底抗戦の奉勅命令を出して、本土決戦に持ち込むというので、阿南陸相や梅津総長に実行を詰め寄っていた。こうして本部の天井の高い廊下には、足音をことさらに高く軍刀の下げ緒を鳴らす少壮将校たちが、頻繁に行き来していた。そんななか、脇敬助中佐は事態を何とか正確に把握《はあく》したいと考え、同期の将校と雑談をしたり、日の字形に閉じられてある廊下を回廊に見立ててぐるぐる歩き回ったり、わざと正面玄関から出て松林で涼んでみたり、要するに人々の動きを察知しようとしてうろうろしていた。

　大事件が起こり、将校たちが興奮して議論をし、親しい者同士が集まって密談にふけり、意見の違う人間を敵視して睨《にら》みつけるというのは、敬助にとって、すでに二・二六事件のときにお馴染《なじ》みの情景であった。この陸軍の将校団には、陸軍士官学校の卒業年次によって先輩後輩という厳たる序列があり、それにどの幼年学校出身か、幼年学校を出ず中学よりいきなり士官学校入りしたか（これを幼年学校出身者は〝デーサン〟とひそかに呼んで、自分たちよりちょっと下目に見ていたが）によって同窓の親しみや疎外意識があった。誰が何期でどこの幼年学校出身者であるかを、お互いが知り合っていた。たとえば、陸相の阿南惟幾大将は十八期で広島幼年学校出身、参謀総長の梅津美治郎大将は十五期で熊本幼年学校出身だがともに大分県出身で親しい間柄である。陸軍次官の若松只一《ただかず》中将は二十六期で名古屋幼年学校出身、参謀次長の河辺虎四郎《かわべとらしろう》中将は二十四期で名古屋幼年学校出身、この二人、大臣と総長の女房役がともに同じ幼年学校出身であることが、陸軍省と参謀本部の間の風通しをよくしていた。第一総軍司令官の杉山元元帥《はじめげんすい》は十二期で中学校出身、第二総軍司令官の畑俊六《はたしゅんろく》元帥も十二期だが中央幼年学校出身で、同じ元帥でも肌合《はだあ》いが異なる。このような基礎的知識を欠くと、高級将校団のなかでそつ無く生きては行けなかった。ちなみに参謀本部作戦課参謀の脇敬助中佐は四十四期で東京幼年学校出身で、おのれの位置と出身幼年学校とを、いつも強く自覚していた。

　一期でも先輩には敬意を払い、先輩を立てる気風が、上下の階層を作っていて全体として陸軍上層部の意思を作り、ゆったりと動いていく。しかし、一度、予想外の大事件が出来《しゅったい》すると、それに対して極端な意見を吐露する過激派が台頭してきて、上下の秩序を破り、下克《げこく》上《じょう》の様相を呈してくる。それに反して慎重な意見を言う者は腰抜け、卑怯者《ひきょうもの》として軽蔑《けいべつ》される傾向がある。そもそも大東亜戦争に日本が突入したのが、そのような過激派が勝ちを占めた結果であった。そうして一旦《いったん》戦争になってしまうと、過激派はますます過激になり、戦況が不利になっても、不利の原因を慎重派の売国的非国民的思想のせいにして勇ましい極端な玉砕戦法こそ皇軍の精華だと息巻いてやまなかった。ついに、戦争がどん詰まりに来た現在、過激派は焦《あせ》りに焦り、全軍の力を結集して本土決戦をおこない、全軍と全国民の玉砕も辞さない、それこそが大和民族の行く唯一《ゆいいつ》の道だと、声高に主張し、業《ごう》を煮《に》やしていた。

こういう場合、決して熱くならず、冷静に将校たちの動きを見極めて、大勢の赴く所を知ったうえで行動しようとするのが敬助の性癖であった。過激派の連中は脇敬助中佐のそのような態度を、日和見《ひよりみ》主義、敗北主義として軽蔑する。二・二六事件のあとも、主力を満洲に移駐した歩兵第三聯隊のなかで、かつて蹶起《けっき》した青年将校たちに同情的だった人々は敬助の背信を責めたり陰口をたたいたりしたのだ。しかし、困難な状況において人間の集団を動かしていくのは〝大勢〟であって、それにさからうことは無駄《むだ》で莫迦《ばか》げた行為だという考えが敬助にはあった。それは卑怯でも背信でもない、きわめて科学的な分析によりおのれの意見を定めていく方法なのだと敬助は考えていた。

二・二六事件のとき、過激な青年将校たちに迎合し、同調するかに見せていた川島義之《よしゆき》陸相や荒木貞夫《さだお》大将や山下奉文《ともゆき》少将が、途中から青年将校たちを見捨てた事実を敬助は目撃している。そこに〝大勢〟が働いたのを、これら軍の上層部の人々はよく見極めていたのだ。彼らが維新部隊として称揚していた蹶起部隊が突如として叛乱《はんらん》軍になったのは、実に陛下の御意向であった。大命下る、天皇陛下の御命令、奉勅命令……それによって、〝大勢〟が定まった。おそらく今回も同じだろう。すでに八月九日から十日の深夜の御前会議で、陛下は、ポツダム宣言受諾の意思表示を明確にしておられる。過激派の少壮将校たちに連日詰め寄られて阿南陸相も梅津総長も、国体護持、もしそれが受け入れられぬ場合は本土決戦などと主張しているし、陸相に至っては八月十日、全軍将兵に対し、「死中自ら活あるを信ず」という訓示を発表していかにも徹底抗戦を決心しているように内外に示しているが、真意はどうやらそこにない気が敬助にはするのだ。陛下の御意向にそって〝大勢〟が宣言受諾の方向に動いていることは間違いないし、第一、戦況は完全に皇軍に不利なのだ。どんなにあがいても、もはや皇軍に、ソ聯と米英と原子爆弾を相手にして勝機を見出《みいだ》すことなど不可能であるのは明確である。陸相も総長も結局は、聖断下る、承詔必謹《しょうしょうひっきん》と言いだすに決まっている。こう考えて、脇中佐は、主戦派として精力的に同志を募っている軍務課の畑中少佐や椎崎中佐の誘いを受けたときも、「うむ、死中に活を見出す志はよくわかった」と勇ましい返事をしながらも、同志に加わるとは言わなかったのだ。それに畑中は四十六期、椎崎は四十五期で、ともに敬助の後輩にあたり、しかも二人とも中学出身である。先輩で幼年学校出身である敬助には、後輩の中学出の尻馬《しりうま》に乗るのをいさぎよしとしない心情も働いていた。

大臣室へと上がっていく階段に人の往来が激しい。第十二方面軍司令官兼東部軍管区司令官で十九期の田中静壱《しずいち》大将、第十二方面軍参謀長で三十期の高島辰彦少将、第二総軍司令官で十二期の畑俊六元帥と、常には会うこともかなわぬ高官たちが往来している。そのうちに、彼らは自動車に乗り込んでは去って行った。阿南陸相と梅津総長の車が走り去ったとき、誰言うとなく、これから御前会議が開かれるらしいという噂が流れてきた。

午前十一時過ぎ

雲間が切れて、強い陽光が差してきた。湿度が高いので蒸し暑い。おそらく午後は耐えられぬ暑さになりそうである。日本橋区小網町《こあみちょう》の安田生命保険株式会社の会議室の窓から小暮悠次は、水天宮《すいてんぐう》や箱崎町の焼け残った街並みを見渡した。その先の清洲《きよす》橋の左右はまったくの焦土である。三月十日、浜町《はまちょう》公園のそばから病気で倒れた初江をリヤカーに乗せて運んだのは、両国橋脇《わき》の隅田川堤だったと思い出した。あの時は本当に火事場の馬《ば》鹿力《かぢから》で、夢中で自転車をこぎ、三田の時田病院まで運んだ。よく、あんな体力があったものだと、われながら不思議に思う。今の痩《や》せ衰えた体では到底不可能であったろう。

悠次は銅煙管《ギセル》を吸った。きのう月曜日の恒例の会議が空襲で流れてしまったので、朝十時から一同が集まったが、会社の規約改正の審議はどこへやら、今後の日本はどうなるかの雑談になってしまった。

会議になるといつも飛躍した議論をこととする山名部長がふと、真剣そのものの表情で言った。

「今年の冬は食糧が欠乏して餓死者が出ますな」

「一体何を根拠にしてそう言うのですか。具体的に数字を示してください」と誰かが言った。

「内地人口の一割か二割が餓死するでしょうな」

「だからその根拠を示しなさい」

「夏の現在でさえ食糧が欠乏している。冬にもっと欠乏するのは理の当然ではないですか」

「一体何のためにそんな発言を……」

「会社は社員の生活を考えねばならぬ。食糧欠乏の際に必要なのは食糧購入用の金である。冬に備えて会社は社員に簡易に金を貸し出す制度を作るべきである」

「日本が降伏したらどうなります。そんな制度などぶっ飛んでしまいますよ」とほかの誰かが言った。私語では降伏は語られていたが、公式の会議での発言は最初で、一同はつと息を呑み、そのまま長い沈黙に移行した。要するに、降伏の真偽がささやかれている現在いかなる議論も無用であるとみんなが知っていて、だらだらと時間を消費しているだけなのだ。

「それでは今日の会議はこのくらいにして、来週月曜日に再開とすることにします」と議長の専務が言った。

山名部長が悠次の肩を叩《たた》いた。昭和十一年ベルリン・オリンピックの折りにいっしょに世界一周旅行した人である。この背の低い肥《ふと》った人物は綽名《あだな》が〝タンク〟（短軀《たんく》とひっかけてある）で、どう栄養を取っているのか体型は変らず、肥っていた悠次が痩せてしまったのをからかい、〝空気抜け先生〟とか、〝骨皮筋右衛門殿《ほねかわすじえもん》〟などと呼ぶ。道化たことを言うけれども根は真面目《まじめ》で筋が通っている。今の自分の発言を茶化すように言う。

「こんな会議なんて、今、やっても意味がねえよ。あす日本がどうなるかがわからない現状じゃ、未来のことを議題にしても仕方がねえ。ところで日本はもう断末魔だね」

「降伏なんてえ屈辱は願い下げにしたいですけど、戦争が終るのは歓迎ですね」

「もう戦争はこりごりだね。きみもぼくも、丙種でせっかく助かった命だ。原子爆弾なんかで溶かされちゃかなわない」

「部長は身長不足、わたしは近眼と糖尿病と眼底出血でとうとう兵隊に取られませんでしたが、この戦争で死んだ人は本当に気の毒でした。とくに特攻隊の若者たちは可哀相《かわいそう》でした。祖国の勝利のために命を捨てた。彼らの死を無駄にしないためには、生き残った人間が再建のために頑張《がんば》らねば……」

「再建か。降伏して何もかも失った日本に再建の力が残っているかね」

「そこですよ……」悠次はあらためて、真夏の強烈な光に曝《さら》された焦土に向って目をしばたたいた。それは、永久に変わらず、それを沃野《よくや》に変えることなど思いもよらない不毛の砂漠《さばく》のように見えたが、瓦礫《がれき》や焼け棒杭《ぼっくい》の間にはちょろちょろと草が生えて、必死で生きようとはしていた。

午後二時半

本館二階、陸軍大臣室の向いにある第一会議室に大本営陸軍部の将校全員の集合が命じられた。窓は開いてはいるが人いきれで暑い。しかも重大発表があるというので全員が緊張の汗を噴き出し、汗が軍服の背に丸く染《し》みている人があちこちに見られた。

梅津美治郎参謀総長が入室したので、一同は素早い反射で、三十度に上体を折って敬礼した。総長の訓示が始まった。脇敬助中佐は四列目に立っていたが、白髪の総長の目頭《めがしら》から絶えず涙が流れ落ちるのをまざまざと見た。総長はメモを見ながら、沈痛な声で訥々《とつとつ》と語った。

「本日、昭和二十年八月十四日、それは、われらにとって、何たる悲しい日となったことでありましょう。終戦の御聖断が、下りました。

さきほど、午前中、陛下は、最高戦争指導会議構成員および全閣僚を、お召しあそばされ、御聖断によって、ポツダム宣言の、大要を、受諾することになされました。つぎに、陛下の御言葉を、わたくしの筆記によって、お伝え申し奉《たてまつ》ります」

梅津総長は眼鏡の曇りをハンカチで拭《ぬぐ》い、目頭を押さえ、鉛筆走り書きの紙片を読み始めた。声は詰まり、涙によってふたたび眼鏡は曇り、なんども途切れながら、陛下の御言葉は告げられた。

「わたしの非常の決意は、この前言ったことに変りはない。わたしは、国内の事情と世界の現状を、よく考え合わせると、これ以上戦争を継続することは、無理と考える。国体問題については、いろいろの危惧《きぐ》もあるということであるが、先方の回答文は悪意をもって書かれたものとは思えず、国体問題については、毛頭不安はない。陸海の将兵にとって武装解除や、保障占領について、堪えがたいこともわかる。しかしこのまま戦争を継続すれば、国体も国家の将来もなくなる。すなわち元も子も無くなる。今停戦すれば、少しでも種子が残り、将来復興の根基は残る。武装解除は堪えええぬことであるが、国家と国民の幸福のためには、明治大帝が三国干渉の時の苦しいお気持を偲《しの》び、堪えがたきを堪え、忍びがたきを忍び、将来の回復に期待したいと思う。これからは日本は平和な国として再建していくのであるが、これは非常な困難をともなうであろうし、時も長くかかるであろうが、国民が心を一致させて、協力努力すれば、かならずできると思う。わたしも国民とともに努力をする。今日まで戦場にあって、戦死し、あるいは内地にあって非命に倒れた者や、その遺族を思えば、悲嘆にたえないし、戦傷を負い、戦災をこうむり、家業を失った者の今後の生活については、わたしは心配に堪えない。国民は何も知らないでいるので、動揺すると思うが、わたしが国民に呼びかけることがよければいつでもマイクの前に立つし、陸海将兵の統制に困難もあろうが、わたしはどこへでも出掛けて親しく説き諭《さと》してもいい。内閣は、至急、詔書を出してわたしの気持を伝えよ。どうか賛成してくれ。以上であります……」

梅津総長はそこで絶句した。流れる涙を拭いもせずに項垂《うなだ》れていた。室内には歔欷《きよき》嗚咽《おえつ》が充《み》ち、壁に石走《いわばし》って反響した。その飛沫《ひまつ》を浴びながら、梅津総長は声を振り絞った。

「さきほど、参謀本部貴賓室において、両元帥、三長官以下が集い、つぎの申し合せをしました。『皇軍は飽くまで御聖断に従い行動す』であります。もはや、陸軍の進むべき道は、ただ一筋に大御心《おおみこころ》を、奉戴《ほうたい》実践するのみであります。今後、帝国の苦難は、いよいよ加重されるべくも、諸参謀においては、もはや、玉砕前進は任務を遂行する道にないことを、よくわきまえ、泥《どろ》を食い野に臥《ふ》しても、皇国護持のために奮闘していただきたい……以上であります」
歔欷嗚咽はますます高くなった。誰かが「敬礼」の号令を掛けたようだがよく聞こえない。
ふと気が付くと参謀総長の姿は消えていた。

午後六時陸軍機密電第六八号「帝国ノ戦争終結ニ関スル件」発電

大臣、総長ヨリ

関東軍総司令官、支那派遣軍総司令官、南方軍総司令官他

一 ……

二 御聖断既ニ下ル
全軍挙《コゾ》ツテ大御心ニ従ヒ最後ノ一瞬迄《マデ》光輝アル伝統ト赫々《カクカク》タル武勲トヲ辱《ハヅカ》シメズ我ガ民族ノ後裔《コウエイ》ヲシテ深ク感佩《カンパイ》セシムル如《ゴト》ク行動スルコト緊要ニシテ一兵ニ至ル迄断ジテ軽挙妄《マウ》動《ドウ》スルコトナク皇軍永遠ノ名誉ト光栄トヲ中外ニ闡明《センメイ》セラレンコトヲ切望シテ止《ヤ》マズ

三 ……

四 小職等ハ万斛《バンコク》ノ涙ヲ呑《ノ》ンデ之《コレ》ヲ伝達ス右ニ関スル詔書ハ明十五日発布セラレ特ニ正午陛下御自ラ「ラヂオ」ニ依《ヨ》リ之ヲ放送シ給《タマ》フ予定ナルヲ以《モッ》テ大御心ノ程具《ツブ》サニ御拝察ヲ願フ

午後九時過ぎ

何か通常とは異なった事態が起きている。ここ十数年来、満洲事変、支那事変、大東亜戦争と上昇の一途を辿《たど》ってきた緊迫感がぷっつりと切れて、何かが終った、いや何かが始まった気配がする。

敵の空襲は今日も終日続けられた。敵機動部隊が銚子《ちょうし》東方に迫り艦載機の多数が東部軍管区に来襲した。東京にも午前中小型機五十機が来襲して、所かまわず銃撃して回り、丁度会議が終った直後、会社の屋上にも命中した。しかし、脅《おびや》かしの程度で大して被害はなく、敵は神経戦を狙《ねら》った作戦を実行しているらしかった。それでも空襲となれば落ち着かず、今日一日結局、会社では仕事らしい仕事をしなかった。現在、何をしても、それは将来とは無関係で無意味であると、みんなが知り、仕事を放棄してしまったのだ。

帰宅して芋汁を啜《すす》りながらラジオをつけてみると、ニュースは昨日とほとんど変らず、アナウンサーの声は沈んでいた。七時のニュースのあと、あす十五日正午に重大放送があると告げられた。九時のニュースのあと、重大放送とは天皇陛下が親しく放送されることであると解説があった。おそらく、降伏の宣言であろう。それしか現在日本が取りうる重大決意はありえない。しかし、と小暮悠次はあらためて思った。降伏となるとここ十数年、日本は何をしてきたのか。戦争戦争と厖大《ぼうだい》なエネルギーを消費し、夥《おびただ》しい戦死者の屍《かばね》を積み、領土を拡大し、日本の国是を他国にひろめる努力をしてきた。その一切が泡沫《ほうまつ》となるのか。なんと馬鹿げた十数年であったことか。このおれも含めて、何と馬鹿げた人生を送ってきたことか。

悠次は愕然《がくぜん》とした。自分の最大の失策に気づいたからだ。もしも敗戦となると、全財産を注ぎ込んで買い漁《あさ》ってきた持ち株が、ほとんど全部屑《くず》になってしまう。持ち株の五割を占める満鉄株、あとはマレーゴム、南洋拓、日産農林などの南方株だが、これらはすべて紙屑になるだろう。株の配当で楽をしてきた生活設計が一挙に崩壊するわけだ。旧家は燃えてしまい、家賃収入も望めない。四人の子供をこれからどうやって育てて行くか。山名部長の提言した社員への簡易貸付制度は冗談ではなく、そういう制度こそが安月給取りにとって今や切実に必要なのだ。

八月十五日　水曜日　午前四時半

前夜空襲警報が発令になり、解除になったのが午前二時であった。そのあと、地下壕《ちかごう》の自室のベッドに着の身着のままで潜り込んだ脇敬助中佐は、少しばかりうとうとしたところをノックで目を覚まされた。小池大尉《たいい》が入ってきた。

「近衛《このえ》師団が蹶起《けっき》して宮城を占領しました。状況は省部に速報され参本にも伝えられ、在庁者は次長室前に集まっています」

「なに、やっぱりやったか」脇中佐は飛び起きて、軍服の皺《しわ》を伸ばし、軍刀を吊《つ》った。鏡に向かって戦闘帽の具合をきちんと直し、阿南陸相の真似《まね》で、背筋をぴんと伸ばして、階段を登って行く。

「近衛師団の一部が動員を掛けられて、先《ま》ず竹橋、乾門《いぬいもん》、三番町口を占領しています。どうやら贋《にせ》の師団長命令を誰かが出して兵を動かしたらしくあります」と小池大尉は、去年陸大を卒業した若者らしく、要領よく〝戦況〟を報告した。

〝軍務課の連中だな〟と脇中佐は思った。昨夕、作戦停止と承詔必謹の機密電が大臣、総長連名で発信されたあと、陸軍省軍務課を中心とする主戦派少壮将校たちが、なおもクーデターを画策しているらしいという風聞が参謀本部の中に流れてきた。前からそのような動きはあり、実際に脇中佐も椎崎中佐や畑中少佐から誘われたこともあったが、聖断が下り、大臣、総長連名の命令まで出た今となって、なお過激な行動を続行する彼らの独断専行振りに脇中佐はあきれ返った。主戦派は、明日正午の陛下の放送さえ阻止すれば、まだ皇軍を戦争継続へ向け、本土決戦が可能だと考えたらしいのだ。とにかく参謀本部の側では、陸軍省の主戦派将校の誘いに乗らぬようにと参謀次長や作戦課長からの非公式の命令が回っていた。脇中佐は小池大尉を次長室の付近に待機させて、何か変事が勃発《ぼっぱつ》したら報告するようにしていたのだ。

総長室と次長室前の廊下に十数人の参謀たちがたむろしていた。そこで大体の情勢が把握《はあく》できた。

宮城の守衛は近衛師団に属する聯隊《れんたい》の任務である。昨夜は近衛歩兵第二聯隊が〝守衛上番〟であった。そこで聯隊へ宮城占拠の命令を出させるように、主戦派の参謀たち、陸軍省軍務課の椎崎中佐と畑中少佐、さらに軍事課の井田正孝《まさたか》中佐らが竹橋の近衛師団司令部へ行き、師団長森赳《たけし》中将に対して師団蹶起の命令を出すように迫ったが拒絶されたので、森中将を殺害（拳銃《けんじゅう》か軍刀かは判然としない）して偽《にせ》の近衛師団長命令を出し、聯隊を動かして宮城を占拠して、録音盤を奪う行動を起こした。しかし、主戦派参謀たちのなかで、井田中佐や近衛師団参謀の古賀秀正《こがひでまさ》少佐は、途中で蹶起部隊を抜け出して、東部軍司令部に蹶起を促しに行ったため、かえって陰謀が一気に明るみに出る結果になってしまった。また偽命令で行動していた聯隊内部にも疑問を持つ人が出て、計画は瓦解《がかい》寸前となり、最前、東部軍司令官の田中静壱大将が自動車で宮中に乗り込み、偽命令で動いている部隊の説得に努めているという。

午前六時

誰かが叫び、何やら騒がしいので、小暮悠次は聞き耳を立てた。夢ではない。午前二時に空襲警報は解除された。また空襲ではたまらんなと思い、ともかく縁側に出て見た。叫んでいるのは隣の物干台の上の落語の師匠だった。禿《は》げ頭に捩《ね》じり鉢巻《はちま》きをしている。

「火事ですわ。すごく燃えてる。こりゃ油断できませんな」

「空襲ですか」

「いや警報は出てないが……」と防空群長は額をつるりと撫《な》でた。

「見てきます」と小暮悠次は鉄兜《てつかぶと》を背負い、非常袋を肩に掛けると、門を出た。しかし、坂を登り精神病院の手前まで来たとき、停《と》まっていたトラックから、剣付き鉄砲を持った兵隊たちが飛び下りて、殺気立った気配で平沼邸の方向に駆けて行くのを見た。悠次はへっぴり腰で後退し、家の前まで逃げてきた。すると落語の師匠が走り寄ってきた。

「よかった。平沼邸に近付くと危いってえんで、止めにきたんですわ。どうも二・二六と同じで兵隊の叛乱《はんらん》のようですな。国賊平沼を倒せ、天誅《てんちゅう》なんてわめきながら兵隊たちが平沼さんちに火をつけているんです。近寄ったら殺されますわ。ま、空襲じゃなくて、叛乱軍ならあっしら庶民には関係ねえ。あっしはね、二等兵のとき、第三聯隊にいましてね、二・二六事件じゃ、警視庁占領に出動したんですよ。兵隊には何にもわからねえ。演習だって思って上官の命令通り動いていたら、叛乱軍、逆賊の一味にされて、取り調べられたですからな。お、すごい煙だ。この分じゃ、平沼邸は全焼ですわ。ま、あれだけ遠ければ、こちらは安全でしょう。どうもお騒がせしました」と師匠は引っ込んでしまった。

悠次は物干台に登って眺《なが》めた。なるほど平沼邸が燃えている。もう盛りは過ぎたらしく、炎は見えず、薄い白煙がゆっくりと立ち昇っている。今日の重大放送との関係が何かあるらしい。とにかくこの数日、平沼邸の物々しさは尋常ではなかった。何か国を動かすような密議か決定が行われつつあったらしい。もっとも〝あっしら庶民には関係がない〟が。悠次は師匠がかつて二・二六の叛乱に関係していたというのを面白く思った。第三聯隊と言えば脇敬助の聯隊だったではないか。そして菊池透も同じ聯隊だった。世間は狭い。もし降伏となると職業軍人の敬助はどうするのか。政治犯の菊池透はおそらく釈放されて世に出て来るだろう。二人の境遇は逆転するわけか。一体これからどのような世の中になっていくやら……寝不足で頭の中に小石でも詰まったようで、もう考えられない。蚊帳《かや》をくぐって入るとすぐ眠ってしまい、うるさい目覚ましは七時に鳴ったが、睡気《ねむけ》で体が動かず、つぎに目覚めたら八時半であった。出社しても仕事などありはしないだろうが、勤め人の習性で鉄兜と非常袋で身支度を整えて外に出た。

新田裏の停車場まで坂を下って行きながら平沼邸を見たくなった。重臣の屋敷を兵隊が襲って焼いたなどという事件は会社での話題として受けるに違いない。野本邸、脇美津宅の焼け跡から見ると、高い黒塀《くろべい》の陰気な料亭を思わせた平沼騏一郎邸は綺麗《きれい》さっぱり消えてしまい、大久保国民学校の大講堂の鉄骨がまる見えであった。あの大空襲のさなか消防署員が総出で消火にあたり、模範的な防空活動の成果として喧伝《けんでん》された邸宅が、今度は味方の軍隊によって消滅した。何がどうなっているのか皆目《かいもく》見当がつかない。どうやらそういう混乱の時代が到来したらしい。

午前十時半頃《ごろ》

脇敬助中佐は、手帳を開いてメモを取っていた。この数日間、とくに昨日から今朝にかけて起こった、めまぐるしい歴史的な出来事の記憶を今のうちに整理しておきたいと思ったからである。同じ思いの者が多いと見えて、作戦課兵站《へいたん》班の将校室では、あちこちで手帳やノートに何やら書きつけていた。中には書きながら涙を流し、また大声で嘆息を漏らす者もいた。

○七三〇　阿南惟幾大将自刃《ジジン》ノ報、陸軍省高級副官美山要蔵《ミヤマエウザウ》大佐ニヨリ参謀総長ニ電話報告サル。阿南大臣ハ「一死以テ大罪ヲ謝シ奉ル」ノ遺書ヲ残シ、午前五時三十分割腹自決セラレ、七時十分絶命セラルトイフ。総長ハ総長秘書官井上忠雄中佐ヲ従ヘテ三宅坂ノ陸相官邸ヘト向ハレル。

○八四○　宮城ヲ占拠セル近衛歩兵第二聯隊ハ東部軍司令官田中静壱大将ノ指示説明ニテ偽命令ナリシ事明白トナリ監禁中ノ侍従武官長ヲ解放シ、蹶起ト録音盤押収ニ失敗セル椎崎二郎中佐ト畑中健二少佐ハ宮城前広場ニテ刺シ違ヘテ死セリ。今回ノ宮城占拠事件ニオケル死亡者ハソノ他ニ近衛師団長森赳中将、第二総軍参謀白石通教《ミチノリ》中佐（トモニ畑中等ニヨリ斬射殺《ザンシャサツ》）、近衛師団参謀石原貞吉少佐（林慶紀《ヨシノリ》少尉ニヨリ射殺）ナリ。

18

正午前後

全社員、社長以下小使までが会議室に詰めていた。小暮悠次はラジオの調子を整えるのに汗をかいていた。ついさっき彼はそのラジオを社長の自動車に乗って社長宅から持ってきたばかりであった。重大放送を全社員で聴こうという日になって会社のラジオが故障で、社長命令によって取りに行って来たのだ。正午五分前、全員起立してラジオに注目した。悠次一人でやっと持てた大型の、アメリカ製のラジオで、スピーカーが優秀なのかつまみを少し回すとやけに大きな音が出る。悠次は調節してあった音量を注意深くあげたつもりが、回し過ぎて突拍子もないアナウンサーの掛け声を飛び出させてしまった。何とラジオ体操である。社員たちの失笑が走る。悠次は大あわてで音量を絞った。と、体操が終り、時報となった。いよいよ正午である。誰かが「気をつけ」の号令を掛けた。そんなことをする取決めはなかったが、山名部長が気をきかせて掛けたものらしい。反射で社長も一同もさっと直立不動に凝固した。

「ただいまより重大なる放送があります。全国聴取者の皆様御起立願います。天皇陛下におかせられましては、全国民に対し、畏《かしこ》くも御自ら大詔《たいしょう》をのらせたまうことになりました。これよりつつしみて玉音《ぎょくおん》をお送り申します」音声は明瞭《めいりょう》で雑音もない。社長のラジオは高級品で性能がいい。悠次はほっとし、誇らかに息を吸った。彼の働きと努力によってこの歴史的な放送を全社員が聴きうるのである。君が代の演奏が終ると、いよいよ天皇陛下、大元帥《だいげんすい》陛下、上御一人《かみごいちにん》、現《あき》つ御神《みかみ》、現人神《あらひとがみ》、皇尊《こうそん》、聖上《せいじょう》、主上《しゅじょう》の玉音が流れた。陛下の御声を聴くなど日本国民には恐れ多くてありえないことであった、その玉《ぎょく》の響きだ。ラジオのそば、最前列にいた悠次には陛下の御声がよく聞こえた。甲高い、ちょっと女のような声である。やはり普通の人間の声とは違う。皇室の御声は以前ラジオで秩父宮《ちちぶのみや》の御声を聞いただけだが、さすがは御兄弟、どこか似ているような気がする。彼の苦手の漢文調で全部は理解できないが、「共同宣言ヲ受諾スル旨《ムネ》通告セシメタリ」のくだりだけは明瞭に聞き取りえた。つまり降伏である、と知ったとたん涙が溢《あふ》れ出た。もう止《ま》まらない。降伏の予兆は多々あったが、天皇陛下より伝えられるとはっきりした。日本は敗けたのだ。満洲事変から数えて十四年、支那事変から数えて八年、大東亜戦争開戦から四年近く、戦争戦争で激戦・戦死・特攻・玉砕・欲しがりません勝つまでは・困苦欠乏・飢え・疲労で頑張《がんば》ってきた国がこれで一転、鬼畜米英と憎み蔑《さげす》んできた外国の支配下に置かれるのだ。啜《すす》り泣き咽《むせ》び泣きが背後で起こっている。

悠次は自分がこんなに悔しい思いをするとは予測していなかった。持ち株の紙屑化による損失の痛み、そんなものはもうどうでもよかった。国が無一物の最低国になった現在、個人の損失など些事《さじ》に過ぎなかった。内閣告諭が続いている。「開戦以降遠く骨を異域に曝《さら》せるの将兵其《その》数を知らず、本土の被害、亦無辜《またむこ》の犠牲ここに極まる」そのとおりだ。実に夥《おびただ》しい死が戦争によってもたらされた。正確な数は把握できないが、おそらく数百万人であろう。ハワイで二千人のアメリカ人を殺したばかりに、数百万人が殺された。アメリカの復讐《ふくしゅう》は徹底的ですさまじかった。三月十日、広島、長崎、女子供老人などお構いなしの大虐殺《だいぎゃくさつ》だった。これで本土決戦などしたら、日本人は根絶やしにされるだろう。天皇陛下の御決断は正しかったのだ。涙が頬《ほお》をするすると這《は》っていくにまかせながら悠次は、自分も初江も四人の子供たちも、ともかく生き延びたと思った。一家で死んだ者は誰もいない。四散した一家が集まり、東京での生活をまた始められる。ゼロからの出発だ。さいわい家は焼け残った。そこを拠点にして何とか生きて行けるだろう。

同じく正午前後

第一会議室に省部員、参謀が参集して、陛下の大詔を拝聴した直後、脇敬助中佐は地下壕の自室に入り、手帳にメモを書きつけた。

一二〇〇　昨日午後参謀総長ヨリ聖断ヲ決断サレタマフマデノ経過ヲ仄聞《ソクブン》セシニヨリ本日ノ玉音殊更《コトサラ》ニ御労《イタハ》シク拝聴シ、感泣慟哭《ドウコク》ス。阿南陸相ノ一死以テ大罪ヲ謝シ奉《タテマツ》ルノ心我ニアリ。幾百万ノ貔貅《ヒキウ》ノ善戦、決死ノ特攻、スベテ物量ト科学兵器ヲ駆使スル敵ニ敗レタルハ、作戦ノ稚拙硬直ノ大罪ナリ。嗚呼《アア》悲ノ極罪ノ極……。

「中佐殿」と小池大尉が話しかけてきた。「ポツダム宣言をよく読んでみましたが、国軍は武装解除されるとあります。そのあと陸軍はどうなるのでありましょう」

「陸軍も海軍も一時無くなるのであろうな。武装を持たぬ軍隊などありえない」

「大日本帝国の大陸軍と大海軍が消滅する……考えられぬ事態であります」

「おれにも考えられぬ事態だ。幼年学校以来、陸軍の楨幹《ていかん》たらんとして、営々と築き上げてきた知識も経験も、陸軍以外では役に立たん」

「それはわたくしも同様であります」

「貴様は若い。まだ二十代ではないか。出直せばよい。おれはもう三十六だ。それに貴様には頭脳がある。とにかく陸大で恩賜《おんし》の軍刀とはなみの頭脳ではないぞ」

「恩賜の軍刀が象徴しているように、わたくしの頭脳は軍刀だけ、つまり陸軍内部で通用するだけであります」と小池大尉は苦笑した。それからふと真顔になり、「ポツダム宣言では俘虜《ふりよ》を虐待せる者を含む一切の戦争犯罪人を厳重処罰するとありますが、われわれ大本営参謀は戦争犯罪人になりますか」

「わからん。戦争犯罪人という概念がわからん。勝者が敗者を犯罪人として裁くことなど日本の武士道にはない。敗者も国のために戦ったのだから尊敬する、それが武士道だ」

「アメリカには武士道などなさそうでありますな。一般市民を平然として無差別に殺戮《さつりく》した国であります。今度は平然として戦争指導者を厳重処罰しますか」

「それをわれわれは恐れていた。最高の戦争指導者は陛下であらせられるからな。もしも陛下が……」

「その点が不明確なまま、宣言を受諾してしまった」

「そうだ。しかも陛下の御意志によって。陛下は国民を救うために玉体を投げだされたもうたのだ」

二人はしばらく思案のていで頭《こうべ》を垂れていた。壕内の各室にも大勢が入り秘密の会話を交わしているらしく、人声は薄い隔壁と丸天井を伝播《でんぱ》して、地下壕全体がとろ火で焙《あぶ》られたようにざわめいている。沈黙を破ったのは小池大尉であった。

「われわれも戦争犯罪人と目されるのでありましょうか」

「考えたこともないが」脇中佐は腕組みしてコンクリートが剝《む》き出しになり、食《は》み出た鉄線の錆《さ》びた、醜い天井を見上げた。「ありうるかも知れんな。われわれが戦争指導の一翼を担《にな》ったのは事実だ。われわれは陛下に対し奉り敗戦の罪を負っていると意識しているが、存外敵はわれわれを自国民の出血を強《し》いるような作戦を指導した犯罪者と考えているかも知れん」

「となると、軍の上層部はすべて犯罪者となりますな」

「その公算は高い。もともとアメリカは日本人全部を犯罪者と目していた。だから原子爆弾のような残虐な兵器で女子供老人などの非戦闘員まで虐殺したのだ。そういう国柄《くにがら》だから、国民の中でも軍人、軍人の中でも将校、将校の中でも参謀、参謀の中でも参謀本部の参謀を犯罪者と目するであろう」脇中佐は腕組みを解き、小池大尉の若々しいすべすべした頰を視線で撫でた。この恩賜の軍刀は頭の回転が速く、上官である脇中佐の意図を素早く察知して、どしどし仕事を進捗《しんちょく》させる、切れる助手であった。「小池、われらがこれから為《な》すべきことは何か」

「明白であります」と助手は答えた。「われらが戦争指導をした一切の証拠の湮滅《いんめつ》でありま す。作戦命令指揮に関する一切の書類の焼却。とくに米英に出血を強いた戦争初期の作戦指揮書や資料」

「よし、それだ」脇中佐は棚《たな》を埋めている書類を見渡した。棚から溢れて机上にも床にも堆《うずたか》く積み重ねてある。前任者の、自分たちの、手書きの、印刷の、古いの、新しいの、分厚いの、薄いの、あらゆる書類が、年代別、作戦項目別に整然と分類され、そして分類の常で、分類法の変更によって雑然となり、夥《おびただ》しい紙として、すなわち作戦指導の証拠品として存在している。

「これを全部焼くのは大事《おおごと》でありますな」

「しかし、全部焼かねばならぬ。それこそ重大任務ぞ。最後の御奉公だ」

「はい」と小池大尉は、今日初めての笑顔を見せた。

同じく正午前後

縁側の風の通る所に菊池勇と間島五郎がラジオを置いた。鋼鉄製の旧式で、ラッパ型のスピーカーを上に載せる。籐椅子《とういす》をそばに置き時田利平が腰掛け、それを囲んで五郎、夏江、勇、勝子が立った。ラジオを持たない近所の人たち十人ほどが庭に集まっていた。

正午になると利平は立ち上がり、よろけたところを五郎に支えられた。天皇の放送が始まったとき、偶然油蟬《あぶらぜみ》がすぐ近くの木の幹で鳴き始めて邪魔をした。利平は舌打ちして「五郎、追い払え」と命じた。五郎は動かなかった。利平はいらだち、しきりと舌打ちした。夏江が、「おとうさま、重大放送が聞こえませんわ」と注意した。庭に集まった人たちから「しっ」と声があがり、ますます放送が聞き取りにくくなった。夏江は音量をあげてみた。しかし今度は音が割れてしまい、あわてさげると変な雑音がはいった。天皇の上擦《うわず》った声が続いている。どういう内容なのか懸命に聞き取ろうとしてみたが夏江には理解できない。天皇という人は日頃、こんな奇妙な日本語を使用しているのかしら、と思っているうちに、放送が終ってしまった。

「えい、つまり、どうなんじゃ」と利平が、ますますいらだちをひどくした。「要するにソ聯への宣戦布告じゃろう。神州不滅を信じ国体の精華を発揚せよという御諭《おさと》しじゃ」

「敗けたんですな」と菊池勇が言った。

「敗けた？　莫迦《ばか》を言え。神州不滅が敗けるものか」

「米英支蘇《ソ》の共同宣言を受諾したのですから、つまりは無条件降伏をしたことになります。お聴きなさい。内閣告諭もそう言っています」

「なんじゃと、総理大臣など国賊じゃ」

「静かにしていただけませんか」と庭の一人、警防団の服装をした中年男が注意した。涙で頬を濡《ぬ》らしている。しかし、利平には男の顔は見えない。なおも、「降伏なんかとんでもない。何かの間違いじゃ」とわめき続けた。

五郎が不意に、「おお先生、だまんなよ」と言い、利平の腕を締めつけた。「痛い！」と利平は悲鳴をあげ、そして鎮《しず》まった。

アナウンサーの解説が、不思議に蟬の声も途絶えてしんとしたなかで明瞭に聞こえてきた。ポツダム宣言受諾はすなわち降伏であることが夏江にはよく理解できた。戦争は終ったのだ。ついに日本帝国の聯合国《れんごうこく》への降伏という幕切れであった。この日を待ちわびていたのに、彼女の胸を充《み》たしたのは深い悲哀の念であった。何という苦難の日々であったろう。透は右腕を失い、逮捕され、いまだに監禁されている。病院は焼失し、利平は失明し、史郎は戦地にいったきりだ。六月末に透は豊多摩刑務所内の予防拘禁所から府中刑務所に移された。その後は衰弱が激しいために接見所まで歩くことができず、接見禁止になっていて、七月半ばと八月初めに刑務所を訪問したときも面会はできなかった。彼からの音信はある。葉書に、そうひどい病状ではないから心配するなと走り書きしてあったが、詳細が不明であるために心配はつのるばかりだ。しかし戦争は終った。予防拘禁などという無体《むたい》な制度も見直しを迫られるだろう。夫は帰ってくる。嬉《うれ》しい。悲哀の念を押し退《の》けて喜悦の情が育ってきた。気がつくと、みんなが泣いている。庭の人々が手拭《てぬぐい》で顔を拭いながら去って行く。

勇も勝子も泣いている。泣いていないのは五郎だけであった。彼は、泣きわめく利平を籐椅子に坐《すわ》らせ、夏江に会釈《えしやく》すると、「お袋に知らせてやる」と言って立ち去った。

すっぽりと被《かぶ》った黒頭巾《くろずきん》の両目の部分が濡れている。利平は子供のように泣きじゃくりながら言った。

「何という屈辱じゃ。紀元二千六百有余年、皇統連綿として栄え、日清日露で大勝を博し、日本海大海戦の歴史的勝利をえて、国民が孜々《しし》として労働し蓄積し、大海軍大陸軍を作りあげ、領土を拡大して、世界の列強に伍《ご》し、アジアの列強植民地を解放して大東亜共栄圏の建設に官民一体となって献身してきた大日本一等国は、この降伏で世界の最下等の国になりさがりおった。鈴木首相、木戸内府、平沼男爵《だんしやく》らは国賊じゃ。それにしても歯がゆいのは今上《きんじよう》陛下じゃ。明治大帝にくらべて御武運がつたない。なぜに、本土決戦をいどまれ、捲土重来《けんどじゆうらい》を企図なされなかったか。首相、重臣、陛下、ああ憤慨の極じゃ……」

「おとうさま。そう憤慨なさらないで」と夏江は哀願した。「お体に障りますわ。仕方がありません。日本は敗けたのです。陛下のおっしゃられた通り、国民は総力をあげて将来の建設に努力する時ですわ」

「建設？　そんなものができるものか。何もかもなくなったのじゃ」利平は頭巾を手袋で引っ摑《つか》み、その中でいやいやをする子のように首を振った。

「時田さん」と勇が低い鋭い声で言った。彼はいつも利平を〝おお先生〟か〝先生〟と呼んでいたので、この〝時田さん〟には威力があり、利平はぎくっとして体を固くした。「人間は失敗するものです。人間が作った国だってそうです。日清日露、いや明治維新以後、営々としてきた国作りが、ここにきて挫折《ざせつ》したんです。わしだって時田さんと同じく日本海海戦に参加した老兵ですからな、自分のしたことに誇りはあります。しかし、日露に勝利して日本は心が奢《おご》った。そのあとやり過ぎた。仕事を拡《ひろ》げ過ぎた。でも、この場合、重臣や陛下を責めるのはお門違《かどちが》いでしょう。国民みんなが戦争に賛成して、万歳万歳で宣戦布告を喜んだんだ。もっとも、わしの息子の透のように戦争に反対して、予防拘禁の罰を受けた国賊もいますがね。で、一所懸命戦って駄目《だめ》だった、敗けた、失敗した。一所懸命に働いてきた国民にとっては、今回の降伏は大変な挫折です。悔しい。悲しい。この悔しさ、悲しさをバネにまた出直す。本土決戦で玉砕せずにすんだのを感謝して、また働きましょう」

「もうおれには働く時間も気力も体力もない。わが人生は終結した」

「何を言うんです。これからです」

「おれの仕事は医者だ。七十の盲者に医者の仕事はできぬ。すべては終った」

「医者以外にもできることはあるはずです。わしは漁師で漁具商だが、ずっと時田さんの病院で働いてきた」

「おれはな、医者以外の仕事はしたくないのだ」

勇は急に黙って、何やら考え込んでいた。利平も項垂《うなだ》れて沈思黙考の体である。さっきの興奮は収まり、すっかり元気を喪失して縮こまっている。

「おとうさま」と夏江は言った。「汗びっしょりですわ。行水でもお使いなさいませ。五郎さんにお世話させます。そのあと昼食にしましょう」
「それがいい」と勇が言い、「五郎さんを呼んできます」と勝子が立った。

同じく正午前後

廊下に予防拘禁所の囚人たちが並ばされた。全部で二十人ほどだ。ベッドに寝ていた菊池透は寝たままでは不敬になると看守に言われて起こされ、他の囚人二人に脇《わき》をかかえられて、最後尾に立たされていた。帝都の中心に近い豊多摩刑務所内の予防拘禁所からこの多摩川北岸の府中刑務所内に疎開《そかい》が行われたのは六月二十九日で、この時、幾人かが釈放または他の刑務所に移送され、結局残ったのはこの二十人ほどなのだ。透にとっては全員の名前と拘禁理由がわかっていた。多いのは共産党員で徳田球一や志賀義雄などの幹部もいた。朝鮮独立運動の闘士が数人いた。なかで中心人物は金天海という長身の男で脚が不自由で今も朝鮮人の同志に支えられていた。天理本道の信者が三人、それにプロテスタントの信者が一人、カトリック信者として透が一人である。

壁の高い所に取り付けられた音質の悪い、雑音の多いラジオではあったが、天皇の声は明瞭に聞き取れた。内容も理解できる。四国の共同宣言を受諾とはすなわち降伏であるが、降伏という言葉はまったく用いられていない。無謀な戦争を起こして何百万の国民の死傷をまねき、他国を侵略しその民を殺傷した行為についての反省も後悔もない。ただし、戦死者とその遺族を憐《あわ》れみ、戦傷や戦災で苦しんでいる者を心配している旨の文章はある。降伏したが、国体は護持し、神州は不滅であると取ってつけたように述べている。降伏したあとも国家神道を押し進め、神の末裔《まつえい》である天皇の支配を続けるという意志の表明である。聴き終えて、透は複雑な思いに沈んだ。そのため、「万歳」の声が囚人たちのあいだに挙がった時、まぶしい光に射られたように目をぎゅっと瞑《つむ》った。

囚人たちの高揚した動きを余所《よそ》にして、看守たちは片隅に澱《おり》のようにかたまっていた。「おい、みんな集まれ」と徳田球一が囚人たちに言った。そして「われわれは今から秘密会議をするから、きみたちは向うへ行ってくれ」と看守たちに言った。看守たちは、常日頃《つねひごろ》の態度、この数日来、日本の敗北が決定的になってくるにつれて、徐々に衣を剝《は》ぐようにして、尊大から卑屈へと変化しつつあった態度を、ついに卑屈の方向に向けてしまい、こそこそと立ち去った。

囚人たちは作業場に入り車座になった。徳田が、アジがかった口調で言った。

「天皇国家の降伏が明白になった。われわれはこの際、ますます結束を強くして、敵の挑発《ちようはつ》に乗らぬように言動をつつしむことが大事です。おそらく敗戦となると国民のあいだに混乱がおき、不測の事態が生じるでしょう。われわれは官の出方に対して、統一行動を組む必要がある」

「不測の事態とは何でしょう」と誰かが質問した。答えたのはマルクス主義者の一人であった。

「たとえば府中に駐屯《ちゆうとん》している麻布聯隊の兵隊が、国賊どもを射殺してしまえと刑務所側に要求するとか、東京憲兵隊が証拠湮滅《いんめつ》のためにわれわれを清算しようとするとか、いろいろな事態が予測しうるということです」

「ありうるな」と別な誰かが相槌《あいづち》を打った。「軍国主義者は今度の敗戦で自分たちの立場がなくなったと自覚し、絶望のあまり極端な行動を取りやすい。おそらく戦争継続のためにクーデターをおこそうとか、二・二六なみに重臣を倒そうとか、そういう連中が出てくる。中には甘粕大尉《あまかすたいい》のように、混乱のさなかに乗じて彼らにとって邪魔な、われわれのような平和主義者、社会主義者を抹殺《まっさつ》してしまえという人物も出てくる」

「だから」と徳田球一が話を引《つ》き取った。「われわれはここであまり目立つ行動を取らぬ必要があるんです。所長を吊るしあげるとか、看守に暴行を加えるとか、懲役囚を煽動《せんどう》して大騒ぎを演じるとかせず、社会の鎮静化をしばらく冷静に待つことです。ただし、われわれの当然の要求だけは官に突きつけねばなりません。すなわち司法省に対して、われわれのような政治犯の無条件即時釈放を要求することです」

「賛成！」と数人が同時に叫び、拍手もおこった。

「まず全員の要求として、所長あてに無条件即時釈放を伝える」

「賛成！」

「つぎの要求は、房に施錠をせず自由に出入りできる環境とすること、食糧、衣料、薬品、日用品、すなわち収容者用の物資はすべて、われわれの自主管理にまかせること」

「賛成！　賛成！」

徳田球一は右の要求を藁半紙《わらばんし》にペンで箇条書きにすると全員の署名を求めて回った。

徳田球一と志賀義雄とあと二人の代表が廊下の端に固まっていた看守たちに要求書を手渡しに行った。

帰ってきた徳田球一は、「所長に渡すという確約を得ました。なお房の解錠はただいまから実行してくれるそうです」と言った。そのあと共産党員だけが徳田球一の房に集まり、戦後の革命運動かなんかの相談を開始した。

菊池透は自分の房に戻った。さっきまで立つと腰がふらつき誰かに支えてもらわなくてはならなかったのが、急に確かな足取りとなった。ベッドに横になるかわりに机に向かって腰掛けた。この狭い、貧相な部屋ににわかに希望の光が充ちてきた。そう、まるで豪奢《ごうしゃ》な宮殿に住む心地なのだ。

ついに待ちに待った日がきた。悪夢の日々は終り、希望と自由の日々が到来するであろう。希望……未来を閉ざしていた灰色の壁が取り払われて、いよいよ広い明るい世界に歩み出る自由があたえられる。夏江と一緒に新しい生活をいとなむ。教会に行きミサにあずかる。聖体拝領をしてホスチアを口に含んだときの至福の思いを味わえる。おれはまだ三十四歳だ。人生を出直すことができる年齢だ。そのためには何よりも体力の回復が先決だ。おれは死なない。釈放の日――それは遠くはないはずだ――まで、何としてでも生きつづけよう。

菊池透は、便箋《びんせん》を出して、夏江への手紙を書き始めた。

昼下がり

下り坂になって大八車が前へと動いてくれた。それまで重い物をうんうんと曳《ひ》いていたので、楽になったと喜ぶうち、梶棒《かじぼう》を前へ前へと引っ張られて、駆け足になった。どうしても止まらない。大変だと、小暮初江は思った。市電が横を走り抜けて行き、その先に停留所がある。そこに激突したら車は壊れ自分は大怪我《おおけが》だと思う。店から親爺《おやじ》が飛び出してきて、「下に、ぐっと押えま。ぐっと押え」と叫んだ。初江は、何をどう押えるのかわからず泣きそうになった。ぱらぱらと二人の男が飛んできて、梶棒を押さえてくれ、車がやっと停《と》まった。停留所のほんの目と鼻の所であった。

「ねえちゃん、無茶や。こんなでかいもん、女手一つでは無理やぞ」と一人が言った。店の人らしく印半纏《しるしばんてん》を着ていた。

「済みませんでした。ありがとうございます」と初江はぺこぺこ頭を下げた。

「どこまで行くが」と店員が尋ねた。

「旭町《あさひまち》です」

「ああ？　あの坂下。そりゃ無理や。あんた一人ではだちゃかんわ」店員は車に積み上げた荷物と初江とを見比べた。

七月末に東京の悠次が送った鉄道便が金沢駅に到着したと通知があったのが昨日であった。で、すぐに駅まで引き取りに行ったところ、書物やら船簞笥《ふなだんす》やらの大きな重い包みが十個もあり、その場は諦《あきら》めて帰ってきた。と言って、頼んで運んでくれる人もおらず、近所の百姓屋から大八車を借りて、自分で運ぶことにしたのだ。が、兼六園を過ぎた所から下り坂になってこの始末であった。

店員たちは用があるらしく引っ込んでしまい、初江は取り残された。川にでも落ちたようにモンペが濡れしょぼたれて、かんかん日照りが脳天を焼く。荷物の山を前に痩《や》せた女が途方に暮れているのを、みんなは珍しげに見るが誰も助けてくれようとはしない。仕方なしに初江は梶棒をあげて、のろのろと歩き出した。しばらくすると女の声がかかった。脇美津が百合子と美枝と一緒に立っていた。そうであった。ここは美津たちのいる寺のすぐそばであった。

「そんな大荷物、どうしたんです」

「駅に疎開荷物が届いたので……」

「疎開荷物ですって？　随分無駄をなすったのね。戦争は終ったのよ」

「ではあの重大放送は、それだったんですか」

「初江さん、聴かなかったのね」

「お昼前に出掛けたものですから」

「日本が敗《ま》けたの」と百合子が鼻に詰まった声で言い、手拭で目を拭った。「敵に降伏したのよ。本当に情けない。もう口惜《くや》しくて、わたしたち、今、護国神社にお参りして、泣いてきたの。ええ、大勢の方々が、神前で泣いていたわ」

「そうでしたの」初江は自分が護国神社の鳥居の前にいることに気付いた。人々が繰り出してきている。主婦、老人、大学生、中学生、女学生、兵隊、工員と頭《こうべ》を垂れて鳥居をくぐって行く。

「そうでしたの」ともう一度言うと初江は梶棒を落とし、そのまま路上にへたり込んだ。日本が負けた。無敵皇軍がアメリカに降伏した。あの街を焼き、女子供を殺し、兵隊さんを玉砕させた、憎い敵に降伏した。この日々、夢中で懸命に銃後を守ろうと頑張《がんば》ってきた努力が無駄になった。しかし、悲しみを凌駕《りょうが》して喜びが胸を一杯にしてきた。戦争は終った。もう、いやな空襲がない。それだけでもほっとする。本土決戦で日本人全体が玉砕する必要もないのだ。助かったと思う。が、美津と百合子の前で、初江は笑顔を憂《うれ》い顔で覆《おお》った。

「とにかく、その荷物、東京に送り返したほうが便利よ」と美津が言った。「もう疎開の必要がないんですもの」

「それはそうですけども、主人の指示を受けませんと……」

「あなたんとこは、お家《うち》があるんですもの。東京へすぐお帰りになるんでしょう」

「はあ、それも主人と相談しませんと」

「まあ、それもそうだわね。でも、あなたんとこ、みんな無事でよかったわね。それに、悠ちゃんは会社員だから仕事は続けられるし。わたしんとこは、敬助がこれからどうなるか心配よ。晋助のほうは、これで内地に帰ってこれるでしょうけど」

晋助の名前が初江の心を刺した。心臓がどきどきして、胸を締めつけられたような痛みを覚えた。美津から晋助が内地に送還されると聞いた時から、心配と喜びとが同時に湧《わ》いてきた。ところが〝黒田の神さん〟のお告げを聞いてからは、心配がひどくなった。晋助が自分の助けを求めている、この世の地獄に堕《お》ちている、とはどういう意味なのかが気掛りでならない。よほどの重症で痛みに苛《さいな》まれているらしい。一体どのような状態なのか。日本までの長旅に耐えられるのか。そうして彼に会うのが怖くて、この頃では強《し》いて考えないようにしていたのだ。

自分から周囲の物事が遠ざかってしまい、まるで、望遠鏡を逆さまに覗《のぞ》いた感じであった。そうして、美津が、「じゃ、その荷物、誰かに頼みましょう。寺男《てらおとこ》さんに頼んでみてあげる。待ってなさい」と言って百合子と美枝を従えて去って行くのを、自分とは無関係な出来事のようにして見ていた。

同じく昼下がり

玉音放送を聴いたあと、会社では誰も仕事に手を出さず、呆然《ぼうぜん》としている人、雑談にふける人と、さまざまであった。これから何がどうなるのか見当がつかず、仕事の計画の立てようがないのだ。店頭来客者もなく、事務はまったく停止した。小暮悠次は、会社の罫紙《けいし》を出して初江宛《あて》の手紙を認《したた》めた。

玉音放送は耳にし奉《たてまつ》つたであらう。残念ながら日本は敗北した。暫《しばら》くの間世情は不安定になるであらう。いづれ悠太の陸軍幼年学校はおそらく廃校になるであらうから帰宅して六中に復学することにならう。駿次と研三も六中に復学となるであらう。央子をいつまでも野本にあづけておくことは心苦しいしなるべく早急に引き取りたいと思ふ。しかし一家が一緒に暮らすにしても東京は極度の食糧難で子供たち四人を養ふのは容易ではあるまい。

当分金沢で時局の推移を見てゐるのが得策と思ふ。ただし、上京の準備として荷物は少しづつ東京に送つておくやう心掛けるやうに。

手紙をポストに入れようと外に出たとき、ふと、二重橋前に行って大群衆の興奮を目撃した開戦の日を思い出した。三年八箇月前のあれは確かに世紀の一瞬であった。本日、敗戦の日の二重橋前もおそらくは歴史の一齣《ひとこま》であって、それを見逃す手はないと考えた。しかし、そういう思い付きが子供じみている気もして、こっそりと会社を抜け出した。

日本橋、東京駅と焼け爛《ただ》れた街を見ると、それまでは、必死で戦う国の雄々しく傷ついた姿と見てきたのだが、今は敗戦国の成れの果てと見えてきた。永年築きあげて来た富の蓄積をすべて喪失した今、自主性を失い、敵国の命令のままに動かされるなかで、どうやって将来の建設が可能であろう。疲れ切った悠次には、焦土の上に復興した街を思い描くことがどうしてもできなかった。

大手門のあたりに来ると、はたして人だかりがしていた。人波は二重橋の方向へと押し出して行く。力なく項垂れ、無言でゆっくりと葬列のように進む。戻って来る人々に涙顔が多く、ハンカチで目を拭《ぬぐ》う人、濡《ぬ》らした頰《ほお》を風に曝《さら》す人がいる。二重橋前を中心に蝟集《いしゅう》している群衆を泳ぎながら悠次は進んだが、どうしても二重橋前に到達できず、そのうち堀端に来た。十二月八日にも、ほぼ同じ場所に辿《たど》り着いたと思い当たった。みんな土下座している。立っていると後ろの人の邪魔になるので、悠次は坐《すわ》った。両手を玉砂利につき、泣こうとしたが、意識が冴《さ》え返り涙が出てこない。そこで、泣く仕種《しぐさ》をしながら、左右を観察した。

すぐに目についたのは将校や兵隊や警官の姿が少ないことだった。皆無ではない。しかし後ろのほうや端っこに小さくなっていて目立たない。多いのは二十前後と思われる若い人たちだった。ゲートル姿の中学生、モンペの女学生、小僧、角帽の学生、女工、工員。そして若い会社員、主婦、警防団員などが加わっている。悠次のように四十年配の人間はちょっと見当たらない。勝つために、必死で純真に銃後を守ってきた人たちが集まっているのだ。誰もかもが泣いていた。泣き声は広場全体から立ち昇り、潮騒《しおさい》のように大内山の松に吸い込まれていった。

玉砂利に顔を押しつけていた中学生が立ち上がった。丁度、悠太ぐらいの少年である。物心ついてからずっと戦争が継続し、戦争に勝つための教育をひたすらに叩《たた》き込まれた世代だ。友達数人をうながし、『海行かば』を唱《うた》う。唱和する人々がさざ波のように広がった。中学生は泣きじゃくり、歌がもつれる。その一途《いちず》で真剣で、心底から祖国の敗戦を嘆く姿に悠次は涙を誘われた。君たちが悪いのではない。悪いのは戦争を起こした大人たちなのだ。そう、おれ自身も悪かった。気の進まぬ悠太に陸軍幼年学校への進学を勧め、脇敬助に頼んで説得までしてもらった。軍人の未来を夢見、日本の勝利を信じていたあの子は、どんなに衝撃を受けていることだろう。ほんの十日前会ったときに、日本は敗ける、だからその日のために心の準備をしておけと、なぜ言ってやらなかったのだろう。敬助中佐は、あの用心深い男の常として、軍機に属する事柄《ことがら》は一切口外しなかったが、本土決戦が極度の消耗戦で皇軍に万に一つの勝ち目がないことを、冗談めいた放言で示していた。焼野原の東京がノモンハンの地形に似ており、丘の上の皇軍はノモンハンのソ聯軍とそっくりで、海岸の低地にいる米軍よりも有利だなんて言っていたが、それは単なる冗談に過ぎなかった。この話を悠太にしたとき、はっきり、敗戦を予告してやればよかったのだ。

いつしか悠次は大群衆の一員として泣いていた。敗けた悔しさよりも、おのれの愚かさへの涙が溢《あふ》れてくる。あの中学生とおれでは、おそらく泣く理由が異なるであろう。いやいや、この場にいる人それぞれに思いは違う。十二月八日宣戦布告のときに、ここに集まった人々の思いは一つであった。勝っている時、国民の心は単純だ。提灯《ちょうちん》行列、旗行列、愛国行進曲、歓声、笑顔、真珠湾攻撃大戦果、マニラ陥落、シンガポール陥落、万歳万歳だ。ところが、今、ここでは、悔しさ、悲しさ、虚《むな》しさ、屈辱、憤激、自己嫌悪《けんお》、絶望と、人の思いはさまざまなのだ。

夜更け

菊池勇と酒を酌《く》み交わしていた時田利平は沈酔して眠ってしまい、勇にベッドに運び込まれた。台所で食器洗いをしていた夏江は、背後に五郎が忍び足で入って来たのがわかった。男の凝視が項《うなじ》や腕に圧力として感じられた。

「何か用」

「ちょっと言っておきたいことがあるんだ、あとで……」

「今でもいいわよ」夏江は、利平発明の〝耳つき土鍋《どなべ》〟を布巾《ふきん》で拭いながら言った。

「じゃ言う。おれ、戦争なんか終ってほしくなかった。いつまでもいつまでも戦争が続いてほしかった。それだけははっきり言っておきたかった」

「なぜ、そんなこと、わたしに言うの」夏江は振り向いた。五郎は半ば闇《やみ》に塗り込められた竈《かまど》に腰掛け、腕で両脚を抱えていた。大きな岩にとまった梟《ふくろう》だ。背を丸め闇のなかでぎょろ目を光らせている。

「戦争が続き、本土決戦で日本人が全滅する、そういう美しい死がおれの最高の望みだった。おれ夏江さんと一緒に美しく死にたかった」

「何を言い出すの……」

「こんな戦争の終り方って醜悪だって言いたかったのさ。ところでさ、透さんは帰って来るんだろう」

「あの人は帰って来るでしょう。戦争に反対したために逮捕されたんだから、戦争が終われば釈放されるでしょう」

「透さんが帰ってきたら、夏江さん、勇や勝子と八丈島に行けばいいじゃない。あっちは食糧も豊富だしさ」

「そうはいかない。おとうさまの世話をしなくては」

「おれがいるじゃねえか」

「お風呂《ふろ》や洗濯《せんたく》はゴロちゃんだってできるけど、お食事は困るでしょう」

「大丈夫だ。おれはここでお袋とおれの二人分の食事をちゃんと作ってきたんだから」

夏江は手を拭い、竈《かまど》の前の敷居に腰をおろして五郎と向き合った。

「何かまだ言いたいんでしょう」

「この二月に言ったことをまた言いたいのさ。おれ、夏江さんが好きなんだ。夏江さんには透さんがいて、おれなんか何とも思ってねえと知ってるけどよ、あれからおれの気持は全然変っていねえ。そうして、三田が焼けたあとも、夏江さんのそばに暮らせて幸福だった。敵が上陸したら一緒に死ねると希望を持っていた。そうしたら、天ちゃんのあの放送だ。莫迦《ばか》にしてやがらあ」

「ゴロちゃんに好きと言われても、わたしにはどうしようもないの」

「知ってらあな。だからもう夏江さんを見ないですむように、どこか遠くへ行ってほしいんだ。これはわがままだね、おれが出て行けばいいんだから。でも、お袋を置いては出ていけねえ」

「キヨさんの様子はどう？」

「よくねえ。もうすぐ死ぬだろうさ」

夏江が何か言おうとしていると、壁の大きな五郎のシルエットはいざり、あとに暗闇のみが残った。

間島キヨが肺病で臥《ふ》せっていることを知ったのは、五月の空襲のあと利平や夏江がこの新田に引き移った時だった。盲目の利平は手探りの打聴診で肺結核の診断を下し、手持ちの薬を処方した。栄養を充分に取らせるようにと五郎に命じ、夏江も牛肉や魚や卵など、滋養分のあるものを入手するとかならず五郎に手渡していた。しかし、梅雨に入ったころから熱が高く、呼吸は促迫し、痛む胸を掻《か》きむしりながら、衰弱がひどくなった。せっかくの滋養分も喉《のど》を通らぬ有様で目に見えて弱って行った。昼から飲んだくれている利平も、毎日、キヨの診察だけは欠かさず、また診察の時は不思議に医師らしい冷静な判断を取り戻すのであった。

夏江は外に出てみたが五郎の姿はなかった。雲海を渡って来た船型の上弦の月が急に黒い暗礁《あんしょう》に吸い込まれ、暗闇の底をせっせと擦《こす》っている蛙《かえる》たちの合唱を切って、夜鷹《よたか》の遠音が、黄泉《よみ》の世界からの呼び声のように、薄気味悪く聞こえてきた。

キヨ、キヨ、キヨ、キヨ……。虚、虚、虚……。

同じく夜更け

落合の風間振一郎邸の防空壕《ぼうくうごう》の一室に、人々が集まっていた。そこは、真夏にもかかわらずひんやりと涼しく、天井が高いうえに五十畳ほどの広さもあった。振一郎が滞欧中に購入したというシャンデリア、飾り棚《だな》、椅子《いす》、テーブルなどが配置されて、一見ヨーロッパのどこかの城の一室という風情《ふぜい》である。この防空壕は支那事変が始まった頃《ころ》に、速水正蔵の設計で、一トン爆弾にも耐えうる防空耐火建築として設計施工された。庭を深く掘り下げて、二メートルのコンクリートで天井や側壁を固め、振一郎の居間、寝室、応接室、それに来客が宿泊できる部屋が三つ（その一つに脇敬助は寄宿していた）、女中部屋まで備えていた。大本営陸軍部の地下壕が造営されたのが大東亜戦争が始まった時であるから、それより一足早く振一郎は帝都空襲を予想していたことになり、事実、空襲が開始されてからは、脇敬助に対してことごとにおのれの炯眼《けいがん》を誇っていた。四月十三日の空襲で地上の大邸宅が全焼して振一郎は軽井沢に疎開《そかい》したが、上京するたびにこの地下壕で寝起きしていた。ここには常時、速水正蔵と妻の梅子が女中たちと詰めていて、上京した振一郎の身の回りの世話を受け持っていた。

　戦争終結の大詔《たいしょう》を聴いた振一郎はすぐさま上京を決意した。女たちは残して、婿《むこ》の大河内秀雄と野本武太郎を引き連れて上野に着いたのが夜九時過ぎで、落合の地下壕に入ったのが十時を回っていた。丁度大本営陸軍部から帰った脇敬助中佐を交えて、さっそく男たちだけの会合となった。

　振一郎に請《こ》われるままに、脇敬助は聖断が下るまでの経過を手帳を見ながら要領よく報告した。昨日、八月十四日の御前会議のあと参謀総長が全参謀を集めて声涙倶《せいるいとも》に下る話をした見せ場にくると、不断、そういう話し方はしない敬助も、梅津総長の口真似《くちまね》をしてみせ、そのうち本当に悲しくなって嗚咽《おえつ》がこみ上げてきた。

　風間振一郎は、麻の背広の上着を着ると、宮城の方角に向かって土下座をした。頭を床に擦り付けたまましゃくり泣きをした。

「天皇陛下、申し訳ございません。石炭統制会、翼賛政治会、そして大日本政治会、ともに聖戦必勝のために粉骨砕身いたして参りましたが、力及びませんでした。ああ皇紀二千六百年の歴史に汚点をつけました臣等の不忠大罪を深くお詫《わ》びいたします。陛下の御宸衷《しんちゅう》御宸《しん》慮《りょ》は大詔において深く深くお察したてまつり、臣《しん》風間振一郎、心よりお労《いたわ》しく存じます」

振一郎はソファに坐ると涙を拭った。しばらく一同頭を垂れて畏《かしこ》まっていた。が、振一郎はソファに深く腰掛けて脚を組むと、たちまち湯上がりのようなゆったりとした顔付きとなり、誰にともなく言った。

「これから日本はどうなるかだが、すべては聯合《れんごう》軍最高司令官の意向によるね。その、ダグラス・マッカーサーって男はどんな人間なんだ。マニラから命からがら逃げ出した男だとは知っているが」

「さあ……」大河内秀雄と速水正蔵と野本武太郎は一様に首を傾《かし》げた。

「敵の大将の研究を大本営はやっておらんかったのかね」と振一郎は敬助に言った。

「一応の情報は蒐集《しゅうしゅう》してありますよ」と彼は手帳をめくった。「一八八〇年生れというんだから、現在六十六歳です。アーカンソー州生れ。スコッチ系。ウェスト・ポイント校長、参謀総長を経てフィリピンに渡り、フィリピン陸軍の育成に努め、昭和十六年に米軍極東軍司令官に任命され、マニラ失陥でオーストラリアに逃げ、以来、米軍の指揮を取り続け、ニューギニアから沖縄まで進撃してきた男です。レイテの戦功により昨年十二月大将から元帥《げんすい》に昇進しています」

「えらい年寄りだな、我輩より六つも上か。日本人にたいする復讐《ふくしゅう》の念に燃えている感じだな。それだけに何だか不気味だ」

「どういう性格の男なんでしょう」と大河内秀雄が言った。坊主頭《ぼうずあたま》の巨漢はゴリラにそっくりの面貌《めんぼう》である。

「彼の戦闘指導振りを見れば大体見当はつきます」と脇敬助中佐は言った。「わたしは形にこだわる男と見ますな。オーストラリアを進発してニューギニア、サイパン、グアム、テニヤン、硫黄と北上して制空権を獲得したのですから、つぎは沖縄上陸を企図すればいいものを、わざわざ回り道して米植民地のレイテ、ルソンへ上陸して、恨みを果たしたのは、形を重んじたからでしょう。しかも、彼の戦闘指揮は皇軍だけでなく、日本の非戦闘員にも容赦なく殺戮《さつりく》の手を伸ばすという無差別戦法です」

「米軍がわが本土を占領したら、鬱憤《うっぷん》晴らしに乱暴の限りを働き、日本人を痛めつけるだろうな」と風間振一郎は言った。

「目に見えてます」敬助は深く頷《うなず》いた。

「だからおれは、米軍が上陸する前に女は東京から逃げ出さしておいたほうが得策だと思う。今回も藤江や松子や桜子には、軽井沢に残るように命じておいた。梅子も早く向うに移るように支度させてほしい」

「はい」と速水正蔵は長身を折り曲げて言った。すっかり痩《や》せてしまったため、半袖《はんそで》シャツの胸が風船のように膨れ上がった。

「開闢《かいびゃく》以来初めて夷狄《いてき》に大八洲《おおやしま》が占領されるのか」と振一郎は胸を突き刺されたように呻吟《しんぎん》し、「何という屈辱だろう、ああ」としきりに溜息《ためいき》をついた。それから至極冷静な口調で敬助に質問した。「ところで、軍人はどうなるのかな」

「皇軍は武装解除され各自家庭に帰らせるとポツダム宣言にはありますが、武装解除された皇軍はもはや軍隊としては機能しないでしょうな」と敬助は淡々と答えた。

「陸軍も海軍も消滅してしまえば、脇中佐は失職だな」

「おそらく、そうなるでしょう」

「軍人が勢力を失墜すれば、これからは民間人の世の中だ。今まで軍人に頭を押さえつけられていた政党政治家も表舞台に出られる。そもそも、昭和十七年五月に翼賛政治会が結成されたのは東条内閣の強力な圧力の結果であった。しかし戦局がわれに不利な状況になったこの三月、またまた小磯内閣の圧力で大日本政治会が結成され、ぼくはその内部工作に腐心した。ぼくの意図は軍人どもの命令を受けながらも政党政治家の勢力を温存するところにあったので、その苦衷を政友会で翼賛政治会に反対していた鳩山一郎などは理解していない。ぼくらが無節操に軍部に阿諛《あゆ》迎合していたとして軽蔑《けいべつ》し中傷していた。その連中が、まさに今日、新党を結成して総選挙に打って出ようという動きを示している。鳩山一郎なんかは、そういう思惑《おもわく》で同志をつのり始めたらしい」

「われわれの大日本政治会は解散ですか」と風間代議士秘書の大河内秀雄が言った。

「そのマッカーサーとやらの意向にもよるが、戦争遂行のため政党を解消して作った政治会は、まず解散せざるをえないだろうな。この際、いさぎよく過去は水に流して、解散して新党を作る。鳩山新党とは別なグループを結成して戦後の日本の政治を支配する。戦争中活躍したぼくのような老人は陰にまわって、まだ手の汚れていない新人を立てる。君なんかも有力な候補だな」

「はあ……よろしくお願いします」と大柄な大河内は窮屈そうに肩をすぼめて頭をさげた。

「敬助君には悪いが、これから米軍が頑迷固陋《がんめいころう》で乱暴な軍人どもの頭を抑えてくれるのは、われら政治家にとって好都合なんだ。君も軍人をやめて代議士にならないか」

「わたしが……」と敬助は驚いて目を剝《む》き、それから苦笑した。「悪い冗談ですよ。元大本営参謀となれば、国民の怨嗟《えんさ》の的です。戦争を起こし、戦争に敗《ま》けるような拙劣な作戦と指導を行った張本人だ」

「いや、おそらく君が軍人だったことは問題にならないね。なぜって、心身健全な日本の男子は全員軍人にさせられたのが現実なんだから。君の場合、政友会総務兼内閣書記官長として令名を馳《は》せた脇礼助の長男で、石炭統制会理事として日本のエネルギーを牛耳った風間振一郎の娘婿《むすめむこ》であるという係累《けいるい》のほうが威力があるのさ。大本営参謀なんてのは頭のいい証拠でね、代議士候補に箔《はく》をつけるようなものさ」

「そうでしょうかねえ」

「敬助君はぼくの地盤、栃木を使えばいい。宇都宮にはぼくの腹心の有力者が大勢いるからね。まず敬助君が代議士先生になったあと、大河内君が脇礼助氏の最初の地盤神奈川で、脇敬助代議士の推薦と後援で名乗りをあげる。そもそも大河内君は横浜生れではないか。横浜にも翼賛政治会や大日本政治会でぼくの手足になった地元の有力者が何人もいる。あいつらに後押しさせればいいのさ」振一郎は上機嫌《じょうきげん》で二人を等分に見た。それから速水正蔵に視線を移した。「速水君は建築家だから、これからの日本の復興にとってますます必要な人物になる。防空壕を作ったときの経験と知識、とくに建物の耐火構造の技術は戦後の不燃建築の建設に断然役立つさ。ロンドンでは一六六六年の大火のあと木造建築に替わって石作りの建物が奨励されて、今の大ロンドンを作りあげたが、東京も同じさ。大震災と大空襲で木造建造物があらかた焼けてしまったのはかえって幸いかも知れん。燃えない都市作りこそが、これからの最大課題さ。見ていたまえ、これからは鉄筋コンクリートの耐火建築が立ち並ぶ東京になるよ。君の出番だ。日本の復興のために活躍するチャンス到来だ。大いに期待しているよ」

「おとうさん御自身はどうなさるつもりですか」と敬助が尋ねた。「引退ですか」

「どうして、どうして」と野本武太郎が突然発言した。出っ歯の彼が口を開くと歯を剥いて摑《つか》み掛かるような感じになった。「引退なんかとんでもない。おとうさんの才能はこれからが花開くんです。うちの会社に入社していただきたいと申し上げているんです。昔ロンドンに長期滞在した御経験がおありで、アングロサクソンの気質に通じておられるし、英語に堪《たん》能《のう》でいらっしゃるので、アメリカを始め、諸外国との折衝の仕事についていただきます……うちは小型船舶の製造販売で軍事目的の船は作ってこなかったから、これからは漁船中心に製造して日本の再建のお役に立ちたい。そのためにはアメリカあたりの最新の造船技術をどしどし導入して生産効率を高め、日本一、ひいては世界一の小型船を製造して日本漁業の再出発と世界漁業の発展に寄与したいんです」

「そういうことだよ、諸君」と振一郎は、血色のいいつやつやした顔で快活に笑い、それから真顔になった。「本日の敗戦は残念無念であったし、悔し涙は尽きないが、とくに陛下に対し奉《たてまつ》りわれら政治家や敬助君のような軍人の責任は重大だと自覚してはおるが、と言って意気消沈して呆然《ぼうぜん》としているのは大御心《おおみこころ》に応《こた》え奉る道ではない。いつまでもくよくよするより、承詔必謹《しょうしょうひっきん》、気を取り直し、終戦の大詔にあった通り、〝総力ヲ将来ノ建設ニ傾ケ〟るのが、大御心に応え奉る道だとぼくは確信する。敬助君、これからは、脇礼助先生の御曹司《おんぞうし》、君が第一の頼りだよ。大河内君も速水君も第一線の激戦地に出ずにすみ、応召解除となって内地でこうして安閑としておられるのは、すべて脇中佐殿のお蔭《かげ》であったことを忘れず、これからは脇代議士実現のために力を合わせてくれ。さあ、そうと決まったら、みんなで新時代の門出を祝して一杯やろう。取っておきのボルドー葡萄酒《ぶどうしゅ》シャトウ・ラ・トゥールがあるんだ」

振一郎が手を拍《う》って合図すると、さっとドアが開き、待機していた梅子と女中が葡萄酒とグラスを運んできた。

19

八月十六日　木曜日　晴

昨日より日記をつける事とする。この戦争の日々警戒警報と空襲警報の時刻のみを手帳にメモしておく習慣であつたが敗戦日記とでも言ふべき記録を書いておく気になつた。商用文と手紙以外書いたことのない男の文章でもとよりつたないだらうが将来子供たちが読んで敗戦時の雰囲気《ふんゐき》を知るよすがにでもなればと言ふほどの気持である。

都電で出勤。車内で人々の服装が昨日の今日でがらりと変りしに気付く。男子の鉄兜《てつかぶと》とゲートル女子の防空頭巾《づきん》は一人も見当たらぬ。非常袋を肩から下げてゐる人もゐない。昨日に変る今日の姿である。戦ふ日本臣民から敗戦国民に成り代つたわけなのに人々は意外に明るくあの悔し涙と悲嘆はどこへ行つてしまつたのやらむしろ清々《せいせい》とした顔付きをしてゐる。頭に重い大釜《おほがま》のやうに被《かぶ》さつてゐた戦争てふ暗雲が晴れて口が軽くなつて喋《しやべ》つてゐる。「市ヶ谷の大本営では庭で書類の山を焼いてゐたわ。すごいのよ。空襲でセウイダンが落ちたのかと思つたわ」「日本の飛行機が海のはうに飛んで行つた。あれは特攻隊が自爆したんだね」「銀行はどこもかしこも長蛇《ちやうだ》の列だよ。みんな預金引き出しに躍起だ。アメリカが占領したら日本の金なんかもう通用しねえからな、今のうちに使つてしまふのが得策にちげえねえ」車内は満員で蒸し風呂《ぶろ》だが周囲の会話に聞耳《ききみみ》を立てて楽しむ自分がゐる。楽しむ……かかる心の余裕はやはり戦争が終りしお蔭で生まれたのだ。

午前十時過ぎ警戒警報発令。戦争は終つたはずであるのに敵機が近づくと習慣で警報を出す軍もをかしなものだ。警報に従ふ者は誰もゐず聞き流してゐる。

正午過ぎ日本の飛行機が二三機低空で北から南に飛んで行く。誰かが自爆しに行つたのだと言ふ。さう言はれればいまにも地をかすりさうな低空を故障した時そつくりの咳《せき》でもするやうな爆音の戦闘機（残念ながら小生は日本の戦闘機の機種名を知らない。あるいは練習機かも知れない）が行くのはいかにもそれらしく痛ましい。

午後二時過ぎに出勤してきた社員がある。取手《とりで》に住む男で鉄道員のサボタージユで朝から列車が動かずと言ふ。昨日内閣告諭で官吏は陛下の有司として聖旨を奉行《ほうかう》すべしとありしに既にしてこの始末である。これでは日本の再建覚束無《おぼつかな》しと歎《たん》ず。

午後七時ラヂオで後継内閣が東久邇宮《ひがしくにのみや》となりしと知る。この期《ご》に及んで皇室の権威で民の混乱を鎮《しづ》めんとする魂胆見え見えで心細い気がする。戦争中日本の内閣は三回も変つた。城をとられ島をとられるごとに総辞職してきた。支那は蔣介石《しやうかいせき》イギリスはチヤーチルソ聯はスターリン米国はルーズヴエルト（死んでトルーマン）と変らぬのに日本の首相だけは無責任に政権を投げ出した。力のない内閣が真相を国民に知らせず力があるかのやうに吹《ふい》聴《ちやう》して国民を欺《あざむ》いてきた。今度の宮様内閣も多分長続きはせぬ予感がする。

八月十七日　金曜日　曇

我々国民が敗戦を知つてからの第二夜が明けた。曇空でむしむしと暑く電車は相変らず満員である。男のゲートル姿が確実に少なくなつた。十五日迄《まで》は全員であつたのが今日は十人中一人か二人の程度である。昨日とはまた変り、人々はむつつりと黙り込んでゐて興奮が去り疲労が人々に襲ひかかりしさま歴然である。小生も疲れを覚えてきて会社でも労働の意欲がかけらも湧《わ》かぬ。

午前十時四十二分警戒警報発令。新聞によればトルーマンは米軍最高司令官の資格において全戦域にわたり戦闘停止命令を発したとあるから敵機の飛来があつても警報を発令する必要がない。この戦後に聴くサイレンの音は戦争中のサイレンの音よりもいやな響きでぞつとする。ただただ心を逆撫《さかな》でするだけの無意味な音を鳴らす人の無神経にあきれるのみである。

帰宅して新聞を読む。高村光太郎の「一億の号泣」が載つてゐる。「玉音の低きとゞろきに五体をうたる　五体わな、きてとゞめあへず　玉音ひゞき終りて又音なし」どうも詩人は大袈裟《おほげさ》だ。「鋼鉄の武器を失へる時　精神の武器おのづから強からんとす」号泣して押しひしがれてゐるときに「精神の武器」とは空虚な強がりに過ぎぬ。小生は詩を読まぬがますます詩人など信用できなくなつた。

夜電灯の光が漏れてゐるとお巡《まは》りから注意を受けた。灯火管制解除の命令が出てゐないからといふ理由である。もう空襲はないのだから灯火管制は無意味だと主張しても聞かず貴様みたいなおかみの命令にそむく非国民がゐたから敗けたのだと剣を抜いて切り付けんばかりの剣幕だ。上官の命令のままに国民を駆り立ててきた官吏が戦争が終つてもまだ威張り返り戦争体制を強制しようとしてゐる。かかる傀儡《くわいらい》官吏どもは空襲に際し防空法を楯に住居からの退避を禁じ消火を強制しては多数の焼死者を出した元凶である。

八月十八日　土曜日　晴

横浜から通ふ社員が敵軍上陸せば婦女子に強姦《がうかん》暴行のおそれあり娘を疎開させるために一週間の休暇をほしいと言ふ。神奈川県庁より疎開の指示があり同様の趣旨の回覧板が隣組に回り学校が休校しイタリアドイツの敗戦時の戦勝国兵士の略奪暴行の新聞報道ありといふ具合に噂《うはさ》が重複強化されたる結果であらう。

八月十九日　日曜日　晴

都立家政の会社の農園に行くと甘藷《かんしよ》が全部根こそぎにされ玉蜀黍《たうもろこし》が全部もぎ取られてゐた。農園中荒らされてをり被害甚大《じんだい》でみな途方に暮れた。警備員の爺《ぢい》さんは何も知らぬと言ひ張るがこれだけ大掛かりな泥棒《どろぼう》を気がつかずにをれるとは信じられぬ。十五日以来冬の食糧不足深刻の噂あり爺さん自身が泥棒の手引きをしたと見られるが証拠は何もない。警官が摘発した闇米《やみごめ》の備蓄をしてゐる風聞《ふうぶん》もあり誰も盗難届けを出さうとはせぬ。

八月二十日　月曜日　晴

横浜の社員は徹夜で並んで切符を買ひ娘を群馬の山中に逃亡させたと言ふ。駅は婦女子を避難させる大群衆でごつた返したと言ふ。

斎藤茂吉の「詔書拝誦《はいしよう》」が新聞に載つてゐる。「聖断はくだりたまひてかしこくも畏《かしこ》くもあるか涙しながる」「万世ノタメニ太平ヲ開カムと宣《の》らせたまふ現神《あきつかみ》わが大君」反射で思ひ出したのは紀元二千六百年の元旦《ぐわんたん》の新聞に載つた同じ歌人の歌である。「あめの下ひとつなるこころ大きかも二千《ふたち》年《とせ》足り六百《むつもも》の年」「戦《いくさ》勝ちて驕《おご》ることなきたましひを神武《じんむ》の天皇《みかど》つたへたまへり」この歌人もこの前の詩人も、ともに聖戦を信じ勝利を信じてゐた。ともに神憑《かみがか》りとなつて盛んに国民をあふつてゐたので敗戦の衝撃も大きかつたのであらう。本日正午で灯火管制解除となる。夜となつて久々に電灯がともる街を見る。やつと平和が到来したといふ実感が得られた。

八月二十三日　木曜日　曇

今日の新聞から中央気象台の「けふの天気」が発表されるやうになつた。

【関東地方】北東の風、曇り勝で山岳方面ではなほ驟雨《しうう》がありませう

この短い文章が平和の到来をしみじみと知らせてくれる。天気予報のない生活がいかに異常であつたかを改めて思ふ。

八月二十八日　火曜日　晴

午前八時出社せんと玄関に出たところ悠太が帰つて来た。軍服姿で重い背嚢《はいなう》を背負ひ汗だくである。「復員してきた」と言ふ。復員とは二十五日の「陸海軍人ニ賜リタル勅語」にありし新語で「兵ヲ解クニ方《アタ》リ一糸紊《ミダ》レサル統制ノ下整斉《セイセイ》迅速ナル復員ヲ実施シ」とある。悠太は十七歳の少年兵として一人前に復員してきた。つい二週間前本土決戦近きが故《ゆゑ》に両親と訣別《けつべつ》せんとして夏期休暇を賜り颯爽《さつさう》として現れたのがまるで嘘《うそ》のやうである。今は丸腰で敗残兵の姿も哀れである。荷物は毛布、冬軍服、米、辞書、写真現像用薬品など盛沢山である。行水を使ひ、昼飯に芋を焼くやうに指示をして小生は家を出る。

残暑きびしく、青空のなかをきらびやかに米軍機多数飛ぶ。B29の大編隊に小型機が低空にて乱舞する。爆撃も銃撃もなしにただただ戦勝国の威容を誇示するための儀式である。本日米軍先遣隊が厚木飛行場に飛来するための監視威圧の役目もあると見た。いよいよ敵

軍上陸して外国人に国土が占領され天皇陛下すらマッカーサーとやらの命令に服せねばならぬ屈辱が始まる。敵軍上陸の当日悠太が帰宅せしは時期として駆け込みで間に合ひしと思ふ。

帰宅すると悠太は二階にて自分の部屋を整理しつつあつた。夕食は悠太の持参した白米を炊《た》く。米の飯がかくも美味なりしとは驚嘆す。思へば芋粥《いもがゆ》海草粉の水団《すいとん》などの連続にて米の飯の味を忘れてゐた。

食後風の通る二階の八畳間に悠次は悠太と上がった。窓際の手摺《てすり》に倚《よ》り掛かった二人は秋の気配を含む涼しい風に息をついた。灯火をめがけて昆虫《こんちゅう》が飛んで来る。新宿のビルのあたりが明るい窓を並べている。

「何をしていたね」と悠次が訊《たず》ねた。

「眠っていた。それから片付けものだ」と悠太は投げやりな調子で答えた。「それしかすることがないもん」

「平沼さんちが焼けてたろう」

「あそこは残ったんじゃないの」

「それが終戦の日の朝、焼き討ちに遭った。どこぞの兵隊が火をつけたんだ」

「そうか、いい気味だ。重臣なんてひどい目に遭ったらいいんだ」悠太の語勢は鋭くなった。

「自分だけ助かろうとして敵に降伏したんだから。まだまだ戦えると一所懸命におれたちが頑張っていたのに勝手に白旗を振りやがったんだから」

悠太の勢いに父親は黙った。宮城前で『海行かば』を唱《うた》っていた少年たちを思い出した。あの子たちと悠太は同年輩である。その心根は少しわかる気がする。

「きのうは幼年学校でも片付けものをしたんだ」と悠太の口調から急に力が抜けた。「生徒舎を清掃して床なんかぴかぴかに磨《みが》きあげてから食堂で最後の昼飯を食べた。校長閣下を中心に生徒監、班長、教官、喇叭《らっぱ》卒など全職員が並んで、全生徒と会食したんだ。午後には、旌忠《せいちゅう》神社に参拝して大講堂で御真影に最後のお別れの敬礼をした。校長閣下が御真影の裏に裕仁《ひろひと》の御署名があるのをみんなに見せてくれた。本物の御真影の証拠で国民学校にあるのなんかには御署名がないんだって。それから本館前の広場で復員式があった。本館正面に輝いていた御紋章、御真影、御勅諭、御勅語を積み上げて校長閣下が火をつけた。全員が『君が代』を斉唱しているうちに赤い炎が、何もかも終ったぞよと告げるようにあがった。それから全職員と全生徒が向き合って生徒代表が別離の辞を述べた。それで終りさ。みんな背嚢を背負って別れ別れになった。それが十八時過ぎだったな。校門を出て振り返ると食堂の煙突の先が赤かった。空を突き刺す剣のように血まみれだったよ。学校の屋根に偽装の網や木の枝があって、それをするのに全校生徒が働いたのが前世の出来事みたいに不思議な昔として思い出されたよ。幼年学校はあのまま廃墟《はいきょ》になるんだよ」悠太は泣いていた。『海行かば』の少年たちと同じ表情であった。

「そうか……」と悠次は短く言った。

「名古屋駅に着いた時は真っ暗だった。二十時半の復員列車に乗ったんだが、遠くから乗ってきた兵隊やら水兵やらで超満員だった。人間のほかにみんな大きな荷物を持ってるんで、ぎゅうぎゅう詰めもいいとこだった。おれは便所のなかに同期生五人で入っていた。誰かが用便に来るとすこし詰めてやらせるんだ。もちろん便所の戸は開けっぱなしさ。いろんな男たちがいたよ。予科練、飛行兵、水兵、兵隊……。みんな辛《つら》い訓練と腹がすいた話ばかりしていた。幼年学校生徒も壕掘《ごうほ》りと空腹で辛いと思っていたけど、兵隊なんかもっと辛い生活なんだね。もちろん朝まで一睡もしないで東京に着いたんだ。五時頃《ころ》かな、夜が明けたばかりだった」

「そうか……」

「それからすぐ省線に乗ろうとしたけどなかなか来ないんで、都電にしようと外に出たらば二重橋前に行きたくなって、まっすぐ歩いたんだ。荷物は重いし疲れてたけど陛下に御挨拶《あいさつ》しなくっちゃと思って頑張《がんば》った。二重橋前に人だかりがしていて、こんなに朝早くから大勢が陛下に御挨拶かと思ったら、若い男が切腹していた。それをみんなが見物してたんだ。お腹《なか》から腸《はらわた》がはみ出していて血まみれさ。もうがっくり首を垂れて力はないんだけど、ものすごい唸《うな》り声をあげながら短刀で腸を搔《か》き回していた。誰かが止《とど》めを刺してやれと言ったけど誰も動かない。そのうち男はばったりと俯《うつぶ》せになって動かなくなった。死んだ、死んだとみんなが言い、一人が男の脈を取って、死んでるというと、誰かが拍手した。拍手した人は回りの人に殴られていた。みんなが散って行く。おれも歩きだしたが、ほんとにいやな気分で、男の気持がわかるだけにじっと見物していた自分が嫌で、なぜ勇敢に前に出て、男の短刀で止めを刺してやり早く楽にさせてやらなかったか後悔して、どんどん歩いて、半蔵門まで来て、やっと都電に乗ったんだ」

「そりゃ、大変なものを見たな……」わが子の目撃談に衝撃を受けた悠次は何と応答していいかわからず、ただ吐息していた。息子の涙は乾いて塩の粉が頬《ほお》に光っていた。

「おとうさん」と悠太はまた鋭い口調に戻った。「日本が敗《ま》けると思わなかった?」

悠次はしばらく間をおいて答えた。

「正直言ってソ聯が参戦したときは敗けるかも知れないと思ったな。北からソ聯、南から米という二大強国を相手には皇軍も勝ち目はないと……」

「もっと前にわからなかった?」

「どういう意味だね」

「ソ聯が参戦する前に、もっと前、原子爆弾が落ちる前に、沖縄が落ちる前に、レイテで敗ける前に」悠太は涙声になった。「もっともっと前、サイパンの玉砕、クエゼリン、ルオット、マキン、タラワの玉砕の前に、日本が敗けると思わなかった?」

「なぜそんなことを聞く」

「おれ、毎日、生徒舎の掲示板に貼《は》り出される新聞を隅《すみ》から隅まで読んでいたんだ。日本はどんどん敗けているのに幼年学校じゃ、ずっと勝ってると教えられた。玉砕によって敵に甚大な損害を与え、転進によって新しい勝利の作戦が開始されると教えられた。でも皇軍はじりじりと押されて、サイパンの玉砕とインパールの転進のあと東条首相がやめて、とうとう制空権を敵に奪われて日本中が空襲されて、レイテ戦を天王山と呼号した小磯首相もレイテの転進と硫黄島の玉砕のあと敵が沖縄に上陸したらあわててやめて、今度は本土決戦だと叫び続けていた鈴木首相もソ聯の参戦と原子爆弾で敵に降伏してやめて、偉い人はやめれば責任を取れるけど、勝利のために戦って散華《さんげ》して行った英霊はどうやって慰められるんだ。偉い人の言う勝利を信じて敵艦に体当たりした特攻隊の人はどう弔《とむら》われるんだ。それにさ、毎日、厳しい辛い訓練に訓練で、匍匐《ほふく》前進で火炎瓶《かえんびん》を敵戦車に投げつけて勝利のために死ねと教えられたおれたちはどう考えればいいんだ。せめて偉い人、首相だとか重臣だとか、それに校長閣下でも生徒監殿でもいいけど、日本が勝つという情勢判断は間違いだと、少しは、ほんのちょっぴりでいいから教えてくれたらよかったんだ。おれなんか、本土決戦で玉砕すると、御国のために死ぬと本気で決心してた。この前の夏期休暇の時、本気でそう思って、おとうさんにもおかあさんにも弟たちにも最後のお別れを言いに来たんだ。それなのに、あの時には、政府はもう降伏の交渉を敵としていた。特攻隊が毎日死んで行くのに、自分たちだけは助かろうと敵と交渉していたんだ。そして、突然、陛下の放送だ。日本が勝つと教えてきたことはすべて嘘だったと陛下がおっしゃったんだ。一体、首相や政府や重臣や新聞や校長閣下や生徒監殿や……大人たちはどうして、長いこと、おれたちに嘘を教えたんだ。おとうさん、おれが幼年学校に入った去年の四月には、もうマキンとタラワとクエゼリンとルオットの玉砕は起こっていたんだよ。あの時、おとうさん、日本は勝つと本気で思っていたの？　そうして、入学してすぐサイパンの玉砕とインパールの転進で東条首相がやめたんだぜ」

「あの時点ではな、日本はまだ勝てると思っていた」

「本気で？　おれの知りたいのは大人が本気でそう思っていたかどうかだ。だって、大人に教えられたおれは本気で日本が勝つと信じたもの。幼年学校では皇軍の勝利に一点の疑いも持つな、疑う者は陛下への忠義の心のない腰抜けだと教えられた。事実、日本はひょっとして敗けているんじゃないかと疑問を持ち、日記にたった一言そう書いた生徒は、御勅諭の精神を全く解しない敗北主義者で将校生徒としては失格だと、散々罵倒《ばとう》されて退学処分になった。大講堂に全校生徒が集められ、みんなの面前で軍服の徽章《きしよう》を剝《は》がれ追放になった。おれは恐怖とともに思ったさ、疑ってはいけない、皇軍はかならず勝つ、神風はかならず吹く、そのためにはおれは死なねばならないって、八月十五日の正午までそう信じてた、ねえ、おとうさん、本気でだよ」

「そうだったんだな」悠次は宮城前で『海行かば』を唱った中学生たちをまた思い浮かべた。「お前の気持はよくわかるさ。おとうさんの場合、皇軍が不利な状況になったと気がついたのは、そうだな……サイパン島の玉砕の頃からだろうな。あそこを占領した敵は本土空襲が可能になった、これは弱った事態だとは考えた」

「つまり、おれが幼年学校に入ったあとだね」と悠太は心持ち明るい表情になった。

「そうだ。そのあと東条内閣が総辞職した時は日本の将来に不安を覚えたよ。そのあとは日本はずるずると敗け戦を繰り返した。もっとも必死でよく戦った皇軍に賛美と感謝の念は持っていたがね。ただ、皇軍の勝利に疑問を、お前の言った退学生徒ではないが、一言でも漏らしたらすぐ特高や憲兵に引っ張られて大変なことになったのが、日本人の生活だった。おそらく多くの大人が疑問を覚えながらも黙っていた……」

「黙っていたんじゃないよ」と悠太はまた鋭く言った。「大人たちは自分では疑問を覚えながら、子供たちには疑問を持つなと教えたんだ」

「まあな……」と悠次は弱々しく言った。「そういう場合もあったかも知れん」

「おれね。玉音放送のあった時、観武台――毎朝勅諭を奉唱する丘さ――に登って切腹しようと思ったんだ」

「それは……」悠次は息を呑《の》んだ。

「阿南閣下の遺書が新聞に出ていたけど、あれとそっくり同じことをおれも思った。阿南閣下は本気で日本の勝利を信じてたんだ。ああいう立派な大人もいたんだ。でも不思議だね、阿南閣下の自刃《じじん》を新聞で読んだ時、あれは十六日の新聞だったと思うけど、おれは急に死ぬ気がなくなった。閣下が自分の代りに死んで下さった気がした」

「死ななくてよかったよ。生きていてよかった。悠太、おとうさんはお前に謝らなくっちゃいけねえ。この前休暇で会った時、おとうさんは日本は敗ける、もう駄目《だめ》だと思っていた。それをお前に言ってやるべきだった。その点、悠太には気の毒した。あとで散々後悔したんだ」

「おとうさんが後悔したの？　おれ……ぼくのために？」悠太の目に涙が光った。

「そうだ悠太のためにだ。玉音放送を聴いた時も悠太を想《おも》った。あのあとすぐ手紙を書いて送ったろう。降伏と聞いて早まったことをしないようにと大急ぎで書いた。それから宮城前に行った。おとうさんの会社から二重橋までは歩いても遠くない距離だ。悠太ぐらいの年頃の中学生や女学生が大勢地べたに手をついて泣いていた。また悠太を想った」

「そう……」悠太は鼻をすすった。「ぼくね、おとうさんを恨んでなんかいないよ。そうでなくてね、政府とか重臣とか軍閥とか財閥とか国民に嘘をついて、命令で兵隊を死地に追い込んだ人たちを恨んでるんだ。嘘をつかれて、その嘘を信じ込まされて、裏切られた気がするんだ。死のうと思ったのはね、もう誰も信じられなくなったからさ。でもね、おとうさんの手紙はありがたかったよ。ぼくが死ぬのをやめようと気が変わったのはおとうさんの手紙のせいもある」

　悠次は答えず、そのまま二人は沈黙した。夜風はだいぶん涼しい。蚊がめっきり少なくなったのは秋の訪れを示す変化だ。新宿のビルの灯《ひ》が消えた。悠次は煙管《キセル》をぽんぽんと吐月峰《とげつぽう》に打ちつけ、「もう寝ようか」と言った。悠太が「うん、寝よう」と言い、二人は蚊帳《かや》にもぐり込んだ。闇を見上げていると、悠太が、「やっぱり、これでよかったんだね、戦争が終って何もかもやり直しになるのが、よかったんだね」と呟《つぶや》いた。

「そうだ。敗けても何でも、戦争が終わって、生きておれて本当によかったんだ」と悠次は、息子との会話で、初めて力強く言った。わが子は答えず、少年の寝息がすやすやと聞こえてきた。

20

十月一日　月曜日　午後二時

菊池透は聞き耳を立てた。聞き慣れぬ声高な会話が流れてくる。どうやら英語らしい。英語特有のアクセントと飴玉《あめだま》をしゃぶったような発音が廊下の突き当たり、舎房の入口のあたりで飛び交っている。米軍の軍服、新聞の写真で見ていたが実物は初めてで梔子色《くちなしいろ》の瀟洒《しょうしゃ》な軍服を来た四人の白人が通訳らしい背広の日本人と看守と立っている。囚人たちはみんな物珍しげに各自の房から顔を突き出していた。「ありゃ、メリケンの将校だな」と誰かが言った。「マッカーサーの命令で視察に来たんだ。まだ政治犯を拘禁しているとはけしからんってね」「見ろよ、看守のやつ、へっぴり腰でおどおどしていやがる」

米軍の将校たちは近寄ってきた。頭抜けて背の高い人もいて、みんな栄養たっぷりの体型だ。中の一人が、「あなたがたは共産党員ですか」と流暢《りゅうちょう》な日本語で言った。「そうです」と党員の一人が答えた。「徳田さんと志賀さん、いますか」「いますよ。ぼくです。徳田球一です」「わたくしたちは聯合《れんごう》軍最高司令部の命令により、この刑務所に拘置されている共産主義者の方々に会いに来ました。みなさんのお話と要求を聞きたいのです。共産党の方々は集まっていただけませんか」「おう」と吼《ほ》えるように応じて彼らは廊下に飛び出した。どうやら米軍は政治犯すなわち共産党員と考えているらしいと気付き、少し失望した菊池透は自分の房に引っ込んだ。

米軍の先遣隊が厚木飛行場に到着したのは八月二十八日。聯合軍最高司令官マッカーサー元帥《げんすい》の到着は八月三十日。帝都に進駐をする米軍のトラックやジープがこの府中を通過したのは九月八日朝。米軍は陸続と帝都入りしマッカーサーは日比谷の第一相互ビルの総司令部に居を定めた。九月十一日には総司令部は戦争犯罪人の逮捕を命令、その後もつぎつぎに指令を交付して日本の旧支配者層の解体を行っている。九月二十七日には天皇が米国大使館にマッカーサーを訪問、軍服姿ですらりとした長軀《ちょうく》の白人がくつろいだ姿で立つそばに、モーニング・コートに縞《しま》ズボンの正装をした小柄《こがら》な東洋人がぎこちなく立ち、今の日本の立場を露骨に象徴していた。米軍関係の情報は獄中にも新聞とラジオで逐一知られ、総司令部がいつ政治犯釈放の指令を出すかを、囚人たちは心待ちにしていた。今日の来訪は、その待ちに待ったことの実現なのである。

菊池透は机に肘枕《ひじまくら》をつき、ぼんやりしていた。あの米軍将校たちが共産主義者たちと何を話しているかが気になる。彼らが自分のような宗教的政治犯に関心を示さないのが、期待はずれである。敗戦後、夏江は頻繁《ひんぱん》に面会に来て缶詰《かんづめ》や瓶詰を差入れしてくれ、以前のように看守たちに勝手に差し押えられることもなく、そっくり〝舎下げ〟されるので、戦争末期の極端な飢餓からは逃れて大分体力がついてきた。ともかく運動をと、ラジオ体操をし、中庭をぐるぐる回り、足腰が確かになるにつれて、ますます釈放への希望が強まってきた。消えていた性欲もよみがえり、ある朝夏江の体を抱く悩ましい夢を見て、自分でびっくりした。戦後、作業がなくなったため暇が多く、夏江に頼んで、法律関係の専門書や英語の小説を買ってもらい、せっせと読んだ。将来どうやって暮らして行くかの当てはまったくなかったが、釈放に備えて体と心を健康に保つ努力だけはしてきた。

「トオルではないかね」と声を掛けられた。入口に米軍将校が立っていた。小柄で年配の人だ。細い顎《あご》とぴんと尖《とが》った鼻の中からジョー・ウィリアムズ神父の、目尻《めじり》に皺《しわ》が増えて少し老《ふ》けただけで昔に変らぬ笑顔がじわりと染《し》み出してきた。

「ジョー」と透は叫んだ。ジョーは飛んできて透と抱き合った。気がつくと幾人もの囚人がこちらを覗《のぞ》きこんでいる。透は扉《とびら》を寄せて彼らの視線をさえぎった。扉を完全に閉めると錠がおりてしまう構造なのでぴったり閉めるわけにはいかないのだ。みんなに筒抜けなのを意識して透は英語で言った。

「びっくりした。どうしてここへ？」

「米軍将校に化けてきたのさ。この軍服は借り物だ。そうでもしないとこの厳重な壁の中に入れないからね。ほかの三人も軍人じゃない。『ニューズ・ウィーク』特派員、あとの二人は『ル・モンド』の記者だ」

「日本語のうまい人がいるじゃない」

「あれはフランス人で、ロベール・ギランという人だ。先般ＧＨＱに提出された政治犯名簿を見ていたら、きみの名前を発見して驚愕《きょうがく》してね、ともかく会ってみようと、『ニューズ・

ウィーク』の特別取材に便乗させてもらって潜入したというわけさ」

「わざわざ、ぼくに会いに来てくれたのだ。それは感激だ」

「ところで、トオル、どうしてこんな所にいるんだ。ぼくのほうは開戦の日にスパイ容疑で逮捕されたが、交換船でアメリカに帰れた。容疑が晴れないまま、危険人物として国外追放された形だね」

「ぼくも最初はスパイ容疑で逮捕されて、そのあとは国体に反する信仰の持ち主としてずっと予防拘禁所に監禁されていた……」透は自分の現在までの経過を逐一話した。英語の聖書を毎日読み、最近も英語の小説に読みふけっていたせいで、会話力は衰えていなかった。聞き終えるとジョーは憤慨して「ゴッシュ」と叫ぶと、右の拳《こぶし》を左手に投げてキャッチした。

「主を恐れぬ何という愚行だ。日本の権力者は完全に狂っていたね。きみもぼくも主のおきてに反することは何もしていない。それなのに、きみは監禁されぼくは追放された。そうして、今やきみは解放され、ぼくは帰ってきた。トオル、ともかく二人で協力して主のために尽くそう。ところで、トオル、元々きみは瘦《や》せていたが、今の瘦せ方はひどいね。栄養失調ではないのか」

「これでもだいぶん回復したところだ。監獄の食糧事情はひどかったからね。餓死寸前になった時に戦争が終った」

「危いところだったな。日本に上陸してみて日本人がみんな瘦せているのに驚いた」

「ジョー、ぼくはこの四年間の獄中生活を主に感謝もしてるんだ。毎日聖書が読め、沢山の本が読め、自分の魂と信仰を鍛えることができた。ここに監禁された唯物《ゆいぶつ》主義者たちとは徹底的に対立して議論したし、神話に基づく天皇中心主義者の誤謬《ごびゅう》を子細に調べることもできた。これから自分がどういう生き方をすべきかについても瞑想《めいそう》と思索が存分にできた」

「GHQは数日中に政治犯の即時釈放を日本政府に指令するはずだから、きみの自由ももうすぐだ」

「それは嬉《うれ》しいニュースだ」

「自由になったらどう生きるつもりかね」

「まだ方針が定まらないが、キリスト者としての自分は貫いて行きたい」

「ぼくは当分神田教会の司祭館に住むつもりだから訪ねてきたまえ。あの教会は周囲が焼野原なのに奇蹟《きせき》的に焼け残っていた。もっとも近所に信者はわずかしか住んでいない様子だが。じゃ、きみが釈放される日には迎えに来るからね」

ジョー・ウィリアムズは菊池透と固い握手を交わした。扉を開くと、盗み聞きしていた囚人と看守があわてて飛びのいた。

十月十日　水曜日　午前十時

ここ一週間ほど天気が崩れ、風雨、驟雨《しゅうう》、細雨と高い塀《へい》を降り分けている。しかし、確実に秋は深まり、虫の声が繁《しげ》くなった。すっきりとした秋晴れの日を、今日こそはと望んだが、きのうからは沖縄付近にある台風が東北に進行中で今夜半には八丈島付近に接近する予想とあり、今にも泣き出しそうに垂れた黒雲のもと生温い強風が唸《うな》りをあげている。

予防拘禁所の囚人たち二十人ほどは徳田球一、志賀義雄など共産主義者を先頭に、開かれた鉄扉《てつぴ》から外に出た。とたんに、何かの大集会場のように、視野一杯にひしめく大群衆に菊池透は度肝を抜かれた。その数、およそ数百人と軍隊時代に歩哨《ほしよう》の訓練で受けた目測で数えた。工員や学生などの若い人々の前にかつての闘士らしい年配の集団が立ち並び、その全員が左翼系の人々である証拠に徳田や志賀を始めとする共産主義者が顔を見せるごとに拍手が起こり歓声が上がった。最前列にアメリカの新聞記者たちがかたまり、しきりと写真機を構え、釈放者に注文をつけてポーズを取らせている。日本の新聞記者は、このアメリカ人たちに遠慮したのか姿が見えない。徳田と志賀がアメリカ人記者たちのインタヴューを受け、その回りに十重《とえ》二十重《はたえ》の人垣《ひとがき》ができた。徳田は聯合国占領軍を〝解放軍〟と位置付けしており、志賀がそれは言い過ぎだと反論したのに対して、「占領軍のなかにはソ聯軍も入っている」と言ったそうだ。彼らにとってソ聯は革命を達成した理想の国に見えるらしい。遠くで労働歌の合唱が始まった。肩を組んで左右に体を振る唱《うた》い方はセツルメントでお馴染《なじ》みの仕種《しぐさ》である。そうして歌もセツルメントでひそかに唱われていた『インターナショナル』であった。

菊池透は夏江の姿を探したが、徳田と志賀を中心に寄せてくる人波に弾《はじ》き飛ばされたようにして高いコンクリート塀まで後じさりを強《し》いられた。「あなた」と叫んで夏江が近寄ってきたのは、その時である。夏江の後ろにはローマン・カラーの黒衣を着たジョー・ウィリアムズが手を振っていた。

「あなた」と夏江はもう一度言って、何かを言いたそうに口を動かしたが言葉にならなかった。透は左手で彼女の右手を取り、ぎゅっと握りしめた。西洋人がするような抱擁や接吻《せっぷん》などをする習慣はなく、自分の手にくるまれた華奢《きゃしゃ》な指をまさぐるだけであったが、その肌《はだ》の接触から彼女と過ごした過去の暖かい追憶が呼び戻され、そうして喜びの現在にしっかりと接合してきた。

「洋服がぶかぶかだよ」と透は胸元を見ながら苦笑いした。国民服は十二月九日の未明に逮捕された時のものだった。皺くちゃで黴《かび》だらけであるが自由の証拠ではある。

「大丈夫よ。あなた、この前よりも肥ってこられたわ。この分ならもうすぐ昔のお体にもどるわ」

「トオル。よかった。おめでとう」とジョー神父が日本語で言った。ジョーは透を抱いて頬《ほお》にキスをした。

最寄りの省線国分寺《こくぶんじ》駅までのバスはなかなか来ず、三人は歩くことにした。ぬかる道は歩きにくいうえに、風に押され、透は足元が定まらず、水溜《みずたま》りに足を踏み入れて滑り、石につまずき、そのたんびジョー神父に支えられた。のろのろ行くうち帰りかけた人々に追い抜かれて行く。不意にクラクションとともに轟音《ごうおん》がして人々が道をあける。ジープに乗ったアメリカの記者が水を撥《は》ね飛ばしながら悪路を凄《すご》いスピードで通り過ぎ、よける間もなく人々は泥水《どろみず》を頭から浴びた。しかし、〝解放軍〟のしたことで、誰も文句を言わず、泥だらけの人々は敗戦の民らしい卑屈と従順とで黙々と歩いていた。夏江が帯から懐紙を取り出しジョーと透の顔を拭《ぬぐ》った。ジョーが笑い出した。透も笑った。人々が気味悪げに振り返った。

電車はなかなか来ない。やっと来た電車は刑務所から来た群衆が乗り込むと満員になった。方々の硝子《ガラス》が割れていて、車内にはもろに風が吹き込んできた。途中から雨になった。雨を嫌《きら》って車内は揉《も》み合いとなった。ジョーが「神様のシャワーよ」と透と夏江を窓際《まどぎわ》に引っ張って行った。なるほど雨が泥を流してくれていっそ快い。高円寺《こうえんじ》あたりから焼け跡が見えてきた。空襲の災害を初めて見る透は熱心に観察した。東中野に来ると焼け跡は一望千里となった。東京という都会の上っ面《つら》がそっくり剝《は》がれていた。想像していたよりも遥《はる》かにすさまじい空襲の惨禍《さんか》である。瓦礫《がれき》の中の防空壕《ぼうくうごう》を住処《すみか》としバラックを建てて、薄汚れた亡国の民が住み着いていた。

正午前

番小屋さながらに粗末な作りの駅舎は風に吹き飛ばされそうに揺れている。武蔵新田《むさしにった》駅を一歩出ると、いきなり吹き降りの田舎道となった。透と夏江は各自傘《かさ》を開いたものの、すぐさま透のが風にあおられてオチョコになった。沼のように水が溜まった道を、二人は相合傘で進む。さいわい台風の運んでくる南風は暖かく、雨に打たれても寒さを覚えずにすんだ。びしょ濡《ぬ》れで二人は頰笑《ほほえ》み合った。雨に煙る畑の向うに、白い天文台のドームが目立つ二階屋が見えてきた。

「このあたりの景色は変らないな」と透は周囲を見回した。「戦災で変り果てた街ばかし見てきたから、こういう風景は懐《なつ》かしい」

「よく見てよ。あっちこっちの森が消えているでしょう」と夏江が言った。「薪《まき》にするためみんな切っちゃったの。あの天文台も艦載機の銃撃で見るも無残、父の自慢の望遠鏡も鉄屑《てつくず》になってるの」

堀割は今にも溢《あふ》れそうな急流になっていた。勝子が玄関から走り出てきた。

「お帰りなさい」という朗らかな声が雨音を押しのけた。妹は夏江と同年なのにはるかに若く見える。ひるがえって妻の顔に刻み込まれた数多くの労苦が偲《しの》ばれた。「あにさ、元気そう。思っていたよりも、ずっと元気そう。骨と皮みたいに痩せちまったと、夏江さんから聞いてたから。さあ、早く着替えて。そんなに濡れては風邪ひくよ」

「とうさは？」と尋ねると、勝子は心持ち顔を曇らせた。

「離れにいるよ。わたしら離れに住んでるんさ」

夏江には勇が奥に引き籠《こ》もっている理由がわかっていた。透が逮捕されてから、彼はそんな息子などいなかったかのように、ふつりと透のことを口にしなくなった。時々夏江が獄中の透に面会に行くことを知ってはいたが、ついぞ息子の消息を尋ねることもしなかった。数日前に政治犯の即時釈放を要求する聯合国《れんごうこく》最高司令官の通牒《つうちょう》が出された記事を新聞で読んだときも、「そうか」と腕組みして頷《うなず》いたのみであった。勝子が、「あにさが帰ってくる。とうさは嬉しくねえだかね」と言うと、腕組みを解いた勇は、「ふん、あの国賊野郎が。皇軍が玉砕して、特攻隊が散華《さんげ》して、銃後の国民が空襲で殺されながら必死で戦っていた間、のうのうと安全なムショで暮らしやがって。不忠不孝もいいとこだ」と不機嫌《ふきげん》に言い、「夏江さんの前で、その言種《いいぐさ》はねえだろう」と勝子に諫《いさ》められていた。

透が平和主義者としてでなく、スパイ容疑で逮捕されたのが、勇にはどうしても許せないらしかった。

一昨日、府中刑務所から速達葉書が来て、十月十日午前十時に釈放、その前に領置物品は別送するとあった。今朝、出掛けに夏江が透を迎えに行くと報告しに行くと、勇は、「そうか、あいつもやっと帰ってくるか。なげえこと、あいつがお前に掛けてきた苦労もこれで終りだな。これからは償いをさせねばいかん」と言い、まるで放蕩《ほうとう》息子を迎えに行く使いに謝るような口振りであった。

勇は茶の間に坐《すわ》っており、「ただ今」という息子の挨拶《あいさつ》を、「やあ」と短く受け、そっぽを向いた。すっかり白髪の老人となっていた。しかし頑健《がんけん》な肩と太い首と無愛想は相変らずだ。

「いろいろ心配を掛けました」と透は父に頭を下げた。

「ま、無事帰れてよかった」と今度はじろじろ見る。「これからどうするんだ」

「ゆっくり考えるよ」

「ゆっくり……そんな悠長《ゆうちょう》なことは許されねえ」と勇はぴしゃりと癇声《かんごえ》で息子をはたいた。「食糧難だ。畑仕事、買出しとみんな必死なんだ。お前も働かんといかん」

「もちろん働くよ」

「あにさにはまだ無理だ」と勝子が言った。「こんなに弱ってるでねえか。とうさはおかしいわ。あにさは御国のために大怪我《おおけが》をした白衣の兵隊さんでねえか。そして御国のために戦争に反対だった。あにさの言う通りになった。戦争なんかしなけりゃ、こんな降伏なんかしねえですんだんだ」
「うるせえ」と怒鳴った勇は、興奮のため塩辛声《しおからごえ》になった。「勝敗は時の運だ。全国民が一丸となって聖戦を戦い、それで敗《ま》けたんだ。アジアから米英仏蘭の植民地を解放しようと必死に戦い、何十万、何百万の日本人が敵に殺されて敗けたんだ。そういう神聖な戦争に反対した人間に、英霊の涙がわかるか。おれのような古兵の悲しみがわかるか」
「あにさ、早く濡れたものを脱いで」と勝子の強い腕力で透は父の前から引き離され、風呂《ふろ》場《ば》に連れて行かれた。

午後遅く

二階で透は畳の上に仰向けになっていた。コンクリートの牢獄《ろうごく》に閉じ込められていた彼には、畳の感触も欄間の鶴《つる》の浮き彫りも天井板の木目模様も、そして屋根の雨音も、さらには階下で歩く人の振動も、すべて好ましく懐かしい。雨は繁くなり、風は飛沫《ひまつ》を硝子戸に叩《たた》き付けた。いよいよ嵐《あらし》の到来らしい。

勇の怒りと不機嫌は、父の気質として予想されたことではあった。勇の心底にはキリスト教への不信や嫌悪《けんお》があると透は見ていた。息子を間違った方向へと導いた敵国アメリカ人のジョー神父への恨みもあったろう。嫁の夏江にはあからさまに言えなかった思いの丈を、一時に息子の彼にぶつけたのかも知れない。

勇とは反対に利平は婿《むこ》の無事帰還を喜んでくれた。全身に忍者と見まがうばかりの黒装束をまとった義父は、透の手を手袋をした手でまさぐり、「大分痩せたのう。しかし皮膚の張りはあるわ。まだまだ若い。命さえあれば、人生はこれからじゃ。夏江をよろしく頼みますわ。今晩は、ひとつあんたの出所祝いを盛大にやろう。まあこの盲のじじいにも酒の味だけはわかるからな」と笑った。

利平が莫迦《ばか》に上機嫌なのは、モルヒネを使用しているせいもあるらしい。夏江によると、敗戦ですっかり意気沮喪《そそう》した彼は、以前にも増して酒びたりになり、同時に、体が痒《かゆ》うてならんという口実でまたモルヒネを打ち出したそうだ。モルヒネは、誰がいつの間に運んでおいたものか、大量が土蔵に貯蔵されてあったという。

透は、天井板の木目に八丈島のような染みがあるのを見つめた。故郷に帰って、清浄な海風に洗われながら静養したい希望を持ち続けてきたし、勝子もそうしようよ、夏江さんも来てとうさと暮らそうよと勧めてくれたが、勇のあの態度では一緒に暮らすのは考えものだ。

八丈富士の頂から見渡した、明朗で開豁《かいかつ》な海の光景が見えてきた。幾千の幾万の波また波が揺らめき光り、何万年何億年の揺らぎの果てに生命が生みだされた。あの無量の波の揺らぎこそは生命の源なのだ。その母なる海からわが故郷の島は生れ、その島に自分が生れ、自分の魂を神が訪れてくれ、神が生みだした海と自分の命が合一した。透は潮騒《しおさい》を聞いた。命の沸騰《ふっとう》を聞いた。風が体を吹き抜けた。神の息吹《いぶき》に全身が貫かれた。至福の瞬間であった。あのときの至福がありありと再現してきた……。

寝入っている透に夏江は毛布を掛けてやった。四人で坊主頭《ぼうずあたま》にされていた髪を、敗戦の日に伸ばし始めたというが、髪はまだ短くて針のように突っ立っている。そのなかに白いものが混じっている。一時は骸骨《がいこつ》そのものだった体にも大分肉がついて以前の頑健な体格——大学生時代はまことに頑健そのものの漁師の体だった——に戻りつつある。が、眼窩《がんか》の底に沈んだ目、爪《つめ》の割れた手、額の真ん中に刻み付けられた深い溝《みぞ》が、年齢の加算とともに彼が経験してきた辛苦を語っている。

夏江は透の隣に横になり、その骨張った左手に自分の右手を重ねた。暗い湿った長い洞窟《どうくつ》を手探りで必死で歩いてきた自分がやっと明るい外に抜け出た気がする。熱い喜びが彼の左手から伝わってくる。もう迷わずに、この人と一緒にいればいい。あなたの言う通りに生きていけばいい。何という安心、何という満ち足りた思い。不思議なことに透といると彼女はたった一人でいるような気がする。男は女のなかで生きている。女は男によって生かされている。ど、どんと風が雨を硝子戸に叩きつけ、風声が唸るが、ここは安全な別世界だ。夏江は、透の寝息を波の寄せる音、反復するフーガのように聞いているうち睡気《ねむけ》を覚えてきた。

夜

自分の歓迎会だと言っても、透は一滴も飲む気がせず、それにサンマの塩焼きや松茸《まつたけ》など、臭気や灰汁《あく》が強すぎて喉《のど》を通らなかった。宴の当初から酔っていた利平は意味不明の繰り言を続けるだけだったし、むっつりと黙り込んだ勇は一人ぐいぐいと杯を重ねていくのみで取りつく島もなく、ちょっと顔を見せた五郎は仲間には入らず一礼したのみで去ってしまい、酌《しゃく》や飯の世話は勝子にまかせて、透は夏江ともども早々に二階にあがってしまった。

「五郎さんはすぐ消えてしまったな」と透は敷かれた蒲団《ふとん》の柔らかさを楽しみ、撫《な》で回しながら横になった。

「おキヨさんが危険な容体なの」

「そんなに悪いのか」

「ええ」と透の隣にくの字になった夏江は頷いた。「すっかり弱って、もう長くはない様子よ。あら、雨漏りがしている」と立った。枕元《まくらもと》にぽたぽたと落ちてくる。丁度八丈島の形の染《し》みのあるあたりが発生源だ。

夏江が金盥《かなだらい》を持ってきた。土砂降りが屋根に流れている。閉めた雨戸の隙間《すきま》から飛沫が飛び込んでくる。強風に家が揺れた。透も飛び起きた。軒が飛ばされたような大音響とともに廊下の端の扉《とびら》が開いてしまい、雨が吹き込んできた。二人は扉に駆け寄った。扉の向うに半ば崩れた天文台のドームと潰《つぶ》れた望遠鏡があり、望遠鏡を囲んでいたトタンがめくれて布のようにはためいている。そのうち蝶番《ちょうつがい》が外れて扉が倒れてきた。透は、仕方がない、畳をあげて立て掛けろと叫び、夏江と力を合わせて働いた。が、風圧のほうが優勢で、濡れた畳はともすればしなだれてくる。非力な男の手と女手にあまる作業であった。

「あなた、誰かよんできますから、奥へ避難してください。ほらトタンが飛んできて危いわ」と夏江は透を後退させた。

透は廊下の端まで逃げ、ぐったりと柱によりかかった。まだまるで体力がない。夏江にさえかなわないと思う。いつだったか八丈島を襲った大型の台風を思い出した。それはノモンハン事件の前の年だから、昭和十三年の秋だった。彼は満洲の第三聯隊にいたので、あとで家族からその折の惨害を聞いた。風速六十メートルで、家中に雨漏りが生じ、防風林の枝が窓を突き破って、屋根が吹き飛んだという。その丁度一年後、彼は重傷を負って内地に送還されたのだから、あの台風は前兆であった気がする。そして、四年ぶりに釈放された日が嵐であるとは、何の前兆であろう。

夏江は勇を呼ぼうとして、土砂降りのなかを離れに向かって走ったが、深酔いした義父の気味悪い目付きを思い浮かべると気が変って、畑の端にある五郎の小屋を目指した。傘はあきらめてゴムの雨合羽《あまがっぱ》を被《かぶ》っていたが、雨は裾《すそ》から染み込んで両脚から腹へと不快な冷たさが昇ってきた。窓の明かりを頼りに畑中の道を行くうち、停電となったのか不意に窓が暗くなった。あとには蠟燭《ろうそく》らしい明りがかすかに残った。暗黒のさなかに木々の枝葉が物凄い唸《うな》りをあげている。めりめりと音をたてて枝の塊が足元に飛んできた。それを投げ捨ててそろそろと進む。木立や畑の具合はよく知っているので、闇《やみ》そのものはさして怖くはなかった。しかし、五郎の小屋のそばには濁流となった堀割があり、落ちたら最後だと思うと足がすくんだ。

後ろから懐中電灯の光が追ってきた。「夏江」と呼ぶ声は透だ。「こんな所を一人じゃ、あぶないよ」と右の腕を取られた。「二階はどうなりまして?」「勝子に見てもらうように頼んだ。とうさも来てくれた。そうしたら、君の姿が見えないんで捜したんだ」「すみません」「五郎さんに来てもらえば、心強いやね。頑張ろう」二人は腕を組み、強風と豪雨に逆らって歩んだ。

戸には錠がおりていた。戸を叩いてみたが、精密な錠で閉じられていてびくともしない。透は石を拾ってがんがん戸を叩いた。五郎はやっと用心深く細めに戸を開き、夏江と透を認めると、急いで中に入れてくれた。薄暗いなかに蠟燭が点《とも》っている。やはり停電なのだ。

「母屋《おもや》の二階が大変なの。天文台の扉が壊れて廊下が水浸し」と夏江は訴えた。

「あそこは仮補修だったからな……」と五郎は頷いた。蠟燭の淡い光を背に受けた彼の表情は読めない。

「今、勝子と父が何とかしようとして頑張ってるけど、やっぱり五郎さんに来てもらったほうがいい。風がもろに吹き込んで、天井が上のほうに撓《たわ》んで、ちょっと危険な状態なんです。八丈島のぼくの家みたいに屋根が吹き飛ぶとことですからね」と透が冷静に言った。

「このくらいの風じゃ平気ですよ」と五郎も落ち着いて言った。「あの家は頑丈に作ってあるんです」

「でも雨漏りも始まってるのよ」と夏江が言った。

「雨漏り？　そいつは仕方がねえ。この嵐じゃ、どうしようもねえ」

「そうかも知れないけど、ゴロちゃん、ちょっと見にきてよ。あの調子だと一階のおとうさまの所までびしょ濡れになっちゃうわ」

　五郎は答えずに奥のほうに行き、隣の部屋に通じるドアを開くと振り返った。背中の瘤《こぶ》が大きく壁に映ってゆらゆらした。轟々とあたりを包んでいた物音が一瞬だけ静かになり、しんとしたなかに、彼の地獄の底から響くような不気味な声が響いた。

「お袋が死んだ」

「ええ?」と夏江は驚きの声をあげて、隣の病室に入った。透も続いた。寝台の上に白装束の女が横たわり、顔には白布が掛けてあった。五郎が白布を取った。間島キヨの青白い顔は青磁のように冷たい感じである。

「夕方死んだ」と五郎が言った。「こっそりと死んだ」

「知らなかったわ。すぐ知らせてくれればよかったのに。おとうさまだって最後の診察をなさりたかったでしょうに」

「死んだものを診察したってしょうがねえ。体を拭《ふ》いて、経帷子《きょうかたびら》を着せて、それから棺を作り始めた。ほら、大体できあがりだ」五郎はベッドの脇《わき》の床を顎《あご》でしゃくった。白木の箱がおが屑の中に綺麗《きれい》に作られてあった。

間島キヨは合掌し、胸のあたりには、型通り、研ぎ澄まされた鉈《なた》が載せられてある。線香に火がつけられ燭台《しょくだい》には蠟燭がともっている。前々から準備したのであろう、死者を送るための用意は万端整っていた。夏江と透は線香に火をつけて死者を拝んだ。キヨは看護婦として、さらに婦長として時田病院で長年働いた人である。利平の〝お手つき〟となったのはまだ若い頃《ころ》で、五郎を生んだのは、夏江が生まれた翌年だから大正六年のことだった。赤ん坊はひそかに山陰の農家に預けられ、その後も母親はなにくわぬ顔で看護婦として勤めていた。こういう事実は、すべて母が死んだあと久米薬剤師から聞いたことだった。その頃、伊東の旅館で下足番か何かをしていた五郎が母のキヨと一緒にこの武蔵新田に住むようになったのは、たしか秋葉いとが利平と結婚したあとであった。それまでは、いとがこの別荘の留守番役をしていたのだ。

キヨの顔はまったくの老婆《ろうば》の相である。夏江にとって印象深いのは、キヨが時田病院の婦長をしていた時代である。まだ母の菊江が健在で、父も発明やら医学研究やらで元気横溢《おういつ》して、夏の葉山では従姉妹《いとこ》たちが集い、楽しい時を過ごしていた。キヨは大病院の婦長としてよく大勢の看護婦を統括していて、自信と威厳に満ちていた。そして、わたしはまだ未婚の娘であった。しかし、キヨの運命が激変したのは、菊江が亡《な》くなり、利平といとが結婚してからだった。いととそりが合わなかったばかりに、婦長の座を追われ、新田の留守番役になった頃から、にわかに彼女は影がうすくなり、老《ふ》けてきた。

考えてみれば、このわたしもキヨと同じように、母が死んでから――ああ、あれは二・二六事件のまっただなかで、九年前のことなのだが――まるで、どんどん年を取った気がする。中林松男という医者との結婚、病院の事務長就任と辞任、離婚、菊池透との再婚、透の逮捕、病院の焼失、利平の火傷《やけど》と視力喪失、重い荷をかついで喘《あえ》ぎ喘ぎの日々であった。やっと夫が帰ってほっとした矢先にキヨの死である。何だか縁起が悪い。

夏江は仏の顔をもう一度見た。じわりと染みだした涙を拭《ぬぐ》い、青白い顔に晒《さら》し布を掛けてやった。死者の顔から不幸な過去がじわじわと立ち昇るようで、見ているのが辛《つら》かった。

「おとうさまに報告するわね。悲しまれるわ。あんなに弱っておられても、おキヨさんの診察だけは、きちんとなさっていたのですもの」

「いいよ。おお先生はもう寝てるんだろう。あす、おれが言うよ」と五郎は言い、散らばっていた金槌《かなづち》や鋸《のこぎり》などを道具箱に集め、警防団の防水服を着ると、「さあ、二階の修繕に行こうや」と言って、先に立った。

透は、五郎から発散する妖気《ようき》が気になっていた。彼が傴僂で異形の者であるせいではない。それなら彼自身も片腕で痩身《そうしん》の異形であった。そうではなく、その目を中心にしてこちらにそそがれる不思議な電波のような気配があるのだ。目を中心にしてと言っても、最初から五郎は一度もこちらを見なかった。まるで透の存在を無視する態度を示しているのに、その目はまじまじとこちらを見通しているかのようなのである。ふたたび風雨のなかを母屋に戻りながら、先頭を行く五郎が、後ろの透をじっと見つめている視線が感じられ、その視線に誘導されて真っ暗闇のなかを歩いて行く奇怪な感覚に透は悩まされた。

十月十二日　金曜日　昼前

久し振りに晴れた。西風が吹き荒《すさ》み、一遍に冬が訪れたようだ。明け方から庭先で間島キヨの遺体を焼いた。薪《まき》を積み上げた上に菜種油をたっぷり注ぎ、棺を置いて五郎が火をつけた。利平、透、夏江、勇、勝子が見守るなかで遺体は焼けて行った。夏江は三田の大松寺でフクやいとや平吉らの遺体を焼いた時を思い出した。あの時も五郎は、遺体が完全に焼けて骨となるまでの薪の量や棺の置き方などを風向きを計って巧みに設定したのだ。強い風に炎は勢いづき、煙は畑から広い平野へと長く尾を曳《ひ》いた。五郎はいつ覚えたのか経を空で誦《しょう》した。それからみんなに、寒いから家に入っていてくれと言い、独りで火の管理に当たった。

五郎に呼ばれて、みんながまた庭に出たのは、それから三時間ほど経《た》った時だった。薪や棺の燃えさしは綺麗に片付けられ、棺の台にした鉄板の上に骨が散っていた。拍子抜けするほどわずかな骨であった。みんなで骨拾いをした。五郎はどこで工面したのか陶製の白い骨壺《こつつぼ》を示し、これに入れてくれと指示した。まだ温かい骨壺を抱いて五郎は自分の小屋に入った。棚《たな》の上に壺を安置し、みんなで焼香した。

透は棚や床に並べられた沢山の油絵に、初めて気付いた。自画像が多い。砂漠《さばく》、古い街並み、あきらかに三田綱町とわかる景色、女の顔……。その一枚に透は見入った。夏江の肖像画である。浴衣《ゆかた》を着て籐椅子《とういす》に腰掛けている。ふっくらとした胸と細くくびれた腰のあたりがなまめかしい。繊細で丹念な筆遣いで、乱れ髪まで一本一本写し取ってある。技巧もなかなかのものだが、透の感心したのは、夏江らしいほっそりとした体と意思の強い顔の表情という矛盾した傾向が調和を保っていたことである。

「これ、いつのまに描《か》いたの」と夏江が尋ねた。

「全部想像で描いたんだ」と五郎が言った。「だって夏江さんはモデルになってくれないからな」

「五郎さん、素晴らしい絵だよ。あなたには才能がある」と透が言った。

「シロウトのいたずらさ」と五郎は、夏江の肖像を、ひょいと絵の束の後ろに隠した。

「いやいやどうして、大したものだ。デッサンの技術が正確だし、絵画における写実の本道をしっかりと把握《はあく》している。迫力がある。そして……」と言いさした。〝何か病的な薄気味悪さがある〃と言いたかったのだが、「独創的な雰囲気《ふんいき》がある」と話を閉じた。

（「第七章　異郷」「第八章　雨の冥府」に続く）

初出

文芸誌「新潮」（一九八六年一月号〜一九九五年十一月号）に連載。

後に、それぞれが独立した単行本として新潮社から刊行された『岐路』（上下巻、一九八八年六月刊）『小暗い森』（上下巻、一九九一年九月刊）『炎都』（上下巻、一九九六年五月刊）の三部作は、文庫化に際して著者の手が入り、『永遠の都』という総タイトルのもとに、全七巻の文庫版として一九九七年五月から八月にかけて刊行された。本書は、その新潮文庫版を底本にするものである。

新潮文庫版『永遠の都　6　炎都』は、一九九七年七月刊行

加賀乙彦
一九二九(昭和四)年、東京生まれ。東京大学医学部卒業。一九五七年から六〇年にかけてフランスに留学、パリ大学サンタンヌ病院と北仏サンヴナン病院に勤務した。犯罪心理学・精神医学の権威でもある。著書に『フランドルの冬』『帰らざる夏』(谷崎潤一郎賞)、『宣告』(日本文学大賞)、『湿原』(大佛次郎賞)、『錨のない船』など多数。本書『永遠の都』で芸術選奨文部大臣賞を受賞、続編である『雲の都』で毎日出版文化賞特別賞を受賞した。

永遠《えいえん》の都《みやこ》 6

炎都《えんと》

〈全七冊セット〉

発行　二〇一五年三月三〇日

著者　加賀乙彦《かがおとひこ》

発行者　佐藤隆信

発行所　株式会社新潮社
東京都新宿区矢来町七一
郵便番号　一六二―八七一一
電話　編集部〇三―三二六六―五四一一
読者係〇三―三二六六―五一一一
http://www.shinchosha.co.jp

印刷所　二光印刷株式会社

製本所　大口製本印刷株式会社

乱丁・落丁本は、ご面倒ですが小社読者係宛お送り下さい。送料小社負担にてお取替えいたします。
価格は函に表示してあります。

ISBN978-4-10-330821-8　C0093